P9-CMT-206

SEVENTEENTH CENTURY
FRENCH READINGS

REVISED

*EDITED WITH INTRODUCTION, NOTES AND
VOCABULARY*

BY

ALBERT SCHINZ
Professor of French Literature, University of Pennsylvania

AND

HELEN MAXWELL KING
Formerly of the Department of French Language and Literature, Smith College

NEW YORK
HENRY HOLT AND COMPANY

126442

37734-0411

PRINTED IN THE
UNITED STATES OF AMERICA

PREFACE

THIS book aims at providing, for the study of the French literature of the seventeenth century, a greater variety of texts than are now easily accessible. That century is indisputably the fundamental age of French literature, the one which every student must possess first of all; and as a French student who is to study one period only of English literature will naturally turn to the period in which Shakespeare is the conspicuous figure, so, under similar circumstances an English-speaking student will choose the period which produced Corneille, Racine, Molière, La Fontaine, Bossuet, and Pascal.

For practical reasons one volume was preferable to two volumes. The editors faced two possibilities: either to include all the notable authors of the period and reduce the length of the selections; or to include fewer authors, and allow more under each name. We did not hesitate to choose the second alternative, since few things are as conducive to superficiality and confusion as the scrappy texts of the common type of anthology.

We have omitted Corneille, Racine, and Molière — who, of course, by themselves would easily fill one volume like this — in the first place, because there are on the market in abundance, and at very reasonable cost, good editions of their masterpieces; in the second place because their works less than any others permit of being cut down. On the other hand, we have included all authors of great importance of whom there exist no easily accessible editions and whose individual products are not often read in full even in French institutions of higher learning.

As to the method of selecting our texts, we wish to emphasize strongly that these are not *our* selections. We have kept this precept of Boileau always in mind:

« *Lorsque des écrivains ont été admirés durant un fort grand nombre de siècles et n'ont été méprisés que par des gens d'un goût bizarre, alors . . . il y a de la folie à vouloir douter du mérite de ces écrivains; que si vous ne voyez point la beauté de leurs écrits, il ne faut pas en conclure qu'elles n'y sont point, mais que vous êtes aveugle et que vous n'avez point de goût.* »

Thus, the following texts do not necessarily gratify our own personal tastes, and they may not even be the best; they simply are those sanctioned by a sort of tacit vote cast by the intellectual élite of past generations.

While the chronological order of arranging our material would be the most impersonal, we could not quite make up our minds to adopt it, as it means chaos; accident prevails at every turn. Moreover, to apply that order is not as easy as at first may seem. Shall the determining date be the date of the birth of an author, or that of his death, — or if one chooses the dates of the works, then which work? the first, the last, the best? — which is the best? It seemed better to adopt resolutely an order which would not separate Corneille and Racine, and which would allow us to group Descartes, not with the Hôtel de Rambouillet and Voiture, but rather with Pascal, Bossuet, and Fénelon.

Our order — which of course will not be binding on instructors who wish to use the book — is the following:

An Introductory Chapter, emphasizing the transition from

the sixteenth to the seventeenth century. Here, Malherbe, who succeeded in inspiring respect for stricter rules in poetry, and Honoré D'Urfé, the author of the widely influential novel *L'Astrée*, are the outstanding figures.

Chapters I and II offer various texts in connection with two institutions which played a great part in the development of the literature of the seventeenth century, the *Hôtel de Rambouillet*, and the *Académie Française*.

[A chapter on the THEATER is omitted, as explained above; let us mark its place here.]

Chapter III: *Boileau*, who gave expression to the literary standards of the seventeenth century, some of which standards he found applied by those of his contemporaries who contributed most to the fame of this artistic age, some of which he adopted on his own authority.

Chapter IV is a short one on the *Querelle des Anciens et des Modernes* in which Boileau took a prominent part. The important moment of that " querelle " comes really at the end of this century and beginning of the next; but this first skirmish, in which Boileau and the *Anciens* carried away the honors (while the XVIII century will witness the victory of the *Modernes*) is not quite out of place as a sort of appendix to the chapter on Boileau (For the continuation of the struggle, see *Eighteenth Century French Readings*. Holt and Co., p. 82),

Chapter V: *La Fontaine*, who, while not at all a stranger to his age, gives at the same time absolute evidence that the seventeenth century had retained its sense of the human in the broadest meaning of the word.

We have then grouped the philosophers *Descartes* (Chapter VI), *Pascal*, the author of the *Pensées*, and the representative of Port Royal (Chapter VII) with the theologians and orators of the pulpit, *Bossuet* and *Fénelon* (Chapters VIII and IX).

Under Chapter X we have placed the two chief moralists, *La Bruyère* and *La Rochefoucauld*.

And finally, Chapter XI is devoted to the three great women writers of the seventeenth century, Mme *de La Fayette* Mme *de Sévigné*, and Mme *de Maintenon*.

*

In this new edition — which is an almost entirely new book — we have taken advantage of criticisms offered by colleagues, and especially of the experience gained in writing our *Eighteenth Century French Readings*.

In the first place, a short " Tableau " of the political and social history of France has been added, giving such facts as are necessary to bear in mind on account of frequent allusions in literary works. Then, our introductory paragraphs to authors, or to special selections have been made more comprehensive, and a number of new ones have been provided. There can be no doubt that such help to students increases many times the usefulness of a book like this. Again, the number of foot-notes is considerably larger, many requests to this effect having come to us from professors using the book.

Finally Dr. Pierre François Giroud, formerly of Girard College, has kindly prepared a vocabulary, which, it is hoped, will put this anthology of classical French literature within reach of a vastly greater number of pupils.

As regards the selections themselves, little needs be said. The arrangement of the volume remains the same, except for the fact that selections from *L'Astrée* have been included, while the space allotted to Descartes and Pascal has been reduced, and more variety introduced into the chapter on Bossuet. Other alterations will hardly be noticed by professors having used the original book.

We realize that we have not exhausted the list of important writers in this period. For instance, we left out the authors generally classified under " genre burlesque " to gain room for others. We thought that Scarron's *Virgile Travesti* was a product of a negative nature, and that his *Roman comique* rather belonged to the realistic novel which will obtain in the 18th Century; as to Cyrano de Bergerac, is he not only a poor second to Molière in the latter's farces? A more notable omission is that we have no representatives of the writers of Mémoires. Retz, we considered, required too much historical knowledge of the time to be made enjoyable. However, we beg to remark that the element of Mémoires is duly represented; e.g. in our extracts from a novel of Mlle de Scudéry, in our Oraison of Bossuet, in our Portraits of La Bruyère; not to speak of Mme de Sévigné or Tallemant des Réaux.

We have endeavored to give generous passages from each author represented; our purpose has been to furnish such a range of material that those who do not wish to read all, can still make their selections from our selections. We have also aimed to give only complete passages, but in some cases we have deemed it necessary to forego our own rule. This by way of explanation:

In Boileau we have omitted many short passages containing allusions to very special circumstances. Our choice was to cut, or to explain in full, which meant constant interruption of thought, — we preferred cutting.

From Mme de La Fayette's *Princesse de Clèves* we have only relatively short extracts. We could not possibly print the whole novel; and we could not possibly omit her name. It was a question of space.

In the case of Pascal we did not follow the general choice

of *Provinciales* 1, 4, or 13. We preferred 5 because it seemed so much easier and more comprehensive for students of a foreign country.

We believe that none of the parts of the philosophy of Descartes which we have embodied in this volume can be understood with less than we offer. But an instructor may summarize those parts he chooses, and read what he chooses; or he may even omit the selections altogether.

It is our pleasant duty to express our sincere thanks to Dr. Pierre-François Giroud for accepting the arduous task of preparing a vocabulary to this edition, and to both Dr. Giroud and Madame E. Dedeck-Héry for reading the proofs and offering very valuable suggestions for improvements in many ways.

A. S. and H. M. K.

TABLE DES MATIÈRES

TABLEAU

CHAPITRE SEPT

PASCAL. (1623–1662)

CHAPITRE HUIT

BOSSUET. (1627–1704)

CHAPITRE NEUF

FÉNELON. (1651–1715)

SEVENTEENTH CENTURY FRENCH
READINGS

TABLEAU

PRINCIPAUX ÉVÉNEMENTS HISTORIQUES DU XVII° SIÈCLE

Le XVII° siècle, appelé *le siècle classique* au point de vue littéraire, est souvent appelé au point de vue historique, *le grand siècle*, ou *le siècle de Louis XIV*. Il est marqué par une puissante réaction contre le XVI° siècle. L'esprit d'émancipation de la Renaissance — émancipation de l'esprit de discipline imposé par l'Eglise pendant tout le Moyen-âge — avait favorisé la satisfaction des appétits individuels, surtout chez les grands; les ambitions politiques des princes avaient pu se donner libre cours et profiter beaucoup pour cela des dissensions religieuses amenées par le Protestantisme. Mais déjà la proclamation de l'Édit de Nantes (par Henri IV, en 1598) qui accordait aux Protestants la liberté du culte, avait enlevé les prétextes religieux aux guerres politiques.

Il s'agissait maintenant d'établir sur des bases solides l'unité nationale de la France. Ce fut l'œuvre du XVII° siècle: Par opposition au XVI° qui avait été un siècle d'émancipation, il put être appelé un siècle d'autorité; c'est à dire que le Trône et l'Eglise firent de nouveau autorité en matière de morale, de religion, de politique.

Louis XIII, roi de 1610 à 1643. Il était fils de Henri IV (assassiné par Ravaillac) et de Marie de Médicis. Il n'avait que 9 ans à la mort de son père, et sa mère fut régente. Après Concini et Luynes, Richelieu fut enfin mis au pouvoir; il fut ministre depuis 1624. Son attention se porta surtout sur trois points: (1) Empêcher les Protestants de reprendre assez de pouvoir pour être de nouveau une menace à la tranquillité du royaume; (2) Résister à la noblesse, qui, profitant de privilèges séculaires, rendait souvent impossible la tâche d'un gouvernement conscient de la nécessité de l'ordre et voulant des lois observées par toutes les classes;

---

[1] Le roman d'Alfred de Vigny, *Cinq-Mars* (**1826**), donne un tableau de l'opposition désespérée de la noblesse au cardinal Richelieu.

(3) Enfin, à l'extérieur, garantir la France contre les intrusions de l'Espagne et de l'Autriche — alors les grandes puissances en Europe — dans ses affaires.

L'ordre ainsi graduellement établi, on vit bientôt une éclosion magnifique des lettres et des arts.

En 1615 Louis XIII avait épousé Anne d'Autriche. En 1642 Richelieu mourut; et en 1643, le roi lui-même.

Louis XIV, roi de 1643 à 1715. Son règne se divise en deux parties: 1643–1661, date de la mort de son ministre Mazarin; 1661–1715, règne personnel.

1643–1661. Ministère de Mazarin: Louis XIV, souvent appelé *Louis le Grand* ou *le Roi Soleil*, n'avait que quatre ans à la mort de son père; sa mère, Anne d'Autriche, fut régente; elle confia le pouvoir à Mazarin. La mort de Louis XIII avait donné de grandes espérances aux ennemis de la France, l'Autriche et l'Espagne; mais le tout jeune Duc d'Enghien (plus tard Prince de Condé) écrasa leurs armées à Rocroy. Cette bataille, 1643, marqua le commencement d'une ère de grande puissance militaire pour la France. La victoire de Rocroy fut suivie d'autres fort importantes, comme Fribourg et Nordlingen, sous la conduite des deux grands chefs Condé et Turenne. La Paix de Westphalie (1648) mit fin à la guerre de Trente ans. Mazarin continua l'œuvre d'unité nationale aux dépens des Protestants et des nobles; contre ces derniers il livra les guerres dites " de la Fronde " (1648–52).

1661–1715. C'est à la mort de Mazarin que Louis XIV, se sentant l'âme d'un chef, aurait prononcé le mot célèbre: « L'État, c'est moi ».

Il avait épousé, en 1660, Marie-Thérèse d'Espagne. Son règne est signalé par trois guerres importantes: *Guerre de Flandre* (Paix d'Aix-la-Chapelle, 1668); *Guerre de Hollande* (Paix de Nimègue, 1678); *Guerre d'Espagne* (Paix d'Utrecht, 1713). Cette dernière guerre, se termina mal pour la France, car au lieu d'assurer à la France, comme l'avait rêvé le roi, la suprématie en Europe par la réunion des couronnes de France et d'Espagne, elle n'aboutit qu'à donner à la

France une grande rivale: L'Angleterre, par l'acqui-
sition de Gibraltar, devenait une formidable puissance
navale opposée à la puissance terrestre de la France
sur le continent.

Le grand évènement de politique intérieure de la
seconde moitié du XVII° siècle fut la *Révocation de
l'Édit de Nantes* (1685), c'est à dire la tentative de
ramener l'unité religieuse en France en retirant aux
Protestants la liberté de culte qui leur avait été garantie en 1598. Le résultat fut le triste exode des
Huguenots[1] en Hollande, dans l'Europe centrale, en
Angleterre, et jusqu'en Amérique. Les effets s'en
firent sentir non seulement par la perte de milliers
d'excellents sujets de la couronne (on en a estimé le
nombre différemment, jusqu'à près d'un demi-million),
mais par l'affaiblissement de l'industrie et du commerce.

* * *

LA LITTÉRATURE AU XVII° SIÈCLE

Si le XVI° siècle avait été signalé par un grand réveil, dans le
domaine des lettres et des arts, connu sous le nom de Renaissance,
seul, cependant, le lyrisme s'était développé pleinement — avec
Ronsard et les poètes de la Pléiade. Grâce au rétablissement de
l'ordre par Richelieu, Mazarin et Louis XIV, le théâtre, le roman,
l'éloquence de la chaire, la philosophie et d'autres genres littéraires encore, eurent leur tour au XVII° siècle. Mais il faut remarquer que l'esprit de discipline imposé au royaume par les
ministres et les princes, — et qui, ramenant la tranquillité dans le

---

[1] Nom donné aux Protestants. On a voulu le rattacher au nom du
roi Hugo, un chef guerrier qui gagna le titre de roi d'Italie (925–947),
commanda dans le sud de la France où les Protestants furent nombreux au XVI siècle. Mais il est impossible de voir le rapport de ce
chef d'insurgés au X° siècle avec les adhérents de la Réforme au XVI°.
On voit donc plutôt dans ce terme *Huguenots* une corruption de
Eidgenossen, le nom du parti de la réforme à Genève, ainsi appelé
parce que les Calvinistes étaient soutenus par les *Eidgenossen*, c'est à
dire « Confédérés » de la Suisse allemande, les Bernois et les Zurichois.
Eidgenossen prononcé par une bouche française devient *Ignot* ou
Iguenot, puis *Uguenot* ou *Huguenot*.

pays, permettait cet essor de l'art, — fut peu favorable à une littérature originale. Les écrivains purent produire des chefs-d'œuvre aussi longtemps qu'ils ne s'éloignaient pas des façons de penser approuvées par le Trône et l'Eglise; mais les manifestations d'indépendance dans le domaine des idées étaient redoutées et réprimées; tel fut le cas particulièrement, en religion; on en verra la preuve dans les chapitres où il est question des Protestants, et des sectes comme les Jansénistes et les Quiétistes.

Le XVII° siècle *littéraire* commence en l'an 1610, date de l'accession au trône de Louis XIII, qui vit la création de l'Hôtel de Rambouillet; et cette date marque à-peu-près aussi le moment de la grande influence de Malherbe sur la langue et la poésie. Cependant la période de réorganisation sociale et d'organisation littéraire fut assez longue et les résultats ne s'en font fortement sentir qu'après un quart de siècle. Notons à la date de 1635, la fondation de l'Académie Française, en 1636 la représentation du *Cid* de Corneille, et en 1637, la publication du *Discours de la Méthode* de Descartes, — trois évènements capitaux. La pleine floraison, qui verra éclore les génies de Molière, Racine, La Fontaine, Boileau, Pascal, Bossuet, Fénelon, est même postérieure. D'autre part, si le XVII° siècle littéraire ne commença qu'en 1610, il se prolongea après 1700, et ce fut la mort de Louis XIV, en 1715, qui marqua le commencement d'un âge nouveau.

CHAPITRE D'INTRODUCTION

A. L'ÉCOLE DE MALHERBE ET LES ÉPIGONES DU SEIZIÈME SIÈCLE

I. MALHERBE

1555–1628

François de Malherbe, né à Caen, en Normandie, vint à Paris en 1605; il y fut au service du Duc de Bellegarde, et vécut beaucoup à la cour. Protégé successivement par Henri IV, par la régente Marie de Médicis et par Louis XIII, il fréquenta aussi la société des salons, entre autres celui de Madame de Rambouillet (voir plus bas).

Il est surtout connu dans l'histoire de la littérature comme ayant opposé à la liberté du seizième siècle, dans le domaine de la langue et de la versification, toutes sortes de restrictions, imposant en même temps l'observation de règles rigides qu'il paraît quelquefois avoir inventées lui-même. C'est oralement que son influence doit s'être surtout exercée car ses écrits sont très maigres de données à ce sujet.

Balzac (*Socrate chrétien*, Discours V; voir plus bas.) écrira à propos de ces sévérités de langue:

« Vous vous souvenez du vieux pédagogue de la cour et qu'on appelait autrefois le tyran des mots et des syllabes, et qui s'appelait lui-même, lorsqu'il était en belle humeur, le grammairien à lunettes et en cheveux gris ... J'ai pitié d'un homme qui fait de si grandes différences entre *pas* et *point*, qui traite l'affaire des gérondifs et des participes [1] comme si c'était celle de deux peuples voisins l'un de l'autre, et jaloux de leurs frontières. Ce docteur en langue vulgaire avait accoutumé de dire que depuis tant d'années il travaillait à dégasconner [2] la cour et qu'il ne pouvait pas en venir à bout. La mort l'attrapa sur l'arrondissement d'une période et l'an climaté-

---

[1] Faut-il dire: *Allant à Paris*, ou *En allant à Paris* ?

[2] Débarrasser de la manière de parler en Gascogne. Le roi Henri IV (+ 1610) était de cette province.

7

rique [1] l'avait surpris délibérant si *erreur* et *doute* étaient masculins ou féminins. Avec quelle attention voulait-il qu'on l'écoutât, quand il dogmatisait de l'usage et vertu des participes ! »

Racan dans son importante *Vie de Malherbe* (1651 ?) donne quelques indications au sujet de la « réforme de la poésie. » Racan parle ici de lui-même à la troisième personne:

« Encore qu'il (Malherbe) reconnût, comme nous avons déjà dit, que Racan avait de la force en ses vers, il disait qu'il était hérétique en poésie pour ne se tenir pas assez étroitement dans ses observations, et voici particulièrement de quoi il le blâmait:

Premièrement, de rimer indifféremment aux terminaisons en *ant* et en *ent*, comme *innocence* et *puissance*, *apparent* et *conquérant*, *grand* et *prend;* et voulait qu'on rimât pour les yeux aussi bien que pour les oreilles.[2] Il le reprenait aussi de rimer le simple et le composé, comme *temps* et *printemps*, *séjour* et *jour*. Il ne voulait pas aussi qu'il rimât les mots qui avaient quelque convenance,[3] comme *montagne* et *campagne*, *défense* et *offense*, *père* et *mère*, *toi* et *moi*. Il ne voulait pas non plus que l'on rimât les mots qui dérivaient les uns des autres, comme *admettre*, *commettre*, *promettre* et autres, qu'il disait qui dérivaient de *mettre*. Il ne voulait point encore qu'on rimât les noms propres les uns contre les autres, comme *Thessalie* et *Italie*, *Castille* et *Bastille*, *Alexandre* et *Lysandre;* et sur la fin il était devenu si rigide en ses rimes qu'il avait même peine à souffrir que l'on rimât les verbes de la terminaison en *er* qui avaient tant soit peu de convenance, comme *abandonner*, *ordonner* et *pardonner* et disait qu'ils venaient tous trois de *donner*. La raison qu'il disait pourquoi [4] il fallait plutôt rimer des mots éloignés que ceux qui avaient de la convenance est que l'on trouvait de plus beaux vers en les rapprochant qu'en rimant ceux qui avaient presque une même signification; et il s'étudiait fort à chercher des rimes rares et stériles, sur la créance qu'il avait, qu'elles lui faisaient produire quelques nouvelles pensées, outre qu'il disait que cela sentait son grand poète de tenter les rimes difficiles qui n'avaient point encore été rimées. Il ne voulait point qu'on rimât sur *malheur* ni *bonheur*, parce qu'il disait que les Parisiens n'en prononçaient que l'*u*, comme s'il y avait *bonhur*,

---

[1] Chaque septième ou neuvième année de la vie, que les Anciens regardaient comme critique; surtout la soixante-troisième (7 × 9 = 63).

[2] Déjà dit par Pierre Fabry, *Grand et vrai art de Rhétorique* (1521).

[3] Rapport verbal.

[4] On écrirait aujourd'hui plutôt: La raison pour laquelle il disait qu'il fallait . . .

malhur, et de le rimer à *honneur* il le trouvait trop proche. Il ne voulait non plus que l'on rimât à *flame*, parce qu'il l'écrivait et le prononçait ainsi avec deux *m: flamme*, et le faisait long en le prononçant; c'est pourquoi il ne le pouvait rimer qu'à l'*épigramme*.[1] Il reprenait aussi Racan quand il rimait *qu'ils ont eu* avec *vertu* et *battu*, parce qu'il disait que l'on prononçait à Paris *ont eu* en trois syllabes, en faisant une de l'*e* et l'autre de l'*u* du mot *eu*.

Outre les réprimandes qu'il faisait à Racan pour ses rimes, il le reprenait encore de beaucoup de choses pour la construction de ses vers, et de quelques façons de parler trop hardies qui seraient trop longues à dire, et qui auraient meilleure grâce dans un art poétique que dans sa vie . . . »

Entre autres il défendait aussi l'hiatus;[2] l'enjambement;[3] il imposait l'élision, c. à. d. il défendait qu'on comptât un *e* muet à la fin d'un mot et devant une voyelle dans le mot suivant: il voulait distinguer entre rimes brèves et longues, p. ex. *parole* (brève) et *rôle* (longue). Il prétendait, « qu'aux stances de dix vers, outre l'arrêt du quatrième vers, on en fît encore un au septième; aussi que les élégies eussent un sens parfait de quatre vers en quatre vers, même de deux en deux s'il se pouvait », etc.

Voir p. 107, les vers où Boileau approuve les réformes de Malherbe.

Consulter: Duc de Broglie, *Malherbe* (Coll. Grands écr. français, 1897); et pour son œuvre, F. Brunot, *La Doctrine de Malherbe d'après son Commentaire sur Desportes*, 1891); *l'Histoire de la Langue Française* du même.

Voici deux exemples de versification de Malherbe; mais, auparavant, rappelons ici les règles qu'il est indispensable d'observer pour lire correctement le vers français classique:

1. On compte dans les vers chaque syllabe individuellement, et non les pieds comme dans la plupart des langues.

2. A la fin du vers, une syllabe avec un e muet ne compte pas. Au milieu du vers, l'e muet compte; c'est-à-dire qu'il est prononcé — semi-muet — devant une syllabe commençant par une consonne (le triste discours = 5 syllabes; augmenteront = 4

[1] Aujourd'hui l'*a* d'épigramme est prononcé bref.

[2] Rencontre de deux voyelles, l'une à la fin d'un mot, l'autre au commencement du mot suivant: *Il alla écrire.*

[3] Rejet au vers suivant de mots qui, par le sens, appartiennent au précédent:

> Un astrologue un jour se laissa choir
> *Au fond d'un puits.* On lui dit . . .

syllabes). **Mais devant un mot commençant par une voyelle, l'e muet est élidé dans la lecture et ne compte pas comme syllabe** (ta fill*e* au tombeau descendue = ta fill'au tombeau = **5** syllabes).

3. La liaison doit être observée sous peine de violer la règle de l'hiatus; cette règle défend la rencontre d'un son voyelle à la fin d'un mot avec un son voyelle au commencement du mot suivant (Ta douleur ser*a* éternelle, formerait un hiatus). [Cependant, si la voyelle finale est suivie par un e muet, comme dans vie ou statue, on tolère l'hiatus, car la syllabe étant rendue longue par cet e muet final, la fusion avec la voyelle du mot suivant est moins probable; vi*e* éternelle, statu*e a*dmirable, seront admis.]

4. **Une césure** (latin *caesura*, coupure) **est de rigueur après la sixième syllabe d'un vers alexandrin, ou vers de douze syllabes.**

1 2 syllabes.

1. Consolation à M. du Périer[1] sur la mort de sa fille

(écrite après 1599 et imprimée 1607)

> Ta douleur, du Périer, sera donc éternelle,
> Et les tristes discours
> Que te met en l'esprit l'amitié paternelle
> L'augmenteront toujours ?

5
> Le malheur de ta fille au tombeau descendue
> Par un commun trépas,
> Est-ce quelque dédale où ta raison perdue
> Ne se retrouve pas ?

trop piège

> Je sais de quels appas son enfance était pleine,
10
> Et n'ai pas entrepris,
> Injurieux ami, de soulager ta peine
> Avecque[2] son mépris.

> Mais elle était du monde, où les plus belles choses
> Ont le pire destin;

---

[1] Avocat au Parlement d'Aix, en Savoie.

[2] Ancienne orthographe de *avec*, facultative aux poètes du XVIIe siècle quand ils avaient besoin de trois syllabes.

Et, rose, elle a vécu ce que vivent les roses,
    L'espace d'un matin.

Puis quand ainsi serait, que selon ta prière
    Elle aurait obtenu
D'avoir en cheveux blancs terminé sa carrière,   5
    Qu'en fût-il advenu ?

Penses-tu que plus vieille en la maison céleste
    Elle eût eu plus d'accueil ?
Ou qu'elle eût moins senti la poussière funeste
    Et les vers du cercueil ?   10

Non, non, mon du Périer, aussitôt que la Parque
    Ote l'âme du corps,
L'âge s'évanouit au delà de la barque, [1]
    Et ne suit point les morts . . .

C'est bien, je le confesse, une juste coutume,   15
    Que le cœur affligé,
Par le canal des yeux vidant son amertume,
    Cherche d'être allégé.

Même quand il advient que la tombe sépare
    Ce que nature a joint,   20
Celui qui ne s'émeut a l'âme d'un barbare,
    Ou n'en a du tout point.

Mais d'être inconsolable, et dedans sa mémoire
    Enfermer un ennui,
N'est-ce pas se haïr pour acquérir la gloire   25
    De bien aimer autrui ?

[1] De Caron.

Priam, qui vit ses fils abattus par Achille,
        Dénué de support
Et hors de tout espoir du salut de sa ville,
        Reçut du réconfort.

5   François,[1] quand la Castille, inégale à ses armes,
        Lui vola son Dauphin,
Sembla d'un si grand coup devoir jeter des larmes
        Qui n'eussent point de fin.

Il les sécha pourtant, et comme un autre Alcide [2]
10   Contre fortune instruit,
Fit qu'à ses ennemis d'un acte si perfide
        La honte fut le fruit. [3]

De moi, déjà deux fois d'une pareille foudre
        Je me suis vu perclus,[4]
15   Et deux fois la raison m'a si bien fait résoudre,
        Qu'il ne m'en souvient plus . . .

La Mort a des rigueurs à nulle autre pareilles;
        On a beau la prier,
La cruelle qu'elle est se bouche les oreilles,
20   Et nous laisse crier.

[1] Le fils aîné de François Iᵒ mourut prisonnier en Espagne en 1536. On accusa Charles-Quint de l'avoir fait empoisonner.

[2] Hercule, petit-fils d'Alcée.

[3] François Iᵉʳ se vengea sur Sébastien de Montecuculli, échanson de Charles-Quint. L'innocence de Montecuculli est aujourd'hui reconnue. Selon la fable, Lycos, tyran de Thèbes, voulut faire mourir la femme et les enfants d'Hercule pendant que celui-ci était descendu aux enfers; mais Hercule revient à temps, entre dans une furieuse colère, et tue Lycos.

[4] Malherbe avait perdu deux enfants; Henri à deux ans en 1587, Jourdaine à huit ans en 1599; et il devait perdre son dernier fils, Marc-Antoine, tué en duel en 1526. Cette fois, Malherbe ne se consola pas et mourut quelques mois après.

Le pauvre en sa cabane, où le chaume le couvre,
    Est sujet à ses lois;
Et la garde qui veille aux barrières du Louvre
    N'en défend point nos rois.

De murmurer contre elle et perdre patience,   5
    Il est mal à propos;
Vouloir ce que Dieu veut est la seule science
    Qui nous met en repos.

2. Paraphrase du psaume cent quarante-cinquième [1]
        (*Lauda, anima mea,*
            Dominum)

N'espérons plus, mon âme, aux promesses du monde;
Sa lumière est un verre [2] et sa faveur une onde   10
Que toujours quelque vent empêche de calmer.
Quittons ces vanités, lassons-nous de les suivre;
    C'est Dieu qui nous fait vivre,
    C'est Dieu qu'il faut aimer.

En vain, pour satisfaire à nos lâches envies,   15
Nous passons près des rois tout le temps de nos vies
A souffrir des mépris et ployer les genoux.
Ce qu'ils peuvent n'est rien; ils sont comme nous sommes
    Véritablement hommes,
    Et meurent comme nous.   20

Ont-ils rendu l'esprit, ce n'est plus que poussière
Que cette majesté si pompeuse et si fière
Dont l'éclat orgueilleux étonnait l'univers;

    [1] Psaume CXLVI de la Bible anglaise.
    [2] Incertaine, comme le verre fragile.

Et dans ces grands tombeaux où leurs âmes hautaines
    Font encore les vaines,
    Ils sont mangés des vers.

Là se perdent ces noms de maîtres de la terre,
5 D'arbitres de la paix, de foudres de la guerre;
Comme ils n'ont plus de sceptre, ils n'ont plus de flatteurs,
Et tombent avec eux d'une chute commune
    Tous ceux que leur fortune
    Faisait leurs serviteurs.

II. DEUX RÉVOLTÉS CONTRE MALHERBE

[Qui représentent l'éternel conflit, en poésie, entre ceux qui in-
sistent surtout sur la libre inspiration au risque de quelques négli-
gences de forme (comme encore au XIXᵒ siècle, Lamartine et Musset)
et les puristes quant à la forme (comme au XIXᵒ siècle, l'École des
Parnassiens, avec Leconte de Lisle, Sully Prudhomme, Hérédia)].

MATHURIN RÉGNIER

1573–1613

Il était le neveu du poète Desportes, un fidèle disciple de Ronsard.
Né à Chartres, il était dans les ordres, mais mena une vie très mon-
daine qui fut cause de sa mort prématurée. La plus célèbre de ses
satires — le genre où il brilla surtout — après la IXᵒ, est la XIIIᵒ,
Macette ou l'Hypocrisie découverte.

Extraits de la Satire IX, au poète Rapin [1]

10   Pensent-ils [2] des plus vieux [3] offensant la mémoire,
    Par le mépris d'autrui s'acquérir de la gloire ?

[1] L'un des auteurs de la *Satire Ménippée.* La *Satire IX* est dirigée
contre Malherbe et son École. Voir note d'introduction à Malherbe,
pp. 7–9.

[2] Malherbe et ses disciples.

[3] Les poètes de la génération précédente, La Pléiade.

Et pour quelque vieux mot étrange ou de travers,
Prouver qu'ils ont raison de censurer leurs vers ?
Alors [1] qu'une œuvre brille et d'art et de science,
La verve quelquefois s'égaye en la licence . . .
Cependant leur savoir ne s'étend seulement   5
Qu'à regratter un mot douteux au jugement,
Prendre garde qu'un *qui* ne heurte une diphtongue,
Épier si des vers la rime est brève ou longue,
Ou bien si la voyelle à l'autre s'unissant
Ne rend point à l'oreille un vers trop languissant;   10
Et laissent sur le vert [2] le noble de l'ouvrage.
Nul aiguillon divin n'élève leur courage;
Ils rampent bassement,[3] faibles d'inventions,
Et n'osent, peu hardis, tenter les fictions,
Froids à l'imaginer [4]: car s'ils font quelque chose   15
C'est proser de la rime et rimer de la prose,
Que l'art lime et relime, et polit de façon
Qu'elle rend à l'oreille un agréable son;
Et voyant qu'un beau feu leur cervelle n'embrase,
Ils attifent leurs mots, enjolivent leur phrase,   20
Affectent leur discours tout si [5] relevé d'art,
Et peignent leurs défauts de couleurs et de fard.
Aussi je les compare à ces femmes jolies
Qui par les affiquets se rendent embellies,
Qui gentes [6] en habits, et sades en façons,   25
Parmi leur point coupé tendent leurs hameçons;
Dont l'œil rit mollement avec afféterie,

---

[1] Alors qu'il est vrai peut-être que . . .
[2] Laissent à l'état de vert, c'est à dire non mûri.
[3] Contrairement à Pégase qui s'élève dans les airs.
[4] Verbe employé substantivement, = froids en imagination.
[5] Si entièrement.
[6] Gentes = gentilles.   Sades = gracieuses.

    Et de qui le parler n'est rien que flatterie;

    De rubans piolés [1] s'agencent proprement,

    Et toute leur beauté ne gît qu'en l'ornement;

    Leur visage reluit de céruse et de peautre [2];

5   Propres en leur coiffure, un poil ne passe l'autre.

    Où [3] ces divins esprits, hautains et relevés,

    Qui des eaux d'Hélicon [4] ont les sens abreuvés,

    De verve et de fureur leur ouvrage étincelle [5];

    De leurs vers tout divins la grâce est naturelle,

10   Et sont, comme l'on voit, la parfaite beauté,

    Qui, contente de soi, laisse la nouveauté

    Que l'art trouve au Palais [6] ou dans le blanc d'Espagne.

    Rien que le naturel sa grâce n'accompagne;

    Son front lavé d'eau claire éclate d'un beau teint.

15   De roses et de lis la nature l'a peint.

    Et, laissant là Mercure [7] et toutes ses malices,

    Les nonchalances sont ses plus grands artifices ...

2. THÉOPHILE DE VIAU

1590–1626

Né à Clairac, près d'Agen, de parents huguenots, il est lui-même tout à fait libre-penseur, et il fut même brûlé en effigie, puis banni. Après une vie très agitée, il mourut à l'âge de 36 ans.

Viau a été critiqué sévèrement par Boileau, le disciple de Malherbe. Tandis que la postérité a généralement ratifié l'opinion de

---

[1] Bigarrés.

[2] Fards.

[3] Alors que, au contraire, les vrais poètes, « divins esprits. »

[4] Montagne consacrée aux Muses, en Béotie.

[5] De verve et de fureur font étinceler leurs ouvrages.

[6] Palais de Justice à Paris; dans les galeries on vendait des fards.

[7] Dieu de la ruse, et élément qui entre dans la composition de divers fards.

Boileau sur ses contemporains, elle l'a désavouée ici.   Voir *Satire IX*
de Boileau, p. 125.[1]

1. Élégie [2] à une dame

Imite qui voudra les merveilles d'autrui.
Malherbe a très bien fait, mais il a fait pour lui.
Mille petits voleurs l'écorchent tout en vie [3];
Quant à moi, ces larcins ne me font point d'envie.
J'approuve que chacun écrive à sa façon.   5
J'aime sa renommée et non pas sa leçon.
Ces esprits mendiants, d'une veine infertile,
Prennent à tous propos ou sa rime ou son style;
Et de tant d'ornements qu'on trouve en lui si beaux,
Joignent l'or et la soie à des vilains lambeaux,   10
Pour paraître aujourd'hui d'aussi mauvaise grâce
Que parut autrefois la corneille [4] d'Horace.
Ils travaillent un mois à chercher comme à *fils*
Pourra s'apparier la rime de *Memphis*, . . .
Cet effort tient leur sens dans la confusion;   15
Et n'ont jamais un rai [5] de bonne vision.
J'en connais qui ne font des vers qu'à la moderne,
Qui cherchent à midi Phébus à la lanterne;
Grattent tant le français qu'ils le déchirent tout,
Blâmant tout ce qui n'est facile qu'à leur goût [6];   20

[1] Th. de Viau est aussi connu par une tragédie *Pirame et Thisbé*, —
ou plutôt par deux vers malheureux de cette tragédie:
> *Ah! voici le poignard qui du sang de son maître*
> *S'est souillé lâchement; il en rougit le traître!*

[2] Le mot *élégie* avait un sens plutôt vague à cette époque.
[3] Malherbe ne mourra qu'en 1628.
[4] Allusion à une fable d'Horace qui devint chez La Fontaine, *Le
geai paré des plumes du paon.*
[5] Rai = rayon.
[6] C'est-à-dire: ce qui est facile seulement à leur goût ou idée.

Sont un mois à connaître en tâtant la parole,
Lorsque l'accent est rude, ou que la rime est molle;
Veulent persuader que ce qu'ils font est beau,
Et que leur renommée est franche du tombeau [1],
5 Sans autre fondement, sinon que tout leur âge
S'est laissé consommer en un petit ouvrage;
Que leurs vers dureront, au monde précieux,
Pour ce que, les faisant, ils sont devenus vieux !
... Mon âme imaginant n'a point la patience
10 De bien polir les vers, et ranger la science [2];
La règle me déplaît; j'écris confusément;
Jamais un bon esprit ne fait rien qu'aisément:
... Je veux faire des vers qui ne soient pas contraints,
Promener mon esprit par de petits desseins;
15 Chercher des lieux secrets où rien ne me déplaise,
Méditer à loisir, rêver tout à mon aise,
Employer toute une heure à me mirer dans l'eau,
Ouïr, comme en songeant, la course d'un ruisseau,
Écrire dans les bois, m'interrompre, me taire;
20 Composer un quatrain, sans songer à le faire.
Après m'être égayé par cette douce erreur,
Je veux qu'un grand dessein [3] échauffe ma fureur [4],
Qu'une œuvre de dix ans me tienne à la contrainte
De quelque beau poème où vous [5] serez dépeinte ...

2. Le matin

25 L'aurore sur le front du jour
Sème l'azur, l'or et l'ivoire,

---

[1] = immortelle.   [2] science, ici la matière poétique.
[3] = sujet.   [4] le *furor poeticus*, ou inspiration, d'Horace.
[5] = la dame à qui est dédié le poème.

Et le soleil, lassé de boire,
Commence son oblique tour . . .

La lune fuit devant nos yeux;
La nuit a retiré ses voiles;
Peu à peu le front des étoiles   5
S'unit à la couleur des cieux.

Déjà la diligente avette [1]
Boit la marjolaine et le thym,
Et revient, riche du butin
Qu'elle a pris sur le mont Hymette [2] . . .   10

La charrue écorche la plaine;
Le bouvier, qui suit les sillons,
Dresse de voix et d'aiguillons
Le couple de bœufs qui l'entraîne.

Alix apprête son fuseau;   15
Sa mère, qui lui fait la tâche,
Presse le chanvre qu'elle attache
A sa quenouille de roseau.

Une confuse violence
Trouble le calme de la nuit,   20
Et la lumière avec le bruit
Dissipe l'ombre et le silence . . .

Le forgeron est au fourneau;
Ois [3] comme le charbon s'allume !
Le fer rouge, dessus l'enclume,   25
Étincelle sous le marteau.

[1] Avette = abeille.
[2] Montagne de la Grèce, renommée pour la douceur de son miel.
[3] Ois = écoute, ouïs.

Cette chandelle semble morte;
Le jour la fait évanouir.
Le soleil vient nous éblouir:
Vois qu'il passe au travers la porte!

5   Il est jour: levons-nous, Philis;
Allons à notre jardinage,
Voir s'il est, comme ton visage,
Semé de roses et de lis.

3. Le gibet

[La mort, sujet si fréquent sous la plume des poètes du Moyen-
âge — en particulier de Villon — a survécu au mouvement de la Renaissance qui chantait surtout la joie de vivre.]

La frayeur de la mort ébranle le plus ferme.
10   Il est bien malaisé
Que, dans le désespoir, et proche de son terme,
L'esprit soit apaisé.

L'âme la plus robuste et la mieux préparée
Aux accidents du sort,
15   Voyant auprès de soi sa fin tout assurée,
Elle s'étonne fort.

Le criminel pressé de la mortelle crainte
D'un supplice douteux,
Encore avec espoir endure la contrainte
20   De ses liens honteux.

Mais quand l'arrêt sanglant a résolu sa peine,
Et qu'il voit le bourreau
Dont l'impiteuse main lui détache une chaîne,
Et lui met un cordeau;

Il n'a goutte de sang qui ne soit lors glacée.
    Son âme est dans les fers,
L'image du gibet lui monte à la pensée,
    Et l'effroi des enfers.

L'imagination de cet objet funeste   5
    Lui trouble la raison;
Et, sans qu'il ait du mal, il a pis que la peste,
    Et pis que le poison.

La consolation que le prêcheur apporte
    Ne lui fait point de bien;   10
Car le pauvre se croit une personne morte
    Et n'écoute plus rien.

La nature, de peine et d'horreur abattue,
    Quitte ce malheureux;
Il meurt de mille morts, et le coup qui le tue   15
    Est le moins rigoureux.

III. DEUX DISCIPLES DE MALHERBE

1. Maynard

1582–1646

Né à Toulouse; il fut dans sa jeunesse secrétaire de Marguerite
de Valois, femme du roi de Navarre (plus tard Henri IV de France).
Il passa presque toute sa vie dans le sud de la France. Il est surtout
célèbre par ses *Odes*.

1. A une belle vieille [1]

[1] Le sujet rappelle le sonnet fameux de Ronsard (au XVIe siècle)
A Hélène commençant ainsi:

    Quand vous serez bien vieille, au soir, à la chandelle,
    Assise auprès du feu, dévidant et filant,

Chloris, que dans mon cœur j'ai si longtemps servie,
Et que ma passion montre à tout l'univers,
Ne veux-tu pas changer le destin de ma vie,
Et donner de beaux jours à mes derniers hivers ?

5   N'oppose plus ton deuil au bonheur où j'aspire:
Ton visage est-il fait pour demeurer voilé ?
Sors de ta nuit funèbre et permets que j'admire
Les divines clartés des yeux qui m'ont brûlé . .

Ce n'est pas d'aujourd'hui que je suis ta conquête;
Huit lustres ont suivi le jour que tu me pris,
Et j'ai fidèlement aimé ta belle tête
Sous des cheveux châtains et sous des cheveux gris.

C'est de tes jeunes ans que mon ardeur est née,
C'est de leurs premiers traits que je fus abattu;
15 Mais, tant que tu brûlas du flambeau d'Hyménée,
Mon amour se cacha pour plaire à ta vertu.

Je sais de quel respect il faut que je t'honore,
Et mes ressentiments ne l'ont pas violé.
Si quelquefois j'ai dit le soin qui me dévore,
20 C'est à des confidents qui n'ont jamais parlé . . .

L'âme pleine d'amour et de mélancolie,
Et couché sur des fleurs et sous des orangers,
J'ai montré ma blessure aux deux mers d'Italie [1]
Et fait dire ton nom aux échos étrangers . . .

Direz, chantant mes vers, et vous émerveillant:
« Ronsard me célébrait, du temps que j'étais belle ! »
[1] L'auteur est allé en Italie avec l'ambassadeur de France, M. de Noailles.

La beauté qui te suit depuis ton premier âge.
Au déclin de tes jours ne veut pas te laisser,
Et le temps, orgueilleux d'avoir fait ton visage,
En conserve l'éclat et craint de l'effacer.

Regarde sans frayeur la fin de toutes choses;   5
Consulte le miroir avec des yeux contents:
On ne voit point tomber ni tes lis ni tes roses,
Et l'hiver de ta vie est ton second printemps.

Pour moi, je cède aux ans, et ma tête chenue *blanche*
M'apprend qu'il faut quitter les hommes et le jour.   10
Mon sang se refroidit, ma force diminue,
Et je serais sans feu si j'étais sans amour.

C'est dans peu de matins que je croîtrai [1] le nombre
De ceux à qui la Parque a ravi la clarté.
Oh ! qu'on oira [2] souvent les plaintes de mon ombre   15
Accuser ton mépris de m'avoir maltraité !

Que feras-tu, Chloris, pour honorer ma cendre ?
Pourras-tu, sans regret, ouïr parler de moi ?
Et le mort que tu plains te pourra-t-il défendre
De blâmer ta rigueur et de louer ma foi ?   20

Si je voyais la fin de l'âge qui te reste,
Ma raison tomberait sous l'excès de mon deuil;
Je pleurerais sans cesse un malheur si funeste,
Et ferais jour et nuit l'amour à ton cercueil.

[1] Augmenterai.
[2] Oira = entendra, ouïra.

2. Vanité de l'ambition

(extrait de l'*Ode à son fils*)

Toutes les pompeuses maisons
Des princes les plus adorables,
Ne sont que de belles prisons,
Pleines d'illustres misérables !

5   C'est où les plus haut élevés
Dorment avec moins d'assurance,
C'est où les prudents achevés [1]
Sont les jouets de l'espérance.

C'est où l'on est payé de vent;
10   C'est où l'on rebute les sages,
Et c'est où l'on trouve souvent
Plus de masques que de visages ...

Heureux qui vit obscurément
Dans quelque petit coin de terre,
15   Et qui s'approche rarement
De ceux qui portent le tonnerre !

Puisses-tu connaître le prix
Des paroles que te débite
Un courtisan aux cheveux gris,
20   Que la raison a fait ermite.

2. RACAN

1589–1670

Honorat de Bueil, Seigneur de Racan, né en Touraine. Il se battit
au siège de La Rochelle (1627–28) du côté catholique. Vint à Paris,

[1] = extrêmes: les trop prudents.

Racan

et fréquenta l'Hôtel de Rambouillet (voir chapitre I ci-dessous); plus tard se retira dans ses terres.

Son œuvre de beaucoup la plus importante est *Arténice ou Les Bergeries* (1618) dont le titre déjà indique le caractère pastoral. Il a fait dans ce long poème ce que fit, avec beaucoup plus de succès encore, en prose, Honoré d'Urfé. Voir plus bas les citations de *L'Astrée* (1607 et ss.). Il était très estimé de ses contemporains. Le grand Boileau dira de lui:

> *Racan pouvait chanter au défaut d'un Homère.* (Satire IX.)

Il a laissé de précieux *Mémoires sur M. de Malherbe*, son maître. On pourra consulter à son sujet: Racan. *Les Bergeries, et autres Poésies Lyriques*, avec une introduction et des notes par Pierre Camo; Garnier. 1929.

1. Plaintes d'un vieux berger

(extraits des *Bergeries*)

Ne saurais-je trouver un favorable port
Où me mettre à l'abri des tempêtes du sort ?
Faut-il que ma vieillesse, en tristesse féconde,
Sans espoir de repos, erre par tout le monde ?
Heureux qui vit en paix du lait de ses brebis,   5
Et qui de leur toison voit filer ses habits;
Qui plaint de ses vieux ans les peines langoureuses
Où sa jeunesse a plaint les flammes amoureuses;
Qui demeure chez lui comme en son élément,
Sans connaître Paris que de nom seulement,   10
Et qui, bornant le monde aux bords de son domaine,
Ne croit point d'autre mer [1] que la Marne ou la Seine !
En cet heureux état, les plus beaux de mes jours
Dessus les rives d'Oise ont commencé leur cours.
Soit que je prisse en main le soc ou la faucille,   15
Le labeur de mes bras nourrissait ma famille;
Et lorsque le soleil en achevant son tour

---

[1] Ne croit pas (à l'existence) d'autres mers.

Finissait mon travail en finissant le jour,
Je trouvais mon foyer couronné de ma race;
A peine bien souvent y pouvais-je avoir place:
L'un gisait au maillot, l'autre dans le berceau;
5   Ma femme, en les baisant, dévidait son fuseau.
Le temps s'y ménageait comme chose sacrée:
Jamais l'oisiveté n'avait chez moi d'entrée.
Aussi les dieux alors bénissaient ma maison;
Toutes sortes de biens me venaient à foison.
10 Mais, hélas ! ce bonheur fut de peu de durée:
Aussitôt que ma femme eut sa vie expirée,
Tous mes petits enfants la suivirent de près,
Et moi je restai seul, accablé de regrets,
De même qu'un vieux tronc, relique de l'orage,
15 Qui se voit dépouillé de branches et d'ombrage.

2. Stances à Tircis

(Sur la Retraite)

Tircis, il faut penser à faire la retraite:
La course de nos jours est plus qu'à demi faite;
L'âge insensiblement nous conduit à la mort.
Nous avons assez vu sur la mer de ce monde
20 Errer au gré des flots notre nef vagabonde:
Il est temps de jouir des délices du port.

Le bien de la fortune est un bien périssable;
Quand on bâtit sur elle, on bâtit sur le sable;
Plus on est élevé, plus on court de dangers;
25 Les grands pins sont en butte aux coups de la tempête,
Et la rage des vents brise plutôt le faîte
Des maisons de nos rois que des toits des bergers.

Oh ! bienheureux celui qui peut de sa mémoire
Effacer pour jamais ce vain espoir de gloire
Dont l'inutile soin traverse nos plaisirs,
Et qui, loin retiré de la foule importune,
Vivant dans sa maison, content de sa fortune,   5
A, selon son pouvoir, mesuré ses désirs !

Il laboure le champ que labourait son père;
Il ne s'informe pas de ce qu'on délibère
Dans ces graves conseils d'affaires accablés;
Il voit sans intérêt la mer grosse d'orages,   10
Et n'observe des vents les sinistres présages
Que pour le soin qu'il a du salut de ses blés.

Roi de ses passions, il a ce qu'il désire;
Son fertile domaine est son petit empire;
Sa cabane est son Louvre et son Fontainebleau;   15
Ses champs et ses jardins sont autant de provinces,
Et, sans porter envie à la pompe des princes,
Se contente chez lui de les voir en tableau.

S'il ne possède point ces maisons magnifiques,
Ces tours, ces chapiteaux, ces superbes portiques   20
Où la magnificence étale ses attraits,
Il jouit des beautés qu'ont les saisons nouvelles,
Il voit de la verdure et des fleurs naturelles
Qu'en ces riches lambris l'on ne voit qu'en portraits.

Agréables déserts, séjour de l'innocence,   25
Où, loin des vanités, de la magnificence,
Commence mon repos et finit mon tourment,
Vallons, fleuves, rochers, plaisante solitude,
Si vous fûtes témoins de mon inquiétude,
Soyez-le désormais de mon contentement.   30

B. L'ASTRÉE

L'auteur du grand roman *L'Astrée*, Honoré d'Urfé (1567-1625) descend d'une très noble maison du Forez (région de France au sud-ouest de Lyon). Il passa son enfance au manoir féodal de La Bastie, (abondamment décrit dans *L'Astrée*) et sa jeunesse au collège de Tournon. Dès 1589 il prit une part ardente aux guerres civiles, du côté de La Ligue (catholique) et contre Henri de Navarre (Protestant); il ne voulait pas un roi Huguenot. Même après l'abjuration de ce dernier, en 1593, il refusa de le reconnaître, prit les armes contre lui, et fut deux fois battu; il se retira alors (1596) dans un petit domaine acheté par lui près de Virieu-le-Grand, en Savoie. C'est là qu'il écrivit le roman auquel il pensait depuis 1585, mais dont le premier volume ne parut qu'en 1607. En ce moment il était complètement réconcilié avec Henri IV auquel il reconnaissait le mérite d'avoir rendu la paix à la France. Il lui dédia même son deuxième volume (« C'est un enfant que la paix a fait naître, et il est à Votre Majesté à qui toute l'Europe doit son repos et sa tranquillité »). Le troisième volume parut en 1619; puis les deux derniers, en partie étrangers à Honoré d'Urfé, en 1627.

L'ouvrage est donné comme une « Tragi-comédie pastorale », dont les cinq tomes devaient correspondre aux cinq actes, et les douze livres de chaque tome aux scènes des actes. Il n'y a pas moins de 45 intrigues amoureuses, qui sont développées au cours d'environ cinq mille pages, et qui aboutissent à 22 mariages.

La scène est placée dans le pays du Forez, arrosé par la rivière Lignon (affluent de la Loire), et qui garde pour l'auteur le souvenir de son amour pour Diane de Chateaumorand — sa belle-sœur, qu'il épousera dans la suite. Le roman commence par avoir un accent personnel pour devenir tout à fait impersonnel ensuite.

L'époque est environ le V° siècle après Jésus-Christ, époque de querelles intestines constantes entre des souverains rivaux de la Gaule, comme Mérovée, Childéric, Gondebaut. Le Forez est une région privilégiée, à l'abri des agitations politiques. On y révère Astrée, fille de Jupiter et de Thémis, déesse de la Justice, qui habitait la terre pendant l'Age d'or, mais les crimes de l'Age de fer l'ayant rempli d'horreur, elle s'était enfuie au ciel.[1] Le pays est gouverné par la Nymphe Galatée. Il y a trois classes d'habitants; Les Chevaliers et les Nymphes, correspondant à la noblesse; les Druides et les Ves-

---

[1] Astrée sera le nom de l'héroïne principale du roman. Avant d'Urfé, Ronsard déjà avait choisi ce nom pour désigner une femme aimée à laquelle il dédiait une collection de sonnets.

tales, correspondant au clergé; et les Bergers et Bergères, représentant le peuple; ce sont cependant des bergers et des bergères dans le sens littéraire du terme: « Que si l'on te reproche — dit l'auteur s'adressant en imagination à la bergère Astrée, au début du roman — que tu ne parles pas le langage des villageois, et que toi ni ta troupe ne sentez guère les brebis ni les chèvres, réponds, ma bergère, que pour peu qu'ils aient de connaissance de toi, ils sauront que tu n'es pas, ni celles aussi qui te suivent, de ces bergères nécessiteuses qui pour gagner leur vie conduisent leurs troupeaux aux pâturages, mais que vous n'avez toutes pris cette condition que pour vivre plus doucement et sans contrainte. »[1]

L'action du roman est d'une durée de cinq à six mois.

Le roman est avant tout un traité de galanterie. Le titre d'ailleurs en est: *L'Astrée où par plusieurs histoires et sous personnes de bergers et d'autres, sont déduits les divers effets de l'honnête amitié.* Beaucoup avaient remarqué que par suite des longues guerres du XVI° siècle les mœurs et le langage étaient devenus rudes et grossiers, même à la cour et chez les nobles. Honoré d'Urfé voulut réagir, et il évoqua les temps où la haute courtoisie était à la mode, surtout en amour: « On dit maintenant qu'aimer comme toi [Céladon, un des héros du roman] c'est aimer à la vieille mode gauloise, ou comme faisaient les chevaliers de la Table Ronde, ou le Beau Ténébreux,[2] qu'il n'y a plus d'‹ arc des loyaux amants ›, ni de ‹ chambre défendue ›, pour recevoir quelque fruit de cette inutile loyauté »: Bref, on semblait penser que faire loyalement et patiemment l'amour était passé de mode, et qu'il fallait que l'amour fût tout de suite satisfait: c'est contre ce matérialisme que voulut réagir Honoré d'Urfé.

L'épisode principal est celui de Céladon et d'Astrée, amants séparés temporairement par la destinée et surtout par les intrigues d'un jaloux rival (Sémire); Céladon, de désespoir se jette dans le Lignon; il ne se noie pas, mais Astrée le croit mort; après des péripéties sans nombre ils se retrouvent et tous les malentendus sont éclaircis devant la ‹ Fontaine de Vérité ›. A côté de Céladon et d'Astrée, qui sont les grands amoureux sentimentaux, il y en a toute une galerie

---

[1] Les *Pastorales* furent à la mode dès le XVI° siècle, un produit de la Renaissance. Ronsard avait composé des *Bergeries*, et Vauquelin de la Fresnaie des *Idylles et Foresteries*. Les célèbres *Bergeries* de Racan (voir plus haut) sont de 1618.

[2] Nom donné dans le fameux roman médiéval d'aventures, *Amadis des Gaules*, à cet Amadis quand il se consume d'amour pour Oriane. L'accès de ‹ l'arc des loyaux amants et de la chambre défendue › n'était accordé qu'aux parfaits amants.

d'autres des sortes les plus diverses; il y a surtout le couple des amoureux philosophes, Silvandre et Diane, (Silvandre ne cesse pas de raisonner la passion); et celui d'Hylas et de Stella qui forment le couple de l'amour frivole (Hylas le cynique, l'inconstant, sera puni car il finira par s'attacher à une coquette qui lui fera connaître les angoisses de la jalousie).[1]

Le credo des personnages de l'Astrée, c'est que: « L'amour est véritablement le plus grand et le plus saint des dieux. » Le code d'Amour « que sous peine d'encourir sa disgrâce, tout amant doit observer », est formulé dans Douze Tables, en vers.[2]

« Savez-vous bien ce que c'est d'aimer ? dit un des héros de ces récits; c'est mourir en soi pour revivre en autrui, c'est ne se point aimer que d'autant qu'on est agréable à la chose aimée, et bref, c'est une volonté de se transformer, s'il se peut, entièrement en elle. » La principale loi d'Amour: « C'est que l'amant obéisse aux commande-ments de la personne aimée »; avec cette seule exception que: « Si elle commandait de n'être point aimée, elle ne devrait pas être obéie. »

Et voici comment Céladon exprime les ravissements incomparables des joies de l'amour spirituel:

« Quand un amant se représente la beauté de celle qu'il aime, mais encore cela est trop, quand il se remet seulement une de ses actions en mémoire, mais c'est trop encore, quand il se ressouvient du lieu où il l'a vue, voire [vraiment] quand il pense qu'elle se ressouviendra de l'avoir vu en quelque autre endroit, pensez-vous qu'il voulût changer son contentement contre tous ceux de l'univers ?... Or, puisque les contentements de la pensée sont tels, quels jugerez-vous ceux de l'effet, quand il y peut arriver ? Comment jouir de la vue de ce que l'on aime, l'ouïr parler, lui baiser la main, ouïr de sa bouche cette parole: *Je vous aime!* Est-il possible que la faiblesse d'un cœur puisse supporter tant de contentement, est-il possible que, le pouvant, un esprit les conçoive sans ravissement, et ravi qu'il ne s'y fonde et se sente dissoudre de trop de plaisir et de félicité ? »[3]

---

[1] La philosophie qu'il pratiquait s'exprimait ainsi: « Tout ainsi que mon amour prend naissance par les yeux, de même meurt-il aussi-tôt que par la vue je ne puis plus le nourrir, suivant cette maxime très véritable, [que] qui est loin des yeux l'est aussi du cœur. »

[2] Un écho des « Douze vertus qu'un noble homme et de noble cou-rage doit avoir en son cœur et en sa mémoire, et en user » (*L'Art de la Chevalerie*, de Végèce, fin du XIII° siècle).

[3] M. Strowski, dans son étude sur François de Sales, contemporain d'Honoré d'Urfé, rapproche l'amour idéal de *L'Astrée*, de l'amour divin chez Francois de Sales.

Consulter: La bibliographie est abondante. Citons seulement: G. Reynier, *Le Roman sentimental avant l'Astrée* (Colin, 1908); B. Germa, *L'Astrée d'H. d'Urfé; sa composition, son influence* (Picard, 1904); ou Le chanoine O. C. Reure, *La vie et les œuvres d'H. d'Urfé;* enfin, surtout approprié pour de jeunes étudiants: Maurice Magendie, *L'Astrée d'Honoré d'Urfé* (Malfère, 1929), et, du même, *L'Astrée, Analyse et extraits* (Perrin, 1927). Aussi: Racan, *Les Bergeries et autres poésies lyriques.* Préface et notes par P. Camo (Garnier 1929).

Lettre de Céladon à Astrée

Sur une fausse dénonciation Astrée a cru Céladon infidèle à son amour. Elle l'a chassé de sa présence; et il se console en confiant sa douleur au papier, il enferme ces billets dans des « balottes de cire » et les confie à la rivière Lignon, espérant que le courant portera ce message dans la contrée où vit sa bien-aimée; — ce qui arrive en effet et cansera une grande désolation à Astrée qui s'est aussitôt reconnue dans cette bergère « la plus belle du monde».

Va-t-en, papier plus heureux que celui qui t'envoie, revoir les bords tant aimés où ma Bergère demeure; et si, accompagné des pleurs dont je vais grossissant cette rivière, il t'arrive de baiser le sable où ses pas sont imprimés, arrêtes-y ton cours et demeure bien fortuné où mon malheur m'empêche d'être; que si tu parviens en ses mains qui m'ont ravi le cœur, et qu'elle te demande ce que je fais, dis-lui, ô fidèle papier, que nuit et jour je me change en pleurs pour laver son infidélité; et si, touchée du repentir, elle te mouille de quelques larmes, dis-lui que pour détendre l'arc elle ne guérit pas la plaie qu'elle a faite à sa foi et à mon amitié, et que mes ennuis seront témoins et devant les hommes et devant les dieux, que comme elle est la plus belle et la plus infidèle du monde, je suis aussi le plus fidèle et le plus affectionné qui vive, avec assurance toutefois de n'avoir jamais contentement que la mort.

(Livre I.)

Casuistique amoureuse

Tircis a aimé la bergère Cléon; celle-ci étant morte, il veut rester fidèle à son souvenir. Mais une autre bergère, Laonice, aime Tircis. La question est de savoir si Tircis a le droit ou non de demeurer fidèle à Cléon et rejeter l'amour de Laonice. On a entendu les avocats des deux opinions contraires, et voici la sentence de Silvandre:

Après avoir quelque temps considéré en soi-même les raisons des uns et des autres, Silvandre prononça une telle sentence:

Des causes débattues devant nous, le point principal est
5 de savoir si Amour peut mourir par la mort de la chose aimée; sur quoi nous disons qu'un Amour périssable n'est pas vrai Amour; car il doit suivre le sujet qui lui a donné naissance. C'est pourquoi ceux qui ont aimé le corps seulement doivent enclore tous les Amours du corps dans le
10 même tombeau où il s'enserre; mais ceux qui outre cela ont aimé l'esprit, doivent avec leur Amour voler après cet esprit aimé jusqu'au plus haut du ciel, sans que les distances puissent les séparer. Donc toutes ces choses bien considérées, nous ordonnons que Tircis aime toujours sa
15 Cléon, et que des deux amours qui peuvent être en nous, l'une suive le corps de Cléon au tombeau, et l'autre l'esprit dans les cieux. Et ainsi, il soit dorénavant défendu aux recherches de Laonice de tourmenter devantage le repos de Cléon; car telle est la volonté du Dieu qui parle en moi.

(Livre I.)

La prédestination en amour

Céladon et Sylvie cherchent à comprendre pourquoi on aime une personne plutôt qu'une autre.

20 ... Mais outre toutes ces raisons, il me semble que celle de Silvandre encore est très bonne; quand on lui demande

pourquoi il n'est point amoureux, il répond qu'il n'a pas
encore trouvé son aimant, et que quand il le trouvera, il
sait bien qu'infailliblement il faudra qu'il aime comme les
autres. — Et, répondit Sylvie, qu'entend-il par cet aimant ?
— Je ne sais, répondit le berger Céladon, si je le vous saurai   5
bien déduire, car il a fort étudié, et, entre nous, nous le
tenons pour un homme très entendu. Il dit que quand le
grand Dieu forma toutes nos âmes, il les toucha chacune
avec une pièce d'aimant, et qu'après il mit toutes ces
pièces dans un lieu à part, et que de même celles des   10
femmes, après les avoir touchées, il les serra en un autre
magazin séparé; que depuis, quand il envoie les âmes dans
les corps, il mène celles des femmes où sont les pierres
d'aimant qui ont touché celle des hommes, et celles des
hommes à celles des femmes, et leur en fait prendre une à   15
chacune. S'il y a des âmes larronesses, elles en prennent
plusieurs pièces qu'elles cachent. Il advient de là qu'aussitôt que l'âme est dans le corps et qu'elle rencontre
celle qui a son aimant, il lui est impossible qu'elle ne l'aime
pas, et d'ici procèdent tous les effets de l'amour; car quant   20
à celles qui sont aimées de plusieurs, c'est qu'elles ont été
larronesses, et ont pris plusieurs pièces. Quant à celle qui
aime quelqu'un qui ne l'aime point, c'est que celui-là a son
aimant et non pas elle le sien. On lui fit plusieurs oppositions quand il disait ces choses, mais il répondit fort bien à   25
toutes; entre autres je lui dis: mais que veut dire que
quelquefois un berger aimera plusieurs bergères ? C'est
dit-il, que la pièce d'aimant qui le toucha étant entre les
autres, lorsque Dieu les mêla, se cassa, et était en diverses pièces, toutes celles qui en ont attirent cette âme;   30
mais aussi prenez garde que ces personnes qui sont éprises
de diverses amours n'aiment pas beaucoup. C'est d'autant

que¹ ces petites pièces séparées n'ont pas tant de force
qu'étant unies. De plus, il disait que d'ici venait que nous
voyons bien souvent des personnes en aimer d'autres, qui à
nos yeux n'ont rien d'aimable, que d'ici procédaient aussi
5 ces étranges amours qui faisaient qu'un Gaulois nourri
entre toutes les plus belles dames, viendra à aimer une
barbare étrangère. — Il y eut Diane qui lui demanda ce
qu'il disait de ce Timon Athénien, qui n'aima jamais personne, et que jamais personne n'aima. L'aimant, dit-il, de
10 celui-là, ou était encore dans le magazin du grand Dieu,
quand il vint au monde, ou bien celui qui l'avait pris
mourut au berceau, ou avant que ce Timon fût né, ou en
âge de connaissance. De sorte que depuis, quand nous
voyons quelqu'un qui n'est point aimé, nous disons que son
15 aimant a été oublié. — Et que disait-il, dit Sylvie, sur ce
que personne n'avait aimé Timon ? Que quelquefois, répondit Céladon, le grand Dieu comptait les pierres qui lui
restaient, et trouvant le nombre failli à cause de celles que
quelques âmes larronnesses avaient prises de plus, comme
20 je vous ai dit, afin de remettre les pièces en leur nombre
égal, les âmes qui alors se rencontraient pour entrer au
corps, n'en emportaient point; que de là venait que nous
voyons aujourd'hui des bergères assez accomplies, qui sont
défavorisées, que personne ne les aime. — Mais le gracieux
25 Corilas lui fit une demande selon ce qui le touchait pour
lors. Que veut dire qu'ayant aimé longuement une personne, on vient à la quitter et à en aimer une autre ? Silvandre répondit à cela que la pièce d'aimant de celui qui
venait à se changer, avait été rompue, et que celle qu'il
30 avait aimée la première en devait avoir une pièce moins
grande que celle pour laquelle il la laissait; et que tout

¹ parce que.

ainsi que nous voyons un fer entre deux calamites [1], se laisse tirer à celle qui a plus de force, de même l'âme se laisse emporter à la plus forte partie de son aimant. Vraiment, dit Sylvie, ce berger doit être gentil d'avoir de si belles conceptions.

5

(*Livre I*.)

Honoré d'Urfé avait eu des précurseurs; citons surtout *Le Courtisan*, de Balthazar Castiglione (en italien, 1528; en français, 1537), et *La Parfaite Amie*, d'Héroët (1542), qui aimaient à parler de « l'amour platonique ». Il eut un plus grand nombre encore d'imitateurs, particulièrement les auteurs des romans dits « précieux », dont les plus connus sont: Gomberville (*Polexandre*, 1629–1637, 8 vol.), La Calprenède (*Cassandre*, 1642–1645, 10 vol.; *Cléopâtre*, 1647–1658, 12 vol.; *Faramond*, inachevé), et surtout Madeleine de Scudéry (*Artamène ou le Grand Cyrus*, 1649–53, 10 vol.; *Clélie, Histoire romaine*, 1654–61, 10 vol.[2]) Une réaction contre certaines affectations des romans écrits dans l'esprit de *L'Astrée* se manifesta, dont le principal interprète fut Charles Sorel, dans une parodie, *Le Berger extravagant* (1627).

* * * * *

Si l'action exercée par *L'Astrée* sur les livres fut considérable, celle exercée sur les mœurs de la société fut plus grande encore. Madame de Rambouillet, dans son fameux salon, essaya de transporter l'esprit du roman dans la vie réelle.

---

[1] Nom donné autrefois à la pierre d'aimant. (*Furetière*).

[2] On trouvera des extraits de ces deux derniers romans dans le chapitre suivant.

CHAPITRE PREMIER

L'HÔTEL DE RAMBOUILLET

I. LES PRÉCIEUSES

En 1610 commence le XVII° siècle proprement dit. C'est l'année de la mort de Henri IV et de l'ascension au trône de Louis XIII; et c'est l'année où l'Hôtel de Rambouillet ouvre ses portes.

Au seuil du siècle se placent deux institutions célèbres qui contribueront, chacune à sa manière, à former l'esprit du « grand siècle » et le goût, et qui surtout prépareront la langue des écrivains; *L'Hôtel de Rambouillet* et *l'Académie Française.*

Madame de Rambouillet (1588–1665). Catherine de Vivonne naquit à Rome, où son père était ambassadeur; elle épousa (à douze ans) Charles d'Angennes, marquis de Rambouillet. Quand elle vint à Paris, elle fut choquée du manque d'élégance dans les manières et le langage de la cour, et elle décida de recevoir dans son propre salon (à l'Hôtel de Rambouillet qu'elle avait fait reconstruire, sur des plans dessinés par elle). Les réceptions avaient lieu dans une grande salle tapissée de bleu, la « chambre bleue » (en ce temps la couleur à la mode était le rouge brique). Madame de Rambouillet présidait sous le nom d'Arthénice (anagramme de Catherine et qui avait été inventé par Malherbe); elle sera remplacée plus tard par sa fille, Julie d'Angennes, — celle à laquelle sera dédiée la fameuse « Guirlande de Julie » (voir plus bas).[1]

On était reçu à l'Hôtel de Rambouillet, non en vertu de titres de noblesse comme à la cour, mais en raison de qualités de l'esprit. L'essentiel était de bannir la vulgarité; les habitués étaient les « précieux » et « précieuses »; et même ils employaient entre eux des noms spéciaux: Si Mme de Rambouillet était *Arthénice*, Julie d'Angennes était *Philomède*, Mme de Sévigné était *Sophronie* ou *Clarinte*, Françoise d'Aubigné (la future Mme de Maintenon) était *Lyrianne*, la

---

[1] Mme de Rambouillet avait plusieurs autres enfants; voir plus bas, page 47, l. 14); le troisième, M. de Pisani, mourut à la bataille de Nordlingen, 1645.

Duchesse de Longueville était *Mandane;* Voiture, un des plus importants « précieux » était *Valère,* le Duc de Montausier, « soupirant » de Mlle de Rambouillet, était *Ménalide,* Chapelain, le protégé de Richelieu, *Callicrate,* etc.

On cultivait surtout l'art de la conversation, on s'exerçait à discuter avec esprit les sujets les plus divers (' si les romans doivent être préférés à l'histoire ou l'histoire aux romans,' ' si Corneille doit être préféré au poète Benserade ou le contraire,' ' si l'on profane le verbe aimer, en disant qu'on « aime » le melon,' ' s'il vaut mieux avoir le goût au-dessus ou au-dessous de l'esprit,' etc.); on lisait des vers, surtout des madrigaux, — le plus souvent petits poèmes d'amour adressés à quelque dame de la société (voir plus bas); on proposait des énigmes; on faisait des jeux: un des jeux préférés était de faire des « portraits » idéalisés, et beaucoup de ces portraits nous sont restés, ayant été insérés dans des romans de l'époque (voir plus bas); enfin les absents envoyaient des lettres écrites avec recherche, des « épitres » qu'on lisait devant l'assemblée (voir plus bas).

L'hôtel de Rambouillet fleurit jusque vers 1645, quand Mlle de Rambouillet, Julie d'Angennes, épousa le Duc de Montausier et partit pour la Saintonge (où le Duc avait été nommé gouverneur). Voiture, souvent appelé ' le roi de l'Hôtel de Rambouillet' mourut en 1648; le marquis de Rambouillet en 1652; la marquise dura jusqu'en 1665, mais en se retirant peu à peu du monde. Alors les Précieux avaient pris de plus en plus le chemin de la Rue de Beauce, où Madeleine de Scudéry, en style précieux « Sapho », et déjà une ' idole du salon Rambouillet' avait ses « samedis ». Elle était, avec son frère Georges de Scudéry, l'auteur des deux plus célèbres romans « précieux », *Artamène ou le Grand Cyrus* (1649–53, 10 vol.) et *Clélie, Histoire romaine* (1654–61, 10 vol.), où l'on retrouve beaucoup des portraits mentionnés plus haut. C'étaient donc des romans à clefs; le héros du premier était le Grand Condé, et l'héroïne était la sœur même de celui-ci, la Duchesse de Longueville. Du second roman on connaît surtout le chapitre célèbre « La Carte du Pays de Tendre » (voir plus bas). C'est à la grande vogue de ces romans qu'on doit, dit-on, l'idée première des cabinets de lecture.[1]

D'autres salons importants de l'époque sont ceux de Mme d'Albret, de Richelieu, de Mme de Sablé, de la Grande Mademoiselle, la cousine de Louis XIV, au Luxembourg, et celui de Mme de Sablé, où sont nées les *Maximes* de La Rochefoucauld (voir plus bas).

Plusieurs réunions de ces salons ont été marquées par des épisodes

---

[1] Georges de Scudéry mourut en 1667; Mlle de Scudéry vécut 94 ans, elle mourut en 1701.

qui en ont conservé la mémoire: celle, par exemple, où chacun se mit
à offrir ses suggestions pour la ' Carte du Pays de Tendre,' chez
Mlle de Scudéry; celles où se rencontrèrent les *Uranistes* et les
Jobelins, chez Mme de Rambouillet, (voir plus bas, page 85); et celle
appelée la *Journée des Madrigaux:* La réunion avait lieu ce jour-là
chez Mme Arragonais; elle avait reçu un cachet de cristal de quelque
galant [de Conrart, le premier Académicien]; elle avait demandé à
Pélisson de lui faire des vers en réponse; il avait pris son temps;
mais, ce soir-là, elle le somma de s'exécuter; puis elle s'adressa aux
assistants: tous se mirent alors à produire des madrigaux: ' Jamais il
n'en fut tant fait, ni si promptement ... Ce n'était que défis, que
réponses, que répliques, qu'attaques, que ripostes. La plume passait
de mains en mains, et la main ne pouvait suffire à l'esprit ' dit Conrart
qui donne les pièces à l'appui (Petit de Julleville, *Hist. de la Litt.
Fr.* Tome IV, p. 126).

Consulter: On trouvera des détails sur ces salons dans *Les grands
salons littéraires, XVII° et XVIII° siècles, Conférences du Musée
Carnavalet,* (1927), dans V. Cousin, *Société française au XVII° siècle*
(1858), et dans deux livres d'Émile Magne, *Madame de la Suze et la
Société Précieuse* (1908), et *Voiture et l'Hôtel de Rambouillet* (Grand
Prix de l'Académie Française; 2° éd. 1929), qui doivent beaucoup à
un contemporain des Précieux, Somaize, *Grand Dictionnaire des
Précieuses* (1661); on trouve dans ce livre « Dix Maximes des Précieuses »; en voici quelques-unes:

MAXIME I

Comme la liberté, surtout des pensées, des paroles et des inventions
[de l'imagination], est la chose du monde la plus respectée parmi
elles, aussi leur gouvernement n'est-il pas monarchique, et c'est une
maxime établie dès le commencement de leur empire de ne recevoir
point d'autre gouvernement que le libre.

IV

Le quatrième point est de donner plus à l'imagination à l'égard des
plaisirs qu'à la vérité, et cela par ce principe de morale que l'imagination ne peut pécher réellement.

V

C'est encore un point de morale bien approuvé entre elles de ne
dire leurs sentiments que devant ceux qu'elles estiment, et de ne dire
jamais les défauts d'une personne sans y joindre quelque louange, et
cela pour adoucir l'aigreur de la critique.

VIII

Elles sont encore fortement persuadées qu'une pensée ne vaut rien lorsqu'elle est entendue de tout le monde, et c'est une de leurs maximes de dire qu'il faut nécessairement qu'une précieuse parle autrement que le peuple, afin que ses pensées ne soient entendues que de ceux qui ont des clartés au-dessus du vulgaire; et c'est à ce dessein qu'elles font tous leurs efforts pour détruire le vieux langage, et qu'elles en ont fait un, non seulement qui est nouveau, mais encore qui leur est particulier.

1. Portrait de la marquise de Rambouillet

(d'après Mlle de Scudéry, dans *Artamène ou le Grand Cyrus*, 1649-1653)

Imaginez-vous la beauté même, si vous voulez concevoir celle de cette admirable personne. Je ne vous dis point que vous vous figuriez celle que nos peintres donnent à Vénus, pour comprendre la sienne, car elle ne serait pas assez modeste; ni celle de Pallas, parce qu'elle serait trop 5 fière; ni celle de Junon, qui ne serait pas assez charmante; ni celle de Diane, qui serait un peu trop sauvage; mais je vous dirai que, pour représenter Cléomire,[1] il faudrait prendre de toutes les figures qu'on donne à ces déesses ce qu'elles ont de beau, et l'on en ferait peut-être une passable 10 peinture. Cléomire est grande et bien faite: tous les traits de son visage sont admirables; la délicatesse de son teint ne se peut exprimer; la majesté de toute sa personne est digne d'admiration, et il sort je ne sais quel éclat de ses yeux qui imprime le respect dans l'âme de tous ceux qui 15 la regardent; et pour moi, je vous avoue que je n'ai jamais pu approcher Cléomire, sans sentir dans mon cœur je ne sais quelle crainte respectueuse, qui m'a obligé de songer

---

[1] Mme de Rambouillet. Le surnom d'Arthénice reste beaucoup plus connu que celui de Cléomire.

plus à moi, étant auprès d'elle, qu'en nul autre lieu du
monde où j'aie jamais été. Au reste, les yeux de Cléomire
sont si admirablement beaux, qu'on ne les a jamais pu
bien représenter: ce sont pourtant des yeux qui, en don-
5 nant de l'admiration, n'ont pas produit ce que les autres
beaux yeux ont accoutumé de produire dans le cœur de
ceux qui les voient; car enfin, en donnant de l'amour, ils
ont toujours donné en même temps de la crainte et du
respect, et, par un privilège particulier, ils ont purifié tous
10 les cœurs qu'ils ont embrasés. Il y a même parmi leur
éclat et parmi leur douceur une modestie si grande, qu'elle
se communique à ceux qui la voient, et je suis fortement
persuadé qu'il n'y a point d'homme au monde qui eût
l'audace d'avoir une pensée criminelle en la présence de
15 Cléomire. Sa physionomie est la plus belle et la plus
noble que je vis jamais, et il paraît une tranquillité sur son
visage qui fait voir clairement quelle est celle de son âme.
On voit même que toutes ses passions sont soumises à sa
raison et ne font point de guerre intestine dans son cœur;
20 en effet, je ne pense point que l'incarnat qu'on voit sur ses
joues ait jamais passé ses limites et se soit épanché sur
tout son visage, si ce n'a été par la chaleur de l'été ou par
la pudeur, mais jamais par la colère ni par aucun dérèglement de l'âme: ainsi Cléomire, étant toujours également
25 tranquille, est toujours également belle. Enfin, si on
voulait donner un corps à la Chasteté pour la faire adorer
par toute la terre, je voudrais représenter Cléomire; si on
en voulait donner un à la Gloire pour la faire aimer par
tout le monde, je voudrais encore faire sa peinture, et, si
30 l'on en donnait un à la Vertu, je voudrais aussi la représenter.

Au reste, l'esprit et l'âme de cette merveilleuse per-

sonne surpassent de beaucoup sa beauté: le premier n'a
point de bornes dans son étendue, et l'autre n'a point
d'égale en générosité, en constance, en bonté, en justice
et en pureté. L'esprit de Cléomire n'est pas un de ces
esprits qui n'ont de lumière que celle que la nature leur   5
donne, car elle l'a cultivé soigneusement; et je pense
pouvoir dire qu'il n'est point de belles connaissances
qu'elle n'ait acquises. Elle sait diverses langues, et
n'ignore presque rien de ce qui mérite d'être su; mais elle
le sait sans faire semblant de le savoir, et on dirait, à   10
l'entendre parler, tant elle est modeste, qu'elle ne parle de
toutes choses admirablement, comme elle fait, que par le
simple sens commun et par le seul usage du monde.
Cependant elle se connaît à tout: les sciences les plus
élevées ne passent pas sa connaissance; les arts les plus   15
difficiles sont connus d'elle parfaitement... Au reste,
jamais personne n'a eu une connaissance si délicate qu'elle
pour les beaux ouvrages de prose ni pour les vers; elle en
juge pourtant avec une modération merveilleuse, ne
quittant jamais la bienséance de son sexe, quoiqu'elle soit   20
beaucoup au-dessus... Il n'y a personne en toute la cour,
qui ait quelque esprit et quelque vertu, qui n'aille chez
elle. Rien n'est trouvé beau, si elle ne l'a approuvé: il ne
vient pas même un étranger qui ne veuille voir Cléomire
et lui rendre hommage; et il n'est pas jusqu'aux excellents   25
artisans qui ne veuillent que leurs ouvrages aient la gloire
d'avoir son approbation. Tout ce qu'il y a de gens qui
écrivent en Phénicie [1] ont chanté ses louanges; et elle
possède si merveilleusement l'estime de tout le monde,
qu'il ne s'est jamais trouvé personne qui l'ait pu voir, sans   30
dire d'elle mille choses avantageuses, sans être également

[1] Scène du roman du *Grand Cyrus;* il s'agit réellement de la France.

charmé de sa beauté, de son esprit, de sa douceur et de sa
générosité...

2. La marquise de Rambouillet

(d'après Tallemant-des-Réaux, *Les Historiettes*, 1657 [1])

Mme de Rambouillet [2] est fille, comme j'ai déjà dit, de
feu M. le marquis de Pisani, et d'une Savelli, veuve d'un
5 Ursins. Sa mère était une habile femme; elle eut soin de
l'entretenir dans la langue italienne, afin qu'elle sût
également cette langue et la française. On fit toujours cas
de cette dame-là à la cour, et Henri IV l'envoya, avec
Mme de Guise, surintendante de la maison de la Reine,
10 recevoir la Reine-mère à Marseille [3]. Elle maria sa fille
avant douze ans avec M. le vidame du Mans. Mme de
Rambouillet dit qu'elle regarda d'abord son mari, qui
avait alors une fois autant d'âge qu'elle, comme un homme
fait, et qu'elle se regarda comme une enfant, et que cela lui
15 est toujours demeuré dans l'esprit, et l'a portée à le respecter davantage. Hors les procès [4] jamais il n'y a eu
un homme plus complaisant pour sa femme. Elle m'a
avoué qu'il a toujours été amoureux d'elle, et ne croyait

---

[1] Les *Historiettes*, de Tallemant-des-Réaux (1619–1692) sont considérées comme un des documents les plus intéressants pour connaître la société du XVII° siècle. Leur importance égale presque celle
des *Lettres* de Madame de Sévigné (voir chap. XI, ii) et celle des
Mémoires de Saint-Simon (voir *Eighteenth Century French Readings*,
Holt and Co., chapter II). Leur ton est celui de la légèreté, parfois
du cynisme.

[2] Italienne par sa mère.

[3] Marie de Médicis, qui épousa en 1600 Henri IV; réception à
Marseille, le 3 novembre.

[4] Le marquis de Rambouillet n'avait pas le sens des affaires et eut
de nombreux procès.

pas qu'on pût avoir plus d'esprit qu'elle en avait. A la
vérité, il n'avait pas grand'peine à lui être complaisant,
car elle n'a jamais rien voulu que de raisonnable. Cependant elle jure que si on l'eût laissée jusqu'à vingt ans, et
qu'on ne l'eût point obligée après à se marier, elle fût 5
demeurée fille. Je la croirais bien capable de cette résolution, quand je considère que dès vingt ans elle ne voulut
plus aller aux assemblées du Louvre; chose assez étrange
pour une belle et jeune personne et qui est de qualité.
Elle disait qu'elle n'y trouvait rien de plaisant que de 10
voir comme on se pressait pour y entrer, et que quelquefois
il lui est arrivé de se retirer en une chambre pour se divertir
du méchant ordre qu'il y a pour ces choses-là en France.
Ce n'est pas qu'elle n'aimât le divertissement, mais c'était
en particulier. A l'entrée [1] qu'on devait faire à la Reine- 15
mère, quand Henri IV la fit couronner, Mme de Rambouillet était une des belles qui devaient être de la cérémonie.

Elle a toujours aimé les belles choses, et elle allait apprendre le latin, seulement pour lire Virgile, quand une
maladie l'en empêcha. Depuis, elle n'y a pas songé, et 20
s'est contentée de l'espagnol. C'est une personne habile
en toutes choses. Elle fut elle-même l'architecte de l'hôtel
de Rambouillet, qui était la maison de son père. Mal
satisfaite de tous les dessins qu'on lui faisait (car alors on
ne savait que faire une salle à un côté, une chambre à 25
l'autre, et un escalier au milieu: d'ailleurs la place était
fort irrégulière et d'une assez petite étendue), un soir,
après y avoir bien rêvé, elle se mit à crier: « Vite, du papier;
j'ai trouvé le moyen de faire ce que je voulais. » Sur

---

[1] Cette entrée solennelle à Paris devait avoir lieu en 1610, après la
cérémonie officielle de couronnement à Saint-Denis (dix ans après
le mariage), mais fut empêchée par l'assassinat de Henri IV.

l'heure elle en fit le dessin, car naturellement elle sait
dessiner; et dès qu'elle a vu une maison, elle en tire le
plan fort aisément.　De là vient qu'elle faisait tant la
guerre à Voiture de ce qu'il ne retenait jamais rien des
5 beaux bâtiments qu'il voyait; et c'est ce qui a donné lieu
à cette ingénieuse badinerie qu'il lui écrivit sur le Valentin.[1]
On suivit le dessin de Mme de Rambouillet de point en
point.　C'est d'elle qu'on a appris à mettre les escaliers à
côté, pour avoir une grande suite de chambres, à exhausser
10 les planchers,[2] et à faire des portes et des fenêtres hautes
et larges et vis-à-vis les unes des autres; et cela est si vrai,
que la Reine-mère, quand elle fit bâtir Luxembourg, ordonna aux architectes d'aller voir l'hôtel de Rambouillet,
et ce soin ne leur fut pas inutile.　C'est la première qui
15 s'est avisée de faire peindre une chambre d'autre couleur
que de rouge ou de tanné; et c'est ce qui a donné à sa
grande chambre le nom de la *chambre bleue*.

　　L'hôtel de Rambouillet était, pour ainsi dire, le théâtre
de tous les divertissements, et c'était le rendez-vous de ce
20 qu'il y avait de plus galant à la cour, et de plus poli parmi
les beaux-esprits du siècle … Jamais il n'y a eu une meilleure amie.　M. d'Andilly,[3] qui faisait le professeur en
amitié, lui dit un jour qu'il la voulait instruire amplement
en cette belle science; il lui faisait des leçons prolixes; elle,
25 pour trancher tout d'un coup, lui dit: « Bien loin de ne pas
faire toutes choses au monde pour mes amis, si je savais
qu'il y eût un fort honnête homme aux Indes, sans le
connaître autrement, je tâcherais de faire pour lui tout

---

[1] Voir la lettre de Voiture contenant cette « ingénieuse badinerie »
à la p. 82 de ce livre.

[2] Planchers = plafonds.　Au XVIIe siècle l'usage n'avait pas encore restreint le mot de plancher, au sens de *floor*.

[3] Frère du grand Arnauld, de Port-Royal (voir chapitre VII).

ce qui serait à son avantage. — Quoi ! s'écria M. d'Andilly, vous en savez jusque là ! Je n'ai plus rien à vous montrer. »

Madame de Rambouillet est encore présentement d'humeur à se divertir de tout. Un de ses plus grands plaisirs était de surprendre les gens. Une fois elle fit une galanterie à M. de Lizieux [1] à laquelle il ne s'attendait pas. Il l'alla voir à Rambouillet.[2] Il y a au pied du château une fort grande prairie, au milieu de laquelle, par une bizarrerie de la nature, se trouve comme un cercle de grosses roches, entre lesquelles s'élèvent de grands arbres qui font un ombrage très-agréable. C'est le lieu où Rabelais [3] se divertissait, à ce qu'on dit dans le pays; car le cardinal du Bellay, à qui il était, et messieurs de Rambouillet, comme proches parents, allaient fort souvent passer le temps à cette maison; et encore aujourd'hui on appelle une certaine roche creuse et enfumée *la Marmite de Rabelais*. La marquise proposa donc à M. de Lizieux d'aller se promener dans la prairie. Quand il fut assez près de ces roches pour entrevoir à travers les feuilles des arbres, il aperçut en divers endroits je ne sais quoi de brillant. Étant plus proche, il lui sembla qu'il discernait des femmes, et qu'elles étaient vêtues en nymphes. La marquise, au

[1] Prédicateur célèbre qui a prononcé l'Oraison funèbre de Henri IV (1610).

[2] Le domaine de Rambouillet — à distinguer du Salon de Rambouillet qui était à Paris — est situé à la limite sud de la Forêt de Rambouillet, à 40 milles environ au Sud-ouest de Paris. C'était un ancien château royal; c'est aujourd'hui la résidence d'été du Président de la République Française (voir G. Lenôtre, *Le Château de Rambouillet; six siècles d'histoire*, Paris, C. Lévy, 1930).

[3] François Rabelais (1483 ?–1553) le célèbre auteur du roman de Gargantua et Pantagruel, fut quelque temps au service du Cardinal Du Bellay (1492–1560).

commencement, ne faisait pas semblant de rien voir de ce qu'il voyait. Enfin, étant parvenus jusqu'aux roches, ils trouvèrent Mlle de Rambouillet et toutes les demoiselles de la maison, vêtues effectivement en nymphes, qui,
5 assises sur ces roches, faisaient le plus agréable spectacle du monde. Le bonhomme en fut si charmé, que depuis il ne voyait jamais la marquise sans lui parler des roches de Rambouillet ...

Elle attrapa plaisamment le comte de Guiche, aujourd'-
10 hui le maréchal de Gramont.[1] Il était encore fort jeune quand il commença à aller à l'hôtel de Rambouillet. Un soir, comme il prenait congé de madame la marquise, M. de Chaudebonne, le plus intime des amis de Mme de Rambouillet, qui était fort familier avec lui, lui dit: « Comte,
15 ne t'en va point, soupe céans.—Jésus ! vous moquez-vous ? » s'écria la marquise; « le voulez-vous faire mourir de faim ? » — « Elle se moque elle-même, » reprit Chaudebonne, « demeure, je t'en prie. » Enfin il demeura. Mlle Paulet, car tout cela était concerté, arriva en ce moment avec
20 Mlle de Rambouillet; on sert, et la table n'était couverte que de choses que le comte n'aimait pas. En causant, on lui avait fait dire, à diverses fois, toutes ses aversions. Il y avait entre autres choses un grand potage au lait et un gros coq d'Inde. Mlle Paulet y joua admirablement son
25 personnage. « Monsieur le comte, » disait-elle, « il n'y eut

---

[1] Il s'est distingué dans les campagnes d'Allemagne et d'Italie, entre autres, à Nordlingue. Voir pour son rôle au fameux passage du Rhin, en 1672, une lettre de Mme de Sévigné, citée au chapitre XI de ce livre.

[2] Angélique Paulet, une favorite de l'hôtel de Rambouillet; l'Élise du *Grand Cyrus* de Mlle de Scudéry (1592–1651). On trouvera plus bas (page 80) une lettre que lui adressa le célèbre Voiture. Elle était la fille de Charles Paulet, secrétaire de la Chambre du roi.

jamais un si bon potage au lait; vous en plaît-il sur votre
assiette? — Mon Dieu! le bon coq d'Inde! il est aussi
tendre qu'une gelinotte. — Vous ne mangez point du
blanc que je vous ai servi; il vous faut donner du rissolé, de
ces petits endroits de dessus le dos. » Elle se tuait de lui
en donner, et lui de la remercier. Il était déferré; il ne
savait que penser d'un si pauvre souper. Il émiait du pain
entre ses doigts. Enfin, après que tout le monde s'en fut
bien diverti, Mme de Rambouillet dit au maître-d'hôtel:
« Apportez donc quelque autre chose, M. le comte ne
trouve rien là à son goût. » Alors on servit un souper
magnifique, mais ce ne fut pas sans rire.

On lui fit encore une malice à Rambouillet. Un soir
qu'il avait mangé force champignons, on gagna son valet
de chambre qui donna tous les pourpoints des habits que
son maître avait apportés. On les étrécit promptement.
Le matin, Chaudebonne le va voir comme il s'habillait;
mais quand il voulut mettre son pourpoint, il le trouva
trop étroit de quatre grands doigts. « Ce pourpoint-là est
bien étroit, » dit-il à son valet de chambre; « donnez-moi
celui de l'habit que je mis hier. » Il ne le trouve pas plus
large que l'autre. « Essayons-les tous, » dit-il. Mais tous
lui étaient également étroits. « Qu'est ceci? » ajouta-t-il,
« suis-je enflé? serait-ce d'avoir trop mangé de champignons? » — « Cela pourrait bien être, » dit Chaudebonne,
« vous en mangeâtes hier au soir à crever. » Tous ceux qui
le virent lui en dirent autant, et voyez ce que c'est que
l'imagination. Il avait, comme vous pouvez penser, le
teint tout aussi bon que la veille; cependant il y découvrait,
ce lui semblait, je ne sais quoi de livide. La messe sonne,
c'était un dimanche: il fut contraint d'y aller en robe de
chambre. La messe dite, il commence à s'inquiéter de

cette prétendue enflure, et il disait en riant du bout des
dents: « Ce serait pourtant une belle fin que de mourir à
vingt et un ans pour avoir mangé des champignons ! »
Comme on vit que cela allait trop avant, Chaudebonne dit
5 qu'en attendant qu'on pût avoir du contre-poison, il était
d'avis qu'on fît une recette dont il se souvenait. Il se mit
aussitôt à l'écrire, et la donna au comte. Il y avait:
Recipe de bons ciseaux, et décous ton pourpoint. Or, quelque
temps après, comme si c'eût été pour venger le comte,
10 Mme de Rambouillet et M. de Chaudebonne mangèrent
effectivement de mauvais champignons, et on ne sait ce
qui en fût arrivé, si Mme de Rambouillet n'eût trouvé de
la thériaque dans un cabinet, où elle chercha à tous hasards.

    Mme de Rambouillet a eu six enfants: Mme de Mon-
15 tausier est l'aînée de tous; Mme d'Hyères est la seconde;
M. de Pisani était après. Il y avait un garçon bien fait
qui mourut de la peste à huit ans. Sa gouvernante alla
voir un pestiféré, et au sortir de là fut assez sotte pour
baiser cet enfant; elle et lui en moururent. Mme de Ram-
20 bouillet, Mme de Montausier et Mlle Paulet l'assistèrent
jusques au dernier soupir. Mme de Saint-Étienne est
après, puis Mme de Pisani. Toutes sont religieuses, hors
la première et la dernière des filles, qui est Mlle de Rambouillet.

3. Julie d'Angennes

(d'après Fléchier, *Oraison funèbre de Mme de Montausier*, 1671)

    Julie-Lucienne d'Angennes de Rambouillet (1607–1671). Cette
fille aînée de Mme de Rambouillet avait été Gouvernante des enfants de
France. On a dit plus haut qu'elle avait joué un grand rôle aux réunions du salon de sa mère. C'est à elle que le duc de Montausier
avait adressé, trois ans avant son mariage (1645), le recueil de vers
connu sous le nom de *Guirlande de Julie*. Voir p. 62.

Quand la nature ne lui aurait pas donné tous ces avantages, elle aurait pu les recevoir de l'éducation; et, pour
être illustre, il suffisait d'avoir été élevée par madame la
marquise de Rambouillet. Ce nom capable d'imprimer
du respect dans tous les esprits où il reste encore quelque 5
délicatesse; ce nom qui renferme je ne sais quel mélange
de la grandeur romaine et de la civilité française; ce nom,
dis-je, n'est-il pas un éloge abrégé, et de celle qui l'a porté,
et de celles qui en sont descendues? C'était d'elle que
l'admirable Julie tenait cette grandeur d'âme, cette bonté 10
singulière, cette prudence consommée, cette piété sincère,
cet esprit sublime et cette parfaite connaissance des choses
qui rendirent sa vie si éclatante.

Vous dirai-je qu'elle pénétrait dès son enfance les
défauts les plus cachés des ouvrages d'esprit, et qu'elle 15
en discernait les traits les plus délicats? Que personne
ne savait mieux estimer les choses louables, ni mieux louer
ce qu'elle estimait? Qu'on gardait ses lettres comme le
vrai modèle des pensées raisonnables et de la pureté de
notre langage? Souvenez-vous de ces cabinets [1] que l'on 20
regarde encore avec tant de vénération, où l'esprit se
purifiait, où la vertu était révérée sous le nom de l'incomparable Arthénice, où se rendaient tant de personnes de
qualité et de mérite qui composaient une cour choisie,
nombreuse sans confusion, modeste sans contrainte, 25
savante sans orgueil, polie sans affectation. Ce fut là
que, tout enfant qu'elle était, elle se fit admirer de ceux
qui étaient eux-mêmes l'ornement et l'admiration de leur
siècle.

Il est assez ordinaire aux personnes à qui le ciel a donné 30

[1] Au XVIIe siècle = salons, ou petites chambres pour conversations intimes donnant sur le grand salon central.

de l'esprit et de la vivacité d'abuser des grâces qu'elles ont reçues. Elles se piquent de briller dans les conversations, de réduire tout à leur sens et d'exercer un empire tyrannique sur les opinions. L'affectation, la hauteur, la 5 présomption corrompent leurs plus beaux sentiments; et l'esprit, qui les retiendrait dans les bornes de la modestie, s'il était solide, les porte ou à des singularités bizarres, ou à une vanité ridicule, ou à des indiscrétions dangereuses. A-t-on jamais remarqué la moindre apparence de ces 10 défauts en celle dont nous faisons aujourd'hui l'éloge ? Y eut-il jamais un esprit plus doux, plus facile, plus accommodant ? Se fit-elle jamais craindre dans les compagnies ? Etait-elle éloignée de la cour, on eût dit qu'elle était née pour les provinces. Sortait-elle des provinces, 15 on voyait bien qu'elle était faite pour la cour. Elle se servait toujours de ses lumières pour connaître la vérité des choses et pour entretenir la charité, et croyait que c'était n'avoir point d'esprit que ne point l'employer ou à s'instruire de ses devoirs ou à vivre en paix avec le pro-20 chain.

4. Mlle de Scudéry peinte par elle-même

(d'après Mlle de Scudéry dans *Artamène ou le Grand Cyrus,*
1649-1653)

Elle[1] est donc fille d'un homme de qualité appelé Scamandrogine qui était d'un sang si noble qu'il n'y avait

[1] Mlle de Scudéry (1607-1701) qui figure dans le roman du *Grand Cyrus* sous le nom de Sapho. Elle est aussi connue en littérature sous les noms de Philoclée, Polymathie, Daphné, etc. On verra ce qu'il y a de vrai dans les faits relatés ici de la vie de Sapho, de sa famille et particulièrement de son frère, et ce qu'il y a de surajouté, dans le livre amusant de Ch. Clerc, *Un Matamore des Lettres, La Vie tragi-comique de Georges de Scudéry* (Ed. Spes, 1929).

point de famille où l'on pût voir une plus longue suite
d'aïeux, ni une généalogie plus illustre ni moins douteuse.
De plus, Sapho a encore eu l'avantage que son père et sa
mère avaient tous deux beaucoup d'esprit et beaucoup de
vertu; mais elle eut le malheur de les perdre de si bonne 5
heure qu'elle ne put recevoir d'eux que les premières inclinations au bien, car elle n'avait que six ans lorsqu'ils
moururent. Il est vrai qu'ils la laissèrent sous la conduite d'une parente qu'elle avait, appelée Cynégire, qui
avait toutes les qualités nécessaires pour bien élever une 10
jeune personne, et ils la laissèrent avec un bien beaucoup
au-dessous de son mérite, mais pourtant assez considérable pour n'avoir non seulement besoin de personne,
mais pour pouvoir même paraître avec assez d'éclat dans
le monde. Sapho a pourtant un frère Charasce[1] qui 15
était alors extrêmement riche; car Scamandrogine en
mourant avait partagé son bien fort inégalement et en
avait beaucoup plus laissé à son fils qu'à sa fille, quoique à la vérité il ne le méritât pas, et qu'elle fût digne
de porter une couronne. En effet je ne pense pas que 20
toute la Grèce ait jamais eu une personne qu'on puisse
comparer à Sapho: je ne m'arrêterai pourtant point à
vous dire quelle fut son enfance, car elle fut si peu enfant qu'à douze ans on commença de parler d'elle comme
d'une personne dont la beauté, l'esprit et le jugement 25
étaient déjà formés et donnaient de l'admiration à tout
le monde; mais je vous dirai seulement qu'on n'a jamais
remarqué en qui que ce soit des inclinations plus nobles, ni
une facilité plus grande à apprendre tout ce qu'elle a
voulu savoir. 30

---

[1] Georges de Scudéry, sous le nom duquel Mlle de Scudéry publia
ses romans.

Cependant, quoique Sapho ait été charmante dès le berceau, je ne veux vous faire la peinture de sa personne et de son esprit qu'en l'état où elle est présentement, afin que vous la connaissiez mieux. Je vous dirai donc qu'encore
5 que vous m'entendiez parler de Sapho comme de la plus merveilleuse et de la plus charmante personne de toute la Grèce, il ne faut pourtant pas vous imaginer que sa beauté soit une de ces grandes beautés en qui l'envie même ne saurait trouver aucun défaut, mais il faut néanmoins que
10 vous compreniez qu'encore que la sienne ne soit pas de celles que je dis, elle est pourtant capable d'inspirer de plus grandes passions que les plus grandes beautés de la terre. Mais enfin, madame, pour vous dépeindre l'admirable Sapho, il faut que je vous dise qu'encore qu'elle se
15 dise petite, lorsqu'elle veut médire d'elle-même, elle est pourtant de taille médiocre, mais si noble et si bien faite qu'on ne peut y rien désirer. Pour le teint, elle ne l'a pas de la dernière blancheur; il a toutefois un si bel éclat qu'on peut dire qu'elle l'a beau. Mais ce que Sapho a de souve-
20 rainement agréable, c'est qu'elle a les yeux si beaux, si vifs, si amoureux et si pleins d'esprit, qu'on ne peut ni en soutenir l'éclat ni en détacher ses regards. En effet, ils brillent d'un feu si pénétrant et ils ont pourtant une douceur si passionnée que la vivacité et la langueur ne
25 sont pas des choses incompatibles dans les beaux yeux de Sapho. Ce qui fait leur plus grand éclat, c'est que jamais il n'y a eu une opposition plus grande que celle du blanc et du noir de ses yeux. Cependant cette grande opposition n'y cause nulle rudesse, et il y a un certain esprit amoureux
30 qui les adoucit d'une si charmante manière que je ne crois pas qu'il y ait jamais eu une personne dont les regards aient été plus redoutables. De plus, elle a des choses qui

formidable

ne se trouvent pas toujours ensemble, car elle a la physionomie fine et modeste, et elle ne laisse pas aussi d'avoir je
ne sais quoi de grand et de relevé dans la mine. Sapho a,
de plus, le visage ovale, la bouche petite et incarnate, et *flesh-colored*
les mains si admirables que ce sont en effet des mains à 5
prendre des cœurs, ou, si on la veut considérer comme cette
savante fille qui est si chèrement aimée des Muses, ce sont
des mains dignes de cueillir les plus belles fleurs du
Parnasse.

Mais, Madame, ce n'est pas encore par ce que je viens 10
de vous dire que Sapho est la plus aimable; car les charmes
de son esprit surpassent de beaucoup ceux de sa beauté.
En effet, elle l'a d'une si vaste étendue, qu'on peut dire
que ce qu'elle ne comprend pas, ne peut être compris de
personne: et elle a une telle disposition à apprendre facile- 15
ment tout ce qu'elle veut savoir que, sans que l'on ait
presque jamais ouï dire que Sapho ait rien appris, elle sait
pourtant toutes choses.[1] Premièrement, elle est née avec
une inclination à faire des vers, qu'elle a si heureusement
cultivée qu'elle en fait mieux que qui que ce soit, et elle a 20
même inventé des mesures particulières pour en faire
qu'Hésiode et Homère ne connaissaient pas, et qui ont
une telle approbation que cette sorte de vers portent le
nom de celle qui les a inventés, et sont appelés saphiques.[2]
Elle écrit aussi tout à fait bien en prose, et il y a un carac- 25
tère si amoureux dans tous les ouvrages de cette admirable
fille, qu'elle émeut et qu'elle attendrit le cœur de tous ceux

[1] Molière, *Les Précieuses ridicules* (1659), Scène IX fait évidemment allusion à ce passage lorsqu'il fait dire à Mascarille: « Les gens
de qualité savent tout sans avoir jamais rien appris. »

[2] Il y avait en effet une mesure rythmique appelée saphique, et
qui avait été inventée par Sapho, la célèbre poètesse grecque (VI⁰
siècle av. J. C.).

qui lisent ce qu'elle écrit. En effet, je lui ai vu faire un jour une chanson improvisée qui était mille fois plus touchante que la plus plaintive élégie ne saurait être, et il y a un certain tour amoureux à tout ce qui part de son
5 esprit que nulle autre qu'elle ne saurait avoir. Elle exprime même si délicatement les sentiments les plus difficiles à exprimer, et elle sait si bien faire l'anatomie d'un cœur amoureux, s'il est permis de parler ainsi, qu'elle en sait décrire exactement toutes les jalousies, toutes les inquié-
10 tudes, toutes les impatiences, toutes les joies, tous les dégoûts, tous les murmures, tous les désespoirs, toutes les espérances, toutes les révoltes, et tous ces sentiments tumultueux qui ne sont jamais bien connus que de ceux qui les sentent ou qui les ont sentis. Au reste, Sapho ne
15 connaît pas seulement tout ce qui dépend de l'amour, car elle ne connaît pas moins bien tout ce qui appartient à la générosité et elle sait enfin si parfaitement écrire et parler de toutes choses, qu'il n'est rien qui ne tombe sous sa connaissance. Il ne faut pourtant pas s'imaginer que ce soit
20 une science infuse, car Sapho a vu tout ce qui est digne de l'être, et elle s'est donné la peine de s'instruire de tout ce qui est digne de curiosité. Elle sait de plus jouer de la lyre et chanter; elle danse aussi de fort bonne grâce, et elle a même voulu savoir faire tous les ouvrages où les femmes
25 qui n'ont pas l'esprit aussi élevé qu'elle, s'occupent quelquefois pour se divertir. Mais ce qu'il y a d'admirable, c'est que cette personne, qui sait tant de choses différentes, les sait sans faire la savante, sans en avoir aucun orgueil, et sans mépriser celles qui ne les savent pas. En effet, sa
30 conversation est si naturelle, si aisée et si galante qu'on ne lui entend jamais dire en une conversation générale que des choses qu'on peut croire qu'une personne de grand

esprit pourrait dire sans avoir appris tout ce qu'elle sait. Ce n'est pas que les gens qui savent les choses ne connaissent bien que la nature toute seule ne pourrait lui avoir ouvert l'esprit au point qu'elle l'a, mais c'est qu'elle songe tellement à demeurer dans la <u>bienséance</u> de son 5 sexe, qu'elle ne parle presque jamais que de ce que les dames doivent parler, et il faut être de ses amis très particuliers pour qu'elle avoue seulement qu'elle ait appris quelque chose. Il ne faut pourtant pas s'imaginer que Sapho affecte une ignorance grossière en sa conversation; 10 au contraire, elle sait si bien l'art de la rendre telle qu'elle veut, qu'on ne sort jamais de chez elle sans y avoir ouï dire mille belles et agréables choses; mais c'est qu'elle a une adresse dans l'esprit qui la rend maîtresse de celui des autres. Ainsi, on peut assurer qu'elle fait presque dire 15 tout ce qu'elle veut aux gens qui sont avec elle, quoiqu'ils pensent ne dire que ce qui leur plaît. Elle a un esprit d'accommodement admirable, et elle parle si également bien des choses sérieuses et des choses galantes et <u>enjouées,</u> qu'on ne peut comprendre qu'une même personne puisse 20 avoir des talents si opposés. Mais ce qu'il y a encore de plus digne de louanges en Sapho, c'est qu'il n'y a pas au monde une meilleure personne qu'elle, ni plus généreuse, ni moins intéressée, ni plus officieuse. De plus, elle est fidèle dans ses amitiés, et elle a l'âme si tendre et le cœur 25 si passionné, qu'on peut sans doute mettre la suprême félicité à être aimé de Sapho, car elle a un esprit si ingénieux à trouver de nouveaux moyens d'obliger ceux qu'elle estime et de leur faire connaître son affection que, bien qu'il ne semble pas qu'elle fasse des choses fort ex- 30 traordinaires, elle ne laisse pas toutefois de persuader à ceux qu'elle aime qu'elle les aime chèrement. Ce qu'elle

a encore d'admirable, c'est qu'elle est incapable d'envie,
et qu'elle rend justice au mérite avec tant de générosité
qu'elle prend plus de plaisir à louer les autres qu'à être
louée. Outre tout ce que je viens de dire, elle a encore
5 une complaisance qui, sans avoir rien de lâche, est infiniment commode et infiniment agréable; et si elle refuse
quelquefois quelque chose à ses amis, elle le fait avec tant
de civilité et tant de douceur qu'elle les oblige même en
les refusant. Jugez après cela de ce qu'elle peut faire
10 lorsqu'elle leur accorde son amitié et sa confiance. Voilà
quelle est cette merveilleuse Sapho . . .

Mais enfin, Madame, cette merveilleuse fille, étant telle
que je viens de vous la dépeindre, fit un bruit si grand à
Mitylène, malgré toute sa modestie et tout le soin qu'elle
15 apportait à cacher ce qu'elle savait, que la renommée
porta bientôt son nom par toute la Grèce, et l'y porta si
glorieusement qu'on peut assurer que jusqu'alors nulle
personne de son sexe n'avait eu une si grande réputation.

5. La carte de Tendre

[D'après Mlle de Scudéry, *Clélie, Histoire romaine*, (Ire partie).
L'auteur reconnaît loyalement sa dette envers Honoré d'Urfé dans
des pages comme celles-ci (voir Magendie, *L'Astrée*, Coll. Grands
événements litt. 1929, p. 146).]

« Vous vous souvenez sans doute bien, Madame,
20 qu'Herminius [1] avait prié Clélie [2] de lui enseigner par où
l'on pouvait aller de Nouvelle Amitié à Tendre; de sorte
qu'il faut commencer par cette première ville, qui est au

---

[1] Pellisson (1624–1693), un des historiographes de Louis XIV, et
auteur de l'*Histoire de l'Académie française*.

[2] L'héroïne du roman; sous ce nom, Mlle de Scudéry prétendait
peindre Mlle de Longueville, fille de la célèbre duchesse de Longueville, elle-même l'héroïne du *Grand Cyrus*.

bas de cette carte, pour aller aux autres; car afin que vous
compreniez mieux le dessin de Clélie, vous verrez qu'elle

LA CARTE DE TENDRE

a imaginé qu'on peut avoir de la tendresse par trois causes
différentes: ou par une grande estime, ou par reconnais-

sance, ou par inclination; et c'est ce qui l'a obligée d'établir
ces trois villes de Tendre sur trois rivières qui portent ces
trois noms, et de faire aussi trois routes différentes pour y
aller. Si bien que comme on dit Cumes sur la mer d'Ionie
5 et Cumes sur la mer Tyrrhène, elle fait qu'on dit Tendre
sur Inclination, Tendre sur Estime et Tendre sur Reconnaissance. Cependant, comme elle a présupposé que la
tendresse qui naît par inclination n'a besoin de rien autre
chose pour être ce qu'elle est, Clélie, comme vous le voyez,
10 Madame, n'a mis nul village, le long des bords de cette
rivière, qui va si vite qu'on n'a que faire de logement le
long de ses rives, pour aller de Nouvelle Amitié à Tendre.
Mais pour aller à Tendre sur Estime, il n'en est pas de
même; car Clélie a ingénieusement mis autant de villages
15 qu'il y a de petites et de grandes choses qui peuvent con-
tribuer à faire naître par estime cette tendresse dont elle
entend parler. En effet, vous voyez que de Nouvelle
Amitié on passe à un lieu qu'elle appelle Grand Esprit,
parce que c'est ce qui commence ordinairement l'estime;
20 ensuite vous voyez ces agréables villages de Jolis Vers, de
Billet galant, et de Billet doux, qui sont les opérations les
plus ordinaires du grand esprit dans les commencements
d'une amitié.

« Ensuite pour faire un plus grand progrès dans cette
25 route, vous voyez Sincérité, Grand Cœur, Probité, Générosité, Respect, Exactitude, et Bonté, qui est tout contre
Tendre, pour faire connaître qu'il ne peut y avoir de
véritable estime sans bonté, et qu'on ne peut arriver à
Tendre de ce côté-là sans avoir cette précieuse qualité.
30 Après cela, Madame, il faut, s'il vous plaît, retourner à
Nouvelle Amitié pour voir par quelle route on va de là à
Tendre sur Reconnaissance. Voyez donc, je vous en prie,

comment il faut aller d'abord de Nouvelle Amitié à
Complaisance, ensuite à ce petit village qui se nomme Soumission, et qui en touche un autre fort agréable, qui
s'appelle Petits Soins. Voyez, dis-je, que de là il faut
passer par Assiduité, pour faire entendre que ce n'est pas 5
assez d'avoir pendant quelques jours tous ces petits soins
obligeants qui donnent tant de reconnaissance, si on ne les
a assidûment. Ensuite vous voyez qu'il faut passer à un
autre village qui s'appelle Empressement, et ne faire pas
comme certaines gens tranquilles, qui ne se hâtent pas 10
d'un moment, quelque prière qu'on leur fasse, et qui sont
incapables d'avoir cet empressement qui oblige quelquefois si fort. Après cela vous voyez qu'il faut passer à
Grands Services, et que pour marquer qu'il y a peu de
gens qui en rendent de tels, ce village est plus petit que 15
les autres. Ensuite, il faut passer à Sensibilité, pour faire
connaître qu'il faut sentir jusques aux plus petites douleurs de ceux qu'on aime; après, il faut pour arriver à
Tendre passer par Tendresse, car l'amitié attire l'amitié.
Ensuite, il faut aller à Obéissance, n'y ayant presque rien 20
qui engage plus le cœur de ceux à qui on obéit que de le
faire aveuglément, et pour arriver enfin où l'on veut aller,
il faut passer à Constante Amitié, qui est sans doute le
chemin le plus sûr pour arriver à Tendre sur Reconnaissance.   25

   « Mais, Madame, comme il n'y a point de chemins où
l'on ne se puisse égarer, Clélie a fait, comme vous le pouvez
voir, que si ceux qui sont à Nouvelle Amitié prenaient un
peu plus à droite, ou un peu plus à gauche, ils s'égareraient
aussi; car, si au partir de Grand Esprit on allait à Négli- 30
gence, que vous voyez tout contre sur cette carte, qu'ensuite, continuant cet égarement, on allât à Inégalité, de

là à Tiédeur, à Légèreté et à Oubli, au lieu de se trouver à
Tendre sur Estime, on se trouverait au Lac d'Indifférence,
que vous voyez marqué sur cette carte, et qui, par ses
eaux tranquilles, représente sans doute fort juste la chose
5 dont il porte le nom en cet endroit. De l'autre côté, si au
partir de Nouvelle Amitié on prenait un peu trop à gauche,
et qu'on allât à Indiscrétion, à Perfidie, à Orgueil, à Médisance ou à Méchanceté, au lieu de se trouver à Tendre sur
Reconnaissance, on se trouverait à la Mer d'Inimitié, où
10 tous les vaisseaux font naufrage, et qui, par l'agitation de
ses vagues, convient sans doute fort juste avec cette impétueuse passion que Clélie veut représenter.

« Ainsi elle fait voir par ces routes différentes qu'il faut
avoir mille bonnes qualités pour l'obliger à avoir une
15 amitié tendre, et que ceux qui en ont de mauvaises ne
peuvent avoir part qu'à sa haine ou à son indifférence.
Aussi cette sage fille voulant faire connaître sur cette carte
qu'elle n'avait jamais eu d'amour, et qu'elle n'aurait
jamais dans le cœur que de la tendresse, fait que la Rivière
20 d'Inclination se jette dans une mer qu'elle appelle la Mer
Dangereuse, parce qu'il est assez dangereux à une femme
d'aller un peu au delà des dernières bornes de l'amitié; et
elle fait ensuite qu'au delà de cette mer, c'est ce que nous
appelons Terres inconnues, parce qu'en effet nous ne savons
25 point ce qu'il y a, et que nous ne croyons pas que personne
ait été plus loin qu'Hercule [1]; de sorte que, de cette façon,

---

[1] Les *Colonnes d'Hercule* — les deux immenses rochers qui do-
minent au nord et au sud le Détroit de Gibraltar — marquaient,
selon les Anciens, la limite extrême des voyages d'Hercule quand il
accomplit ses fameux douze travaux (Une tradition veut qu'Hercule
ait été le chef d'une expédition des Phéniciens vers l'ouest.). Dans le
sens figuré, les Colonnes d'Hercule désignent une limite extrême, au-
delà de laquelle on ne conçoit plus rien.

elle a trouvé lieu de faire une agréable morale d'amitié par un simple jeu de son esprit, et de faire entendre d'une manière assez particulière qu'elle n'a point eu d'amour et qu'elle n'en peut avoir.

« Aussi trouvâmes-nous cette carte si galante, que nous la sûmes devant que de nous séparer. Clélie priait pourtant instamment celui pour qui elle l'avait faite, de ne la montrer qu'à cinq ou six personnes qu'elle aimait assez pour la leur faire voir; car, comme ce n'était qu'un simple enjouement de son esprit, elle ne voulait pas que de sottes gens, qui ne sauraient pas le commencement de la chose, et qui ne seraient pas capables d'entendre cette nouvelle galanterie, allassent en parler selon leur caprice ou la grossièreté de leur esprit. Elle ne put pourtant être obéie, parce qu'il y eut une certaine constellation qui fit que quoiqu'on ne voulût montrer cette carte qu'à peu de personnes, elle fit pourtant un si grand bruit par le monde, qu'on ne parlait que de la carte de Tendre. Tout ce qu'il y avait de gens d'esprit à Capoue écrivirent quelque chose à la louange de cette carte, soit en vers, soit en prose, car elle servit de sujet à un poème fort ingénieux, à d'autres vers fort galants, à de fort belles lettres, à de fort agréables billets et à des conversations si divertissantes que Clélie soutenait qu'elles valaient mille fois mieux que sa carte, et l'on ne voyait alors personne à qui l'on ne demandât s'il voulait aller à Tendre. En effet, cela fournit durant quelque temps un si agréable sujet de s'entretenir, qu'il n'y eut jamais rien de plus divertissant. »

6. La Guirlande de Julie

1641

Il avait existé auparavant, en Italie, de ces « guirlandes » (*ghirlande*), mais aucune n'a jamais atteint la célébrité de celle composée pour Julie d'Angennes, la fille aînée de Madame de Rambouillet, par le Ménalide des Précieuses.

« La belle Julie *e*ut beau dire qu'elle ne voulait pas se marier, l'amoureux et obstiné Montausier persévéra dans sa poursuite, et fit le siège de la dame selon toutes les règles, avec une ardeur à la fois habile et passionnée; d'une part, intéressant tout le monde à son amour, gagnant successivement toutes les amies de la noble marquise, faisant parler en sa faveur, d'abord Richelieu, puis Mazarin, plus tard la Reine elle-même; d'autre part, agissant sur le cœur de Julie par tous les beaux esprits de sa cour, se faisant bel esprit lui-même, composant des vers pour elle, en faisant composer par tous les poètes de sa connaissance, lui prodiguant les adorations publiques et privées et lui adressant enfin cette fameuse *Guirlande de Julie*, « la plus illustre galanterie, dit Tallemant,[1] qui ait jamais été faite ». La plupart de ces madrigaux sont de Montausier lui-même, les autres, des poètes de l'hôtel de Rambouillet. » (V. Cousin, *La société française au xvii° siècle*, Paris, 1858, p. 37–8.)

ZÉPHIRE A JULIE

[*La Guirlande de Julie* — qui avait 29 fleurs et 62 madrigaux (il y avait souvent plusieurs madrigaux de différentes personnes pour la même fleur) — fut offerte sous la forme d'un superbe manuscrit sur papier vélin, exécuté par le fameux calligraphe Jarry, et décoré en couleur par les meilleurs artistes du temps. Le 7° feuillet porte une miniature représentant Zéphire entouré d'un nuage et tenant dans sa main droite une rose et dans sa main gauche la « guirlande » dont il souffle légèrement les fleurs sur la terre. Ce premier madrigal (8° feuillet) interprète ce dessin. Il est du Duc de Montausier, qui en a fait seize en tout.] [2]

---

[1] Voir plus haut, page 42, *note* 1.

[2] See *La Guirlande de Julie*, publiée avec notices et variantes, par Octave Uzanne, et orné d'un portrait inédit de Julie d'Angennes (Paris, Librairie des Bibliophiles, 1875.)

Madrigal

Recevez, ô Nymphe [1] adorable,
Dont les cœurs reçoivent les lois,
Cette Couronne plus durable
Que celles que l'on met sur la tête des Rois.
    Les fleurs dont ma main la compose   5
Font honte à ces fleurs d'or qu'on voit au firmament;
    L'eau dont Permesse [2] les arrose
Leur donne une fraîcheur qui dure incessamment;
    Et tous les jours ma belle Flore,[3]
    Qui me chérit et que j'adore,   10
    Me reproche avecque [4] courroux
    Que mes soupirs jamais pour elle
    N'ont fait naître de fleur si belle
    Que j'en ai fait naître pour vous.

(MONTAUSIER)

LA COURONNE IMPÉRIALE

Bien que de la Rose et du Lis [5]   15
Deux rois d'éternelle mémoire [6]
Fassent voir leurs fronts embellis,

[1] Toujours le style mythologique de *L'Astrée.*

[2] Le Permesse arrose le Mont Hélicon, en Grèce (Béotie), qui est consacré aux Muses.

[3] Chez les Romains, déesse des jardins et des fleurs, et aimée de Zéphire.

[4] Au XVII° siècle, *avec* ou *avecque.*

[5] *Rose*, emblème de la famille royale anglaise des Tudor [rose *rouge*, tandis que la rose *blanche* est celui de la famille des York: guerre des deux Roses (1455-1485)] *Lis*, emblème de la royauté en France.

[6] Charles Ier (Stuart, maison Tudor) 1625-1649, époux d'Henriette de France. — Louis XIII.

Ces fleurs sont moindres que ta gloire;
Il faut un plus riche ornement
Pour récompenser dignement
Une vertu plus que royale;
5   Et, si l'on se veut acquitter,
On ne peut moins te présenter
Qu'une couronne impériale.[1]

(MALLEVILLE)

LE NARCISSE [2]

Je consacre, Julie, un narcisse à ta gloire;
Lui-même des beautés te cède la victoire.
10   Étant jadis touché d'un amour sans pareil,
Pour voir dedans l'eau son image,
Il baissait toujours son visage
Qu'il estimait plus beau que celui du soleil.
Ce n'est plus ce dessein qui tient sa tête basse;
15   C'est qu'en te regardant, il a honte de voir
Que les dieux ont eu le pouvoir
De faire une beauté qui la sienne surpasse.

(MONTAUSIER)

L'AMARANTE

Je suis la fleur d'amour qu'Amarante on appelle
Et qui viens de Julie adorer les beaux yeux.

[1] Un empire est formé de la réunion de royaumes ou états suzerains (Empire romain, de Charlemagne, de Charles Quint, empire russe des Czars, ou Césars).

[2] Narcisse, fils du fleuve Céphise, qui s'éprit de sa propre image réfléchie dans l'eau d'une fontaine; il se précipita dans cette fontaine et fut métamorphosé en la fleur du même nom.

Roses, retirez-vous, j'ai le nom d'immortelle !
Il n'appartient qu'à moi de couronner les dieux.

(GOMBAULD)

LA VIOLETTE

Franche d'ambition, je me cache sous l'herbe,
Modeste en ma couleur, modeste en mon séjour;
Mais, si sur votre front je puis me voir un jour,   5
La plus humble des fleurs sera la plus superbe.

(DESMARETS)

L'HÉLIOTROPE OU TOURNESOL

A ce coup les Destins ont exaucé mes vœux;
Leur bonté me permet de parer les cheveux
        De l'incomparable Julie;
        Pour elle, Apollon,[1] je t'oublie;   10
        Je n'adore plus que ses yeux.
C'est avecque leurs traits qu'Amour me fait la guerre;
        Je quitte le soleil des cieux
        Pour suivre celui de la terre.

(MONTAUSIER)

LE SOUCI [2]

Ne pouvant vous donner ni sceptre ni couronne,   15
Ni ce qui peut flatter les cœurs ambitieux,
Recevez ce souci, qu'aujourd'hui je vous donne,
Pour ceux que tous les jours me donnent vos beaux yeux.

(HABERT)

[1] Apollon, le dieu des arts, est aussi le dieu du soleil.
[2] Souci, nom de fleur (Marigold).

Sylvie et Lygdamon

[Fragment de Dialogue dans le style précieux, tiré de la pièce *Lygdamon et Lidias*, par Georges de Scudéry (1630).]

Lygdamon

A ce coup je vous prends dedans [1] la rêverie.

Sylvie

Le seul émail des fleurs me servait d'entretien;
Je rêvais comme ceux qui ne pensent à rien.

Lygdamon

Votre teint que j'adore a de plus belles roses,
5 Et votre esprit n'agit que sur de grandes choses.

Sylvie

Il est vrai, j'admirais la hauteur de ces bois.

Lygdamon

Admirez mon amour, plus grande mille fois.

Sylvie

Que le bruit de cette onde a d'agréables charmes !

Lygdamon

Pouvez-vous voir de l'eau sans penser à mes larmes ?

Sylvie

10 Je cherche dans ces prés la fraîcheur des zéphirs.

Lygdamon

Vous devez ce plaisir au vent de mes soupirs.

[1] *Dedans*, pour *dans*, licence poétique.

Sylvie

Que d'herbes, que de fleurs vont bigarrant ces plaines !

Lygdamon

Leur nombre est plus petit que celui de mes peines.

Sylvie

Ce petit papillon ne m'abandonne pas.

Lygdamon

Mon cœur, de la façon, accompagne vos pas.

(Georges de Scudéry)

Madrigal

[A Madame de Rambouillet (?)]

Tout cède à sa belle présence,   5
Et, de peur que rien ne l'offense,
Le soleil éteint son flambeau;
Il va se retirer sous l'onde:
Il laisse à cet astre plus beau
La charge d'éclairer le monde.   10

(Cotin)

Chanson pour une toute jeune demoiselle

Eh quoi ! dans un âge si tendre,
On ne peut déjà vous entendre
Ni voir vos beaux yeux sans mourir !
Ah ! soyez, jeune Iris,[1] ou plus grande ou moins belle;
Apprenez, petite cruelle,   15
Apprenez à blesser quand vous saurez guérir.

(Boisrobert)

[1] La messagère des dieux.

II. QUELQUES HÔTES DE L'HÔTEL DE RAMBOUILLET

Le poète **Malherbe** (1555–1628) qui avait inventé l'anagramme d'*Arthénice* pour Catherine de Rambouillet (voir plus haut).

L'abbé **Cotin** (1604–1682), très adulé, qui est resté un des types de ‹ l'abbé de salon › — et que Molière a ridiculisé dans les *Femmes Savantes* sous le nom de Trissotin, et Boileau dans son *Art poétique*. (Voir un madrigal de sa façon, p. 67.)

Les deux auteurs suivants doivent le meilleur de leur renommée à leurs rapports avec l'Hôtel de Rambouillet.

Jean-Louis Guez de Balzac (1597–1682) auquel Honoré de Balzac, le romancier de deux siècles plus tard ne paraît pas apparenté. Né à Angoulème, il voyagea, vint à Paris, fut très en faveur auprès de Richelieu qui le désignera pour devenir un des premiers membres de l'Académie Française[1].   Mais il commit plusieurs maladresses qui le brouillèrent avec le grand cardinal, et il se retira dans son château de l'Angoumois d'où il écrivit plusieurs de ses lettres célèbres. Il fit pour la prose française ce que Malherbe avait fait pour les vers, et on l'appela le « restaurateur de la langue française ».   Il a laissé, outre les *Lettres*, des essais philosophiques, comme *Le Prince*, *Le Socrate chrétien*.

(Déjà à la fin du XVII⁰ siècle, la renommée de Balzac pâlissait. Voir un jugement sévère porté sur lui par le grand critique Boileau, ci-dessous, Chap. IV, page 150-1.)

BALZAC

1. Lettre à Corneille sur Cinna, 17 janvier 1643

Rappelons qu'il s'agit du troisième « chef d'œuvre » de Corneille, c'est à dire celui qui suivit *Le Cid* et *Horace*.   *Le Cid* avait été, on s'en souvient, très discuté malgré son succès énorme, car l'auteur

---

[1] Il accepta, mais il exprima quelques regrets de voir nommés avec lui des hommes sans naissance: « Ils peuvent être de l'Académie, mais en qualité de bedeaux et de frères lais.   Il faut qu'ils fassent partie de votre académie comme les huissiers font partie du parlement » (*Lettre à Chapelain*).   Balzac fonda à l'Académie le « Prix d'éloquence » qui fut attribué pour la première fois à Mlle de Scudéry.

n'avait pas observé toutes les règles imposées à la tragédie classique.
Horace encore avait été trouvé fautif par certains car on y remarquait
un manque d'unité d'action (deux « actions », le combat des frères
Horace et des frères Curiace, et le meurtre de Camille, sœur d'un des
Horace, au lieu d'une seule). Cette fois, la pièce était franche de défauts.   Même du point de vue moral, il n'y avait rien à reprocher;
on ne pouvait pas, comme pour *Le Cid* y voir une apologie du duel et
de l'idée de la vengeance, puisque, comme le sous-titre lui-même
l'indique (*Cinna, ou la Clémence d'Auguste*) la pièce repose sur l'idée
du pardon des offenses.   D'autre part, toute la « grandeur » de la
vertu et de l'honneur romains sera maintenue; et le mot de Balzac
au sujet de l'héroïne Emilie, « une adorable furie » est souvent cité
à propos de *Cinna*.   Corneille, dans son Avant-Propos à sa tragédie,
avait modestement exprimé la crainte que son style n'égalât point la
grandeur des Romains.

Monsieur, j'ai senti un notable soulagement depuis
l'arrivée de votre paquet, et je crie miracle dès le commencement de ma lettre.   Votre Cinna guérit les malades,
il fait que les paralytiques battent des mains, il rend la
parole à un muet, ce serait trop peu de dire à un enrhumé. 5

En effet, j'avais perdu la parole avec la voix; et, puisque je les recouvre l'une et l'autre par votre moyen, il est
bien juste que je les emploie toutes deux à votre gloire,
et à dire sans cesse: « La belle chose ! »   Vous avez peur
néanmoins d'être de ceux qui sont accablés par la majesté 10
des sujets qu'ils traitent, et ne pensez pas avoir apporté
assez de force pour soutenir la grandeur romaine.   Quoique cette modestie me plaise, elle ne me persuade pas, et
je m'y oppose pour l'intérêt de la vérité.   Vous êtes trop
subtil examinateur d'une composition universellement 15
approuvée, et s'il était vrai qu'en quelqu'une de ses parties vous eussiez senti quelque faiblesse, ce serait un secret
entre vos muses et vous; car je vous assure que personne
ne l'a reconnue.   La faiblesse serait de notre expression,
et non pas de votre pensée: elle viendrait du défaut des 20

instruments, et non pas de la faute de l'ouvrier; il faudrait
en accuser l'incapacité de notre langue.

Vous nous faites voir Rome tout ce qu'elle peut être à
Paris, et ne l'avez point brisée en la remuant.

5   Ce n'est point une Rome de Cassiodore [1], et aussi dé-
chirée qu'elle était au siècle de Théodoric: c'est une
Rome de Tite-Live, et aussi pompeuse qu'elle était au
temps des premiers Césars.

Vous avez même trouvé ce qu'elle avait perdu dans les
10 ruines de la république, cette noble et magnifique fierté;
et il se voit bien quelques passables traducteurs de ses
paroles et de ses locutions, mais vous êtes le vrai et le
fidèle interprète de son esprit et de son courage. Je dis
plus, Monsieur, vous êtes souvent son pédagogue et l'aver-
15 tissez de la bienséance quand elle ne s'en souvient pas.
Vous êtes le réformateur du vieux temps, s'il a besoin
d'embellissement ou d'appui. Aux endroits où Rome est
de brique, vous la rebâtissez de marbre; quand vous trouvez du vide, vous le remplissez d'un chef-d'œuvre, et je
20 prends garde que ce que vous prêtez à l'histoire est toujours meilleur que ce que vous empruntez d'elle.

La femme d'Horace et la fiancée de Cinna [2], qui sont
vos deux véritables enfantements et les deux pures créa-
tures de votre esprit, ne font-elles pas aussi les principaux
25 ornements de votre poème ? Et qu'est-ce que la saine antiquité a produit de vigoureux et de ferme dans le sexe
faible, qui soit comparable à ces nouvelles héroïnes que

---

[1] Cassiodore (468–562) homme d'État et historien de la Rome
dégénérée, sous le règne de Théodoric (454–526).

[2] Sabine, femme d'Horace, n'est pas aussi fanatique, d'ailleurs,
qu'Émilie, celle que Balzac va appeler "adorable furie";—"créa-
tions" dans le sens plutôt poétique du mot, car toutes les deux
sont au moins suggérées dans les sources historiques dont s'est
servi Corneille.

vous avez mises au monde, à ces Romaines de votre façon ?
Je ne m'ennuie point, depuis quinze jours, de considérer
celle que j'ai reçue la dernière. Je l'ai fait admirer à
tous les habiles de notre province; nos orateurs et nos
poètes en disent merveilles. 5

Mais un docteur de mes voisins, qui se met d'ordinaire
sur le haut style, en parle certes d'une étrange sorte; et il
n'y a point de mal que vous sachiez jusques où vous avez
porté son esprit. Il se contentait le premier jour de dire
que votre Émilie était la rivale de Caton et de Brutus 10
dans la passion de la liberté. A cette heure, il va bien
plus loin. Tantôt il la nomme la possédée du démon de
la république, et quelquefois la belle, la raisonnable, la
sainte et l'adorable furie. Voilà d'étranges paroles sur
le sujet de votre — Romaine; mais elles ne sont pas sans 15
fondement. Elle inspire en effet toute la conjuration et
donne chaleur au parti par le feu qu'elle jette dans l'âme
du chef. Elle entreprend, en se vengeant, de venger
toute la terre; elle veut sacrifier à son père une victime
qui serait trop grande pour Jupiter même. C'est à mon 20
gré une personne si excellente, que je pense dire peu à
son avantage, de dire que vous êtes beaucoup plus heureux en votre race, que Pompée n'a été en la sienne, et
que votre fille Émilie vaut sans comparaison davantage
que Cinna, son petit-fils. Si celui-ci même a plus de vertu 25
que n'a cru Sénèque,[1] c'est pour être tombé entre vos
mains, et à cause que vous avez pris soin de lui. Il vous
est obligé de son mérite, comme à Auguste de sa dignité.
L'empereur le fit consul, et vous l'avez fait honnête
homme; mais vous l'avez pu faire par les lois d'un art qui 30
orne la vérité, qui permet de favoriser en imitant, qui

---

[1] Sénèque, *De Clementia*, cap. IX.

quelquefois se propose le semblable et quelquefois le meilleur. Je ne veux pas commencer une dissertation, je veux
finir ma lettre, et conclure par les protestations ordinaires,
mais très sincères et très véritables, que je suis, etc.

2. Passage du Socrate Chrétien, 1652

(extrait du *Discours III*)

5   Rien ne paraît ici de l'homme, rien qui porte sa marque
et qui soit de sa façon. Je ne vois rien qui ne me semble
plus que naturel dans la naissance et dans le progrès de
cette doctrine: les ignorants l'ont persuadée aux philosophes; de pauvres pêcheurs ont été érigés en docteurs
10 des rois et des nations, en professeurs de la science du ciel.
Ils ont pris dans leurs filets les orateurs et les poètes, les
jurisconsultes et les mathématiciens.

Cette république naissante s'est multipliée par la chasteté et par la mort, bien que ce soient deux choses stériles
15 et contraires au dessein de multiplier. Ce peuple choisi
s'est accru par les pertes et par les défaites: il a combattu,
il a vaincu étant désarmé. Le monde, en apparence,
avait ruiné l'Église; mais elle a accablé le monde sous ses
ruines. La force des tyrans s'est rendue au courage des con-
20 damnés. La patience de nos pères a lassé toutes les mains,
toutes les machines, toutes les inventions de la cruauté.

Chose étrange et digne d'une longue considération ! re-
prochons-la plus d'une fois à la lâcheté de notre foi et à
la tiédeur de notre zèle: en ce temps-là, il y avait de la
25 presse à se faire déchirer, à se faire brûler pour Jésus-
Christ. L'extrême douleur et la dernière infamie atti-
raient les hommes au christianisme: c'étaient les appas
et les promesses de cette nouvelle secte. Ceux qui la sui-

vaient et qui avaient faveur à la cour, avaient peur d'être
oubliés dans la commune persécution: ils s'allaient accuser
eux-mêmes s'ils manquaient de délateurs. Le lieu où les
feux étaient allumés et les bêtes déchaînées s'appelait, en
la langue de la primitive Église, la place où l'on donne les 5
couronnes ...

Le sang des martyrs a été fertile, et la persécution a
peuplé le monde de chrétiens. Les premiers persécuteurs,
voulant éteindre la lumière qui naissait et étouffer l'Église
au berceau, ont été contraints d'avouer leur faiblesse 10
après avoir épuisé leurs forces. Les autres qui l'attaquèrent depuis ne réussirent pas mieux en leur entreprise.
Et, bien qu'il y ait encore des inscriptions qu'ils nous ont
laissées, *pour avoir purgé la terre de la nation des chrétiens
et pour avoir aboli le nom chrétien en toutes les parties de* 15
l'empire, l'expérience nous a fait voir qu'ils ont triomphé
à faux, et leurs marbres ont été menteurs. Ces superbes
inscriptions sont aujourd'hui des monuments de leur
vanité, et non pas de leur victoire. L'ouvrage de Dieu n'a
pu être défait par la main des hommes. Et disons hardi- 20
ment à la gloire de notre Jésus-Christ et à la honte de
leur Dioclétien [1]: « Les tyrans passent, mais la vérité demeure. »

3. La retraite de Balzac dans l'Angoumois

(lettre à M. de la Mothe-Aigron, avocat au siège
présidial d'Angoumois, 4 sept. 1632)

Monsieur, il fit hier un de ces beaux jours sans soleil que
vous dites qui ressemblent à cette belle aveugle [2] dont 25

---

[1] Empereur romain de 284 à 305; il persécuta les chrétiens, qui
appelèrent la fin de son règne « l'ère des martyrs. »
[2] La princesse d'Eboli; elle était borgne et non aveugle. Philippe
II, roi d'Espagne (1527–1598).

Philippe second était amoureux. En vérité je n'eus jamais
tant de plaisir à m'entretenir moi-même; et, quoique je
me promenasse dans une campagne toute nue et qui ne
saurait servir à l'usage des hommes que pour être le champ
5 d'une bataille, néanmoins l'ombre que le ciel faisait de
tous côtés m'empêchait de désirer celle des grottes et des
forêts. La paix était générale depuis la plus haute région
de l'air jusque sur la face de la terre; l'eau de la rivière[1]
paraissait aussi plate que celle d'un lac; et si, en pleine
10 mer, un tel calme surprenait pour toujours les vaisseaux,
ils ne pourraient jamais ni se sauver ni se perdre ... Nous
sommes ici en un petit rond tout couronné de montagnes
où il reste encore quelques grains de cet or dont les
premiers siècles ont été faits[2] ... Notre peuple ne se con-
15 serve dans son innocence ni par la crainte des lois ni par
l'étude de la sagesse; pour bien faire, il suit simplement la
bonté de sa nature, et tire plus d'avantage de l'ignorance
du vice que nous n'en avons de la connaissance de la vertu.
De sorte qu'en ce royaume de demi-lieue on ne sait tromper
20 que les oiseaux et les bêtes, et le style du Palais[3] est une
langue aussi inconnue que celle de l'Amérique ou de
quelque autre nouveau monde qui s'est sauvé de l'avarice
de Ferdinand et de l'ambition d'Isabelle. Les choses qui
nuisent à la santé des hommes ou qui offensent leurs yeux
25 en sont généralement bannies. Il ne s'y vit jamais de
lézards ni de couleuvres; et, de toutes les sortes de reptiles,
nous ne connaissons que les melons et les fraises. Je ne
veux pas vous faire le portrait d'une maison dont le dessin
n'a pas été conduit selon les règles de l'architecture, et la
30 matière n'est pas si précieuse que le marbre et le porphyre.

[1] La rivière Charente, dans l'Angoumois.
[2] Allusion à l'âge d'or.   [3] Le Palais de Justice.

Je vous dirai seulement qu'à la porte il y a un bois où, en plein midi, il n'entre de jour que ce qu'il en faut pour n'être pas nuit et pour empêcher que toutes les couleurs ne soient noires. Tellement que, de l'obscurité et de la lumière, il se fait un troisième temps qui peut être sup- 5 porté des yeux des malades et cacher les défauts des femmes qui sont fardées. Les arbres y sont verts jusqu'à la racine, tant de leurs propres feuilles que de celles du lierre qui les embrasse, et, pour le fruit qui leur manque, leurs branches sont chargées de tourtes et de faisans en toutes 10 les saisons de l'année . . .

Je descends quelquefois dans cette vallée, qui est la plus secrète partie de mon désert, et qui jusques ici n'avait été connue de personne. C'est un pays à souhaiter et à pein-dre, que j'ai choisi pour vaquer à mes plus chères occu- 15 pations et passer les plus douces heures de ma vie. L'eau et les arbres ne le laissent jamais manquer de frais et de vert. Les cygnes, qui couvraient autrefois toute la rivière, se sont retirés en ce lieu de sûreté, et vivent dans un canal qui fait rêver les plus grands parleurs aussitôt 20 qu'ils s'en approchent, et au bord duquel je suis toujours heureux, soit que je sois joyeux, soit que je sois triste. Pour peu que je m'y arrête, il me semble que je retourne en ma première innocence. Mes désirs, mes craintes et mes espérances cessent tout d'un coup. Tous les mou- 25 vements de mon âme se relâchent, et je n'ai point de passions, ou, si j'en ai, je les gouverne comme des bêtes apprivoisées . . .

VOITURE

Vincent Voiture (1598-1648). Né à Amiens. Quoique de nais-sance très humble, il n'en fut pas moins très fêté par les ‹ Précieuses ›

— on l'appelle parfois « le roi de l'Hôtel de Rambouillet ».[1] Il avait fait très vite son chemin en arrivant à Paris, avait des emplois rémunérateurs et une riche pension (Malheureusement il avait la passion du jeu.). Il était comme Balzac, célèbre pour ses lettres; mais il avait un esprit tout à fait différent; avant tout léger, sémillant et badin, Voiture ne songeait guère comme Balzac à la postérité quand il écrivait ses lettres à ses amis de l'Hôtel de Rambouillet, mais seulement au succès immédiat. Ses vers, aussi assez abondants, sont dans le même ton.

(Il convient de rappeler ici le livre déjà mentionné *Voiture et l'Hôtel de Rambouillet* par Émile Magne.)

1. Lettre au duc d'Enghien, vainqueur à la bataille de Rocroy,[2] le 18 mai 1643

Monseigneur, à cette heure que je suis loin de Votre Altesse et qu'elle ne peut plus me faire de charge, je suis résolu à vous dire tout ce que je pense d'Elle depuis longtemps. A dire le vrai, Monseigneur, vous seriez injuste si 5 vous pensiez faire les choses que vous faites sans qu'il en fût autrement question ni que l'on prît la liberté de vous en parler. Si vous saviez de quelle sorte tout le monde est déchaîné dans Paris à discourir de vous, je suis assuré que vous en auriez honte et que vous seriez étonné de voir 10 avec combien peu de respect et peu de crainte de vous déplaire tout le peuple s'entretient de ce que vous avez fait.

[1] Lui-même se sentait très humilié de sa naissance; son père était marchand de vin, et comme il détestait qu'on lui en parlât, quelqu'un avait fait à son propos cette plaisanterie qu'on répétait dans les salons: « Le vin qui fait revenir le cœur à l'homme, le fait perdre à Voiture ».

[2] Le duc d'Enghien avait 22 ans lorsqu'il vainquit les Espagnols à Rocroy, ville des Ardennes. A la mort de son père il hérita le titre de Prince de Condé. La postérité l'a nommé le Grand Condé. Voir la célèbre description de cette bataille dans l'Oraison funèbre de Bossuet, chap. VIII de ce livre. La Flandre avait passé à la maison d'Autriche lors du démembrement des États de la maison de Bourgogne, sous Louis XI, et, avait été rattachée à la couronne d'Espagne par Charles V d'Espagne (petit-fils de Maximilien, empereur d'Autriche).

A dire la vérité, ç'a été trop de hardiesse et de violence à vous d'avoir, à l'âge où vous êtes, choqué de vieux capitaines que vous deviez respecter, quand ce n'eût été que pour leur expérience; fait tuer le pauvre comte de Fontaine,[1] qui était, à ce qu'on dit, un des meilleurs hommes des Flandres, et à qui le prince d'Orange n'avait jamais osé toucher; pris seize pièces de canon qui appartenaient à un prince,[2] oncle du roi, frère de la reine, et avec qui vous n'aviez jamais eu de différend; enfin mis en désordre les meilleures troupes des Espagnols, qui vous avaient laissé passer avec tant de bonté. Je ne sais pas ce qu'en dit le Père Musnier,[3] mais tout cela est contre les bonnes mœurs, et il y a là, ce me semble, grande matière de confession. J'avais bien ouï dire que vous étiez opiniâtre comme un diable et qu'il ne faisait pas bon vous rien disputer. Mais j'avoue que je n'eusse pas cru que vous vous fussiez emporté à ce point-là: si vous continuez, vous vous rendrez insupportable à toute l'Europe, et ni l'Empereur [4] ni le roi d'Espagne ne pourront durer avec vous.

Cependant, Monseigneur, laissant la conscience à part et politiquement parlant, je me réjouis avec Votre Altesse de ce que j'entends dire qu'Elle a gagné la plus belle victoire et de la plus grande importance que nous ayons vue de notre siècle, et de ce que, sans être *Important*,[5] Elle sait

[1] Général de l'armée espagnole (1560–1643).

[2] Philippe IV, roi d'Espagne (1621–1665), frère d'Anne d'Autriche, reine-mère de France, et alors régente pour Louis XIV qui n'avait que cinq ans. Philippe était donc oncle de Louis XIV, dont il devint plus tard le beau-père quand celui-ci épousa Marie-Thérèse, en 1660.

[3] Le père confesseur du duc d'Enghien.

[4] Ferdinand III, empereur d'Allemagne de 1637–1657. Roi d'Espagne, voir note 2, ci-dessus.

[5] Allusion à la cabale, dite des « Importants », qui prétendait gouverner l'État durant les premiers mois de la régence d'Anne d'Autriche.

faire des actions qui le soient si fort. La France, que vous
venez de mettre à couvert de tous les orages qu'elle craignait, s'étonne qu'à l'entrée de votre vie, vous ayez fait
une action dont César eût voulu couronner toutes les
5 siennes, et qui redonne aux rois vos ancêtres autant de
lustre que vous en avez reçu d'eux.

   Cette nouvelle a ici étonné tout le monde, et mis de la
joie ou de la pâleur sur tous les visages de la cour. Pour
les dames, elles sont ravies d'apprendre que celui qu'elles
10 ont vu dans le bal défaire tous les autres hommes [1] opère de
plus glorieuses défaites dans les armées, et que la plus belle
tête de France soit aussi la meilleure et la plus ferme . . .
Tous ceux qui étaient révoltés contre vous, et qui disaient
que vous ne faisiez que vous moquer,[2] avouent, que vous
15 ne vous êtes pas moqué cette fois; et, voyant le plus grand
nombre d'ennemis que vous avez défaits, il n'y a plus personne qui n'appréhende d'être des vôtres. Trouvez bon,
ô César ! que je vous parle avec cette liberté. Recevez les
louanges qui vous sont dues, et souffrez que l'on rende à
20 César ce qui appartient à César, Je suis, etc.

2. Lettre de la berne, à Mlle de Bourbon [3] (1630 ?)

   Mademoiselle, je fus berné [4] vendredi après dîner pour
ce que je ne vous avais pas fait rire dans le temps que l'on

[1] En 1662, à l'occasion du carnaval, au grand carrousel donné par
le Roi, à Versailles, le Prince de Condé, vainqueur de Rocroy, était
encore un des chefs de quadrille.

[2] Le jeune duc d'Enghien avait l'humeur très railleuse.

[3] Fille de Henri, prince de Condé, et de Marguerite de Montmo-
rency. Elle devint la duchesse de Longueville.

[4] Berner = to toss in a blanket, pour une brimade. Etym. berne,
une couverture grossière dont on se servait pour cette opération.
Sur les circonstances de cette brimade — qui ne fut pas exécutée
au sens propre, cela va sans dire — Voir E. Magne, Voiture et les
Origines de l'Hôtel de Rambouillet (1911; p. 134-5).

m'avait donné pour cela; et Mme de Rambouillet en donna l'arrêt à la requête de Mlle sa fille et de Mlle Paulet [1] ... J'eus beau crier et me défendre: la couverture fut apportée, et quatre des plus forts hommes du monde furent choisis pour cela. Ce que je puis vous dire, Mademoiselle, c'est que jamais personne ne fut si haut que moi, et que je ne croyais pas que la fortune me dût jamais tant élever. A tous coups, ils me perdaient de vue et m'envoyaient plus haut que les aigles ne peuvent monter. Je vis les montagnes abaissées au-dessous de moi; je vis les vents et les nuées cheminer dessous mes pieds; je découvris des pays que je n'avais jamais vus et des noms que je n'avais point imaginés. Il n'y a rien de plus divertissant que de voir tant de choses à la fois et de découvrir d'une seule vue la moitié de la terre.

Mais je vous assure, Mademoiselle, qu'on ne voit tout cela qu'avec inquiétude lorsque l'on est en l'air et que l'on est assuré d'aller retomber. Une des choses qui m'effrayait autant était que, lorsque j'étais bien haut et que je regardais en bas, la couverture me paraissait si petite qu'il me semblait impossible que je retombasse dedans; et je vous avoue que cela me donnait quelque émotion ...

Le dernier coup qu'ils me jetèrent en l'air, je me trouvai dans une troupe de grues, lesquelles d'abord furent étonnées de me voir si haut. Mais, quand elles m'eurent approché, elles me prirent pour un des Pygmées [2] avec lesquels vous savez bien, Mademoiselle, qu'elles ont guerre

---

[1] Mlle Paulet. Voir note à la Lettre **3** ci-dessous.

[2] Allusion à la fable mythologique des Pygmées, ou nains d'Éthiopie ou des Indes, d'environ un pied ou « pygme » de hauteur: des monstres mythologiques montés sur des chèvres ou des béliers qui s'armaient et allaient combattre les grues qui venaient toutes les années de Scythie pour les attaquer.

de tout temps, et crurent que je les étais venu épier jusque
dans la moyenne région de l'air. Aussitôt elles vinrent
fondre sur moi à grands coups de bec; et d'une telle violence, que je crus être percé de cent coups de poignard; et
5 une d'elles qui m'avait pris par la jambe me poursuivit
si opinâtrément qu'elle ne me laissa point que je ne fusse
dans la couverture . . .

3. Lettre à Mademoiselle Paulet, sur " les lions, ses ancêtres."

On dansait aussi et on chantait à l'hôtel de Rambouillet; et en ces
matières, la reine du salon était « cette fameuse Mademoiselle Paulet
[voir plus haut, page 46] qui dansait à merveille, chantait à faire
mourir de jalousie des rossignols, et qui fut aimée par des ducs, des
cardinaux, des rois, et même des porteurs d'eau et des charbonniers,
mais qui restait si farouchement inaccessible qu'on l'appelait la
Lionne » (Strowski, *Hist. de la Nation fr.* Tome XIII, p. 124–5). On
l'appelait aussi quelquefois la Rousse, à cause de son abondante et
fauve chevelure. Voiture la poursuivait de ses déclarations, et il
lui écrivit lors d'un voyage au Maroc, une de ses plus célèbres lettres.
[Voir pour des détails sur Mlle Paulet, E. Magne, *Voiture et l'Hôtel
de Rambouillet*, 1929; Index.]

Mademoiselle, ce Lion ayant été contraint, pour quelques
raisons d'État, de sortir de Lybie[1] avec toute sa famille,
10 et quelques-uns de ses amis, j'ai cru qu'il n'y avait point de
lieu au monde où il se pût retirer si dignement qu'auprès de
vous, et que son malheur lui sera heureux en quelque sorte
s'il lui donne occasion de connaître une si rare personne.
Il vient en droite ligne d'un Lion illustre, qui commandait
15 il y a trois cents ans sur la Montagne du Caucase, et de l'un
des petits-fils duquel on tient qu'était descendu votre
bisaïeul, celui qui le premier des Lions d'Afrique passa en
Europe. L'honneur qu'il a de vous appartenir me fait es-

[1] *Afrique.*

pérer que vous le recevrez avec plus de douceur et de pitié
que vous n'avez coutume d'en avoir; et je crois que vous
ne trouverez pas indigne de vous d'être le refuge des Lions
affligés. Cela augmentera votre réputation dans toute
la Barbarie,[1] où vous êtes déjà estimée plus que tout ce qui 5
est au delà de la mer, et où il ne se passe jour que je n'entende louer quelqu'une de vos actions. Si vous leur voulez
apprendre l'invention de se cacher sous une forme humaine,
vous leur ferez une faveur signalée; car par ce moyen ils
pourraient faire beaucoup plus de mal, et plus impunément. 10
Mais si c'est un secret que vous vouliez réserver pour vous
seule, vous leur ferez toujours assez de bien de leur donner
place auprès de vous, et de les assister de vos conseils. Je
vous assure, Mademoiselle, qu'ils sont estimés les plus
cruels et les plus sauvages de tout le pays, et j'espère que 15
vous en aurez toute sorte de contentement. Il y a avec eux
quelques Lionceaux, qui, pour leur jeunesse n'ont encore
pu étrangler que des enfants et des moutons; mais je crois
qu'avec le temps ils seront gens de bien, et qu'ils pourront
atteindre à la vertu de leurs pères. Au moins sais-je bien 20
qu'ils ne verront rien auprès de vous qui leur puisse ra-
doucir ou rabaisser le cœur, et qu'ils y seront aussi bien
nourris que s'ils étaient dans leur plus sombre forêt d'Afrique. Sur cette espérance, et l'assurance que j'ai que vous
ne sauriez manquer à tout ce qui est de la générosité, je 25
vous remercie déjà du bon accueil que vous leur ferez, et
vous assure que je suis, Mademoiselle, votre très humble et
très obéissant serviteur,

Léonard, Gouverneur des Lions du Roi de Maroc.

---

[1] *Barbarie* ou *États barbaresques*, nom donné longtemps aux ré-
gions de l'Afrique du nord, Maroc, Algérie, Tunisie, etc.

4. Lettre sur le Valentin, à la marquise de Rambouillet, 1638

Madame, j'ai vu pour l'amour de vous le Valentin [1]
avec plus d'attention que je n'ai jamais fait aucune chose,
et puisque vous désirez que je vous en fasse la description, je le ferai le plus succinctement qu'il me sera pos-
5 sible. Mais vous considérerez, s'il vous plaît, que quand
je me serai acquitté de cette commission et de l'autre que
vous m'avez donnée à Rome, j'aurai fait pour vous les
deux choses du monde qui me sont les plus difficiles, de
parler de bâtiment et de parler d'affaires. Le Valentin,
10 Madame, puisque Valentin il y a, est une maison qui est
à un quart de lieue de Turin, située dans une prairie et
sur le bord du Pô. En arrivant, on trouve d'abord: je
veux mourir, si je sais ce qu'on trouve d'abord. Je crois
que c'est un perron. Non, non, c'est un portique. Je me
15 trompe, c'est un perron. Par ma foi, je ne sais si c'est un
portique ou un perron. Il n'y a pas une heure que je
savais tout cela admirablement, et ma mémoire m'a
manqué. A mon retour, je m'en informerai mieux et je
ne manquerai pas de vous en faire le rapport plus ponctuel-
20 lement. Je suis votre, etc.

5. Lettre sur la mort de Voiture, à Mlle de Rambouillet, 1639

Mademoiselle, personne n'est encore mort de votre
absence, hormis moi, et je ne crains point de vous le dire

---

[1] Valentin est une maison de plaisance de Mme de Savoie, sœur
de Louis XIII. Tallemant-des-Réaux dit dans ses *Historiettes:*
« Mme de Rambouillet faisait toujours la guerre à Voiture qu'il ne
remarquait rien; elle lui donna la charge de faire la description du
Valentin, aimant extrêmement l'architecture. »

ainsi crûment, pour ce que je crois que vous ne vous en
soucierez guère. Néanmoins, si vous en voulez parler
franchement, à cette heure que cela ne tire plus à conséquence, j'étais un assez joli garçon; et hors que je disputais
quelquefois volontiers et que j'étais aussi opiniâtre que 5
vous, je n'avais pas de grands défauts. Vous saurez donc,
Mademoiselle, que, depuis mercredi dernier, qui fut le jour
de votre partement,[1] je ne mange plus, je ne parle plus, et
je ne bois plus; et enfin, il n'y manque rien, sinon, que je
ne suis pas enterré. Je ne l'ai pas voulu être sitôt, pour 10
ce, premièrement, que j'ai eu toujours aversion à cela; et
puis je suis bien aise que le bruit de ma mort ne coure pas
sitôt, et je fais la meilleure mine que je puis afin que l'on
ne s'en doute pas. Car si on s'avise que cela m'est arrivé
justement sur le point que vous êtes partie, l'on ne s'em- 15
pêchera jamais de nous mettre ensemble dans les couplets
de *L'Année est bonne*[2] qui courent maintenant partout.
En vérité, si j'étais encore dans le monde, une des choses

---

[1] Mot inusité aujourd'hui = *départ*. Mlle de Rambouillet s'ab-
sentait assez souvent de Paris; cet été là, surtout en Normandie.

[2] Voici le commencement de cette poésie qui est de Voiture lui-
même (1639):

> *L'Année est bonne*
>
> Les demoiselles de ce temps
> Ont depuis peu beaucoup d'amants;
> On dit qu'il n'en manque à personne,
> L'année est bonne.
>
> Nous avons vu les ans passés
> Que les galants étaient glacés;
> Mais maintenant tout en foisonne,
> L'année est bonne.
>
> Le temps n'est pas bien loin encor
> Qu'ils se vendaient au poids de l'or,
> Et pour le présent on les donne,
> L'année est bonne.

qui m'y feraient autant de dépit, serait le peu de discrétion qu'ont certaines gens à faire courir toutes sortes
de choses. Les vivants ne font rien, à mon avis, de
plus impertinent que cela, et il n'est pas jusqu'à nous
5 autres morts, à qui cela ne déplaise. Je vous supplie, au
reste, Mademoiselle, de ne point rire en lisant ceci: car,
sans mentir, c'est fort mal fait de se moquer des trépassés,
et si vous étiez en ma place, vous ne seriez pas bien aise
qu'on en usât de la sorte. Je vous conjure donc de me
10 plaindre, et puisque vous ne pouvez plus faire autre chose
pour moi, d'avoir soin de mon âme, car je vous assure
qu'elle souffre extrêmement. Lorsqu'elle se sépara de
moi, elle s'en alla sur le grand chemin de Chartres, et de
là droit à la Mothe: et même à l'heure que vous lisez ceci,
15 je vous donne avis qu'elle est auprès de vous, et elle ira
cette nuit en votre chambre faire cinq ou six grands cris,
si cela ne vous tourne point à importunité. Je crois que
vous y aurez du plaisir: car elle fait un bruit de diable, et
se tourmente, et fait une tempête si étrange qu'il vous
20 semblera que le logis sera prêt à se renverser. J'avais
dessein de vous envoyer le corps par le messager, aussi
bien que celui de la maréchale de Fervaque[1]; mais il est
en un si pitoyable état qu'il eût été en pièces avant que
d'être auprès de vous; et puis j'ai eu peur que par le chaud
25 il ne se gâtât . . .

> Le soleil de nous rapproché
> Rend le monde plus échauffé,
> L'amour règne, le sang bouillonne,
> L'année est bonne.

[1] Elle s'était éprise du duc de Chevreuse après la mort de son mari
et avait en mourant institué le duc son héritier. Celui-ci avait eu
l'extrême mauvais goût de faire transporter la dépouille mortelle par
le coche public pour éviter les frais d'une voiture particulière.

6. Poésies

I.   SONNET A URANIE [1]

Il faut finir mes jours en l'amour d'Uranie:
L'absence ni le temps ne m'en sauraient guérir,
Et je ne vois plus rien qui me pût secourir,
Ni qui sût rappeler ma liberté bannie.

Dès longtemps je connais sa rigueur infinie;   5
Mais pensant aux beautés, pour qui je dois périr,
Je bénis mon martyre, et content de mourir,
Je n'ose murmurer contre sa tyrannie.

[1] C'est le sonnet, inspiré par une belle inconnue, qui suscita la
grande querelle des Uranistes et des Jobelins après la publication du
sonnet sous le nom de *Job*, par Benserade en 1638, dans les *Para-
phrases sur les IX leçons de Job.* La querelle éclata immédiatement
après la mort de Voiture en 1648. L'Hôtel de Rambouillet en général
se prononça pour Voiture. Voici le sonnet de Benserade:

> Job, de mille tourments atteint,
> Vous rendra sa douleur connue,
> Et raisonnablement il craint
> Que vous n'en soyez pas émue.
>
> Vous verrez ma misère nue;
> Il s'est lui-même ici dépeint.
> Accoutumez-vous à la vue
> D'un homme qui souffre et se plaint.
>
> Bien qu'il eût d'extrêmes souffrances,
> On voit aller des patiences
> Plus loin que la sienne n'alla.
>
> Il souffrit des maux incroyables;
> Il s'en plaignit, il en parla;
> J'en connais de plus misérables.

[Vers 1620]

Quelquefois ma raison par de faibles discours
M'incite à la révolte et me promet secours;
Mais lorsqu'à mon besoin je me veux servir d'elle,

Après beaucoup de peine et d'efforts impuissants,
5   Elle dit qu'Uranie est seule aimable et belle,
Et m'y rengage plus que ne font tous mes sens.

2.   CHANSON A SYLVIE

J'avais de l'amour pour vous,
Charmante Sylvie,
Mais vos injustes courroux
10   Ont refroidi mon envie.
Je sais aimer constamment
Mais si l'on n'aime également,
Ma foi, je m'ennuie.

Votre bouche et vos beaux yeux,
15   Les rois de ma vie,
Et votre ris gracieux,
Avaient mon âme asservie;
Vous m'aviez gagné le cœur,
Mais quand on a trop de rigueur,
20   Ma foi, je m'ennuie.

J'approuve un feu bien heureux
Qui deux âmes lie,
Et tient deux cœurs amoureux
Sans peine et mélancolie.
25   J'aime les douces amours,
Mais pour soupirer tous les jours,
Ma foi, je m'ennuie.

L'amour sur un autre amour
Volontiers s'appuie,
J'aime sans aucun détour;
Mais si je vois qu'on me fuie
Et qu'on se plaise à m'ouïr   5
Pleurer, tourmenter et gémir,
Ma foi, je m'ennuie.

J'approuve un cœur enflammé
Qui se glorifie
D'aimer sans qu'il soit aimé,   10
Et son plaisir sacrifie.
Je le fais bien quelquefois,
Mais quand cela passe trois mois,
Ma foi, je m'ennuie.

Vous exercez sur mon cœur   15
Trop de tyrannie;
Je ne vis plus qu'en langueur,
C'est une peine infinie
Que de vivre en vous aimant,
Et pour vous parler franchement,   20
Ma foi, je m'ennuie.

Si vous pensez honorer
Une âme transie,
Qui meurt pour vous adorer,
Pour moi, je vous remercie.   25
Je ne veux point tant d'honneur.
Gardez-l(e) à quelque grand seigneur,
Ma foi, je m'ennuie.

Faire des vers en bateau [1]
Ce serait folie;
Car par la fraîcheur de l'eau
Je sens ma tête assaillie;
5   Vous n'aurez donc que ceci,
Il fait mauvais écrire ici;
Ma foi, je m'ennuie.

3.   RONDEAU

Ma foi, c'est fait de moi: car Isabeau
M'a conjuré de lui faire un rondeau, [2]
10   Cela me met en une peine extrême.
Quoi ! treize vers, huit en eau, cinq en ème !
Je lui ferais aussi tôt un bateau.

En voilà cinq pourtant en un monceau,
Faisons en huit, en invoquant Brodeau,[3]
15   Et puis mettons par quelque stratagème:
Ma foi, c'est fait.

---

[1] Jeu de mot sur l'expression populaire: *monter un bateau à quel-qu'un* = fatiguer quelqu'un par une plaisanterie indéfiniment répétée; ou *mener quelqu'un en bateau* = duper.

[2] Voiture se vante d'avoir fait revivre le genre du rondeau. Dans une lettre datée de 1638 il écrit: « Je ne sais si vous savez ce que c'est que des rondeaux; j'en ai fait, depuis peu, trois ou quatre, qui ont mis les beaux esprits en fantaisie d'en faire. C'est un genre d'écrire qui est propre à la raillerie. » Il y a plusieurs formes de rondeaux; celui-ci est sur le modèle de Clément Marot (XVIme siècle); *aabba|| aab + refrain||aabba + refrain*.

Ce rondeau est une imitation d'un sonnet de Lope de Vega:
Un soneto me manda hazer Violante, etc.
(Cf. Crane, *La société française au xvii siècle*, 1907, p. 292)

[3] Un avocat célèbre de Paris.

Si je pouvais encor de mon cerveau
Tirer cinq vers, l'ouvrage serait beau.
Mais cependant je suis dedans l'onzième,
Et si je crois que je fais le douzième,
En voilà treize ajustés au niveau: 5
    Ma foi, c'est fait !

4. LA CHANSON DE LANTURLU,[1] 1630

Le roi, notre sire,
Pour bonnes raisons,
Que l'on n'ose dire,
Et que nous taisons,   10
Nous a fait défense
De plus chanter lanturlu,
Lanturlu, lanturlu,
    lanturlu, lanturlu.

La reine, sa mère,[2]   15
Reviendra bientôt,
Et Monsieur, son frère,[3]
Ne dira plus mot.
Tout sera paisible,
Pourvu qu'on ne chante plus   20
Lanturlu, lanturlu,
    lanturlu, lanturlu.

[1] Le mot « lanturlu » n'a pas de sens; il avait servi à plusieurs reprises de refrain à des chansons dirigées par le peuple de Paris contre des personnages de haut rang, et le roi, Louis XIII, avait fait un édit spécial défendant de chanter *Lanturlu* (1629). Ce fut l'occasion de cette spirituelle chanson de Voiture.

[2] Marie de Médicis, exilée à cause de ses intrigues de cour.

[3] Gaston, duc d'Orléans, en révolte ouverte contre Richelieu.

De la Grand' Bretagne,
Les ambassadeurs,
Ceux du roi d'Espagne
Et des électeurs,[1]
5   Se sont venus plaindre
D'avoir partout entendu
Lanturlu, lanturlu,
        lanturlu, lanturlu.

Ils ont fait leur plainte
10   Fort éloquemment,
Et parlé sans crainte
Du gouvernement;
Pour les satisfaire,
Le roi leur a répondu:
15   Lanturlu, lanturlu,
        lanturlu, lanturlu.

Dessus cette affaire,
Le nonce parla,
Et notre Saint-Père
20   Entendant cela,
Au milieu de Rome
S'écria comme un perdu:
Lanturlu, lanturlu,
        lanturlu, lanturlu.

25   Pour bannir de France
Ces troubles nouveaux,
Avec grand'prudence
Le garde des sceaux [2]

---

[1] Princes ou évêques qui étaient appelés à élire l'empereur d'Allemagne; p. ex., le roi de Bavière était 'électeur.'
[2] Chancelier.

A scellé ces lettres,
Dont voici le contenu:
Lanturlu, lanturlu,
        lanturlu, lanturlu.

5. MADRIGAUX

Jamais l'œil du soleil   5
Ne vit rien de pareil,
Ni si plein de délice,
Rien si digne d'amour
Si ce ne fut le jour
Que naquit Arthénice.[1]   10

*

Quand les dieux eurent fait
Le chef-d'œuvre parfait
Que Julie [2] on appelle,
Minerve qui la vit
En pleura de dépit,   15
Et se trouva moins belle.

[1] Mme de Rambouillet.   [2] Mlle de Rambouillet.

CHAPITRE DEUX

L'ACADÉMIE FRANÇAISE

I. L'ACADÉMIE FRANÇAISE

1635

La seconde institution qui prépare la voie aux grands écrivains du siècle est l'Académie Française.

Il existait, depuis 1629, une société d'hommes de lettres qui se réunissaient chez l'un d'entre eux, Valentin Conrart. Richelieu craignit que ce petit cercle d'hommes éminents ne devînt le centre d'idées trop libres et peut-être défavorables au gouvernement qui avait grand besoin de solidarité dans la nation. Ne voulant pas paraître agir en tyran, il offrit aux amis de Conrart d'organiser leur société sous la protection du Roi: refuser, c'était risquer la défense de se réunir; accepter, c'était s'engager à ne pas agiter de questions et ne pas émettre d'opinions de nature à embarrasser un gouvernement qui « protégeait » la société. On accepta donc la proposition du grand ministre qui devint le « Protecteur de l'Académie » —. La première réunion du « corps officiel » eut lieu le 30 mars 1634; les lettres patentes du Roi sont datées de 1635; le Parlement, cependant, n'enregistra ces lettres qu'à la date du 10 juillet 1637. L'Académie n'eut pas de réelle demeure jusqu'en 1672, quand le Roi Louis XIV la logea avec magnificence au Louvre; elle y demeura jusqu'à la suppression temporaire en 1793. C'est en 1805 qu'elle fut installée au Palais Mazarin, appelé aujourd'hui Palais de l'Institut.

Statuts et règlements de l'Académie française

(extraits)

Les statuts adoptés par l'Académie Française sont intéressants; ils révèlent bien que la société allait être entièrement soumise aux volontés du gouvernement. Aujourd'hui encore elle est demeurée un corps qui représente la tradition nationale plutôt qu'une société cherchant à innover en matière politique, religieuse et littéraire.

Premièrement. — Personne ne sera reçu dans l'Académie qui ne soit agréable à Mgr le Protecteur,[1] et qui ne soit de bonnes mœurs, de bonne réputation, de bon esprit, et propre aux fonctions académiques.

2. — L'Académie aura un sceau, duquel seront scellés en cire bleue tous les actes qui s'expédieront par son ordre dans lequel la figure de mgr. le cardinal duc de Richelieu sera gravée avec ces mots à l'entour: AR-MAND, CARDINAL DUC DE RICHELIEU, PRO-TECTEUR DE L'ACADÉMIE FRANÇOISE, établie l'an mil six cent XXXV, et un contre-sceau, où sera représentée une couronne de laurier, avec ce mot: A L'IM-MORTALITÉ; desquels sceaux l'empreinte ne pourra jamais être changée pour quelle occasion que ce soit.

3. — Il y aura trois Officiers: Un Directeur, un Chancelier et un Secrétaire, dont les deux premiers seront élus de deux mois en deux mois, et l'autre ne changera point.[2]

11. — En toutes les autres affaires,[3] l'on opinera tout haut et de rang, sans interruption ni jalousie, sans reprendre avec chaleur ou mépris les avis de personne, sans rien dire que le nécessaire et sans répéter ce qui aura été dit.

13. — Si un des Académiciens fait quelque acte indigne d'un homme d'honneur, il sera interdit ou destitué, selon l'importance de sa faute.

21. — Il n'y sera mis en délibération aucune matière concernant la religion; et néanmoins, pour ce qu'il est impossible qu'il ne se rencontre dans les ouvrages qui seront examinés quelque proposition qui regarde ce su-

---

[1] Le cardinal Richelieu.
[2] On l'appelle pour cela « Secrétaire perpétuel. »
[3] Sauf élection, réception et destitution, où on vote par ballot.

jet, comme le plus noble exercice de l'éloquence et le plus
utile entretien de l'esprit, il ne sera rien prononcé sur les
maximes de cette qualité, l'Académie soumettant toujours aux lois de l'Église, en ce qui touchera les choses
5 saintes, les avis et les approbations qu'elle donnera pour
les termes et la forme des ouvrages seulement.

22. — Les matières politiques ou morales ne seront
traitées dans l'Académie que conformément à l'autorité
du Prince, à l'état du gouvernement et aux lois du roy-
10 aume.

24. — La principale fonction de l'Académie sera de travailler avec tout le soin et toute la diligence possible à
donner des règles certaines à notre langue, et à la rendre
pure, éloquente et capable de traiter les arts et les sciences.

15 25. — Les meilleurs auteurs de la langue française
seront distribués aux Académiciens pour observer tant
les dictions que les phrases qui peuvent servir de règles
générales et en faire rapport à la Compagnie qui jugera
de leur travail et s'en servira aux occasions.

20 26. — Il sera composé un Dictionnaire, une Grammaire, une Rhétorique et une Poétique sur les observations de l'Académie.

27. — Chaque jour d'assemblée ordinaire, un des Académiciens, selon l'ordre du tableau, fera un discours en
25 prose, dont le récit par cœur ou la lecture à son choix
durera un quart d'heure ou une demi-heure au plus, sur
tel sujet qu'il voudra prendre, et on ne commencera qu'à
trois heures. Le reste du temps sera employé à examiner les ouvrages par ceux qui se présenteront, ou à tra-
30 vailler aux pièces générales dont il est fait mention en
l'article précédent.

34. — Les remarques des fautes d'un ouvrage se feront

avec modestie et civilité, et la correction en sera soufferte
de la même sorte.

43. — Les règles générales qui seront faites par l'Académie touchant le langage seront suivies par tous ceux de
la Compagnie qui écriront tant en prose qu'en vers.   5

44. — Ils suivront aussi les règles qui seront faites
pour l'orthographe.

45. — L'Académie ne jugera que des ouvrages de ceux
dont elle est composée; et, si elle se trouve obligée par
quelque considération d'en examiner d'autres, elle don- 10
nera seulement ses avis sans en faire aucune censure et
sans en donner aussi d'approbation.

46. — S'il arrive que l'on fasse quelques écrits contre
l'Académie, aucun des Académiciens n'entreprendra d'y
répondre ou de rien publier pour sa défense sans en avoir 15
charge expresse de la Compagnie assemblée au nombre de
vingt pour le moins.

. . . .

Signé: LE CARDINAL DE RICHELIEU
Et scellé de ses armes

Les statuts 23 à 26 sont naturellement les plus importants.

Le Dictionnaire de l'Académie parut après presque soixante ans
de travaux, en 1694 (la dernière, huitième, édition est de 1932-35).[1]

La Grammaire n'a pas été écrite; mais en 1705 l'Académie adopta
celle écrite par un de ses membres, Régnier-Desmarais. (En 1928
L'Académie accepta une proposition d'un de ses membres de rédiger

---

[1] La langue changeant, le dictionnaire doit se renouveler; aussi,
dès qu'une édition est imprimée, l'Académie se met à préparer la
suivante; les huit éditions existantes s'échelonnent en moyenne de
cinquante en cinquante ans. Ce travail jamais terminé a donné lieu
à mille plaisanteries qu'on peut ramener à ces deux vers de Suard, un
écrivain du XVIIIᵉ siècle:
On fait, défait, refait ce fameux dictionnaire,
Qui, toujours très bien fait, reste toujours à faire.

une grammaire pour notre langue moderne. Ce travail fut achevé en 1932.)

La *Rhétorique* (art de la prose) ne fut jamais écrite; non plus que la *Poétique*, mais on peut considérer l'*Art poétique* de Boileau (voir chap. III) comme exprimant les sentiments de l'Académie sur ce sujet.

Le 45° statut n'est plus observé. L'Académie a reçu de nombreux dons qui lui permettent de récompenser par des prix les ouvrages littéraires qui lui en paraissent dignes. Le premier de ces prix a été offert par Guez de Balzac; c'était un « Prix d'éloquence. »

Consulter: La première *Histoire de L'Académie* a été écrite par un des premiers membres, Pellisson (1653). On lira avec plus de fruit G. Boissier, *L'Académie française sous l'Ancien Régime* (Hachette, 1909); ou F. Masson, *L'Académie Française, 1629–1793* (Ollendorf. 1912); enfin P. Gautier, *Académie Française*, (Coll. Pallas, Garnier, 1928, 2 vol.). La grande autorité est naturellement le grand ouvrage de F. Brunot, *Histoire de la Langue Française* (A. Colin), les volumes couvrant le XVII° siècle et les siècles suivants.

L'Académie Française fut emportée dans la tempête de la Révolution avec les autres institutions de l'ancien régime: « elle fut supprimée le 8 août 1793 par un décret de la Convention. *L'Institut* créé le 25 octobre 1795 renfermait une « Troisième classe », dite « de Littérature et Beaux-Arts » dont deux sections sur huit, celles de « Grammaire et Poésie » rappelaient l'ancienne Académie. Celle-ci fut rétablie le 23 janvier 1803, sous le nom de « Classe de Langue et Littérature Françaises ». Le nom même d'Académie Française ne reparut qu'après la Restauration, par ordonnance royale du 21 mars 1816 ». (Petit de Julleville, *Orig. et Hist. de la Langue fr.* p. 231).

L'Institut de France se compose de cinq Académies, qui sont: *L'Académie Française*, (40 membres); *L'Académie des Sciences* (65 membres); *L'Académie des Inscriptions et Belles Lettres* (40 membres); *L'Académie des Sciences morales et politiques* (40 membres); *l'Académie des Beaux Arts* (40 membres). Ces différents corps élisent eux-mêmes les successeurs aux décédés. Les membres de l'Académie Française seuls ont le titre d'« Académicien »; ceux des autres académies ont celui de « Membre de l'Institut ».

II. VAUGELAS

(1585–1650)

Vaugelas, né en Savoie, vint à Paris jeune, y réussit, devint Chambellan du Duc d'Orléans, le frère du Roi. Nommé membre de l'Académie dès sa fondation, il fut appelé en 1639 à s'occuper spécialement du *Dictionnaire*, et c'est lui qui mit en train le travail. Il mourut en 1650 laissant beaucoup de documents pour l'achèvement. Il a laissé en outre un ouvrage fort important, *Remarques sur la Langue Française* (1647) où on trouve la fameuse définition de ‹ l'usage ›, critère d'adoption des mots dans le *Dictionnaire*.

Remarques sur la langue française, 1647

(extrait de la *Préface*)

Ce ne sont pas ici des lois que je fais pour notre langue de mon autorité privée; je serais bien téméraire, pour ne pas dire insensé; car à quel titre et de quel front prétendre un pouvoir qui n'appartient qu'à l'*Usage*, que chacun reconnaît pour le maître et le souverain des langues vivantes ? 5 Il faut pourtant que je m'en justifie d'abord, de peur que ceux qui condamnent les personnes sans les ouïr ne m'en accusent, comme ils ont fait cette illustre et célèbre compagnie [1] qui est aujourd'hui l'un des ornements de Paris et de l'éloquence française. Mon dessein n'est pas de 10 réformer notre langue, ni d'abolir des mots, ni d'en faire, mais seulement de montrer le bon usage de ceux qui sont faits, et, s'il est douteux ou inconnu, de l'éclaircir ou de le faire connaître. Et tant s'en faut que j'entreprenne de me constituer juge des différends de la langue, que je ne 15 prétends passer que pour un simple témoin, qui dépose ce qu'il a vu et ouï, ou pour un homme qui aurait fait un recueil d'arrêts qu'il donnerait au public. C'est pourquoi ce petit ouvrage a pris le nom de *Remarques*, et ne s'est pas chargé du titre fastueux de *Décisions* ou de *Lois* ou 20 de quelque autre semblable; car, encore que ce soient en effet les lois d'un souverain qui est l'Usage, si [2] est-ce que

---

[1] L'Académie française.   [2] Si = ainsi.

outre l'aversion que j'ai à ces titres ambitieux, j'ai dû éloigner de moi tout soupçon de vouloir établir ce que je ne fais que rapporter.

Pour le mieux faire entendre, il est nécessaire d'expliquer
5 ce que c'est que cet usage dont on parle tant et que tout le monde appelle le roi ou le tyran, l'arbitre ou le maître des langues. Car, si ce n'est autre chose, comme quelques-uns se l'imaginent, que la façon ordinaire de parler d'une nation dans le siège de son empire, ceux qui y sont nés et
10 élevés n'auront qu'à parler le langage de leurs nourrices et de leurs domestiques pour bien parler la langue de leur pays; et les provinciaux et les étrangers, pour la bien savoir, n'auront aussi qu'à les imiter. Mais cette opinion choque tellement l'expérience générale qu'elle se réfute
15 d'elle-même; et je n'ai jamais pu comprendre comme un des plus célèbres auteurs de notre temps [1] a été infecté de cette erreur.

Il y a sans doute deux sortes d'usages, un bon et un mauvais. Le mauvais se forme du plus grand nombre de
20 personnes, qui presque en toutes choses n'est pas le meil-leur; et le bon, au contraire, est composé non pas de la pluralité, mais de l'élite des voix, et c'est véritablement celui que l'on nomme le maître des langues, celui qu'il faut suivre pour bien parler et pour bien écrire en toutes
25 sortes de styles ...

Voici donc comme on définit le bon usage: C'est la façon de parler de la plus saine partie de la cour, conformé-ment à la façon d'écrire de la plus saine partie des auteurs du temps.

30 Quand je dis la cour, j'y comprends les femmes comme

[1] Allusion à la célèbre remarque de Malherbe qui prétendait ap-prendre la langue chez les crocheteurs du Pont au foin.

les hommes, et plusieurs personnes de la ville où le prince réside, qui, par la communication qu'elles ont avec les gens de la cour, participent à sa politesse. Il est certain que la cour est comme un magasin d'où notre langue tire quantité de beaux termes pour exprimer nos pensées, et 5 que l'éloquence de la chaire ni du barreau n'aurait pas les grâces qu'elle demande si elle ne les empruntait presque toutes de la cour. Je dis *presque* parce que nous avons encore un grand nombre d'autres phrases qui ne viennent pas de la cour, mais qui sont prises de tous les meilleurs 10 auteurs grecs et latins, dont les dépouilles font une partie des richesses de notre langue, et peut-être ce qu'elle a de plus magnifique et de plus pompeux.

Toutefois, quelque avantage que nous donnions à la cour, elle n'est pas suffisante toute seule pour servir de règle; il 15 faut que la cour et les bons auteurs y concourent, et ce n'est que de cette conformité qui se trouve entre les deux que l'usage s'établit ... Le consentement des bons auteurs est comme le sceau, ou une vérification qui autorise le langage de la cour et qui marque le bon usage ... 20

L'usage est celui auquel il se faut entièrement soumettre en notre langue; mais pourtant il n'en exclut pas la raison ni le raisonnement, quoiqu'ils n'aient nulle autorité. Ce qui se voit clairement en ce que ce même usage fait aussi beaucoup de choses contre la raison, qui non 25 seulement ne laissent pas d'être aussi bonnes que celles où la raison se rencontre, que même bien souvent elles sont plus élégantes et meilleures que celles qui sont dans la raison et dans la règle ordinaire, jusque-là qu'elles font une partie de l'ornement de la beauté du langage. En 30 un mot, l'usage fait beaucoup de choses par raison, beaucoup sans raison, et beaucoup contre raison.

L'incident Furetière. — Antoine Furetière (1620–1688) était un membre de l'Académie. Voyant la lenteur des progrès du dictionnaire, il en publia un à lui seul. L'Académie avait un « privilège » qui lui réservait le droit d'un tel ouvrage; mais Furetière réussit à se faire accorder un « privilège » spécial; mais l'Académie, sous prétexte qu'il s'appropriait ses travaux, le lui fit retirer; il y eut procès; Furetière fut expulsé de l'Académie (22 juin 1685); il s'en vengea en publiant ses *Factums*, où il satirisait les Académiciens. Son dictionnaire qui parut en 1689 — après sa mort — est en quelques points, sinon supérieur à la première édition du *Dictionnaire* de l'Académie, en tous cas plus pratique. Par exemple Furetière accepta tout de suite l'ordre alphabétique strict, tandis que l'Académie groupait les mots par familles; ainsi pour le mot *absoudre*, il fallait chercher sous *soudre;* pour *abstraire*, sous *traire;* on voit la difficulté, surtout avec des mots ayant autant de composés que *poser* (*apposer, disposer, exposer, imposer, indisposer*, etc., ou *position, repos*, etc.). En outre, Furetière avait inclus dans son *Dictionnaire* toutes les classes de mots, ceux de « toutes les sciences et des arts », tandis que l'Académie avait accepté seulement les mots employés par des auteurs faisant de la littérature — et la littérature bannissait alors les sujets, et donc les termes roturiers. L'Académie, du reste, dès la seconde édition de son ouvrage, c'est-à-dire environ un demi-siècle plus tard, adopta l'ordre alphabétique aussi; elle ne devait se décider, cependant, que beaucoup plus tard à ouvrir ses portes aux mots d'usage commun (On jugera de ce que cette exclusion signifie si on sait que l'édition du Dictionnaire de 1878 n'a encore qu'environ 32 000 mots, tandis que le Dictionnaire anglais de Murray, en 1917 avait 364 000 mots.).

On trouvera un résumé de cette querelle dans le volume *Poésies diverses of Antoine Furetière,* by Isabelle Bronk (Baltimore, Furst, 1908, pp. 18–27).

CHAPITRE TROIS

BOILEAU

1636–1711

Nicolas Boileau-Despréaux — appelé le plus souvent simplement Boileau — est le onzième enfant d'un greffier au Parlement de Paris. Dans cette ville il fit ses études. Sauf que ses maîtres reconnurent tôt ses aptitudes pour la poésie, on n'attendait pas beaucoup du jeune homme. Il étudia la théologie, puis le droit — sans enthousiasme; enfin, à la mort de son père (1653), il put se consacrer aux lettres. Une satire écrite à 24 ans et qui fut admirée par Furetière commença sa célébrité; il fut reçu à l'Hôtel de Rambouillet. Il se lia avec les meilleurs écrivains de son temps; surtout Molière, Racine et La Fontaine; il les rencontrait souvent dans des cabarets; mais il avait quelque fortune et il les recevait volontiers chez lui, d'abord à la rue du Vieux Colombier, et puis dans sa maison d'Auteuil où il habita de 1685 à 1705.[1] Il entra à l'Académie à 47 ans, sur la demande expresse du roi. Boileau, comme la plupart des écrivains du XVIIᵉ siècle paya son tribut d'admiration au roi (voir plus bas, p. 115). Il fut nommé, en même temps que Racine, *Historiographe du Roi*. On cite plusieurs traits de bonté de Boileau, entre autres vis-à-vis du vieux Corneille et de l'avocat Patru; mais il se fit bien des ennemis (Boursault, Cotin, Desmarets, etc.) à cause de la sévérité de ses critiques. Ses victimes firent mille démarches pour empêcher la publication de *L'Art poétique* (la plus célèbre des œuvres de Boileau), et attaquèrent l'ouvrage une fois publié.

Ses principaux écrits sont: 12 *Satires* et 12 *Epîtres* (ce sont des essais en vers sur divers sujets, littéraires ou moraux); et une quantité de petites pièces rimées: *épigrammes, sonnets, odes*, etc. *L'Art poétique* et les *Réflexions sur Longin* (voir plus bas) sont des œuvres

---

[1] On a discuté ces amitiés célèbres. Voir J. Demeure, *Mercure de France*, 1 juillet, 1928, « Racine et son ennemi Boileau », et la contrepartie dans Albalat, *L'Art poétique de Boileau*, Coll. « Grands Evénements littéraires », Paris, Malfère, 1929 (p. 72–5).

de plus longue haleine. Il laisse aussi un Poème héroï-comique, *Le Lutrin* (1673–83).

Consulter: G. Lanson, *Boileau*, (Coll. Grands écrivains français, Hachette, 1892); Albalat, *L'Art poétique* (Coll. Grands événements litt. Malfère, 1929).

1. L'art poétique.

(en quatre chants, environ 1100 vers, écrits 1669–1674)

Rappelons que les grands « arts poétiques » dans des civilisations antérieures avaient été: chez les Grecs, *La Poétique* d'Aristote (du fragment qui nous est resté et qui traite surtout de la tragédie et de la comédie, Boileau s'est souvenu dans son Chant III); chez les Latins, *L'Art poétique* d'Horace (*L'Epître aux Frères Pisons*); Boileau, dans son poème, formulera peut-on dire le code littéraire de l'âge classique en France et même en Europe; Pope et Dryden marcheront sur ses pas. Il avait eu pour précurseurs en France entre autres Sibilet ou Sébillet (1548) et surtout Du Bellay, dont la *Défense et Illustration de la Langue Française* (1549), fut le manifeste des poètes de la Renaissance.

Boileau, avec son *Art poétique*, sera le bouc émissaire quand, deux siècles plus tard, les Romantiques attaqueront les Classiques. On lui opposera alors *Le Génie du Christianisme* de Chateaubriand (1802) et la *Préface de Cromwell* de Victor Hugo (1827).

Trois sujets sont traités, revenant tantôt l'un tantôt l'autre, sans plan très arrêté, sous la plume de l'écrivain: la théorie de la versification, ou conseils relatifs à la forme; des règles et conseils relatifs au sujet à choisir, à la manière de le traiter, en un mot quant au fonds; enfin (surtout au Chant II) l'histoire de la poésie en France et de ses différents genres. Le Chant III est consacré à la Tragédie, à l'Epopée et à la Comédie.

[L'étudiant relira ici la note en caractères gras insérée à la page 9–10, sur la manière de lire les vers français classiques.]

CHANT I

C'est en vain qu'au Parnasse, un téméraire auteur
Pense de l'art des vers atteindre la hauteur:
S'il ne sent point du Ciel l'influence secrète,
Si son astre en naissant ne l'a formé poète,

Dans son génie étroit il est toujours captif;
Pour lui Phébus est sourd, et Pégase est rétif.
　O vous donc, qui brûlant d'une ardeur périlleuse,
Courez du bel esprit la carrière épineuse,
N'allez pas sur des vers sans fruit vous consumer, 5
Ni prendre pour génie un amour de rimer;
Craignez d'un vain plaisir les trompeuses amorces,
Et consultez longtemps votre esprit et vos forces.
　La nature, fertile en esprits excellents,
Sait entre les auteurs partager les talents: 10
L'un, peut tracer en vers une amoureuse flamme;
L'autre, d'un trait plaisant aiguiser l'épigramme;
Malherbe, d'un héros peut vanter les exploits;
Racan, chanter Philis, les bergers et les bois.[1]
Mais, souvent, un esprit qui se flatte et qui s'aime, 15
Méconnaît son génie, et s'ignore soi-même:
... Quelque sujet qu'on traite, ou plaisant, ou sublime,
Que toujours le bon sens s'accorde avec la rime:
L'un l'autre vainement ils semblent se haïr,
La rime est une esclave, et ne doit qu'obéir. 20
Lorsqu'à la bien chercher d'abord on s'évertue,
L'esprit à la trouver aisément s'habitue;
Au joug de la raison sans peine elle fléchit;
Et, loin de la gêner, la sert et l'enrichit.
Mais, lorsqu'on la néglige, elle devient rebelle; 25
Et pour la rattraper le sens court après elle.
Aimez donc la raison.　Que toujours vos écrits
Empruntent d'elle seule et leur lustre et leur prix.
　La plupart, emportés d'une fougue insensée,
Toujours loin du droit sens vont chercher leur pensée: 30
Ils croiraient s'abaisser, dans leurs vers monstrueux,

[1] Voir chapitre Introduction, 24 ss.

S'ils pensaient ce qu'un autre a pu penser comme eux.
Évitons ces excès. Laissons à l'Italie
De tous ces faux brillants l'éclatante folie.[1]
Tout doit tendre au bon sens: mais, pour y parvenir,
5 Le chemin est glissant et pénible à tenir;
Pour peu qu'on s'en écarte, aussitôt on se noie;
La raison, pour marcher, n'a souvent qu'une voie.

    Un auteur, quelquefois trop plein de son objet,
Jamais sans l'épuiser n'abandonne un sujet:
10 S'il rencontre un palais, il m'en dépeint la face;
Il me promène après de terrasse en terrasse;
Ici, s'offre un perron; là, règne un corridor;
Là, ce balcon s'enferme en un balustre d'or;
Il compte des plafonds les ronds et les ovales;
15 « Ce ne sont que festons, ce ne sont qu'astragales. » [2]
Je saute vingt feuillets pour en trouver la fin,
Et je me sauve à peine au travers du jardin.
Fuyez de ces auteurs l'abondance stérile,
Et ne vous chargez point d'un détail inutile:
20 Tout ce qu'on dit de trop est fade et rebutant;
L'esprit rassasié le rejette à l'instant.
Qui ne sait se borner ne sut jamais écrire.

---

[1] Attaque contre l'affectation d'italianisme à la mode depuis le XVIe siècle et favorisée par l'arrivée des Médicis en France, dans la littérature et dans les salons. Mme de Rambouillet était née à Rome. En Italie, cette tendance, issue du mouvement de la Renaissance, était appelée *Marinisme,* en Espagne *Gongorisme,* en Angleterre, *Euphuïsme;* — en France c'était la *Préciosité.*

[2] Il s'agit du *Palais magique* dont la longue description remplit une partie du Chant III de l'*Alaric* de Scudéry. Le vers de Scudéry était:

    Ce ne sont que festons, ce ne sont que couronnes.

    Boileau a remplacé « couronnes » par « astragales » pour les besoins de la rime.

Souvent, la peur d'un mal nous conduit dans un pire:
Un vers était trop faible, et vous le rendez dur;
J'évite d'être long, et je deviens obscur;
L'un n'est point trop fardé, mais sa Muse est trop nue;
L'autre a peur de ramper, il se perd dans la nue.　　　5

　　Voulez-vous du public mériter les amours ?
Sans cesse en écrivant variez vos discours:
Un style trop égal et toujours uniforme
En vain brille à nos yeux, il faut qu'il nous endorme.
On lit peu ces auteurs, nés pour nous ennuyer,　　　10
Qui, toujours, sur un ton, semblent psalmodier.

　　Heureux, qui dans ses vers, sait d'une voix légère
Passer du grave au doux, du plaisant au sévère !
Son livre, aimé du ciel, et chéri des lecteurs,
Est souvent chez Barbin [1] entouré d'acheteurs.　　　15

　　Quoi que vous écriviez, évitez la bassesse:
Le style le moins noble a pourtant sa noblesse.
Au mépris du bon sens, le Burlesque [2] effronté
Trompa les yeux d'abord, plut par sa nouveauté:
On ne vit plus en vers que pointes triviales;　　　20
Le Parnasse parla le langage des halles [3];
La licence à rimer alors n'eut plus de frein,
Apollon travesti devint un Tabarin [4] . . .
Que ce style, jamais, ne souille votre ouvrage:
Imitons de Marot l'élégant badinage [5] . . .　　　25

---

[1] Il avait une boutique de libraire dans le Palais de Justice.

[2] Le principal représentant du genre burlesque était Scarron (1610–1660), l'auteur du *Virgile travesti* (1648).

[3] Place publique où se tient le marché et où règne le langage du bas peuple.

[4] Bouffon populaire, qui s'exhibait en public, sur le Pont Neuf, et qui avait acquis une certaine notoriété au commencement du XVIIe siècle.

[5] Clément Marot (1495–1544), poète spirituel et mondain de la cour de Marguerite de Valois.

N'offrez rien au lecteur que ce qui peut lui plaire.
Ayez pour la cadence une oreille sévère:
Que toujours, dans vos vers, le sens, coupant les mots,
Suspende l'hémistiche, en marque le repos.[1]
5 Gardez qu'une voyelle, à courir trop hâtée,
Ne soit d'une voyelle en son chemin heurtée.[2]
Il est un heureux choix de mots harmonieux.
Fuyez des mauvais sons le concours odieux:
Le vers le mieux rempli, la plus noble pensée
10 Ne peut plaire à l'esprit, quand l'oreille est blessée.
Durant les premiers ans du Parnasse françois,
Le caprice tout seul faisait toutes les lois,
La rime, au bout des mots assemblés sans mesure,
Tenait lieu d'ornements, de nombre, et de césure.
15 Villon [3] sut le premier, dans ces siècles grossiers,
Débrouiller l'art confus de nos vieux romanciers.[4]
Marot, bientôt après, fit fleurir les ballades,
Tourna des triolets, rima des mascarades,
A des refrains réglés asservit les rondeaux,
20 Et montra pour rimer des chemins tout nouveaux.
Ronsard,[5] qui le suivit, par une autre méthode
Réglant tout, brouilla tout, fit un art à sa mode;
Et toutefois longtemps eut un heureux destin.

---

[1] Règle de la *césure* (voir page 9-10; lettres grasses, No. 4).

[2] Règle de l'*hiatus* (voir page 9-10; lettres grasses, No. 3).

[3] François Villon (1431-1470 ?) le premier grand poète lyrique de la France, auteur du *Grand* et du *Petit Testament*.

[4] Le mot « roman » avait encore souvent à cette époque le sens d'histoire romanesque et chevaleresque qui était écrite en vers.

[5] Boileau connaissait fort mal cette poésie du XVIe siècle; il attribue beaucoup trop à Marot, et la postérité a désavoué le jugement sévère qui va suivre sur Ronsard (1524-1585). Ronsard était le principal poète de la Pléiade, brillant groupe d'écrivains de la Renaissance, et que Malherbe avait discrédité.

Mais sa Muse, en français parlant grec et latin,[1]
Vit, dans l'âge suivant par un retour grotesque,
Tomber de ses grands mots le faste pédantesque.
Ce poète orgueilleux, trébuché de si haut,
Rendit plus retenus Desportes et Bertaut.[2]   5

    Enfin Malherbe[3] vint, et, le premier en France,
Fit sentir dans les vers une juste cadence;
D'un mot mis en sa place enseigna le pouvoir;
Et réduisit la Muse aux règles du devoir.
Par ce sage écrivain la langue réparée   10
N'offrit plus rien de rude à l'oreille épurée;
Les stances avec grâce apprirent à tomber;
Et le vers sur le vers n'osa plus enjamber.
Tout reconnut ses lois; et ce guide fidèle
Aux auteurs de ce temps sert encor de modèle.   15
Marchez donc sur ses pas; aimez sa pureté;
Et de son tour heureux imitez la clarté.
Si le sens de vos vers tarde à se faire entendre,
Mon esprit aussitôt commence à se détendre,
Et, de vos vains discours prompt à se détacher,   20
Ne suit point un auteur qu'il faut toujours chercher.
    Il est certains esprits, dont les sombres pensées
Sont d'un nuage épais toujours embarrassées:

---

[1] Boileau avait mal interprété les vers de Ronsard:
        .... *La muse françoise*
Ne peut dire ces mots comme fait la Grégeoise (Grecque):
Ocymore, dyspotme, oligocronien ...
Le mot « peut » a deux significations possibles: que la langue française *ne possède pas* ces mots, ou qu'elle *ne doit pas les posséder*. C'est
le second sens que veut donner Ronsard, car il combat les imitateurs
aveugles des Anciens.
  [2] Desportes (1546–1606) et Bertaut (1570–1611), deux des meilleurs poètes de transition du XVIᵉ au XVIIᵉ siècle.
  [3] C'est ici le passage connu auquel nous avons renvoyé, p. 9.

Le jour de la raison ne le saurait percer.

Avant donc que d'écrire, apprenez à penser:

Selon que notre idée est plus ou moins obscure,

L'expression la suit, ou moins nette, ou plus pure;

5 Ce que l'on conçoit bien s'énonce clairement,

Et les mots pour le dire arrivent aisément.

   Surtout qu'en vos écrits la langue révérée

Dans vos plus grands excès vous soit toujours sacrée.

En vain vous me frappez d'un son mélodieux,

10 Si le terme est impropre, ou le tour vicieux.

Mon esprit n'admet point un pompeux barbarisme,

Ni d'un vers ampoulé l'orgueilleux solécisme.[1]

Sans la langue, en un mot, l'auteur le plus divin,

Est toujours, quoi qu'il fasse, un méchant écrivain.

15   Travaillez à loisir, quelque ordre qui vous presse,

Et ne vous piquez point d'une folle vitesse:

Un style si rapide, et qui court en rimant,

Marque moins trop d'esprit, que peu de jugement.[2]

J'aime mieux un ruisseau, qui sur la molle arène,

20 Dans un pré plein de fleurs lentement se promène,

Qu'un torrent débordé, qui, d'un cours orageux,

Roule, plein de gravier, sur un terrain fangeux.

Hâtez-vous lentement [3]; et, sans perdre courage,

Vingt fois sur le métier remettez votre ouvrage; [4]

25 Polissez-le sans cesse et le repolissez;

Ajoutez quelquefois, et souvent effacez.

[1] Faute contre la syntaxe (*C'est eux*, pour *ce sont eux; il fallait qu'il vienne*, pour *il fallait qu'il vînt*.)

[2] Ces vers répondent à ceux de Régnier et de Théophile de Viau qui avaient attaqué Malherbe (voir plus haut, pages 14-16, et pages 17-18).

[3] Le *Festina lente* des Latins.

[4] Le *Saepe stylum vertas* d'Horace (Sat. I, 10, 72).

C'est peu, qu'en un ouvrage où les fautes fourmillent,
Des traits d'esprit, semés de temps en temps, pétillent.
Il faut que chaque chose y soit mise en son lieu;
Que le début, la fin, répondent au milieu;
Que d'un art délicat les pièces assorties   5
N'y forment qu'un seul tout de diverses parties;
Que jamais du sujet le discours s'écartant
N'aille chercher trop loin quelque mot éclatant.

Craignez-vous pour vos vers la censure publique?
Soyez-vous à vous-même un sévère critique.   10
L'ignorance, toujours, est prête à s'admirer.
Faites-vous des amis prompts à vous censurer:
Qu'ils soient de vos écrits les confidents sincères,
Et de tous vos défauts les zélés adversaires.
Dépouillez, devant eux, l'arrogance d'auteur.   15
Mais, sachez de l'ami discerner le flatteur:
Tel vous semble applaudir, qui vous raille et vous joue.
Aimez qu'on vous conseille, et non pas qu'on vous loue.

Un flatteur, aussitôt, cherche à se récrier:
Chaque vers qu'il entend le fait extasier;   20
Tout est charmant, divin; aucun mot ne le blesse;
Il trépigne de joie, il pleure de tendresse;
Il vous comble partout d'éloges fastueux;...
La vérité n'a point cet air impétueux.

Un sage ami, toujours rigoureux, inflexible,   25
Sur vos fautes jamais ne vous laisse paisible;
Il ne pardonne point les endroits négligés;
Il renvoie en leur lieu les vers mal arrangés;
Il réprime des mots l'ambitieuse emphase;
Ici, le sens le choque, et plus loin, c'est la phrase;   30
Votre construction semble un peu s'obscurcir;
Ce terme est équivoque, il le faut éclaircir...

C'est ainsi que vous parle un ami véritable.

Mais souvent, sur ses vers, un auteur intraitable,

A les protéger tous se croit intéréssé,

Et d'abord prend en main le droit de l'offensé.

5　« De ce vers, direz-vous, l'expression est basse.

　　— Ah ! monsieur, pour ce vers je vous demande grâce,

Répondra-t-il d'abord. — Ce mot me semble froid,

Je le retrancherais. — C'est le plus bel endroit !

　　— Ce tour ne me plaît pas. — Tout le monde l'admire. »

10　Ainsi, toujours constant à ne se point dédire,

Qu'un mot dans son ouvrage ait paru vous blesser,

C'est un titre chez lui pour ne point l'effacer.

Cependant, à l'entendre, il chérit la critique,

Vous avez sur ses vers un pouvoir despotique ...

15　Mais tout ce beau discours dont il vient vous flatter

N'est rien qu'un piège adroit pour vous les réciter.

Aussitôt il vous quitte; et, content de sa Muse,

S'en va chercher ailleurs quelque fat qu'il abuse;

Car souvent il en trouve ... Ainsi qu'en sots auteurs,

20　Notre siècle est fertile en sots admirateurs;

Et, sans ceux que fournit la ville et la province,

Il en est chez le duc, il en est chez le prince;

L'ouvrage le plus plat a, chez les courtisans,

De tout temps rencontré de zélés partisans;

25　Et, pour finir enfin par un trait de satire,

Un sot trouve toujours un plus sot qui l'admire.

CHANT III

[Chacun connaît la fameuse *Règle des Trois unités* au théâtre, que le siècle classique voulait imposer et que le Romantisme récusera. La règle n'a du reste triomphé que graduellement, et les trois unités ont été discutées séparément. Voir sur ce lent travail H. C. Lancaster.

« The Introduction of the Unities in the French Drama of the Seventeenth Century » (Modern Language Notes April 1929; pp. 207–217); et le grand ouvrage du même auteur, « A History of Seventeenth Century French Drama ». (Baltimore, 1929).

Le passage de Boileau sur les trois unités se trouve au Chant III de *L'Art Poétique:* en voici les principaux vers (39–46). Boileau connaissait certainement le passage où Cervantès, dans son *Don Quichote* (I, ii, 48) touche à ce même problème. Les dramaturges espagnols ont inspiré maintes pièces de théâtre aux écrivains français du xviiᵉ siècle (Mairet, Rotrou, Corneille, Molière, etc.) et ils composaient leurs pièces d'une façon assez négligée.]

... Que le lieu de la scène y soit fixe et marqué:
Un rimeur, sans péril, delà les Pyrénées,
Sur la scène en un jour rassemble des années.
Là, souvent, le héros d'un spectacle grossier,
Enfant au premier acte, est barbon au dernier.
Mais nous, que la raison à ses règles engage,
Nous voulons qu'avec art l'action se ménage;
Qu'en un lieu, qu'en un jour, un seul fait accompli
Tienne jusqu'à la fin le théâtre rempli ...

5

[Dans le même Chant, Boileau développe, à propos de la *Poésie épique*, sa théorie de la supériorité poétique du paganisme sur le christianisme — théorie qui prévaudra jusqu'à l'époque romantique. Chateaubriand la réfutera dans son *Génie du Christianisme* (1802).

Ici encore, Boileau n'a pas tant donné une théorie nouvelle que formulé l'opinion de son siècle sur un sujet discuté. La question de l'opportunité d'introduire des éléments chrétiens en littérature (tout à fait reconnue au Moyen-âge, mais contestée depuis le XVIᵉ siècle) avait été soulevée de nouveau, entre autres, par Desmarets de Saint-Sorlin (1596–1676), l'auteur d'un roman *Ariane;* converti en 1645, il écrivit une épopée chrétienne, *Clovis;* en 1669, un poème sur *Marie-Madeleine;* et en 1676, une *Esther.*

Il faut ajouter que l'argumentation de Boileau sur le manque de poésie du christianisme à cause du caractère sombre de ses thèmes, a été vigoureusement défendue, même à l'époque du Romantisme, surtout en Italie, par Leopardi, Foscolo, Monti, etc. (Cf. P. van Tieghem, *Le mouvement romantique*, 2ᵉ ed. 1923, IIIᵉ P. Ch. ii; pp. 111–120).]

    ... D'un air plus grand encore la *Poésie épique*,[1]
Dans le vaste récit d'une longue action,
Se soutient par la fable et vit de fiction.[2]
Là, pour nous enchanter, tout est mis en usage;
5 Tout prend un corps, une âme, un esprit, un visage.
Chaque vertu devient une divinité:
Minerve est la prudence, et Vénus la beauté;
Ce n'est plus la vapeur qui produit le tonnerre,
C'est Jupiter, armé pour effrayer la terre;
10 Un orage terrible aux yeux des matelots,
C'est Neptune en courroux, qui gourmande les flots;
Écho n'est plus un son qui dans l'air retentisse,
C'est une nymphe en pleurs qui se plaint de Narcisse.
Ainsi, dans cet amas de nobles fictions,
15 Le poète s'égaye en mille inventions,
Orne, élève, embellit, agrandit toutes choses,
Et trouve sous sa main des fleurs toujours écloses.
Qu'Énée et ses vaisseaux, par le vent écartés,
Soient aux bords africains d'un orage emportés,
20 Ce n'est qu'une aventure ordinaire et commune,
Qu'un coup peu surprenant des traits de la fortune;
Mais que Junon, constante en son aversion,
Poursuive sur les flots les restes d'Ilion;
Qu'Éole, en sa faveur, les chassant d'Italie,
25 Ouvre aux vents mutinés les prisons d'Éolie;
Que Neptune en courroux, s'élevant sur la mer,
D'un mot calme les flots, mette la paix dans l'air,
Délivre les vaisseaux, des Syrtes les arrache;
C'est là ce qui surprend, frappe, saisit, attache.

    [1] « Plus grand encore » = que la tragédie classique dont il vient
parler.
    [2] Fable = récit. Fiction = imagination.

Sans tous ces ornements le vers tombe en langueur;
La poésie est morte ou rampe sans vigueur;
Le poète n'est plus qu'un orateur timide,
Qu'un froid historien d'une fable insipide.[1]

    C'est donc bien vainement, que nos auteurs déçus,   5
Bannissant de leurs vers ces ornements reçus,
Pensent faire agir Dieu, ses saints, et ses prophètes,
Comme ces dieux éclos du cerveau des poètes;
Mettent à chaque pas le lecteur en enfer,
N'offrent rien qu'Astaroth, Belzébuth [2], Lucifer . . .   10
De la foi d'un chrétien les mystères terribles
D'ornements égayés ne sont point susceptibles:
L'Évangile à l'esprit n'offre de tous côtés
Que pénitence à faire, et tourments mérités;
Et de vos fictions le mélange coupable   15
Même à ses vérités donne l'air de la fable.
Et, quel objet, enfin, à présenter aux yeux,
Que le diable toujours hurlant contre les cieux,
Qui de votre héros veut rabaisser la gloire,
Et souvent avec Dieu balance la victoire !   20

    « Le Tasse,[3] dira-t-on, l'a fait avec succès. »
Je ne veux point, ici, lui faire son procès;
Mais, quoi que notre siècle à sa gloire publie,
Il n'eût point de son livre illustré l'Italie,
Si son sage héros, toujours en oraison,   25
N'eût fait que mettre enfin Satan à la raison;
Et si Renaud, Argant, Tancrède, et sa maîtresse,
N'eussent de son sujet égayé la tristesse.

---

[1] Tout ce qui précéde consiste naturellement en allusions à Homère
ou Virgile.

[2] *Astaroth*, déesse du ciel chez les Sémites. *Belzèbuth*, maître des
mauvais esprits dans l'Ancien Testament.

[3] 1544–1595, l'auteur de la *Jérusalem délivrée*.

Ce n'est pas que j'approuve en un sujet chrétien,
Un auteur follement idolâtre et païen.
Mais, dans une profane et riante peinture,
De n'oser de la fable employer la figure;
5 De chasser les Tritons de l'empire des eaux;
D'ôter à Pan sa flûte, aux Parques leurs ciseaux;
D'empêcher que Caron, dans la fatale barque,
Ainsi que le berger ne passe le monarque;
C'est d'un scrupule vain s'alarmer sottement,
10 Et vouloir aux lecteurs plaire sans agrément.
Bientôt ils défendront de peindre la Prudence;
De donner à Thémis ni bandeau ni balance;
De figurer aux yeux la Guerre au front d'airain;
Ou le Temps qui s'enfuit une horloge à la main;
15 Et partout, des discours, comme une idolâtrie,
Dans leur faux zèle iront chasser l'allégorie.
Laissons-les s'applaudir de leur pieuse erreur.
Mais, pour nous, bannissons une vaine terreur,
Et, fabuleux chrétiens, n'allons point, dans nos songes,
20 Du Dieu de vérité faire un Dieu de mensonges.[1]
La fable offre à l'esprit mille agréments divers:
Là tous les noms heureux semblent nés pour les vers,
Ulysse, Agamemnon, Oreste, Idoménée,
Hélène, Ménélas, Pâris, Hector, Énée . . . [2]

[1] C'est-à-dire faire un Dieu qui serait mêlé aux fictions des images poétiques ou mythologiques. Un philosophe moderne, Paulhan, a écrit un livre fort remarquable intitulé *Le Mensonge de l'Art*.

[2] Fénelon, archevêque de Cambrai, offre le plus parfait exemple d'un écrivain très chrétien, mais partageant entièrement l'opinion de Boileau et de tous les admirateurs des « Anciens ». Son livre le plus célèbre, *Les Aventures de Télémaque* (voir plus bas, chapitre IX) n'est qu'un long enseignement chrétien en style païen; les héros même sont empruntés à l'antiquité (Ulysse, Télémaque, Mentor, etc.). La sagesse divine est mise dans la bouche de Minerve, la déesse *païenne* de la sagesse.

O le plaisant projet d'un poète ignorant,
Qui de tant de héros va choisir Childebrant ! [1]
D'un seul nom quelquefois le son dur, ou bizarre,
Rend un poème entier, ou burlesque, ou barbare.

    Voulez-vous longtemps plaire et jamais ne lasser ?   5
Faites choix d'un héros propre à m'intéresser,
En valeur éclatant, en vertus magnifique;
Qu'en lui, jusqu'aux défauts, tout se montre héroïque,
Que ses faits surprenants soient dignes d'être ouïs;
Qu'il soit tel que César, Alexandre, ou Louis ...   10

ÉPITRE IV

2. Le passage du Rhin, 1672

Au roi

[C'est l'épître célèbre décrivant le passage du Rhin. C'est une excellente illustration du style « mythologique » que Boileau préconisait. C'est aussi un bon exemple de cette poésie du XVIIe siècle destinée à chanter les louanges du grand Roi.[2]

Le passage du Rhin fut l'événement initial de la guerre de Hollande (1672–1678). Louis XIV était là en personne, et pour l'honorer, les poètes en amplifièrent l'importance. Napoléon l'appela « une opération militaire de quatrième ordre.» Louis XIV — qui était du reste accompagné de Condé et de Turenne, les vrais chefs de l'armée — avait avec lui 15,000 hommes; l'ennemi n'en avait que 1000; et le fleuve est guéable en cet endroit.]

. . . .

[1] Guerrier franc du VIIIe siècle, dont les chroniqueurs font un frère de Charlemagne, et dont un obscur contemporain de Boileau, le poète Carel de Sainte-Garde, a fait le héros de son poème épique: *Les Sarrasins chassés de France.*

[2] Pendant soixante années on proposa à l'Académie française pour les concours be poésie et d'éloquence, *l'Éloge du Roi.* (Voir un autre exemple, p. 136, de ce livre, l'Ode de Perrault. *Le siècle de Louis le Grand.*)

Au pied du mont Adule,[1] entre mille roseaux,
Le Rhin, tranquille, et fier du progrès de ses eaux,
Appuyé d'une main sur son urne penchante,
Dormait au bruit flatteur de son onde naissante,
5 Lorsqu'un cri, tout à coup suivi de mille cris,
Vient d'un calme si doux retirer ses esprits.
Il se trouble; il regarde; et partout sur ses rives
Il voit fuir à grands pas ses Naïades craintives,
Qui toutes, accourant vers leur humide Roi,
10 Par un récit affreux redoublent son effroi:
Il apprend qu'un héros,[2] conduit par la Victoire,
A de ses bords fameux flétri l'antique gloire;
Que Rhinberg et Wesel,[3] terrassés en deux jours,
D'un joug déjà prochain menacent tout son cours.
15 « Nous l'avons vu, dit l'une, affronter la tempête
De cent foudres [4] d'airain tournés contre sa tête;
Il marche vers Tholus [5]; et tes flots en courroux
Au prix de sa fureur sont tranquilles et doux.
Il a de Jupiter la taille et le visage;
20 Et, depuis ce Romain,[6] dont l'insolent passage
Sur un pont, en deux jours, trompa tous tes efforts,
Jamais rien de si grand n'a paru sur tes bords. »
Le Rhin tremble et frémit à ces tristes nouvelles;
Le feu sort à travers ses humides prunelles:
25 « C'est donc trop peu, dit-il, que l'Escaut [7] en deux mois

---

[1] Saint-Gothard, où le Rhin prend sa source.   [2] Louis XIV.
[3] Villes où Louis a effectué le passage du Rhin.
[4] Boileau s'est vanté d'avoir le premier chanté dans la langue noble
de la poésie, la poudre et les canons.
[5] Boileau a fait ici, du nom commun hollandais Toll Huys (anglais
Toll-house), maison de péage, un nom d'endroit.
[6] Jules César passa le Rhin en 55 av. J.-C.
[7] Affluent du Rhin dans la Flandre française, province annexée
à la couronne de France, après la Guerre de Dévolution contre l'Es-

Ait appris à couler sous de nouvelles lois;
Et de mille remparts mon onde environnée
De ces fleuves sans nom suivra la destinée !
Ah ! périssent mes eaux ! ou par d'illustres coups
Montrons qui doit céder, des mortels ou de nous ! »   5
　　A ces mots, essuyant sa barbe limoneuse,
Il prend d'un vieux guerrier la figure poudreuse;
Son front cicatrisé rend son air furieux;
Et l'ardeur du combat étincelle en ses yeux.
En ce moment il part; et, couvert d'une nue,   10
Du fameux fort de Skink prend la route connue.
Là, contemplant son cours, il voit de toutes parts
Ses pâles défenseurs par la frayeur épars;
Il voit cent bataillons, qui, loin de se défendre,
Attendent sur des murs l'ennemi pour se rendre.   15
Confus, il les aborde; et, renforçant sa voix:
« Grands arbitres,[1] dit-il, des querelles des rois,
Est-ce ainsi que votre âme, aux périls aguerrie,
Soutient sur ces remparts l'honneur et la patrie[2] ?
Votre ennemi superbe, en cet instant fameux,   20
Du Rhin, près de Tholus, fend les flots écumeux:
Du moins, en vous montrant sur la rive opposée,

---

pagne.　Par hérédité, Marie-Thérèse, fille par un premier mariage de
Philippe IV d'Espagne (mort 1665), et reine de France, avait droit à
la Flandre — qui lui fut « dévolue » par le Traité d'Aix-la-Chapelle
(1668).

　[1] Les Hollandais s'étaient adjugé ce rôle « d'arbitres des querelles
du roi »; ils avaient commémoré leur intervention dans la guerre de
Louis XIV contre l'Espagne par une médaille frappée après le Traité
d'Aix-la-Chapelle (1668), et portant ces mots en latin: « Les rois ayant
été soutenus, défendus et rapprochés. »　C'était pour la punir de
cette intervention que Louis leur avait déclaré la guerre quatre ans
plus tard.　Boileau rappelle ironiquement cet incident.

　[2] Il y avait sur les drapeaux des Hollandais: *Pro Honore et Patria.*

N'oseriez-vous saisir une victoire aisée ?
Allez, vils combattants, inutiles soldats,
Laissez là ces mousquets, trop pesants pour vos bras,
Et, la faux à la main, parmi vos marécages,
5 Allez couper vos joncs et presser vos laitages;
Ou, gardant les seuls bords qui vous peuvent couvrir,
Avec moi, de ce pas, venez vaincre ou mourir. »
    Ce discours d'un guerrier que la colère enflamme
Ressuscite l'honneur déjà mort en leur âme;
10 Et, leurs cœurs s'allumant d'un reste de chaleur,
La honte fait en eux l'effet de la valeur.
Ils marchent droit au fleuve, où Louis en personne,
Déjà prêt à passer, instruit, dispose, ordonne.
Par son ordre Gramont,[1] le premier, dans les flots
15 S'avance, soutenu des regards du héros:
Son coursier, écumant sous son maître intrépide,
Nage, tout orgueilleux de la main qui le guide.
Revel [2] le suit de près: sous ce chef redouté
Marche des cuirassiers l'escadron indompté.
20 Mais déjà, devant eux, une chaleur guerrière
Emporte loin du bord le bouillant Lesdiguière,
Vivonne, Nantouillet, et Coislin, et Salart [2];
Chacun d'eux au péril veut la première part.
Vendôme,[3] que soutient l'orgueil de sa naissance,
25 Au même instant dans l'onde, impatient, s'élance.
La Salle, Beringhen, Nogent, d'Ambre, Cavois,[2]
Fendent les flots tremblant sous un si noble poids.

---

[1] Voir plus bas la lettre de Mme de Sévigné du 3 juillet 1672.

[2] Officiers de Louis XIV. C'est le duc de Vivonne qui avait présenté Boileau à Louis XIV.

[3] Le Chevalier de Vendôme, descendant de Henri IV. Il n'avait alors que dix-sept ans.

Louis,[1] les animant du feu de son courage,
Se plaint de sa grandeur qui l'attache au rivage.
Par ses soins cependant, trente légers vaisseaux
D'un tranchant aviron déjà coupent les eaux;
Cent guerriers s'y jetant signalent leur audace;   5
Le Rhin les voit d'un œil qui porte la menace;
Il s'avance en courroux.   Le plomb vole à l'instant,
Et pleut de toutes parts sur l'escadron flottant;
Du salpêtre [2] en fureur l'air s'échauffe et s'allume,
Et des coups redoublés tout le rivage fume;   10
Déjà, du plomb mortel plus d'un brave est atteint;
Sous les fougueux coursiers l'onde écume et se plaint.
De tant de coups affreux la tempête orageuse
Tient un temps sur les eaux la fortune douteuse;
Mais Louis d'un regard sait bientôt la fixer;   15
Le destin à ses yeux n'oserait balancer.
Bientôt, avec Gramont, courent Mars et Bellone:
Le Rhin à leur aspect d'épouvante frissonne,
Quand, pour nouvelle alarme à ses esprits glacés,
Un bruit s'épand qu'Enghien et Condé sont passés: 20
Condé, dont le seul nom fait tomber les murailles,
Force les escadrons, et gagne les batailles !
Enghien, de son hymen le seul et digne fruit,
Par lui dès son enfance à la victoire instruit !
L'ennemi renversé fuit et gagne la plaine;   25
Le dieu lui-même cède au torrent qui l'entraîne;
Et seul désespéré, pleurant ses vains efforts,
Abandonne à Louis la victoire et ses bords . . .

---

[1] Le roi passa en bateau. Il avait fait amener un grand nombre
de bateaux en vue de ce passage du Rhin.

[2] Pour *poudre à canon*, qui est un mélange de *salpêtre*, de charbon
et de soufre.

3. A son esprit, 1668

SATIRE IX

[Boileau avait attaqué très franchement et très courageusement beaucoup de mauvais poètes, et ceux-ci — souvent des hommes influents — donnèrent cours à leur colère et lancèrent des accusations irritées contre lui. Boileau leur fait cette ingénieuse réponse, où ayant l'air de s'accuser lui-même, il le fait de telle façon que la plaisanterie retombe toujours sur ses ennemis.

La *Satire* est présentée sous forme d'un discours de Boileau à son Esprit auquel il reproche de l'avoir par ses traits de satire exposé à beaucoup de désagréments. Il reconnaît modestement que lui-même n'est pas un poète original, mais prétend qu'on peut détester de mauvais vers sans en faire soi-même de bons; et que la satire a son utilité.]

C'est à vous, mon Esprit, à qui je veux parler:
Vous avez des défauts que je ne puis celer;
Assez et trop longtemps ma lâche complaisance
De vos jeux criminels a nourri l'insolence;
5 Mais, puisque vous poussez ma patience à bout,
Une fois en ma vie il faut vous dire tout.

On croirait, à vous voir, dans vos libres caprices,
Discourir en Caton des vertus et des vices,
Décider du mérite et du prix des auteurs,
10 Et faire impunément la leçon aux docteurs,[1]
Qu'étant seul à couvert des traits de la satire,
Vous avez tout pouvoir de parler et d'écrire;
Mais, moi, qui dans le fond sais bien ce que j'en crois,
Qui compte tous les jours vos défauts par mes doigts,
15 Je ris, quand je vous vois, si faible et si stérile,
Prendre sur vous le soin de réformer la ville,
Dans vos discours chagrins plus aigre, et plus mordant

---

[1] La *Satire VIII* (1667) est dédiée à M. Morel, docteur de Sorbonne.

Qu'une femme en furie, ou Gautier [1] en plaidant.

Mais, répondez un peu: Quelle verve indiscrète
Sans l'aveu des neuf Sœurs vous a rendu poète ?
Sentiez-vous, dites-moi, ces violents transports
Qui d'un esprit divin font mouvoir les ressorts ?   5
Qui vous a pu souffler une si folle audace ?
Phébus a-t-il pour vous aplani le Parnasse ?
Et ne savez-vous pas que, sur ce mont sacré,
Qui ne vole au sommet tombe au plus bas degré,
Et qu'à moins d'être au rang d'Horace ou de Voiture,[2]   10
On rampe dans la fange avec l'abbé de Pure [3] ?

Que si tous mes efforts ne peuvent réprimer
Cet ascendant malin qui vous force à rimer,
Sans perdre en vains discours tout le fruit de vos veilles,
Osez chanter du Roi les augustes merveilles: 15
Là, mettant à profit vos caprices divers,
Vous verriez tous les ans fructifier vos vers,
Et, par l'espoir du gain votre Muse animée
Vendrait au poids de l'or une once de fumée.
Mais en vain, direz-vous, je pense vous tenter   20
Par l'éclat d'un fardeau trop pesant à porter:
Tout chantre ne peut pas, sur le ton d'un Orphée,
Entonner en grands vers la Discorde étouffée;
Peindre Bellone en feu tonnant de toutes parts,
Et le Belge effrayé fuyant sur ses remparts.[4]   25

---

[1] Avocat célèbre alors à Paris, qui excellait à diffamer la partie adverse; on l'appelait « Gautier la gueule » à cause de sa forte voix.

[2] Boileau, croyait-il vraiment à la grandeur de Voiture, ou est-ce encore une critique de l'Hôtel de Rambouillet qui donnait tant d'importance aux frivolités de celui-ci ?

[3] Auteur d'un roman *La précieuse ou le mystère de la ruelle* (1656); avait écrit contre Boileau (1634-1680).

[4] Guerre contre l'Espagne (1667-1668), campagne de Flandres.

Sur un ton si hardi, sans être téméraire,
Racan[1] pourrait chanter au défaut d'un Homère;
Mais, pour Cotin[2] et moi, qui rimons au hasard,
Que l'amour de blâmer fit poètes par art,
5 Quoiqu'un tas de grimauds vante notre éloquence,
Le plus sûr est pour nous de garder le silence.
Un poème insipide et sottement flatteur
Déshonore à la fois le héros et l'auteur;
Enfin, de tels projets passent notre faiblesse.
10   Ainsi parle un esprit languissant de mollesse,
Qui, sous l'humble dehors d'un respect affecté,
Cache le noir venin de la malignité.
Mais, dussiez-vous en l'air voir vos ailes fondues,
Ne valait-il pas mieux vous perdre dans les nues
15 Que d'aller sans raison, d'un style peu chrétien,
Faire insulte en rimant à qui ne vous dit rien,
Et, du bruit dangereux d'un livre téméraire,
A vos propres périls, enrichir le libraire[3] ?
    Vous vous flattez, peut-être, en votre vanité,
20 D'aller, comme un Horace, à l'immortalité;
Et déja, vous croyez, dans vos rimes obscures,
Aux Saumaises[4] futurs préparer des tortures.
Mais, combien d'écrivains, d'abord si bien reçus,
Sont de ce fol espoir honteusement déçus !

[1] Disciple de Malherbe, partant admiré de Boileau.

[2] L'abbé Cotin, habitué de l'Hôtel de Rambouillet; le Trissotin des *Femmes savantes* de Molière; auteur de *Des préaux ou la satire des satires* dirigée contre Boileau (1666). Voir un madrigal de Cotin, p. 67.

[3] A cette époque les écrivains laissaient aux libraires les profits de leurs œuvres; du reste ils étaient presque tous pensionnaires du roi ou des grands de la cour.

[4] Célèbre commentateur (1588–1658). Ne pas confondre avec Somaize, auteur du *Dictionnaire des précieuses*.

Combien, pour quelques mois, ont vu fleurir leur livre,
Dont les vers en paquet se vendent à la livre [1] . . .
   Mais, je veux que le sort, par un heureux caprice,
Fasse de vos écrits prospérer la malice,
Et qu'enfin, votre livre aille, au gré de vos vœux,   5
Faire siffler Cotin chez nos derniers neveux:
Que vous sert-il qu'un jour l'avenir vous estime,
Si vos vers aujourd'hui vous tiennent lieu de crime,
Et ne produisent rien, pour fruit de leurs bons mots,
Que l'effroi du public et la haine des sots?   10
Quel démon vous irrite, et vous porte à médire?
Un livre vous déplaît: qui vous force à le lire?
Laissez mourir un fat dans son obscurité.
Un auteur ne peut-il pourrir en sûreté?
Le *Jonas* inconnu sèche dans la poussière;   15
Le *David* imprimé n'a point vu la lumière;
Le *Moïse* [2] commence à moisir par les bords;
Quel mal cela fait-il? Ceux qui sont morts sont morts!
Le tombeau contre vous ne peut-il les défendre?
Et, qu'ont fait tant d'auteurs pour remuer leur cendre?   20
Que vous ont fait Perrin, Bardin, Pradon, Haynaut,
Colletet, Pelletier, Titreville, Quinault,[3]

[1] En France encore aujourd'hui les boutiquiers enveloppent leurs
marchandises dans des sacs de papier faits de vieux livres ou journaux.

[2] *Jonas, ou Ninive pénitente*, poème biblique, par Coras (1663)
David, poème de Las Fargues (1660). *Moïse sauvé*, poème de Saint-
Amant (1653).

[3] L'abbé Perrin, traducteur de l'*Énéide*, premier directeur de
l'Opéra qu'il avait fondé en 1669. Bardin, auteur de *Pensées morales
sur l'Ecclésiaste*. Pradon, rival de Racine (voir *Épître VII* de Boileau).
Haynaut, ami de Molière, auteur de quelques sonnets. Colletet,
fils d'un des cinq collaborateurs au service de Richelieu. Pelletier,
rimeur souvent attaqué par Boileau. Titreville, « Poète décrié »
(note de Boileau): c'est tout ce qu'on sait de lui. Quinault, auteur
de dix-sept tragédies, attaquées violemment par notre critique.

Dont les noms, en cent lieux, placés comme en leurs niches,
Vont de vos vers malins remplir les hémistiches ?
Ce qu'ils font vous ennuie ... O le plaisant détour !
Ils ont bien ennuyé le Roi, toute la cour,
5 Sans que le moindre édit ait, pour punir leur crime,
Retranché les auteurs ou supprimé la rime ...

Mais, vous, qui raffinez sur les écrits des autres,
De quel œil pensez-vous qu'on regarde les vôtres ?
Il n'est rien en ce temps à couvert de vos coups,
10 Mais savez-vous aussi comme on parle de vous ?

« Gardez-vous, dira l'un, de cet esprit critique:
On ne sait bien souvent quelle mouche le pique.
Mais c'est un jeune fou [1] qui se croit tout permis,
Et qui, pour un bon mot, va perdre vingt amis.
15 Il ne pardonne pas aux vers de *la Pucelle*,[2]
Et croit régler le monde au gré de sa cervelle ...
Mais, lui, qui fait ici le régent du Parnasse,
N'est qu'un gueux revêtu des dépouilles d'Horace ! »

. . . .

[Boileau maintenant va faire parler tout à fait l'Esprit lui-même:
Quel est mon crime ? demande celui-ci. Oui, si j'avais « joué
d'adresse, » et si j'avais « avec respect enfoncé le poignard, » j'aurais
eu moins de furieux contre moi; j'aurais « médit avec art »; mais à la
médisance, je préfère la franchise. Et je ne réclame que mon droit,
qui est le droit de chacun. En effet:]

20 ... de blâmer des vers ou durs, ou languissants,
De choquer un auteur qui choque le bon sens,
De railler d'un plaisant qui ne sait pas nous plaire,
C'est ce que tout lecteur eut toujours droit de faire.

Le style de Quinault était très sentimental et c'est ce qui explique
la comparaison ironique que Boileau suggère au vers 228 avec
Virgile. P. 129, l. 2.   [1] Boileau avait alors trente et un ans.
    [2] *La pucelle, ou France délivrée*, poème épique de Chapelain; 12
premiers chants, 1656. Voir note 2, p. 126.

Tous les jours, à la cour, un sot de qualité
Peut juger de travers avec impunité,
A Malherbe, à Racan, préférer Théophile,[1]
Et le clinquant du Tasse [2] à tout l'or de Virgile.

Un clerc, pour quinze sous, sans craindre le holà,   5
Peut aller au parterre attaquer *Attila*,[3]
Et, si le roi des Huns ne lui charme l'oreille,
Traiter de Visigoth [4] tous les vers de Corneille.

Il n'est valet d'auteur, ni copiste à Paris,
Qui, la balance en main, ne pèse les écrits.   10
Dès que l'impression fait éclore un poète,
Il est esclave né de quiconque l'achète;
Il se soumet lui-même aux caprices d'autrui,
Et ses écrits tout seuls doivent parler pour lui;
Un auteur, à genoux, dans une humble préface,   15
Au lecteur qu'il ennuie a beau demander grâce;
Il ne gagnera rien sur ce juge irrité,
Qui lui fait son procès de pleine autorité.

Et je serai le seul qui ne pourrai rien dire !...
On sera ridicule, et je n'oserai rire !   20
Et qu'ont produit mes vers de si pernicieux,
Pour armer contre moi tant d'auteurs furieux ?
Loin de les décrier, je les ai fait paraître;
Et souvent, sans ces vers qui les ont fait connaître,
Leur talent dans l'oubli demeurerait caché.   25

---

[1] Théophile de Viau, un des poètes qui se sont révoltés contre Malherbe. Voir plus haut, Chap. I, § ii.

[2] Boileau était choqué de l'emploi du merveilleux chrétien dans la *Jérusalem délivrée*. Voir p. 113, vers 21 ss.

[3] Tragédie de Corneille (1667), l'année même de cette satire.

[4] Goths (Ostrogoths — de l'Est, Visigoths — de l'Ouest), peuples de l'Europe centrale qui avaient envahi l'Empire Romain, et dont les noms étaient synonymes de barbares.

Et qui saurait sans moi que Cotin a prêché ?
La satire ne sert qu'à rendre un fat illustre;
C'est une ombre au tableau, qui lui donne du lustre;
En les blâmant enfin j'ai dit ce que j'en crois,
5 Et tel qui m'en reprend en pense autant que moi.
  « Il a tort, dira l'un; pourquoi faut-il qu'il nomme ?
Attaquer Chapelain ! ah ! c'est un si bon homme !
Balzac[1] en fait l'éloge en cent endroits divers.
Il est vrai, s'il m'eût cru, qu'il n'eût point fait de vers.
10 Il se tue à rimer: que n'écrit-il en prose ? »
Voilà ce que l'on dit. Et que dis-je autre chose ?
En blâmant ses écrits, ai-je, d'un style affreux,
Distillé sur sa vie un venin dangereux ?
Ma Muse, en l'attaquant, charitable et discrète,
15 Sait de l'homme d'honneur distinguer le poète.
Qu'on vante en lui la foi, l'honneur, la probité;
Qu'on prise sa candeur et sa civilité;
Qu'il soit doux, complaisant, officieux, sincère;
On le veut, j'y souscris, et suis prêt de me taire.
20 Mais, que pour un modèle on montre ses écrits;
Qu'il soit le mieux renté de tous les beaux esprits;[2]
Comme roi des auteurs, qu'on l'élève à l'empire;
Ma bile alors s'échauffe, et je brûle d'écrire,
Et, s'il ne m'est permis de le dire au papier,
25 J'irai creuser la terre, et, comme ce barbier,
Faire dire aux roseaux par un nouvel organe:

---

[1] Un grand nombre des lettres de Balzac sont adressées à Chapelain.

[2] Chapelain, prétendait-on, avait environ 8000 livres de pension provenant de diverses sources. Il avait été chargé par son ami Colbert au nom de Richelieu, d'établir la liste des pensions royales aux écrivains. Il s'inscrivit en tête avec cette mention; « Le plus grand poète français qui ait jamais été et du plus solide jugement. »

« Midas, le roi Midas a des oreilles d'âne. »
Quel tort lui fais-je enfin ? Ai-je par un écrit
Pétrifié sa veine et glacé son esprit ?
Quand un livre au Palais [1] se vend et se débite,
Que chacun par ses yeux juge de son mérite,   5
Que Bilaine [2] l'étale au deuxième pilier,
Le dégoût d'un censeur peut-il le décrier ?
En vain, contre le *Cid* [3] un ministre se ligue;
Tout Paris pour Chimène a les yeux de Rodrigue:
L'Académie en corps a beau le censurer,   10
Le public révolté s'obstine à l'admirer.
Mais, lorsque Chapelain met une œuvre en lumière,
Chaque lecteur d'abord lui devient un Linière; [4]
En vain, il a reçu l'encens de mille auteurs,
Son livre en paraissant dément tous ses flatteurs...   15
    La Satire, dit-on, est un métier funeste,
Qui plaît à quelques gens, et choque tout le reste;...
Quittez ces vains plaisirs dont l'appât vous abuse,
A de plus doux emplois occupez votre Muse;
Et laissez à Feuillet [5] réformer l'univers.   20

[1] Le Palais de Justice; sous les galeries, des libraires avaient leurs boutiques.
[2] Un libraire du Palais.
[3] Les 4 vers suivants rappellent la Querelle du *Cid* (1636). Richelieu, le ministre, avait demandé à l'Académie de donner son verdict dans cette longue querelle soulevée par les rivaux de Corneille; on reprochait à celui-ci, à la fois d'avoir manqué d'observer les règles du genre (par exemple celle des trois unités) et d'avoir fait de Chimène, l'héroïne, une «fille dénaturée» car elle consent à épouser celui qui a tué son père en duel. Richelieu aurait cherché à inspirer un jugement défavorable. Chapelain rédigea les *Sentiments de l'Académie* (1638).
[4] C'est lui qui a dit au sujet de *La pucelle* le mot connu:

> Depuis vingt ans on parle d'elle,
> Dans dix mois on n'en dira rien.

[5] Prédicateur très sévère.

— Et sur quoi donc faut-il que s'exercent mes vers ?
Irai-je dans une ode, en phrases de Malherbe,
« Troubler dans ses roseaux le Danube superbe;
Délivrer de Sion le peuple gémissant;
5   Faire trembler Memphis, ou pâlir le Croissant » ? ...
Viendrai-je en une églogue, entouré de troupeaux,
Au milieu de Paris enfler mes chalumeaux,
Et, dans mon cabinet assis au pied des hêtres,
Faire dire aux échos des sottises champêtres ?
10 Faudra-t-il de sens froid, et sans être amoureux,
Pour quelque Iris en l'air faire le langoureux,
Lui prodiguer les noms de Soleil et d'Aurore,
Et, toujours bien mangeant, mourir par métaphore ?
Je laisse aux doucereux ce langage affété,
15 Où s'endort un esprit de mollesse hébété.
     La Satire, en leçons, en nouveautés fertile,
Sait seule assaisonner le plaisant et l'utile,
Et, d'un vers qu'elle épure aux rayons du bon sens,
Détromper les esprits des erreurs de leur temps.
20 Elle seule, bravant l'orgueil et l'injustice,
Va jusque sous le dais faire pâlir le vice;
Et souvent sans rien craindre, à l'aide d'un bon mot,
Va venger la raison des attentats d'un sot ...
C'est elle, qui m'ouvrant le chemin qu'il faut suivre,
25 M'inspira dès quinze ans la haine d'un sot livre;
Et sur ce Mont fameux,[1] où j'osai la chercher,
Fortifia mes pas et m'apprit à marcher.
C'est pour elle, en un mot, que j'ai fait vœu d'écrire.
     Toutefois, s'il le faut, je veux bien m'en dédire,
30 Et, pour calmer enfin tous ces flots d'ennemis,
Réparer en mes vers les maux qu'il ont commis.

       [1] L'Hélicon, la montagne des Muses, en Grèce.

Puisque vous le voulez, je vais changer de style.
Je le déclare donc: Quinault est un Virgile;
Pradon comme un soleil en nos ans a paru;
Pelletier écrit mieux qu'Ablancourt, ni Patru[1].
Cotin, à ses sermons traînant toute la terre,   5
Fend des flots d'auditeurs pour aller à sa chaire;
Saufal[2] est le phénix des esprits relevés;
Perrin ... « Bon, mon esprit ! courage ! poursuivez !
Mais, ne voyez-vous pas que leur troupe en furie
Va prendre encor ces vers pour une raillerie ?   10
Et Dieu sait, aussitôt, que d'auteurs en courroux,
Que de rimeurs blessés, s'en vont fondre sur vous !
Vous les verrez bientôt, féconds en impostures,
Amasser contre vous des volumes d'injures,
Traiter en vos écrits chaque vers d'attentat,   15
Et d'un mot innocent faire un crime d'État.[3]

    Vous aurez beau vanter le Roi dans vos ouvrages,
Et de ce nom sacré sanctifier vos pages,
Qui méprise Cotin n'estime point son Roi,
Et n'a, selon Cotin, ni Dieu, ni foi, ni loi ... »   20

4. De l'utilité des ennemis, 1677

ÉPITRE VII

A M. Racine

[Racine avait des ennemis à la cour. Le duc de Nevers et la
duchesse de Bouillon essayèrent de faire échouer sa *Phèdre*. Ils de-

---

[1] Ablancourt, traducteur d'auteurs grecs et latins. On appelait
ses traductions « Les belles infidèles. » Patru, avocat éloquent, ami
de Boileau.

[2] Avocat, et l'auteur des *Antiquités de la ville de Paris.*

[3] Note de Boileau: « Cotin dans un de ses écrits m'accusait d'être
criminel de lèse-majesté divine et humaine.»

mandèrent à Pradon, auteur dramatique, d'écrire une pièce sur le
même sujet de la passion de Phèdre pour Hippolyte; puis ils louèrent
les places des deux théâtres, laissant vide la salle où on représentait
la pièce de Racine, et remplissant celle où on représentait la pièce de
Pradon d'un public chargé d'applaudir. — Dès que la tragédie de
Racine fut représentée dans les circonstances normales, elle l'emporta facilement sur celle de son rival. Racine n'en fut pas moins
profondément affecté. On a longtemps pensé que cet épisode de la
cabale de Phèdre avait été la cause déterminante de la retraite de
Racine du théâtre.]

Que tu sais bien, Racine, à l'aide d'un acteur,
Émouvoir, étonner, ravir un spectateur !
Jamais Iphigénie en Aulide [1] immolée
N'a coûté tant de pleurs à la Grèce assemblée,
5 Que, dans l'heureux spectacle à nos yeux étalé,
En a fait sous son nom verser la Champmeslé. [2]
Ne crois pas toutefois, par tes savants ouvrages,
Entraînant tous les cœurs, gagner tous les suffrages !
Sitôt que d'Apollon un génie inspiré,
10 Trouve loin du vulgaire un chemin ignoré,
En cent lieux contre lui les cabales s'amassent;
Ses rivaux obscurcis autour de lui croassent;
Et son trop de lumière, importunant les yeux,
De ses propres amis lui fait des envieux.
15 La mort seule ici-bas, en terminant sa vie,
Peut calmer sur son nom l'injustice et l'envie;
Faire au poids du bon sens peser tous ses écrits;
Et donner à ses vers leur légitime prix.
Avant qu'un peu de terre, obtenu par prière,
20 Pour jamais sous la tombe eût enfermé Molière, [3]

[1] La tragédie de Racine est de 1674. Rotrou en avait fait une en
1640. Celle d'Euripide était du ve siècle av. J.-C.

[2] La célèbre actrice créa plusieurs rôles de Racine (1644–1698).

[3] L'autorité avait (1673) refusé la permission d'inhumer Molière
en terre sacrée, les comédiens étant considérés comme excommuniés.
Louis XIV avait dû intervenir auprès de l'archevêque de Paris.

Mille de ces beaux traits, aujourd'hui si vantés,
Furent des sots esprits à nos yeux rebutés.
L'ignorance et l'erreur, à ses naissantes pièces,
En habits de marquis, en robes de comtesses,
Venaient pour diffamer son chef-d'œuvre nouveau,   5
Et secouaient la tête à l'endroit le plus beau.
Le commandeur voulait la scène plus exacte;[1]
Le vicomte, indigné, sortait au second acte;
L'un, défenseur zélé des bigots mis en jeu,
Pour prix de ses bons mots le condamnait au feu;   10
L'autre, fougueux marquis, lui déclarant la guerre,
Voulait venger la cour immolée au parterre,
Mais, sitôt que d'un trait de ses fatales mains
La Parque l'eut rayé du nombre des humains,
On reconnut le prix de sa Muse éclipsée.   15
L'aimable Comédie, avec lui terrassée,
En vain d'un coup si rude espéra revenir,
Et sur ses brodequins[2] ne put plus se tenir.
Tel fut chez nous le sort du théâtre comique.

Toi donc, qui t'élevant sur la scène tragique,   20
Suis les pas de Sophocle, et, seul de tant d'esprits,
De Corneille vieilli sais consoler Paris,[3]
Cesse de t'étonner, si l'envie animée,
Attachant à ton nom sa rouille envenimée,
La calomnie en main, quelquefois te poursuit.   25
En cela, comme en tout, le Ciel qui nous conduit,

---

[1] Ces vers, 24 et ss., font allusion aux protestations suscitées à propos des comédies de Molière, surtout des *Précieuses ridicules* (1659), de *L'école des femmes* (1664) de *Tartuffe* (1665-1669), de *Don Juan* (1665), du *Misanthrope* (1666).

[2] Nom des chaussures portées par les acteurs de la comédie antique: chausser le brodequin = jouer la comédie.

[3] Corneille (1606-1684). Sa dernière tragédie, *Suréna* (1674).

Racine, fait briller sa profonde sagesse.
Le mérite en repos s'endort dans la paresse;
Mais, par les envieux un génie excité,
Au comble de son art est mille fois monté;
5 Plus on veut l'affaiblir, plus il croît et s'élance;
Au *Cid* persécuté *Cinna* [1] doit sa naissance;
Et, peut-être, ta plume, aux censeurs de Pyrrhus
Doit les plus nobles traits dont tu peignis Burrhus. [2]
  Moi-même, dont la gloire ici moins répandue
10 Des pâles envieux ne blesse point la vue,
Mais qu'une humeur trop libre, un esprit peu soumis,
De bonne heure a pourvu d'utiles ennemis,
Je dois plus à leur haine, il faut que je l'avoue,
Qu'au faible et vain talent dont la France me loue.
15 Leur venin, qui sur moi brûle de s'épancher, [3]
Tous les jours, en marchant, m'empêche de broncher;
Je songe, à chaque trait que ma plume hasarde,
Que d'un œil dangereux leur troupe me regarde;
Je sais sur leur avis corriger mes erreurs,
20 Et je mets à profit leurs malignes fureurs ...
Imite mon exemple; et, lorsqu'une cabale,
Un flot de vains auteurs, follement te ravale,
Profite de leur haine et de leur mauvais sens.
Ris du bruit passager de leurs cris impuissants:
25 Que peut contre tes vers une ignorance vaine?
Le Parnasse français, ennobli par ta veine,
Contre tous ces complots saura te maintenir,
Et soulever pour toi l'équitable avenir.

[1] *Le Cid* (1636); *Cinna* (1640). Voir page 127, note 3.
[2] Pyrrhus, personnage d'*Andromaque* (1667). Boileau lui avait reproché d'être trop galant, « un héros à la Scudéry. » Burrhus, personnage de *Britannicus* (1669).
[3] Voir *Satire IX* de Boileau, *A son esprit.*

Et qui, voyant un jour la douleur vertueuse
De Phèdre, malgré soi perfide, incestueuse,
D'un si noble travail justement étonné,
Ne bénira d'abord le siècle fortuné
Qui, rendu plus fameux par tes illustres veilles,   5
Vit naître sous ta main ces pompeuses merveilles ?

   Cependant, laisse ici gronder quelques censeurs
Qu'aigrissent de tes vers les charmantes douceurs.
Et qu'importe à nos vers que Perrin [1] les admire,
Que l'auteur du *Jonas* [2] s'empresse pour les lire;   10
Qu'ils charment de Senlis le poète idiot,[3]
Ou le sec traducteur du français d'Amyot [4];
Pourvu qu'avec éclat leurs rimes débitées
Soient du peuple, des grands, des provinces goûtées;
Pourvu qu'ils puissent plaire au plus puissant des rois;   15
Qu'à Chantilly [5] Condé les souffre quelquefois,
Qu'Enghien en soit touché; que Colbert et Vivonne,[6]
Que La Rochefoucauld, Marsillac, et Pomponne,[7]
Et mille autres qu'ici je ne puis faire entrer,
A leurs traits délicats se laissent pénétrer ?
Et, plût au ciel encor, pour couronner l'ouvrage,

---

[1] Voir note 3, p. 123.

[2] L'auteur en est Coras. Voir une autre attaque contre ce poète, *Satire IX;* p. 123, l. 15.

[3] Le « poète idiot » était Linière; voir note 4, p. 127.

[4] L'Abbé Tallemant, frère de Tallemant-des-Réaux, avait *traduit* Amyot, premier traducteur français de Plutarque.

[5] Le grand Condé et son fils, le duc d'Enghien, avaient leur château à Chantilly.

[6] Colbert, ministre des Finances de Louis XIV. Vivonne, voir ci-dessus *Passage du Rhin*, note 2, p. 118.

[7] La Rochefoucauld, auteur des *Maximes*, voir chap. X. Marsillac, fils de La Rochefoucauld. Marquis de Pomponne, ministre de Louis XIV.

Que Montausier [1] voulût leur donner son suffrage !
   C'est à de tels lecteurs que j'offre mes écrits;
Mais, pour un tas grossier de frivoles esprits,
Admirateurs zélés de toute œuvre insipide,
5 Que, non loin de la place où Brioché [2] préside,
Sans chercher dans les vers ni cadence ni son,
Il s'en aille admirer le savoir de Pradon !

   [1] Duc de Montausier, époux de Julie d'Angennes et gouverneur du Dauphin.
   [2] Célèbre joueur de marionnettes, logé près de la salle Rue Guénégaud, où les comédiens du Palais-Royal s'étaient réfugiés après la mort de Molière. C'est là que Pradon fit jouer sa *Phèdre*, tandis que celle de Racine se joua à l'Hôtel de Bourgogne.

CHAPITRE QUATRE

QUERELLE DES ANCIENS ET DES MODERNES

[La Renaissance avait renié la littérature française antérieure au XVIᵉ siècle, et professé une admiration enthousiaste pour les auteurs grecs et latins. Le XVIIᵉ siècle hérita de ce culte pour les « Anciens ». Cependant peu à peu, conscient de la valeur des écrivains du temps, on protesta contre cette tendance classique. Après bien des escarmouches la guerre éclata. Le signal fut donné le 26 janvier 1687 à une séance de l'Académie française. Charles Perrault (1628–1703) l'auteur des *Contes de fées*, y lut un poème *Le siècle de Louis le Grand* (632 vers) où il dit nettement que les auteurs « modernes » sont comparables et même supérieurs aux « anciens ». Tout Paris prit feu. Perrault écrivit alors un ouvrage en prose où il expose longuement sa thèse: *Parallèles des Anciens et des Modernes* (1688–1696) — parallèles qui sont toujours en faveur des modernes.

Boileau à son tour reprit la plume (1693) pour affirmer une fois encore ses vieilles croyances littéraires. Il écrivit (1693) ses *Réflexions critiques sur quelques passages du rhéteur Longin* — dont il avait été déjà le traducteur (1674) — et dont la septième nous intéresse beaucoup. Il reprocha surtout à Perrault sa prétention de juger des beautés poétiques d'Homère et de Platon alors que Perrault ne savait pas le grec.

Consulter: — H. Rigault, *L'Histoire de la Querelle des Anciens et des Modernes* (Hachette, 1856, 2° éd. 1857); H. Gillot, *La Querelle des Anciens et des Modernes, de la Défense et Illustration . . . aux Parallèles des Anciens et des Modernes* (Champion, 1914) H. Gillot étend son examen aussi aux autres pays d'Europe; et il a une abondante bibliographie. André Hallays, *Les Perrault* (Perrin 1926). Il y avait quatre frères Perrault, tous hommes de mérite.]

I. CHARLES PERRAULT

1628–1703

1. Le siècle de Louis-le-Grand,[1] 26 janvier 1687

La belle antiquité fut toujours vénérable,
Mais je ne crus jamais qu'elle fût adorable.
Je vois les anciens sans plier les genoux;
Ils sont grands, il est vrai, mais hommes comme nous;
5 Et l'on peut comparer, sans crainte d'être injuste,
Le siècle de Louis au beau siècle d'Auguste.
En quel temps sut-on mieux le dur métier de Mars?
Quand d'un plus vif assaut força-t-on des remparts?
Et quand vit-on monter au sommet de la gloire
10 D'un plus rapide cours le char de la victoire?
Si nous voulions ôter le voile spécieux
Que la prévention nous met devant les yeux,
Et, lassés d'applaudir à mille erreurs grossières,
Nous servir quelquefois de nos propres lumières,
15 Nous verrions clairement que sans témérité
On peut n'adorer pas toute l'antiquité,
Et, qu'enfin, dans nos jours, sans trop de confiance,
On lui peut disputer le prix de la science.

Platon, qui fut divin du temps de nos aïeux,
20 Commence à devenir quelquefois ennuyeux ...
Chacun sait le décri du fameux Aristote [2],

[1] Le titre de « Louis le Grand » avait été conféré au roi par la ville de Paris, en 1680. Perrault oppose le « siècle de Louis le Grand » au « siècle de Periclés » chez les Grecs, et au « siècle d'Auguste » chez les Romains.

[2] Le philosophe encensé par les théologiens et philosophes du Moyen-âge, et détrôné à l'époque de la Renaissance et (définitivement) par Descartes (voir plus bas, chapitre VI).

En physique moins sûr qu'en histoire Hérodote.[1]
Ses écrits qui charmaient les plus intelligents,
Sont à peine reçus de nos moindres régents . . .

Père de tous les arts, à qui du dieu des vers
Les mystères profonds ont été découverts,   5
Vaste et puissant génie, inimitable Homère,
D'un respect infini ma muse te révère.
Non, ce n'est pas à tort que tes inventions
En tout temps ont charmé toutes les nations . . .
Cependant [2], si le ciel favorable à la France,   10
Au siècle où nous vivons eût remis ta naissance,
Cent défauts qu'on impute au siècle où tu naquis
Ne profaneraient pas tes ouvrages exquis.
Tes superbes guerriers, prodiges de vaillance,
Prêts de s'entrepercer du long fer de leur lance   15
N'auraient pas si longtemps tenu le bras levé;
Et lorsque le combat devrait être achevé,
Ennuyé les lecteurs d'une longue préface,
Sur les faits éclatants des héros de leur race . . .
Ménandre,[3] j'en conviens, eut un rare génie   20
Et, pour plaire au théâtre, une adresse infinie.
Virgile, j'y consens, mérite des autels;
Ovide est digne encor des honneurs immortels.
Mais ces rares auteurs qu'aujourd'hui l'on adore,
Étaient-ils adorés quand ils vivaient encore ? . . .   25
Les Régniers, les Maynards, les Gombaulds,[4] les Malherbes,

[1] L'historien grec (V° siècle av. J.-C.), souvent appelé le « Père de l'histoire, » et dont la crédulité était légendaire.

[2] L'attaque des vers suivants sera développée dans les *Parallèles des Anciens et des Modernes.* Voir plus bas, IV° *Dialogue*, § ii; p. 144 s.

[3] Poète comique grec (IV° siècle av. J.-C.) Ses œuvres du reste, sont perdues.

[4] Gombault (1580-1666) . . . Godeau (1605-1672), tous deux

Les Godeaux, les Racans dont les écrits superbes,
En sortant de leur veine et dès qu'ils furent nés,
D'un laurier immortel se virent couronnés !
Combien seront chéris par les races futures
5 Les galants Sarrasins [1] et les tendres Voitures,
Les Molières naïfs, les Rotrous, les Tristans [2]
Et cent autres encor, délices de leur temps !
Mais quel sera le sort du célèbre Corneille,
Du théâtre français l'honneur et la merveille
10 Qui sut si bien mêler aux grands événements
L'héroïque beauté des nobles sentiments ! . . .
      Tout art n'est composé que de secrets divers
Qu'aux hommes curieux l'usage a découverts,
Et cet utile amas des choses qu'on invente [3]
15 Sans cesse, chaque jour, ou s'épure ou s'augmente.
Ainsi les humbles toits de nos premiers aïeux
Couverts négligemment de joncs et de glayeux [4]
N'eurent rien de pareil en leur architecture
A nos riches palais d'éternelle structure.

20 Ainsi le jeune chêne en son âge naissant
Ne peut se comparer au chêne vieillissant,
Qui, jetant sur la terre un spacieux ombrage,
Avoisine le ciel de son vaste branchage.

. . . .

membres du groupe d'amis qui se réunissaient chez Conrart, et
devinrent des membres fondateurs de l'Académie; et tous deux
habitués de l'Hôtel de Rambouillet.   Le premier, auteur du drame
pastoral, *Amarante* (voir aussi l'*Amarante* de la *Guirlande de Julie*);
le second, évêque de Vannes, auteur de *Saint-Paul*, poème religieux.
   [1] Sarrasin (1603–1664), habitué du salon de Mlle de Scudéry,
considéré comme un rival de Voiture pour la grâce de son style.
   [2] Tristan (1601–1665) auteur de tragédies (*Mariane, Mort de
Sénèque, Mort de Crispe*, etc.) et d'un roman, *Page disgrâcié*.
   [3] Allusion aux « inventions » mythologiques.   Voir plus haut,
Art poétique, Chant III.   [4] Glayeux = glaïeuls.

2. Parallèles des Anciens et des Modernes, 1688–1696

Extrait de la PRÉFACE

Rien n'est plus naturel ni plus vraisemblable que d'avoir beaucoup de vénération pour toutes les choses qui, ayant un vrai mérite en elles-mêmes, y joignent encore celui d'être anciennes. C'est ce sentiment si juste et si universel qui redouble l'amour et le respect que nous avons pour 5 nos ancêtres et c'est par là que les lois et les coutumes se rendent encore plus authentiques et plus inviolables. Mais, comme ç'a toujours été le destin des meilleures choses de devenir mauvaises par leurs excès et de le devenir à proportion de leur excellence, souvent cette véné- 10 ration si louable dans ses commencements s'est changée dans la suite en une superstition criminelle et a passé même quelquefois jusqu'à l'idolâtrie. Des Princes extraordinaires par leurs vertus firent le bonheur de leurs peuples et remplirent la terre du bruit de leurs grandes 15 actions: ils furent bénis pendant leur vie et leur mémoire fut révérée de la postérité. Mais, dans la suite des temps, on oublia qu'ils étaient hommes et l'on leur offrit de l'encens et des sacrifices. La même chose est arrivée aux hommes qui ont excellé les premiers dans les arts et dans 20 les sciences. Le respect qu'on eut pour leur mémoire s'augmenta tellement qu'on ne voulut plus rien voir en eux qui se ressentît de la faiblesse humaine, et l'on en consacra tout, jusqu'à leurs défauts. Ce fut assez qu'une chose eût été faite ou dite par ces grands hommes pour 25 être incomparable, et c'est même encore aujourd'hui une espèce de religion parmi quelques savants de préférer la moindre production des anciens aux plus beaux ouvrages de tous les modernes.

J'avoue que j'ai été blessé d'une telle injustice. Il m'a
paru tant d'aveuglement dans cette prévention et tant
d'ingratitude à ne pas vouloir ouvrir les yeux sur les
beautés de nos siècles, à qui le ciel a départi mille lumières
5 qu'il a refusées à toute l'antiquité, que je n'ai pu m'empêcher d'être ému d'une véritable indignation. Ç'a été
cette indignation qui a produit le petit poème du *Siècle
de Louis-le-Grand* qui fut lu à l'Académie Française...

... Ce n'est pas à l'occasion des auteurs [1] qui ont écrit
10 contre moi que j'ai travaillé à ces dialogues, ce n'a été
que pour désabuser ceux qui ont cru que mon poème
n'était qu'un jeu d'esprit, qu'il ne contenait point mes
véritables sentiments et que je m'étais diverti à soutenir
un paradoxe...

Extrait du PREMIER DIALOGUE: *De la prévention
en faveur des Anciens.*

15 Michel-Ange, architecte, peintre et sculpteur, mais surtout sculpteur excellent, ne pouvait digérer la préférence
continuelle que les prétendus connaisseurs de son temps
donnaient aux ouvrages des anciens sculpteurs sur tous
ceux des modernes, et d'ailleurs indigné de ce que quel-
20 ques-uns d'entre eux avaient osé lui dire en face que la
moindre des figures antiques était cent fois plus belle que
tout ce qu'il avait fait et ferait jamais en sa vie, imagina
un moyen sûr de les confondre. Il fit secrètement une
figure de marbre où il épuisa tout son art et tout son génie.
25 Après l'avoir conduite à sa dernière perfection, il lui cassa
un bras, qu'il cacha, et, donnant au reste de la figure par le

---

[1] Il en a réfuté plusieurs dans les pages de sa Préface qui précèdent.

moyen de certaines teintes rousses qu'il savait faire, la couleur vénérable des sculptures antiques, il alla lui-même la nuit l'enfouir dans un endroit où l'on devait bientôt jeter les fondements d'un édifice. Le temps venu, et les ouvriers ayant trouvé cette figure en fouillant la terre, il 5 se fit un concours de curieux pour admirer cette merveille incomparable. « Voilà la plus belle chose qui se soit jamais vue, » criait-on de tous côtés. « Elle est de Phidias, » disaient les uns. « Elle est de Polyclète, » disaient les autres. « Qu'on est éloigné, disaient-ils tous, de rien 10 faire qui en approche ! Mais quel dommage qu'il lui manque un bras ! car enfin, nous n'avons personne qui puisse restaurer dignement cette figure. » Michel-Ange, qui était accouru comme les autres, eut le plaisir d'entendre les folles exagérations des curieux, et, plus content 15 mille fois de leurs insultes qu'il ne l'aurait été de leurs louanges, dit qu'il avait chez lui un bras de marbre qui peut-être pourrait servir en la place de celui qui manquait. On se mit à rire de cette proposition. Mais on fut bien surpris lorsque, Michel-Ange ayant apporté ce bras 20 et l'ayant présenté à l'épaule de la figure, il s'y joignit parfaitement et fit voir le sculpteur qu'ils estimaient si inférieur aux anciens était le Phidias et le Polyclète de ce chef-d'œuvre.

Extrait du TROISIÈME DIALOGUE: *De l'astronomie, de la géographie, de la navigation, de la physique, de la chimie, des mécaniques et de toutes les autres connaissances, où il est incontestable que nous l'emportons sur les anciens.*

Pourquoi voulez-vous que l'éloquence et la poésie 25 n'aient pas eu besoin d'autant de siècles pour se perfectionner que la physique et l'astronomie ? Le cœur de l'homme, qu'il faut connaître pour le persuader et pour lui plaire, est-il plus aisé à pénétrer que les secrets de la nature, et n'a-t-il pas de tout temps été regardé comme le plus creux de tous les abîmes, où l'on découvre tous les jours quelque chose de nouveau, et dont il n'y a que Dieu seul qui puisse sonder toute la profondeur ? Comme les anciens connaissaient en gros aussi bien que nous les sept planètes et les étoiles les plus remarquables, mais non pas les satellites des planètes et ce grand nombre de petits astres que nous avons découverts, de même ils connaissaient en gros aussi bien que nous les passions de l'âme, mais non pas une infinité de petites affections et de petites circonstances qui les accompagnent, et qui en sont comme les satellites. Ce n'a été que dans ces derniers temps que l'on a fait et dans l'astronomie et dans la morale, ainsi qu'en mille autres choses, ces belles et curieuses découvertes. En un mot, comme l'anatomie a trouvé dans le cœur des conduits, des valvules, des fibres, des mouvements et des symptômes qui ont échappé à la connaissance des anciens, la morale y a aussi trouvé des inclinations, des aversions, des désirs et des dégoûts que les mêmes anciens n'ont jamais connus. Je pourrais vous faire voir ce que j'avance en examinant toutes les passions l'une après l'autre, et vous convaincre qu'il y a mille sentiments délicats sur chacune d'elles dans les ouvrages de nos auteurs, dans leurs traités de morale, dans leurs tragédies, dans leurs romans, dans leurs pièces d'éloquence, qui ne se rencontrent point chez les anciens.[1]

---

[1] Un autre défenseur de la cause des Modernes ne sera pas d'accord sur ce point avec Perrault. Voir *Eighteenth Century French Readings* (Holt & Co.), Chapitre *Les Précurseurs*, *Fontenelle* (p. 82–4): *Digression sur les Anciens et les Modernes.*

Extraits du QUATRIÈME DIALOGUE

I. *Le Merveilleux Chrétien est légitime. Il n'y a « aucune
indécence »* à décrire en poésie « l'entremise des anges et
des démons » dans la vie.

La poésie est un jeu d'esprit quand on s'en sert pour se
jouer comme dans les épigrammes et dans les madrigaux.
Mais, dans des odes sérieuses et dans des poèmes sur des
matières importantes, la poésie n'est pas plus un jeu
d'esprit que la grande éloquence dans des harangues, dans 5
des panégyriques et dans des sermons. On ne peut pas
dire que les poésies de David ou de Salomon soient un
pur jeu d'esprit, et vous ne voudriez pas, M. le Président,[1] l'avoir dit de l'*Iliade* ni de l'*Énéide*. Il est donc
vrai qu'il y a des ouvrages de poésie très sérieux et où 10
par conséquent l'entremise des anges et des démons n'a
aucune indécence.

Comme nous sommes très persuadés que ces esprits se
mêlent par l'ordre de Dieu dans les actions des hommes,
soit pour les tenter, soit pour les secourir, et par des rai- 15
sons qui nous sont la plupart inconnues, le poète ne peut-
il pas nous les rendre visibles et leur donner des corps
suivant les privilèges de la poésie ? C'est par ce principe
qu'Homère a introduit toutes les divinités païennes et
qu'on voit Minerve accompagner presque toujours Ulysse. 20
Ce qui a tant plu lorsqu'il était faux, doit-il ne plaire plus
lorsque la vérité s'y rencontre ? C'est-à-dire a-t-on dû
être charmé de voir Minerve aux côtés d'Ulysse, pour le
préserver des traits de ses ennemis, pour le conseiller dans

---

[1] L'ouvrage est écrit sous forme de conversations; il y a trois personnages: le Président, champion des Anciens, l'Abbé et le Chevalier,
tous deux champions des Modernes.

ses aventures, quoiqu'effectivement il n'y ait jamais eu
de Minerve auprès d'Ulysse, et doit-on n'avoir que du
dégoût quand des anges secourent un héros combattant
pour la foi, lorsque la même foi nous assure que les anges
5 combattirent avec lui ?

II. *La poésie d'Homère.*[1]

L'Abbé. — Ensuite vient le récit du meurtre des amants
de Pénélope, qui est fort ennuyeux, parcequ'on y voit
traîner une exécution qui n'a aucune vraisemblance.
Quatre personnes, Ulysse, son fils, son porcher et son bou-
10 vier, tuent cent huit gentilshommes, sans user de surprise,
et sans agir avec promptitude. Ulysse, après avoir tué
d'un coup de flèche Antinoüs le plus apparent de la troupe,
au lieu de continuer à tirer sur les autres, leur fait un
grand discours plein de reproches, auquel Eurymachus
15 répond par un autre discours fort ample; Ulysse le tue
d'une seconde flèche, et en fait autant à Amphinomous; il
restait encore cent cinq amants qui ne font rien, et qui
donnent le loisir à Télémaque d'aller quérir des armes dans
une chambre haute, après en avoir demandé la permis-
20 sion à son père. Il en apporta huit lances, quatre casques
et quatre boucliers. Ulysse met un de ces casques, après
avoir posé son arc auprès de la porte, contre la muraille
qui était bien luisante, sans que pas un de ces cent cinq

---

[1] Tout le monde connaît les événements rapportés dans l'Odyssée,
d'Homère: comment Ulysse fils de Laerte après avoir été poursuivi
longtemps par la fureur de Neptune, le dieu des mers, rentra dans
son royaume de l'Ile d'Ithaque; et comment, avec son fils Télémaque,
son bouvier Mélanthius et son porcher Eumée, il châtia les nombreux
étrangers qui, sous prétexte de faire la cour à Pénélope, son épouse,
convoitaient réellement le royaume, affectant de penser qu'Ulysse
avait trouvé la mort dans ses errements.

amants qui restaient, lui portât un seul coup. Cependant Mélanthius, le chévrier d'Ulysse, et qui le trahissait, était monté dans la même chambre aux armes d'où il apporta douze boucliers, douze lances et douze casques, pour armer douze de ces amants. (Il est impossible qu'un seul 5 homme puisse apporter toutes ces armes.) Pendant que ces douze amants nouvellement armés, présentent la pointe de leurs lances à Ulysse et à Télémaque, ces deux héros et leur porcher font ensemble un fort long dialogue. Il faut, dit Ulysse à son fils, que ce soit quelqu'une des 10 servantes de la maison qui soit cause de tout ceci. Mon père, reprend Télémaque, c'est ma faute; j'ai laissé la porte de la chambre ouverte; et je crois que quelqu'un plus avisé que moi, s'en est aperçu. Mais je te prie, divin Eumée, va fermer cette porte, et prends garde si ce n'est 15 point quelqu'une des servantes, ou Mélanthius, fils de Dolius, qui soit cause de tout ceci. Là-dessus Eumée dit à Ulysse: Divin fils de Laërte, prudent Ulysse, c'est assurément le méchant homme que nous soupçonnons, qui a fait ce coup là. Dites-moi donc distinctement si je le 20 tuerai, en cas que je sois le plus fort, ou si je vous l'amènerai ici, afin que vous le punissiez de ces méchancetés. Allez, répond Ulysse, liez-lui les pieds et les mains, et l'attachez à une haute colonne, avec une chaîne qui se plie aisément. Pendant tout ce temps-là pas un des amants 25 ne se remua sans qu'on voie aucune raison de leur étonnante tranquillité. Voilà encore une espèce de merveilleux dont les modernes n'ont plus l'adresse de se servir.

Le Président. — Est-ce-là tout ?

L'Abbé. — Non assurément; mais je crois qu'en voilà 30 assez pour connaître la manière dont Homère a orné ses ouvrages de belles aventures, de beaux sentiments, et de

belles pensées. Venons au style et à la versification de ce
grand poète...

III. *Que « nous » avons un avantage visible dans les*
arts dont les secrets se peuvent calculer et mesurer.

Quand nous avons parlé de la peinture, je suis demeuré
d'accord que le saint Michel et la sainte famille de Ra-
5 phaël que nous vîmes hier dans le grand appartement du
roi sont deux tableaux préférables à ceux de M. Le Brun[1];
mais j'ai soutenu et soutiendrai toujours que M. Le Brun
a su plus parfaitement que Raphaël l'art de la peinture
dans toute son étendue parce qu'on a découvert avec le
10 temps une infinité de secrets dans cet art que Raphaël n'a
point connus. J'ai dit la même chose touchant la sculp-
ture, et j'ai fait voir que nos bons sculpteurs étaient mieux
instruits que les Phidias et les Polyclète, quoique quelques-unes des figures qui nous restent de ces grands maîtres
15 soient plus estimables que celles de nos meilleurs sculpteurs. Il y a deux choses dans tout artisan qui contribuent à la beauté de son ouvrage: la connaissance des
règles de son art et la force de son génie. De là il peut
arriver et souvent il arrive que l'ouvrage de celui qui est
20 le moins savant, mais qui a le plus de génie, est meilleur
que l'ouvrage de celui qui sait mieux les règles de son art
et dont le génie a moins de force.

Suivant ce principe, Virgile a pu faire un poème épique
plus excellent que tous les autres parce qu'il a eu plus de
25 génie que tous les poètes qui l'ont suivi, et il peut en même
temps avoir moins su toutes les règles du poème épique,
ce qui me suffit, mon problème consistant uniquement en

[1] Connu surtout par la série de tableaux représentant les batailles
d'Alexandre (1619–1690).

cette proposition que tous les arts ont été portés dans notre siècle à un plus haut degré de perfection que celui où ils étaient parmi les anciens, parce que le temps a découvert plusieurs secrets dans tous les arts, qui, joints à ceux que les anciens nous ont laissés, les ont rendus plus 5 accomplis, l'art n'étant autre chose, suivant Aristote même, qu'un amas de préceptes pour bien faire l'ouvrage qu'il a pour objet.

Or, quand j'ai fait voir qu'Homère et Virgile ont fait une infinité de fautes où les modernes ne tombent plus, je 10 crois avoir prouvé qu'ils n'avaient pas toutes les règles que nous avons, puisque l'effet naturel des règles est d'empêcher qu'on ne fasse des fautes. De sorte que, s'il plaisait au ciel de faire naître un homme qui eût un génie de la force de celui de Virgile, il est sûr qu'il ferait un plus 15 beau poème que l'*Énéide*, parce qu'il aurait, suivant ma supposition, autant de génie que Virgile, et qu'il aurait en même temps un plus grand amas de préceptes pour se conduire. Cet homme pouvait naître en ce siècle de même qu'en celui d'Auguste, puisque la nature est tou- 20 jours la même et qu'elle ne s'est point affaiblie par la suite des temps.

II. BOILEAU

1636-1711

Extrait de la Septième des RÉFLEXIONS CRITIQUES (1693) *sur* QUELQUES PASSAGES DE LONGIN

Rhéteur grec. (210–273 après J.-C.)

[On relèvera l'attitude différente de Boileau à l'égard de ses grands contemporains, par exemple Corneille, lorsqu'il discute la querelle des Anciens et des Modernes, comparée avec celle qu'il avait adoptée ailleurs, ainsi dans la *Satire IX*, page 127, *En vain contre le Cid un ministre se ligue*... Il n'y a pas contradiction, mais une nuance bien nette, inspirée par les besoins de la cause à défendre.]

RÉFLEXION VII

« Il faut songer au jugement que toute la postérité fera de nos écrits. » (LONGIN, *Traité du sublime*, XII.)

Il n'y a en effet que l'approbation de la postérité qui puisse établir le vrai mérite des ouvrages. Quelque éclat qu'ait fait un écrivain durant sa vie, quelques éloges qu'il ait reçus, on ne peut pas pour cela infailliblement con-
5 clure que ses ouvrages soient excellents. De faux brillants, la nouveauté du style, un tour d'esprit qui était à la mode, peuvent les avoir fait valoir; et il arrivera peut-être que dans le siècle suivant on ouvrira les yeux, et que l'on méprisera ce que l'on a admiré. Nous en avons un
10 bel exemple dans Ronsard et dans ses imitateurs comme du Bellay, du Bartas, Desportes,[1] qui dans le siècle précédent ont été l'admiration de tout le monde, et qui aujourd'hui ne trouvent pas même de lecteurs.

La même chose était arrivée, chez les Romains, à
15 Nævius, à Livius, et à Ennius,[2] qui, du temps d'Horace, comme nous l'apprenons de ce poète, trouvaient encore beaucoup de gens qui les admiraient, mais qui à la fin furent entièrement décriés. Et il ne faut point s'ima-giner que la chute de ces auteurs, tant les Français que
20 les Latins, soit venue de ce que les langues de leur pays ont changé. Elle n'est venue que de ce qu'ils n'avaient point attrapé dans ces langues le point de solidité et de perfection qui est nécessaire pour faire durer, et pour

---

[1] Poètes et disciples de la Pléiade.
[2] Poètes romains du IIIᵉ siècle av. J.-C. Horace est du Iᵉ siècle.

faire à jamais priser des ouvrages. En effet la langue latine, par exemple, qu'ont écrite Cicéron et Virgile, était déjà fort changée du temps de Quintilien,[1] et encore plus du temps d'Aulu-Gelle.[2] Cependant Cicéron et Virgile y étaient encore plus estimés que de leur temps même, parce qu'ils avaient comme fixé la langue par leurs écrits, ayant atteint le point de perfection que j'ai dit.

. . . .

Mais lorsque des écrivains ont été admirés durant un fort grand nombre de siècles, et n'ont été méprisés que par quelques gens de goût bizarre, car il se trouve toujours des goûts dépravés. alors non seulement il y a de la témérité, mais il y a de la folie à vouloir douter du mérite de ces écrivains. Que si vous ne voyez point les beautés de leurs écrits, il ne faut pas conclure qu'elles n'y sont point, mais que vous êtes aveugle, et que vous n'avez point de goût. Le gros des hommes, à la longue, ne se trompe point sur les ouvrages d'esprit. Il n'est plus question, à l'heure qu'il est, de savoir si Homère, Platon, Cicéron, Virgile, sont des hommes merveilleux; c'est une chose sans contestation, puisque vingt siècles en sont convenus; il s'agit de savoir en quoi consiste ce merveilleux qui les a fait admirer de tant de siècles; et il faut trouver moyen de le voir, ou renoncer aux belles-lettres, auxquelles vous devez croire que vous n'avez ni goût ni génie, puisque vous ne sentez point ce qu'ont senti tous les hommes.

Quand je dis cela, néanmoins, je suppose que vous sachiez la langue de ces auteurs; car si vous ne la savez point, et si vous ne vous l'êtes point familiarisée, je ne

[1] Rhéteur latin, I° siècle.
[2] Grammairien et critique latin, II° siècle.

vous blâmerai pas de n'en point voir les beautés: je vous
blâmerai seulement d'en parler. Et c'est en quoi on ne
saurait trop condamner M. Perrault, qui, ne sachant
point la langue d'Homère, vient hardiment lui faire son
5 procès sur les bassesses de ses traducteurs, et dire au
genre humain, qui a admiré les ouvrages de ce grand
poète durant tant de siècles: Vous avez admiré des sottises. C'est à peu près la même chose qu'un aveugle-né
qui s'en irait crier par toutes les rues: Messieurs, je sais
10 que le soleil que vous voyez vous paraît fort beau; mais
moi, qui ne l'ai jamais vu, je vous déclare qu'il est fort
laid.

Mais pour revenir à ce que je disais, puisque c'est la
postérité seule qui met le véritable prix aux ouvrages, il
15 ne faut pas, quelque admirable que vous paraisse un
écrivain moderne, le mettre aisément en parallèle avec
ces écrivains admirés durant un si grand nombre de siècles,
puisqu'il n'est pas même sûr que ses ouvrages passent
avec gloire au siècle suivant. En effet, sans aller cher-
20 cher des exemples éloignés, combien n'avons-nous point vu
d'auteurs admirés dans notre siècle dont la gloire est
déchue en très peu d'années ! Dans quelle estime n'ont
point été, il y a trente ans, les ouvrages de Balzac ! On
ne parlait pas de lui simplement comme du plus éloquent
25 homme de son siècle, mais comme du seul éloquent. Il
a effectivement des qualités merveilleuses. On peut dire
que jamais personne n'a mieux su sa langue que lui, et
n'a mieux entendu la propriété des mots et la juste mesure
des périodes: c'est une louange que tout le monde lui
30 donne encore. Mais on s'est aperçu tout d'un coup que
l'art où il s'est employé toute sa vie était l'art qu'il savait
le moins, je veux dire l'art de faire une lettre: car, bien

que les siennes soient toutes pleines d'esprit et de choses
admirablement dites, on y remarque partout les deux
vices les plus opposés au genre épistolaire, c'est à savoir
l'affectation et l'enflure; et on ne peut plus lui pardonner
ce soin vicieux qu'il a de dire toutes choses autrement que   5
ne le disent les autres hommes. De sorte que tous les
jours on rétorque contre lui ce même vers que Maynard
a fait autrefois à sa louange:

> Il n'est point de mortel qui parle comme lui.

Il y a pourtant encore des gens qui le lisent; mais il n'y
a plus personne qui ose imiter son style, ceux qui l'ont   10
fait s'étant rendus la risée de tout le monde.

Mais, pour chercher un exemple encore plus illustre
que celui de Balzac, Corneille est celui de tous nos poètes
qui a fait le plus d'éclat en notre temps; et on ne croyait
pas qu'il pût jamais y avoir en France un poète digne de   15
lui être égalé. Il n'y en a point en effet qui ait eu plus
d'élévation de génie, ni qui ait plus composé. Tout son
mérite pourtant, à l'heure qu'il est, ayant été mis par le
temps comme dans un creuset, se réduit à huit ou neuf
pièces de théâtre qu'on admire, et qui sont, s'il faut ainsi   20
parler, comme le midi de sa poésie, dont l'orient et l'occident n'ont rien valu. Encore, dans ce petit nombre de
bonnes pièces, outre les fautes de langue qui y sont assez
fréquentes, on commence à s'apercevoir de beaucoup
d'endroits de déclamation qu'on n'y voyait point autre-   25
fois. Ainsi, non seulement on ne trouve point mauvais
qu'on lui compare aujourd'hui M. Racine, mais il se
trouve même quantité de gens qui le lui préfèrent. La
postérité jugera qui vaut le mieux des deux; car je suis
persuadé que les écrits de l'un et de l'autre passeront aux   30

siècles suivants. Mais jusque-là ni l'un ni l'autre ne doit
être mis en parallèle avec Euripide et avec Sophocle,
puisque leurs ouvrages n'ont point encore le sceau qu'ont
les ouvrages d'Euripide et de Sophocle, je veux dire
5 l'approbation de plusieurs siècles.

Au reste, il ne faut pas s'imaginer que, dans ce nombre
d'écrivains approuvés de tous les siècles, je veuille ici
comprendre ces auteurs à la vérité anciens, mais qui ne
se sont acquis qu'une médiocre estime, comme Lyco-
10 phron, Nonnus, Silius Italicus,[1] l'auteur des tragédies
attribuées à Sénèque, et plusieurs autres, à qui on peut
non seulement comparer, mais à qui on peut, à mon avis,
justement préférer beaucoup d'écrivains modernes. Je
n'admets dans ce haut rang que ce petit nombre d'écri-
15 vains merveilleux dont le nom seul fait l'éloge, comme
Homère, Platon, Cicéron, Virgile, etc. Et je ne règle
point l'estime que je fais d'eux par le temps qu'il y a que
leurs ouvrages durent, mais par le temps qu'il y a qu'on
les admire. C'est de quoi il est bon d'avertir beaucoup
20 de gens qui pourraient mal à propos croire ce que veut
insinuer notre censeur, qu'on ne loue les anciens que parce
qu'ils sont anciens, et qu'on ne blâme les modernes que
parce qu'ils sont modernes; ce qui n'est point du tout
véritable, y ayant beaucoup d'anciens qu'on n'admire
25 point, et beaucoup de modernes que tout le monde loue.
L'antiquité d'un écrivain n'est pas un titre certain de son
mérite; mais l'antique et constante admiration qu'on a
toujours eue pour ses ouvrages est une preuve sûre et
infaillible qu'on doit les admirer.

---

[1] Lycophron, poète grec du IIIe siècle av. J.-C.; Nonnus, du
Ve siècle après J.-C. Silius Italicus, poète latin du Ie siècle (On dirait
aujourd'hui auteur de certaines « tragédies attribuées à Sénèque».).

[Avec Boileau à leur tête, les partisans des « Anciens » paraissent triompher au XVII° siècle. On verra plus loin comment le moraliste La Bruyère soutient avec décision la même cause: Chapitre X, ii, sous le titre : « Des Ouvrages de l'esprit ». Cette victoire, cependant, ne dura pas. La « querelle » continua au XVIII° siècle, et les « Modernes » déjà l'emportèrent alors (voir *Eighteenth Century French Readings*, Holt and Co., pages, 77–84). Le coup de grâce fut donné par les Romantiques, et surtout dans le manifeste de cette école, *La Préface de Cromwell*, par Victor Hugo (1827).]

CHAPITRE CINQ

LA FONTAINE

1621-1695

Jean de La Fontaine a élevé en France le genre de la fable à un niveau qui n'a jamais été dépassé. Il n'avait eu qu'un seul précurseur important, Marie de France, au **XIIe siècle**.

Il est né dans la charmante vallée de la Marne, à Château-Thierry, en Champagne. Fils d'un « maître des eaux et forêts », sa jeunesse ne faisait pas prévoir ce qu'il serait un jour. A 19 ans il était encore très embarrassé de ce qu'il allait faire, et pensa devenir prêtre; puis il étudia le droit. Mais après ces études il retourna à Château-Thierry. Paresseux de nature, il ne désirait aucune activité. Son père lui céda alors sa charge pour l'occuper, et cela lui donna au moins le prétexte d'errer dans les bois qu'il aimait beaucoup. En même temps on l'avait marié; mais il ne sut vaincre sa nonchalance ni comme forestier, ni comme époux, ni comme père — il avait un fils dont il se désintéressa parfaitement. A 22 ans il se découvrit le goût pour la poésie en entendant lire une *Ode* de Malherbe. Il se passionna pour Malherbe, puis pour Voiture, puis pour Villon, Marot et Rabelais (il disait: « Beau comme Rabelais »); enfin il lut les Anciens (devenant un des champions les plus enthousiastes de ceux-ci dans la *Querelle des Anciens et des Modernes*); cependant il goûtait beaucoup les Italiens de la Renaissance, Aristote, Machiavel, surtout Boccace auquel il emprunta des contes.

La Fontaine fut protégé par le surintendant des Finances du roi, Fouquet, qui lui alloua une pension; lorsque celui-ci tomba en disgrâce, La Fontaine fut un des rares hommes qui ne l'abandonnèrent pas dans l'adversité; il écrivit à cette occasion sa belle *Elégie aux Nymphes de Vaux* (Vaux était la somptueuse résidence de Fouquet où les fêtes cessèrent lorsque le maître fut emmené en captivité.). Ce poème rendit le public moins sévère pour Fouquet, mais valut à l'auteur le déplaisir du roi — qui plus tard s'opposa pendant quelques temps à son entrée à l'Académie. Après Fouquet, d'autres protecteurs s'occupèrent de La Fontaine (Condé, Turenne); et surtout de grandes dames: c'est ainsi qu'il fut recueilli pendant 20 ans chez Madame de la Sablière, et quand celle-ci mourut Madame d'Hervart la remplaça auprès du poète. Il n'avait pas beaucoup d'égards pour ses bienfaitrices; ceux qui le connaissaient bien, cependant, étaient disposés à penser que ce n'était pas de la méchanceté et de l'ingratitude, mais de la simplicité. Dans les salons on le nommait (le bonhomme La Fontaine). « Vous seriez bien bête, mon cher La Fontaine, lui disait Mme de la Sablière, si vous n'aviez pas tant d'esprit. » [1]

Au cours d'une maladie, il se sentit repris dans sa conscience pour les fautes de sa vie; et quand il fut guéri, il changea de conduite, et même s'employa à mettre en vers français des hymnes d'église. Il mourut, à 73 ans, dans ces sentiments chrétiens.

Voici l'épitaphe célèbre qu'il avait composée pour lui-même aux jours d'avant sa conversion:

> Jean s'en alla comme il était venu,
> Mangeant son fonds avec le revenu,
> Croyant trésor chose peu nécessaire.
> Quant à son temps, bien le sut dispenser:
> Deux parts en fit dont il soulait [2] passer
> L'une à dormir, et l'autre à ne rien faire.

La Fontaine a composé des *Contes* (quatre livres, 1665-75), imitation en vers des contes populaires du moyen-âge — fabliaux — ou des conteurs italiens, Boccace et autres; quelques pièces de théâtre, comme *La coupe enchantée* (1688); le roman *Les amours de Psyché et de Cupidon* (1669), d'après le poète latin Apulée; et surtout *Les Fables*: Livres I-VI, dédiés au Dauphin (1668); Livres VII-XI, dédiés à Madame de Montespan (1678-9); Livre XII, dédié au Duc de Bourgogne, fils du Dauphin (1694).

LES FABLES

La Fontaine met en tête de son recueil une *Vie d'Esope, le Phrygien*, que l'on considère généralement comme le père de l'« apologue » ou de la fable dans le monde occidental. « L'apologue des Anciens était composé de deux parties, dont on peut appeler l'une le corps, l'autre l'âme; Le corps est la fable (récit), l'âme est la moralité ». Chez ces Anciens la moralité était le but, tandis que le récit était seulement un moyen. La Fontaine va, au contraire, donner tous ses soins

---

[1] C'est Molière qui, à ce propos, s'écriait un jour: « Ne nous moquons pas du (bonhomme), il vivra peut-être plus que nous ».

[2] *Soulait*, du latin *solere*, avoir coutume.

à la fable elle-même; il veut faire ce que l'on appellerait aujourd'hui de l'art pour l'art: « J'ai considéré que je ne ferais rien si je ne rendais nouvelles ces fables par quelques traits qui en relevassent le goût. C'est ce qu'on demande aujourd'hui: on veut de la nouveauté et de la gaîté. Je n'appelle pas gaîté ce qui excite le rire, mais un certain ton agréable qu'on peut donner à toutes sortes de sujets, même les plus sérieux » (*Préface*).

La Fontaine est souvent appelé un moraliste. Le mot n'est pas exact, en ce sens que La Fontaine ne se proposait pas de moraliser; il voulait avant tout observer, — et si une leçon de vertu ressortait de ses récits, cela lui importait peu.[1] Il a dit lui-même qu'il avait voulu faire « une ample comédie à cent actes divers ».

L'art de La Fontaine consiste à ramener les actions et les pensées des hommes aux données les plus élémentaires, découvrir les causes dernières et seules déterminantes de leurs manières d'agir dans la vie. C'est pourquoi il choisit ses personnages dans les classes des hommes encore à l'état simple et naturel (bûcheron, paysan, savetier, laitière, meunier); ou bien, mieux encore, il met en scène des animaux suggérant des hommes, mais qui n'ont que les gestes pour nous faire deviner ce qui inspire leurs mouvements et pas de paroles pour nous tromper sur la vérité; La Fontaine a appliqué d'avance le fameux mot du grand diplomate Talleyrand: « La parole a été donnée à l'homme pour *dissimuler* sa pensée ». On verra aussi comment La Fontaine savait ramener aux éléments les plus simples, les discussions sur les grands problèmes qui agitent les hommes; la guerre de Troie lui rappelle une occurrence de tous les jours: une poule entre deux coqs qui se disputent ses faveurs dans une bassecour; la querelle entre ceux qui croient à l'existence d'une Providence et ceux qui récusent cette croyance, lui suggère sa fable *Le Gland et la Citrouille* (voir plus bas).

La Fontaine a admirablement manié le vers libre et l'a mis à la mode (vers de différentes longueurs dans un même morceau, ou même dans une strophe).

Madame de Sévigné a dit ce mot charmant des *Fables* de La Fontaine: « C'est un panier de cerises; on veut choisir les plus belles, et le panier reste vide ».

Consulter: Il y a une littérature considérable sur La Fontaine. Voici les meilleurs livres à la portée de l'étudiant: G. Lafenestre

---

[1] Jean-Jacques Rousseau a fait bien comprendre cela dans un passage célèbre de son livre sur l'éducation, *Emile* (Livre II), où sont attaqués, non La Fontaine et ses fables, mais ceux qui y cherchent des récits propres à être lus par les enfants.

La Fontaine, (Coll. ‹Grands écrivains fr.› Hachette, 1895); E.
Faguet, *La Fontaine,* (Coll. ‹ Classiques populaires ›); R. Bray,
Fables de La Fontaine, (Coll. Grands événements litt. Malfère, 1929);
et le livre très célèbre par Hippolyte Taine, *La Fontaine et ses fables,*
(1853).

1. La cigale et la fourmi

I. 1

La cigale, ayant chanté
    Tout l'été,
Se trouva fort dépourvue
Quand la bise fut venue:
Pas un seul petit morceau   5
De mouche ou de vermisseau.
Elle alla crier famine
Chez la fourmi sa voisine,
La priant de lui prêter
Quelque grain pour subsister   10
Jusqu'à la saison nouvelle.
« Je vous paierai, lui dit-elle,
Avant l'août, foi d'animal,
Intérêt et principal. »
La fourmi n'est pas prêteuse;   15
C'est là son moindre défaut.
« Que faisiez-vous au temps chaud ?
Dit-elle à cette emprunteuse.
— Nuit et jour à tout venant
Je chantais, ne vous déplaise.   20
— Vous chantiez ? j'en suis fort aise:
Eh bien ! dansez maintenant. »

On a parfois critiqué les connaissances de La Fontaine en histoire
naturelle; ainsi le grand savant J.-H. Fabre, dans ses *Souvenirs
entomologiques,* 5ème série, Chap. XIII; ‹ La Fable de La Cigale et la

Fourmi); (Paris, Delagrave, 1897). On pourra consulter plus commodément deux articles de Rémy de Gourmont, « La vie et la morale
dans les fables de La Fontaine » (*Mercure de France*, 15 oct. et 1 nov.
1905). Par exemple, cet auteur nous montre quelques erreurs de la fable de *La Cigale et la fourmi:* (1) La cigale ne chante pas; si elle fait un
bruit elle bat plutôt du tambour; et la cigale femelle ne fait aucun
bruit; (2) La cigale n'aurait jamais demandé « quelque grain pour
subsister » car elle n'a pas de bouche pour manger, elle n'a qu'un suçoir pour boire le suc des arbres; (3) la cigale n'a pu aller demander
de la nourriture pour subsister « jusqu'à la saison nouvelle », car elle ne
vit qu'une saison et meurt avant l'hiver; des provisions sont donc inutiles. Quant à la fourmi: (1) elle ne pouvait prêter « quelque grain »,
car elle ne se nourrit pas de grain elle-même; et (2) elle n'en pourrait
prêter de sa provision, car elle dort pendant tout l'hiver, et par conséquent ne fait pas de provisions.[1] Quant à l'idée de l'avarice des
fourmis, La Fontaine l'a probablement empruntée à un récit fantai-
siste fait par le naturaliste latin Pline: « Chez les Indiens septentrio-
naux, qu'on appelle Dardes, certaines fourmis tirent l'or des mines;
elles ont la couleur du chat (sauvage) et la grandeur du loup d'Egypte.
Ce métal, qu'elles ont extrait pendant l'hiver, les Indiens le leur déro-
bent pendant les ardeurs de l'été; les fourmis sont alors retirées dans
des souterrains à cause de la chaleur. Toutefois, averties par l'odorat,
elles sortent, volent après les ravisseurs et souvent les mettent en
pièces, sans que la légèreté de leurs chameaux puissent les sauver.
Telles sont et la vitesse et la férocité qui se joignent en elles à la passion de l'or ». — Et cependant la fable de La Fontaine demeure un
chef d'œuvre !

2. Le corbeau et le renard

I. 2

Maître corbeau, sur un arbre perché,
Tenait en son bec un fromage.
Maître renard, par l'odeur alléché,
Lui tint à peu près ce langage:
5 « Hé ! bonjour, monsieur du Corbeau:

[1] Ces deux numéros cependant, sont controuvés pour certaines espèces de fourmis. Voir Maeterlinck, *Vie des fourmis* Paris 1930. p
187–190.

Que vous êtes joli ! que vous me semblez beau !
        Sans mentir, si votre ramage
        Se rapporte à votre plumage,
Vous êtes le phénix des hôtes de ces bois. »
A ces mots le corbeau ne se sent pas de joie;   5
        Et pour montrer sa belle voix,
Il ouvre un large bec, laisse tomber sa proie.
Le renard s'en saisit, et dit: « Mon bon monsieur,
        Apprenez que tout flatteur
        Vit aux dépens de celui qui l'écoute.   10
Cette leçon vaut bien un fromage, sans doute. »
        Le corbeau, honteux et confus,
Jura, mais un peu tard, qu'on ne l'y prendrait plus.

Cette fable a servi d'exemple à Jean-Jacques Rousseau (1712–
1778) qui a attaqué fortement dans son livre célèbre *Emile ou de
l'éducation* (1762) l'idée de faire lire les fables de La Fontaine par
des enfants; ceux-ci, dit-il, ne peuvent apprécier la valeur de ces
fables, et même en tirent des leçons tout à fait regrettables: « On
fait apprendre les fables de La Fontaine à tous les enfants, et il
n'y en a pas un seul qui les entende. Quand ils les enten-
draient, ce serait encore pis; car la morale en est tellement mêlée
et disproportionnée à leur âge, qu'elle les porterait plus au vice
qu'à la vertu. » Prenez la fable précédente: « Quelle horrible leçon
pour l'enfance ! Le plus odieux de tous les monstres serait un enfant
avare et dur, qui saurait ce qu'on lui demande et ce qu'on lui refuse.
La fourmi fait plus encore, elle lui apprend à railler dans ses refus. »
Et dans *Le corbeau et le renard*, quel enfant, tout en se moquant du
corbeau se défendra d'admirer le renard et ne se disposera pas à l'imiter et à pratiquer la ruse ? « Je demande si c'est à des enfants qu'il
faut apprendre qu'il y a des hommes qui flattent et mentent pour leur
profit . . . On leur apprend moins à ne pas laisser tomber le fromage de
leur bec qu'à le faire tomber du bec d'un autre ». Le langage même
de La Fontaine est tout à fait inaccessible aux enfants. Rousseau
écrit:

        « *Maitre corbeau sur un arbre perché,*
    « Maître ! que signifie ce mot en lui-même ? que signifie-t-il devant
    « un nom propre ? quel sens a-t-il dans cette occasion ?
    « Qu'est-ce qu'un corbeau ?

« Qu'est-ce qu'un *arbre perché* ? L'on ne dit pas *sur un arbre per-*
« *ché*, l'on dit *perché sur un arbre*. Par conséquent, il faut parler
« des inversions de la poésie: il faut dire ce que c'est que prose et
« vers.

« *Tenait en son bec un fromage.*

« Quel fromage ? était-ce un fromage de Suisse, de Brie ou de Hol-
« lande ? Si l'enfant n'a point vu de corbeaux, que gagnerez-vous à
« lui en parler ? s'il en a vu, comment concevra-t-il qu'ils tiennent
« un fromage à leur bec ? . . . » etc., etc.

3. Le loup et le chien

I. 5

Un loup n'avait que les os et la peau,
Tant les chiens faisaient bonne garde:
Ce loup rencontre un dogue aussi puissant que beau,
Gras, poli, qui s'était fourvoyé par mégarde.
5 L'attaquer, le mettre en quartiers,
Sire loup l'eût fait volontiers;
Mais il fallait livrer bataille;
Et le mâtin était de taille
A se défendre hardiment.
10 Le loup donc l'aborde humblement,
Entre en propos, et lui fait compliment
Sur son embonpoint, qu'il admire.
« Il ne tiendra qu'à vous, beau sire,
D'être aussi gras que moi, lui repartit le chien.
15 Quittez les bois, vous ferez bien:
Vos pareils y sont misérables,
Cancres, hères, et pauvres diables,
Dont la condition est de mourir de faim.
Car, quoi ! rien d'assuré ! point de franche lippée;
20 Tout à la pointe de l'épée !
Suivez-moi, vous aurez un bien meilleur destin. »
Le loup reprit: « Que me faudra-t-il faire ?

— Presque rien, dit le chien: donner la chasse aux gens
　　　　Portant bâtons, et mendiants;
Flatter ceux du logis, à son maître complaire,
　　　　Moyennant quoi votre salaire
Sera force reliefs de toutes les façons,
　　　　Os de poulets, os de pigeons;
　　　　Sans parler de mainte caresse. »
Le loup déjà se forge une félicité
　　　　Qui le fait pleurer de tendresse.
Chemin faisant, il vit le col du chien pelé.　　　　　10
« Qu'est-ce là ? lui dit-il. — Rien. — Quoi ! rien ! — Peu de
　　chose.
— Mais encor ? — Le collier dont je suis attaché
De ce que vous voyez est peut-être la cause.
— Attaché ! dit le loup: vous ne courez donc pas　　15
　　　　Où vous voulez ? — Pas toujours; mais qu'importe ?
— Il importe si bien, que de tous vos repas
　　　　Je ne veux en aucune sorte,
Et ne voudrais pas même à ce prix un trésor. »
Cela dit, maître loup s'enfuit, et court encor.　　　　20

4. Le rat de la ville et le rat des champs

I. 9

　　　　Autrefois le rat de ville
　　　　Invita le rat des champs,
　　　　D'une façon fort civile,
　　　　A des reliefs d'ortolans.

　　　　Sur un tapis de Turquie　　　25
　　　　Le couvert se trouva mis.
　　　　Je laisse à penser la vie
　　　　Que firent ces deux amis.

Le régal fut fort honnête;
Rien ne manquait au festin;
Mais quelqu'un troubla la fête
Pendant qu'ils étaient en train.

5

A la porte de la salle
Ils entendirent du bruit;
Le rat de ville détale;
Son camarade le suit.

Le bruit cesse, on se retire:
10
Rats en campagne aussitôt;
Et le citadin de dire:
« Achevons tout notre rôt.

— C'est assez, dit le rustique;
Demain vous viendrez chez moi.
15
Ce n'est pas que je me pique
De tous vos festins de roi;

Mais rien ne vient m'interrompre;
Je mange tout à loisir.
Adieu donc: fi du plaisir
20
Que la crainte peut corrompre ! »

5. Le loup et l'agneau

I. 10

La raison du plus fort est toujours la meilleure:
Nous l'allons montrer tout à l'heure.

Un agneau se désaltérait
Dans le courant d'une onde pure.
25 Un loup survient à jeun, qui cherchait aventure,
Et que la faim en ces lieux attirait.

« Qui te rend si hardi de troubler mon breuvage ? »
  Dit cet animal plein de rage:
« Tu seras châtié de ta témérité.
— Sire, répond l'agneau, que Votre Majesté
  Ne se mette pas en colère;   5
  Mais plutôt qu'elle considère
  Que je me vais désaltérant
   Dans le courant,
  Plus de vingt pas au-dessous d'elle;
Et que par conséquent, en aucune façon, 10
  Je ne puis troubler sa boisson.
— Tu la troubles, reprit cette bête cruelle,
Et je sais que de moi tu médis l'an passé.
— Comment l'aurais-je fait si je n'étais pas né ?
  Reprit l'agneau; je tette encor ma mère. 15
   — Si ce n'est toi, c'est donc ton frère.
— Je n'en ai point. — C'est donc quelqu'un des tiens;
  Car vous ne m'épargnez guère,
  Vous, vos bergers, et vos chiens.
On me l'a dit: il faut que je me venge. » 20
  Là-dessus, au fond des forêts
  Le loup l'emporte, et puis le mange,
  Sans autre forme de procès.

6. La mort et le bûcheron

I. 16

Un pauvre bûcheron, tout couvert de ramée,
Sous le faix du fagot aussi bien que des ans 25
Gémissant et courbé, marchait à pas pesants,
Et tâchait de gagner sa chaumine enfumée.
Enfin, n'en pouvant plus d'effort et de douleur,

Il met bas son fagot, il songe à son malheur.

Quel plaisir a-t-il eu depuis qu'il est au monde ?

En est-il un plus pauvre en la machine ronde ?

Point de pain quelquefois, et jamais de repos:

5   Sa femme, ses enfants, les soldats,[1] les impôts,

      Le créancier, et la corvée,[2]

Lui font d'un malheureux la peinture achevée.

Il appelle la Mort. Elle vient sans tarder,

      Lui demande ce qu'il faut faire.

10   « C'est, dit-il, afin de m'aider

A recharger ce bois; tu ne tarderas [3] guère. »

      Le trépas vient tout guérir;

      Mais ne bougeons d'où nous sommes:

      Plutôt souffrir que mourir,

15   C'est la devise des hommes.

7. Le renard et la cigogne

I. 18

Compère le renard se mit un jour en frais,

Et retint à dîner commère la cigogne.

Le régal fut petit et sans beaucoup d'apprêts:

      Le galant, pour toute besogne,

20 Avait un brouet clair; il vivait chichement.

Ce brouet fut par lui servi sur une assiette:

La cigogne au long bec n'en put attraper miette;

Et le drôle eut lapé le tout en un moment.

      Pour se venger de cette tromperie,

---

[1] Les soldats étaient logés chez les particuliers à cette époque, les casernes n'existant pas.

[2] Travail gratuit qui était dû par le paysan à son seigneur.

[3] Tu ne seras pas mise en retard.

A quelque temps de là, la cigogne le prie.[1]
« Volontiers, lui dit-il; car avec mes amis
   Je ne fais point cérémonie. »
   A l'heure dite, il courut au logis
   De la cigogne son hôtesse;   5
   Loua très fort sa politesse;
   Trouva le dîner cuit à point.
Bon appétit surtout; renards n'en manquent point.
Il se réjouissait à l'odeur de la viande
Mise en menus morceaux, et qu'il croyait friande.   10
      On servit, pour l'embarrasser,
En un vase à long col et d'étroite embouchure.
Le bec de la cigogne y pouvait bien passer;
Mais le museau du sire était d'autre mesure.
Il lui fallut à jeun retourner au logis,   15
Honteux comme un renard qu'une poule aurait pris,
   Serrant la queue, et portant bas l'oreille.

   Trompeurs, c'est pour vous que j'écris:
   Attendez-vous à la pareille.

8. Le chêne et le roseau

I. 22

   Le chêne un jour dit au roseau: 20
« Vous avez bien sujet d'accuser la nature:
Un roitelet pour vous est un pesant fardeau;
   Le moindre vent qui d'aventure
   Fait rider la face de l'eau,
   Vous oblige à baisser la tête;   25
Cependant que mon front, au Caucase pareil,
Non content d'arrêter les rayons du soleil,

[1] Sous-entendu: *à dîner.*

Brave l'effort de la tempête.
Tout vous est aquilon; tout me semble zéphyr.
Encor si vous naissiez à l'abri du feuillage
Dont je couvre le voisinage,
5   Vous n'auriez pas tant à souffrir:
Je vous défendrais de l'orage;
Mais vous naissez le plus souvent
Sur les humides bords des royaumes du vent.
La nature envers vous me semble bien injuste.
10   — Votre compassion, lui répondit l'arbuste,
Part d'un bon naturel; mais quittez ce souci;
    Les vents me sont moins qu'à vous redoutables:
Je plie, et ne romps pas. Vous avez jusqu'ici
    Contre leurs coups épouvantables
15   Résisté sans courber le dos;
Mais attendons la fin. » Comme il disait ces mots,
Du bout de l'horizon accourt avec furie
    Le plus terrible des enfants
Que le nord eût portés jusque-là dans ses flancs.
20   L'arbre tient bon; le roseau plie.
    Le vent redouble ses efforts,
    Et fait si bien qu'il déracine
Celui de qui la tête au ciel était voisine,
Et dont les pieds touchaient à l'empire des morts.

9. Le lion et le rat

II. 11

25 Il faut, autant qu'on peut, obliger tout le monde:
On a souvent besoin d'un plus petit que soi.
De cette vérité deux [1] fables feront foi,
Tant la chose en preuves abonde.

    [1] L'autre fable, *La colombe et la fourmi*, n'est pas donnée ici.

Entre les pattes d'un lion
Un rat sortit de terre assez à l'étourdie.
Le roi des animaux, en cette occasion,
Montra ce qu'il était, et lui donna la vie.
    Ce bienfait ne fut pas perdu. 5
    Quelqu'un aurait-il jamais cru
    Qu'un lion d'un rat eût affaire ?
Cependant il advint qu'au sortir des forêts
    Ce lion fut pris dans des rets,
Dont ses rugissements ne le purent défaire. 10
Sire rat accourut, et fit tant par ses dents
Qu'une maille rongée emporta tout l'ouvrage.
    Patience et longueur de temps
    Font plus que force ni que rage.

10. Le coq et le renard

II. 15

Sur la branche d'un arbre était en sentinelle 15
    Un vieux coq adroit et matois.
« Frère, dit un renard, adoucissant sa voix,
    Nous ne sommes plus en querelle:
    Paix générale cette fois.
Je viens te l'annoncer; descends, que je t'embrasse; 20
    Ne me retarde point, de grâce:
Je dois faire aujourd'hui vingt postes [1] sans manquer.
    Les tiens et toi pouvez vaquer
    Sans nulle crainte à vos affaires:
    Nous vous y servirons en frères. 25
    Faites-en les feux [2] dès ce soir;

---

[1] Mesure de route, ordinairement de deux lieues.   [2] Feux de joie.

Et cependant viens recevoir
Le baiser d'amour fraternelle.
— Ami, reprit le coq, je ne pouvais jamais
Apprendre une plus douce et meilleure nouvelle
5   Que celle
          De cette paix;
    Et ce m'est une double joie
De la tenir de toi. Je vois deux lévriers,
    Qui, je m'assure, sont courriers
10   Que pour ce sujet on envoie;
Ils vont vite, et seront dans un moment à nous.
Je descends; nous pourrons nous entre-baiser tous.
— Adieu, dit le renard, ma traite est longue à faire;
Nous nous réjouirons du succès de l'affaire
15   Une autre fois. » Le galant aussitôt
     Tire ses grègues,[1] gagne au haut,[2]
     Mal content de son stratagème;
     Et notre vieux coq en soi-même
     Se mit à rire de sa peur;
20 Car c'est double plaisir de tromper le trompeur.

11. Le meunier, son fils, et l'âne

III. 1

. . . « J'ai lu[3] dans quelque endroit qu'un meunier et son fils,
L'un vieillard, l'autre enfant, non pas des plus petits,
Mais garçon de quinze ans, si j'ai bonne mémoire,
Allaient vendre leur âne, un certain jour de foire.

---

[1] Grègues = culottes. Tirer ses grègues = relever sa culotte pour mieux courir.

[2] Gagner un lieu de sûreté.

[3] Cette fable est mise par La Fontaine dans la bouche de Malherbe, et le « quelque endroit » est peut-être les *Facéties* du Pogge.

Afin qu'il fût plus frais et de meilleur débit,
On lui lia les pieds, on vous le suspendit;
Puis cet homme et son fils le portent comme un lustre.
Pauvres gens, idiots, couple ignorant et rustre !
Le premier qui les vit de rire s'éclata: 5
« Quelle farce, dit-il, vont jouer ces gens-là ?
Le plus âne des trois n'est pas celui qu'on pense. »
Le meunier, à ces mots, connaît son ignorance;
Il met sur pieds sa bête, et la fait détaler.
L'âne, qui goûtait fort l'autre façon d'aller,   10
Se plaint en son patois. Le meunier n'en a cure;
Il fait monter son fils, il suit, et d'aventure
Passent trois bons marchands. Cet objet leur déplut.
Le plus vieux au garçon s'écria tant qu'il put:
« Oh là, oh, descendez, que l'on ne vous le dise,   15
Jeune homme, qui menez laquais à barbe grise !
C'était à vous de suivre, au vieillard de monter.
— Messieurs, dit le meunier, il vous faut contenter. »
L'enfant met pied à terre, et puis le vieillard monte,
Quand trois filles passant, l'une dit: « C'est grand'honte 20
Qu'il faille voir ainsi clocher ce jeune fils,
Tandis que ce nigaud, comme un évêque assis,
Fait le veau sur son âne, et pense être bien sage.
— Il n'est, dit le meunier, plus de veaux à mon âge:
Passez votre chemin, la fille, et m'en croyez. »   25
Après maints quolibets coup sur coup renvoyés,
L'homme crut avoir tort, et mit son fils en croupe.
Au bout de trente pas, une troisième troupe
Trouve encore à gloser. L'un dit: « Ces gens sont fous !
Le baudet n'en peut plus; il mourra sous leurs coups.   30
Hé quoi ? charger ainsi cette pauvre bourrique !
N'ont-ils point de pitié de leur vieux domestique ?

Sans doute qu'à la foire ils vont vendre sa peau.
— Parbleu ! dit le meunier, est bien fou de cerveau
Qui prétend contenter tout le monde et son père.
Essayons toutefois, si par quelque manière
5 Nous en viendrons à bout. » Ils descendent tous deux.
L'âne se prélassant marche seul devant eux.
Un quidam les rencontre, et dit: « Est-ce la mode
Que baudet aille à l'aise, et meunier s'incommode ?
Qui de l'âne ou du maître est fait pour se lasser ?
10 Je conseille à ces gens de le faire enchâsser.
Ils usent leurs souliers, et conservent leur âne.
Nicolas, au rebours;[1] car, quand il va voir Jeanne,
Il monte sur sa bête; et la chanson le dit.
Beau trio de baudets ! » Le meunier repartit:
15 « Je suis âne, il est vrai, j'en conviens, je l'avoue;
Mais que dorénavant on me blâme, on me loue,
Qu'on dise quelque chose ou qu'on ne dise rien,
J'en veux faire à ma tête. » Il le fit, et fit bien.

Quant à vous, suivez Mars, ou l'Amour, ou le Prince,
20 Allez, venez, courez; demeurez en province;
Prenez femme, abbaye, emploi, gouvernement:
Les gens en parleront, n'en doutez nullement.

12. Le renard et le bouc

III. 5

Capitaine renard allait de compagnie
Avec son ami bouc des plus haut encornés:

---

[1] Nicolas pensait au contraire, (*au rebours*) car il chante:

> Adieu cruelle Jeanne,
> Si vous ne m'aimez pas,
> Je monte sur mon âne,
> Galoper au trépas.

Celui-ci ne voyait pas plus loin que son nez;
L'autre était passé maître en fait de tromperie.
La soif les obligea de descendre en un puits:
      Là chacun d'eux se désaltère.
Après qu'abondamment tous deux en eurent pris,   5
Le renard dit au bouc: « Que ferons-nous, compère ?
Ce n'est pas tout de boire, il faut sortir d'ici.
Lève tes pieds en haut, et tes cornes aussi;
Mets-les contre le mur: le long de ton échine
      Je grimperai premièrement;   10
      Puis sur tes cornes m'élevant,
      A l'aide de cette machine,
      De ce lieu-ci je sortirai,
      Après quoi je t'en tirerai.
— Par ma barbe, dit l'autre, il est bon; et je loue   15
      Les gens bien sensés comme toi.
      Je n'aurais jamais, quant à moi,
      Trouvé ce secret, je l'avoue. »
Le renard sort du puits, laisse son compagnon,
      Et vous lui fait un beau sermon   20
      Pour l'exhorter à patience.
« Si le ciel t'eût, dit-il, donné par excellence
Autant de jugement que de barbe au menton,
      Tu n'aurais pas,[1] à la légère,
Descendu dans ce puits. Or adieu; j'en suis hors: 25
Tâche de t'en tirer, et fais tous tes efforts;
      Car, pour moi, j'ai certaine affaire
Qui ne me permet pas d'arrêter en chemin. »

En toute chose il faut considérer la fin.

---

[1] Le verbe *descendre* se conjugue avec l'auxiliaire *être*; c'est une licence poétique ici. *Tu ne serais* donnerait une syllabe de trop au vers.

13. Le renard et les raisins

III. 11

Certain renard gascon, d'autres disent normand,[1]
Mourant presque de faim, vit au haut d'une treille
    Des raisins, mûrs apparemment,
    Et couverts d'une peau vermeille.
5 Le galant en eût fait volontiers un repas;
    Mais comme il n'y pouvait atteindre:
« Ils sont trop verts, dit-il, et bons pour des goujats. »

    Fit-il pas mieux que de se plaindre ?

14. Le pot de terre et le pot de fer

V. 2

    Le pot de fer proposa
10   Au pot de terre un voyage.
    Celui-ci s'en excusa,
    Disant qu'il ferait que sage [2]
    De garder le coin du feu;
    Car il lui fallait si peu,
15   Si peu, que la moindre chose
    De son débris serait cause:
    Il n'en reviendrait morceau.
    « Pour vous, dit-il, dont la peau
    Est plus dure que la mienne,
20   Je ne vois rien qui vous tienne.
    — Nous vous mettrons à couvert,
    Repartit le pot de fer:

[1] Les Gascons sont vantards; les Normands sont malins.
[2] Locution archaïque, *que* = latin *quod:* Il ferait ce que ferait le sage.

Si quelque matière dure
Vous menace d'aventure,
Entre deux je passerai
Et du coup vous sauverai. »
Cette offre le persuade.   5
Pot de fer son camarade
Se met droit à ses côtés.
Mes gens s'en vont à trois pieds,
Clopin-clopant comme ils peuvent,
L'un contre l'autre jetés   10
Au moindre hoquet [1] qu'ils treuvent. [2]
Le pot de terre en souffre; il n'eut pas fait cent pas
Que par son compagnon il fut mis en éclats,
          Sans qu'il eût lieu de se plaindre.

Ne nous associons qu'avecque nos égaux,   15
          Ou bien il nous faudra craindre
          Le destin d'un de ces pots.

15. Le laboureur et ses enfants

V. 9

Travaillez, prenez de la peine:
C'est le fonds qui manque le moins.

Un riche laboureur, sentant sa mort prochaine,   20
Fit venir ses enfants, leur parla sans témoins.
« Gardez-vous, leur dit-il, de vendre l'héritage
          Que nous ont laissé nos parents:
          Un trésor est caché dedans.
Je ne sais pas l'endroit; mais un peu de courage   25

---

[1] *hoquet*, ici = obstacle.
[2] *treuvent* = trouvent — forme archaïque pour rimer avec *peuvent*.

Vous le fera trouver: vous en viendrez à bout.
Remuez votre champ dès qu'on aura fait l'août: [1]
Creusez, fouillez, bêchez; ne laissez nulle place
    Où la main ne passe et repasse. »
5 Le père mort, les fils vous retournent le champ,
  Deçà, delà, partout: si bien qu'au bout de l'an,
    Il en rapporta davantage,
D'argent, point de caché. Mais le père fut sage
    De leur montrer, avant sa mort,
10   Que le travail est un trésor.

16. Les animaux malades de la peste

VII. 1

Cette fable, considérée par beaucoup comme le chef d'œuvre des chefs d'œuvre de La |Fontaine, a été souvent interprétée comme visant directement Louis XIV et ses courtisans.

    Un mal qui répand la terreur,
    Mal que le ciel en sa fureur
Inventa pour punir les crimes de la terre,
  La peste (puisqu'il faut l'appeler par son nom),
15 Capable d'enrichir en un jour l'Achéron,
    Faisait aux animaux la guerre.
Ils ne mouraient pas tous, mais tous étaient frappés:
    On n'en voyait point d'occupés
A chercher le soutien d'une mourante vie;
20   Nul mets n'excitait leur envie;
    Ni loups ni renards n'épiaient
    La douce et l'innocente proie;
    Les tourterelles se fuyaient:
Plus d'amour, partant plus de joie.

---

[1] Faire l'août = faire la moisson.

Le lion tint conseil, et dit: « Mes chers amis,
    Je crois que le ciel a permis
    Pour nos péchés cette infortune.
    Que le plus coupable de nous
Se sacrifie aux traits du céleste courroux;   5
Peut-être il obtiendra la guérison commune.
L'histoire nous apprend qu'en de tels accidents
    On fait de pareils dévouements.
Ne nous flattons donc point; voyons sans indulgence
    L'état de notre conscience.   10
Pour moi, satisfaisant mes appétits gloutons
    J'ai dévoré force moutons.
    Que m'avaient-ils fait? nulle offense;
Même il m'est arrivé quelquefois de manger
          Le berger.   15
Je me dévouerai donc, s'il le faut: mais je pense
Qu'il est bon que chacun s'accuse ainsi que moi:
Car on doit souhaiter, selon toute justice,
    Que le plus coupable périsse.
— Sire, dit le renard, vous êtes trop bon roi;   20
Vos scrupules font voir trop de délicatesse;
Eh bien! manger moutons, canaille, sotte espèce,
Est-ce un péché? Non, non. Vous leur fîtes, seigneur,
    En les croquant, beaucoup d'honneur;
    Et quant au berger, l'on peut dire   25
    Qu'il était digne de tous maux,
Étant de ces gens-là qui sur les animaux
    Se font un chimérique empire. »
Ainsi dit le renard; et flatteurs d'applaudir.
    On n'osa trop approfondir   30
Du tigre, ni de l'ours, ni des autres puissances,
    Les moins pardonnables offenses.

Tous les gens querelleurs, jusqu'aux simples mâtins,
Au dire de chacun, étaient de petits saints.
L'âne vint à son tour, et dit: « J'ai souvenance
   Qu'en un pré de moines passant,
5 La faim, l'occasion, l'herbe tendre, et, je pense,
   Quelque diable aussi me poussant,
Je tondis de ce pré la largeur de ma langue.
Je n'en avais nul droit, puis qu'il faut parler net. »
A ces mots on cria haro sur le baudet.
10 Un loup, quelque peu clerc, prouva par sa harangue
Qu'il fallait dévouer [1] ce maudit animal,
Ce pelé, ce galeux, d'où venait tout leur mal.
Sa peccadille fut jugée un cas pendable.
Manger l'herbe d'autrui ! quel crime abominable !
15   Rien que la mort n'était capable
D'expier son forfait: on le lui fit bien voir.

Selon que vous serez puissant ou misérable,
Les jugements de cour vous rendront blanc ou noir.

17. Les vautours et les pigeons

VII. 8

  Mars autrefois mit tout l'air en émute. [2]
20   Certain sujet fit naître la dispute
  Chez les oiseaux; non ceux que le printemps
  Mène à sa cour, et qui, sous la feuillée,
  Par leur exemple et leurs sons éclatants,
  Font que Vénus est en nous réveillée;
25   Ni ceux encore que la mère d'Amour
  Met à son char: mais le peuple vautour,

---

[1] dévouer = vouer aux dieux, immoler.
[2] émute = émeute (pour rimer avec dispute).

Au bec retors, à la tranchante serre,
Pour un chien mort se fit, dit-on, la guerre.
Il plut du sang: je n'exagère point.
Si je voulais conter de point en point
Tout le détail, je manquerais d'haleine.   5
Maint chef périt, maint héros expira,
Et sur son roc Prométhée espéra
De voir bientôt une fin à sa peine.
C'était plaisir d'observer leurs efforts;
C'était pitié de voir tomber les morts.   10
Valeur, adresse, et ruses, et surprises,
Tout s'employa. Les deux troupes, éprises
D'ardent courroux, n'épargnaient nuls moyens
De peupler l'air que respirent les ombres:
Tout élément remplit de citoyens   15
Le vaste enclos qu'ont les royaumes sombres.
Cette fureur mit la compassion
Dans les esprits d'une autre nation
Au cou changeant, au cœur tendre et fidèle.
Elle employa sa médiation   20
Pour accorder une telle querelle:
Ambassadeurs par le peuple pigeon
Furent choisis; et si bien travaillèrent,
Que les vautours plus ne se chamaillèrent.
Ils firent trève; et la paix s'ensuivit.   25
Hélas ! ce fut aux dépens de la race
A qui la leur aurait dû rendre grâce.
La gent maudite aussitôt poursuivit
Tous les pigeons, en fit ample carnage,
En dépeupla les bourgades, les champs.   30
Peu de prudence eurent les pauvres gens
D'accommoder un peuple si sauvage.

Tenez toujours divisés les méchants:
La sûreté du reste de la terre
Dépend de là. Semez entre eux la guerre;
Ou vous n'aurez avec eux nulle paix.
5   Ceci soit dit en passant. Je me tais.

18. Le coche et la mouche

VII. 9

Dans un chemin montant, sablonneux, malaisé,
Et de tous les côtés au soleil exposé,
    Six forts chevaux tiraient un coche.
Femmes, moines, vieillards, tout était descendu;
10 L'attelage suait, soufflait, était rendu.
Une mouche survient, et des chevaux s'approche,
Prétend les animer par son bourdonnement,
Pique l'un, pique l'autre, et pense à tout moment
    Qu'elle fait aller la machine,
15 S'assied sur le timon, sur le nez du cocher.
    Aussitôt que le char chemine,
    Et qu'elle voit les gens marcher,
Elle s'en attribue uniquement la gloire,
Va, vient, fait l'empressée: il semble que ce soit
20 Un sergent de bataille allant en chaque endroit
Faire avancer ses gens et hâter la victoire.
    La mouche, en ce commun besoin,
Se plaint qu'elle agit seule, et qu'elle a tout le soin;
Qu'aucun n'aide aux chevaux à se tirer d'affaire.
25   Le moine disait son bréviaire:
Il prenait bien son temps ! une femme chantait:
C'était bien de chansons qu'alors il s'agissait !

Dame mouche s'en va chanter à leurs oreilles,
     Et fait cent sottises pareilles.
Après bien du travail, le coche arrive au haut:
« Respirons maintenant ! dit la mouche aussitôt:
J'ai tant fait que nos gens sont enfin dans la plaine.   5
Çà, messieurs les chevaux, payez-moi de ma peine. »
Ainsi certaines gens, faisant les empressés,
     S'introduisent dans les affaires:
     Ils font partout les nécessaires,
Et, partout importuns, devraient être chassés.   10

19. La laitière et le pot au lait

VII. 10

Perrette, sur sa tête ayant un pot au lait
     Bien posé sur un coussinet,
Prétendait arriver sans encombre à la ville.
Légère et court vêtue, elle allait à grands pas,
Ayant mis ce jour-là, pour être plus agile,   15
     Cotillon simple et souliers plats.
     Notre laitière ainsi troussée
     Comptait déjà dans sa pensée
Tout le prix de son lait; en employait l'argent;
Achetait un cent d'œufs; faisait triple couvée: 20
La chose allait à bien par son soin diligent.
     « Il m'est, disait-elle, facile
D'élever des poulets autour de ma maison;
     Le renard sera bien habile
S'il ne m'en laisse assez pour avoir un cochon.   25
Le porc à s'engraisser coûtera peu de son;
Il était, quand je l'eus, de grosseur raisonnable:
J'aurai, le revendant, de l'argent bel et bon.

Et qui m'empêchera de mettre en notre étable,
Vu le prix dont il est, une vache et son veau,
Que je verrai sauter au milieu du troupeau ? »
Perrette là-dessus saute aussi, transportée:
5 Le lait tombe; adieu veau, vache, cochon, couvée.
La dame de ces biens, quittant d'un œil marri
          Sa fortune ainsi répandue,
          Va s'excuser à son mari,
          En grand danger d'être battue.
10   Le récit en farce en fut fait;
          On l'appela le Pot au lait.

          Quel esprit ne bat la campagne ?
          Qui ne fait châteaux en Espagne ?
Picrochole,[1] Pyrrhus, la laitière, enfin tous,
15   Autant les sages que les fous.
Chacun songe en veillant; il n'est rien de plus doux:
Une flatteuse erreur emporte alors nos âmes;
          Tout le bien du monde est à nous,
          Tous les honneurs, toutes les femmes.
20 Quand je suis seul, je fais au plus brave un défi;
Je m'écarte, je vais détrôner le sophi,[2]
          On m'élit roi, mon peuple m'aime;
Les diadèmes vont sur ma tête pleuvant:
Quelque accident fait-il que je rentre en moi-même:
25   Je suis gros Jean comme devant.

---

[1] Picrochole = un roi du roman de Rabelais, qui avait, comme
Pyrrhus, l'ambition d'être grand conquérant.
[2] Persan pour « roi, » aujourd'hui « schah. »

20. Le savetier et le financier

VIII. 2

Un savetier chantait du matin jusqu'au soir;
    C'était merveilles de le voir,
Merveilles de l'ouïr; il faisait des passages,[1]
    Plus content qu'aucun des sept sages.
Son voisin, au contraire, étant tout cousu d'or,   5
    Chantait peu, dormait moins encor:
    C'était un homme de finance.
Si, sur le point du jour, parfois il sommeillait,
Le savetier alors en chantant l'éveillait;
    Et le financier se plaignait   10
    Que les soins de la Providence
N'eussent pas au marché fait vendre le dormir,
    Comme le manger et le boire.
    En son hôtel il fait venir
Le chanteur, et lui dit: « Or çà, sire Grégoire,   15
Que gagnez-vous par an ? — Par an ! ma foi, monsieur,
    Dit, avec un ton de rieur,
Le gaillard savetier, ce n'est point ma manière
De compter de la sorte; et je n'entasse guère
    Un jour sur l'autre: il suffit qu'à la fin   20
    J'attrape le bout de l'année;
    Chaque jour amène son pain.
— Eh bien, que gagnez-vous, dites-moi, par journée ?
— Tantôt plus, tantôt moins: le mal est que toujours
(Et sans cela nos gains seraient assez honnêtes),   25
Le mal est que dans l'an s'entremêlent des jours
    Qu'il faut chômer; on nous ruine en fêtes;
L'une fait tort à l'autre; et monsieur le curé

[1] Passages = variations.

De quelque nouveau saint charge toujours son prône. »
Le financier, riant de sa naïveté,
Lui dit: « Je vous veux mettre aujourd'hui sur le trône.
Prenez ces cent écus; gardez-les avec soin,
5　　　　Pour vous en servir au besoin. »
Le savetier crut voir tout l'argent que la terre
　　　　Avait, depuis plus de cent ans,
　　　　Produit pour l'usage des gens.
Il retourne chez lui: dans sa cave il enserre
10　　　　L'argent, et sa joie à la fois.
　　　　Plus de chant: il perdit la voix,
Du moment qu'il gagna ce qui cause nos peines.
　　　　Le sommeil quitta son logis;
　　　　Il eut pour hôtes les soucis,
15　　　　Les soupçons, les alarmes vaines.
Tout le jour il avait l'œil au guet; et la nuit,
　　　　Si quelque chat faisait du bruit,
Le chat prenait l'argent.　A la fin le pauvre homme
S'en courut chez celui qu'il ne réveillait plus:
20 « Rendez-moi, lui dit-il, mes chansons et mon somme,
　　　　Et reprenez vos cent écus. »

21. Les deux pigeons

IX. 2

　　　　Deux pigeons s'aimaient d'amour tendre:
　　　　L'un d'eux, s'ennuyant au logis,
　　　　Fut assez fou pour entreprendre
25　　　　Un voyage en lointain pays.
　　　　L'autre lui dit: « Qu'allez-vous faire ?
　　　　Voulez-vous quitter votre frère ?
　　　　L'absence est le plus grand des maux:

Non pas pour vous, cruel ! Au moins, que les travaux,
  Les dangers, les soins du voyage,
  Changent un peu votre courage.[1]
Encor, si la saison s'avançait davantage !
Attendez les zéphyrs: qui vous presse ? un corbeau   5
Tout à l'heure annonçait malheur à quelque oiseau.
 Je ne songerai que rencontre funeste,
Que faucons, que réseaux. « Hélas ! dirai-je, il pleut:
  Mon frère a-t-il tout ce qu'il veut,
  Bon souper, bon gîte, et le reste ? »   10
  Ce discours ébranla le cœur
  De notre imprudent voyageur;
Mais le désir de voir et l'humeur inquiète
L'emportèrent enfin. Il dit: « Ne pleurez point;
Trois jours au plus rendront mon âme satisfaite;   15
Je reviendrai dans peu conter de point en point
  Mes aventures à mon frère;
Je le désennuierai. Quiconque ne voit guère
N'a guère à dire aussi. Mon voyage dépeint
  Vous sera d'un plaisir extrême.   20
Je dirai: J'étais là; telle chose m'advint;
  Vous y croirez être vous-même. »
A ces mots, en pleurant, ils se dirent adieu.
Le voyageur s'éloigne; et voilà qu'un nuage
L'oblige de chercher retraite en quelque lieu.   25
Un seul arbre s'offrit, tel encor que l'orage
Maltraita le pigeon en dépit du feuillage.
L'air devenu serein, il part tout morfondu,
Sèche du mieux qu'il peut son corps chargé de pluie;
Dans un champ à l'écart voit du blé répandu,   30
Voit un pigeon auprès: cela lui donne envie;

  [1] *Courage*, sens ancien = disposition du cœur.

Il y vole, il est pris: ce blé couvrait d'un lacs
      Les menteurs et traîtres appâts.
Le lacs était usé; si bien que, de son aile,
De ses pieds, de son bec, l'oiseau le rompt enfin;
5 Quelque plume y périt; et le pis du destin
Fut qu'un certain vautour, à la serre cruelle,
Vit notre malheureux, qui, traînant la ficelle
Et les morceaux du lacs qui l'avait attrapé,
      Semblait un forçat échappé.
10 Le vautour s'en allait le lier, quand des nues
Fond à son tour un aigle aux ailes étendues.
Le pigeon profita du conflit des voleurs,
S'envola, s'abattit auprès d'une masure,
      Crut, pour ce coup, que ses malheurs
15   Finiraient par cette aventure;
Mais un fripon d'enfant (cet âge est sans pitié)
Prit sa fronde, et du coup tua plus d'à moitié
      La volatile malheureuse,
      Qui, maudissant sa curiosité,
20   Traînant l'aile, et tirant le pied,
      Demi-morte et demi-boiteuse,
      Droit au logis s'en retourna:
      Que bien, que mal, elle arriva
      Sans autre aventure fâcheuse.
25 Voilà nos gens rejoints; et je laisse à juger
De combien de plaisirs ils payèrent leurs peines.

Amants, heureux amants, voulez-vous voyager ?
      Que ce soit aux rives prochaines.
Soyez-vous l'un à l'autre un monde toujours beau,
30   Toujours divers, toujours nouveau;
Tenez-vous lieu de tout, comptez pour rien le reste.

J'ai quelquefois [1] aimé: je n'aurais pas alors,
     Contre le Louvre et ses trésors,
Contre le firmament et sa voûte céleste,
     Changé les bois, changé les lieux
Honorés par les pas, éclairés par les yeux   5
     De l'aimable et jeune bergère
     Pour qui, sous le fils de Cythère,[2]
Je servis, engagé par mes premiers serments.
Hélas ! Quand reviendront de semblables moments ?
Faut-il que tant d'objets si doux et si charmants   10
Me laissent vivre au gré de mon âme inquiète ?
Ah ! si mon cœur osait encor se renflammer !
Ne sentirai-je plus de charme qui m'arrête ?
     Ai-je passé le temps d'aimer ?

22. Le gland et la citrouille

IX. 4

[Dès le XVI° siècle, certains penseurs s'affranchissaient de la
doctrine traditionnelle de l'Église, et ils avaient assez audacieusement
osé nier l'existence d'une Providence; on les appelait les « libertins »
ou libres-penseurs. Au XVII° siècle, le débat sortit du domaine de
la théologie; les philosophes s'en emparèrent. Et les philosophes
opposés aux « libertins », c'est à dire ceux qui affirmaient avec les
théologiens leur croyance en un Dieu d'ordre et de bonté, s'appelaient
les « optimistes ». La Fontaine se rangea à leur manière de voir,
comme on le verra dans cette fable. Ajoutons que la discussion continua longtemps encore; la philosophie optimiste sera défendue particulièrement par Leibnitz, dans un gros livre, La Théodicée (d'un mot
grec qui signifie « justification de Dieu »), publié en 1710 et qui se
résume dans cette formule célèbre « Tout est bien dans le meilleur des
mondes possibles ». Voltaire sera fortement tourmenté par ce
problème. Voir Eighteenth Century French Readings, Holt and Co.,
Chap. « Voltaire ».]

---

[1] Quelquefois, ici = une fois.
[2] Ile consacrée à Vénus; Vénus elle-même.

Dieu fait bien ce qu'il fait. Sans en chercher la preuve
En tout cet univers, et l'aller parcourant,
    Dans les citrouilles je la treuve.[1]

    Un villageois, considérant
5 Combien ce fruit est gros et sa tige menue:
« A quoi songeait, dit-il, l'auteur de tout cela ?
Il a bien mal placé cette citrouille-là:
    Hé parbleu ! je l'aurais pendue
    A l'un des chênes que voilà;
10   C'eût été justement l'affaire;
    Tel fruit, tel arbre, pour bien faire.
C'est dommage, Garo, que tu n'es point entré
Au conseil de celui que prêche ton curé;
Tout en eût été mieux: car pourquoi, par exemple,
15 Le gland, qui n'est pas gros comme mon petit doigt,
    Ne pend-il pas en cet endroit ?
    Dieu s'est mépris; plus je contemple
Ces fruits ainsi placés, plus il semble à Garo
    Que l'on a fait un quiproquo. »
20 Cette réflexion embarrassant notre homme:
« On ne dort point, dit-il, quand on a tant d'esprit. »
Sous un chêne aussitôt il va prendre son somme.
Un gland tombe; le nez du dormeur en pâtit.
Il s'éveille; et, portant la main sur son visage,
25 Il trouve encor le gland pris au poil du menton.
Son nez meurtri le force à changer de langage:
« Oh ! oh ! dit-il, je saigne ! Et que serait-ce donc
S'il fût tombé de l'arbre une masse plus lourde,
    Et que ce gland eût été gourde ?
30 Dieu ne l'a pas voulu: sans doute il eut raison;

---

[1] treuve, forme archaïque = trouve, pour rimer avec preuve.

J'en vois bien à présent la cause. »
En louant Dieu de toute chose,
Garo retourne à la maison.

23. Le paysan du Danube

XI. 7

[Ce récit constitue comme une première *proclamation des droits de l'homme,* plus d'un siècle avant la Révolution — proclamation des droits des peuples opprimés par la tyrannie des forts.]

Il ne faut point juger des gens sur l'apparence.
Le conseil en est bon, mais il n'est pas nouveau.   5
    Jadis l'erreur du souriceau [1]
Me servit à prouver le discours que j'avance:
    J'ai, pour le fonder à présent,
Le bon Socrate, Ésope,[2] et certain paysan
Des rives du Danube, homme dont Marc-Aurèle [3]   10
    Nous fait un portrait fort fidèle.
On connaît les premiers: quant à l'autre, voici
    Le personnage en raccourci.
Son menton nourrissait une barbe touffue;
    Toute sa personne velue   15
Représentait un ours, mais un ours mal léché:
Sous un sourcil épais il avait l'œil caché,
Le regard de travers, nez tortu, grosse lèvre,
    Portait sayon de poil de chèvre,
    Et ceinture de joncs marins.   20
Cet homme ainsi bâti fut député des villes
Que lave le Danube.[4] Il n'était point d'asiles

---

[1] Voir *Fables*, VI, 5.
[2] Socrate était fort laid; Ésope était bossu.
[3] Empereur romain 161–180 ap. J.-C.
[4] Villes de tribus germaniques, la Roumanie actuelle.

Où l'avarice des Romains
Ne pénétrât alors, et ne portât les mains.
Le député vint donc, et fit cette harangue:
« Romains, et vous, sénat assis pour m'écouter,
5   Je supplie avant tout les dieux de m'assister:
Veuillent les immortels, conducteurs de ma langue,
Que je ne dise rien qui doive être repris !
Sans leur aide, il ne peut entrer dans les esprits
            Que tout mal et toute injustice:
10 Faute d'y recourir, on viole leurs lois.
Témoin nous que punit la romaine avarice:
Rome est, pour nos forfaits, plus que par ses exploits,
            L'instrument de notre supplice.
Craignez, Romains, craignez que le ciel quelque jour
15 Ne transporte chez vous les pleurs et la misère;
Et mettant en nos mains, par un juste retour,
Les armes dont se sert sa vengeance sévère,
            Il ne vous fasse, en sa colère,
            Nos esclaves à votre tour.
20 Et pourquoi sommes-nous les vôtres ?   Qu'on me die [1]
En quoi vous valez mieux que cent peuples divers.
Quel droit vous a rendus maîtres de l'univers ?
Pourquoi venir troubler une innocente vie ?
Nous cultivions en paix d'heureux champs; et nos mains
25 Étaient propres aux arts, ainsi qu'au labourage.
            Qu'avez-vous appris aux Germains ?
            Ils ont l'adresse et le courage:
            S'ils avaient eu l'avidité,
            Comme vous, et la violence,
30 Peut-être en votre place ils auraient la puissance,
Et sauraient en user sans inhumanité.

            die, forme archaïque = dise, pour rimer avec vie.

Celle que vos préteurs ont sur nous exercée
  N'entre qu'à peine en la pensée.
  La majesté de vos autels
  Elle-même en est offensée;
  Car sachez que les immortels   5
Ont les regards sur nous. Grâces à vos exemples,
Ils n'ont devant les yeux que des objets d'horreur,
  De mépris d'eux et de leurs temples,
D'avarice qui va jusques à la fureur.
Rien ne suffit aux gens qui nous viennent de Rome: 10
  La terre et le travail de l'homme
Font pour les assouvir des efforts superflus.
  Retirez-les: on ne veut plus
  Cultiver pour eux les campagnes.
Nous quittons les cités, nous fuyons aux montagnes; 15
  Nous laissons nos chères compagnes;
Nous ne conversons plus qu'avec des ours affreux,
Découragés de mettre au jour des malheureux,
Et de peupler pour Rome un pays qu'elle opprime.
  Quant à nos enfants déjà nés,   20
Nous souhaitons de voir leurs jours bientôt bornés:
Vos préteurs au malheur nous font joindre le crime.
  Retirez-les: ils ne nous apprendront
  Que la mollesse et que le vice;
  Les Germains comme eux deviendront 25
  Gens de rapine et d'avarice.
C'est tout ce que j'ai vu dans Rome à mon abord.
  N'a-t-on point de présent à faire,
Point de pourpre à donner, c'est en vain qu'on espère
Quelque refuge aux lois: encor leur ministère 30
A-t-il mille longueurs. Ce discours, un peu fort,
  Doit commencer à vous déplaire.

Je finis. Punissez de mort
Une plainte un peu trop sincère. »
A ces mots, il se couche; et chacun étonné
Admire le grand cœur, le bon sens, l'éloquence
5   Du sauvage ainsi prosterné.
On le créa patrice [1]; et ce fut la vengeance
Qu'on crut qu'un tel discours méritait. On choisit
       D'autres préteurs; et par écrit
Le sénat demanda ce qu'avait dit cet homme,
10 Pour servir de modèle aux parleurs à venir.
       On ne sut pas longtemps à Rome
       Cette éloquence entretenir.

24. Les souris et le chat-huant

XI. 9

[Cette fable est dirigée contre la doctrine de l'automatisme des
bêtes de Descartes. Voir plus loin, p. 214 ss.]

Il ne faut jamais dire aux gens,
Écoutez un bon mot, oyez [2] une merveille.
15   Savez-vous si les écoutants
En feront une estime à la vôtre pareille ?
Voici pourtant un cas qui peut être excepté:
Je le maintiens prodige, et tel que d'une fable
Il a l'air et les traits, encor que véritable.
20 On abattit un pin pour son antiquité,
Vieux palais d'un hibou, triste et sombre retraite
De l'oiseau qu'Atropos prend pour son interprète.
Dans son tronc caverneux, et miné par le temps
       Logeaient, entre autres habitants,
25 Force souris sans pieds, toutes rondes de graisse.

[1] Nom d'une magistrature romaine.
[2] Oyez = entendez.

L'oiseau les nourrissait parmi des tas de blé,
Et de son bec avait leur troupeau mutilé.
Cet oiseau raisonnait, il faut qu'on le confesse.
En son temps, aux souris le compagnon chassa:
Les premières qu'il prit du logis échappées,   5
Pour y remédier, le drôle estropia
Tout ce qu'il prit ensuite; et leurs jambes coupées
Firent qu'il les mangeait à sa commodité,
      Aujourd'hui l'une et demain l'autre.
Tout manger à la fois, l'impossibilité   10
S'y trouvait, joint aussi le soin de sa santé.
Sa prévoyance allait aussi loin que la nôtre:
      Elle allait jusqu'à leur porter
      Vivres et grains pour subsister.
      Puis, qu'un cartésien s'obstine   15
A traiter ce hibou de montre et de machine !
      Quel ressort lui pouvait donner
Le conseil de tronquer un peuple mis en mue ?
      Si ce n'est pas là raisonner,
      La raison m'est chose inconnue.   20
      Voyez que d'arguments il fit:
      Quand ce peuple est pris, il s'enfuit;
Donc il faut le croquer aussitôt qu'on le happe.
Tout ! il est impossible. Et puis pour le besoin
N'en dois-je point garder ? Donc il faut avoir soin   25
      De le nourrir sans qu'il échappe.
Mais comment ? Ôtons-lui les pieds. Or trouvez-moi
Chose par les humains à sa fin mieux conduite !
Quel autre art de penser Aristote et sa suite
      Enseignent-ils, par votre foi ? [1]   30

[1] Ceci n'est point une fable; et la chose, quoique merveilleuse et
presque incroyable, est véritablement arrivée. J'ai peut-être porté

25. Le renard et les poulets d'Inde

XII. 18

Contre les assauts d'un renard
Un arbre à des dindons servait de citadelle.
Le perfide ayant fait tout le tour du rempart,
   Et vu chacun en sentinelle,
5 S'écria: Quoi! ces gens se moqueront de moi!
Eux seuls seront exempts de la commune loi!
Non, par tous les dieux! non. Il accomplit son dire.
La lune, alors luisant, semblait, contre le pire
Vouloir favoriser la dindonnière gent.
10 Lui, qui n'était novice au métier d'assiégeant,
Eut recours à son sac de ruses scélérates,
Feignit vouloir gravir, se guinda sur ses pattes,
Puis contrefit le mort, puis le ressuscité.
       Arlequin [1] n'eût exécuté
15   Tant de différents personnages.
Il élevait sa queue, il la faisait briller
       Et cent mille autres badinages,
Pendant quoi nul dindon n'eût osé sommeiller.
L'ennemi les lassait en leur tenant la vue
20   Sur même objet toujours tendue.
Les pauvres gens étant à la longue éblouis,
Toujours il en tombait quelqu'un; autant de pris,
Autant de mis à part: près de moitié succombe.
Le compagnon les porte en son garde-manger.
25 Le trop d'attention qu'on a pour le danger
       Fait le plus souvent qu'on y tombe.

trop loin la prévoyance de ce hibou, car je ne prétends pas établir
dans les bêtes un progrès de raisonnement tel que celui-ci: mais ces
exagérations sont permises à la poésie, surtout, dans la manière
d'écrire dont je me sers. (*Note de la Fontaine*.)

[1] Personnage de la comédie italienne, fertile en ruses.

CHAPTER VI

DESCARTES

1596–1650

Si Calvin et Montaigne avaient, avant lui, traité en français, des matières philosophiques et religieuses, c'est cependant à Descartes que revient l'honneur d'avoir définitivement consacré le français comme langue philosophique.

Né à La Haye, en Touraine, il reçut son éducation scolaire (1604–1612) au Collège des Jésuites, de La Flèche. Puis il voyagea, servit comme officier pendant la Guerre de Trente ans (1618–1648); mais quitta l'armée en 1629 et se retira en Hollande (entre autres à Amsterdam) où il se sentait plus tranquille pour se livrer tout entier à ses méditations philosophiques. En 1649 il passait en Suède pour devenir l'hôte de la reine Christine, sa grande admiratrice; mais il y mourut au bout de quelques mois.

Descartes était un grand mathématicien et physicien; c'est cependant par son œuvre philosophique qu'il appartient à la littérature.

Consulter: A. Fouillée, *Descartes*, (Coll. Grands écrivains fr.); Liard, *Descartes* (1881); Fr. Bouillier, *Histoire de la Philosophie cartésienne*, (2me éd. 1868).

1. Discours de la méthode

(pour bien conduire sa raison, et chercher la vérité dans les sciences)

[Descartes partage, avec Francis Bacon, le titre de « rénovateur de la philosophie moderne ». Voici ce qu'il faut entendre par là: Pendant tout le Moyen-âge, avait prévalu ce qu'on appelle la « philosophie scolastique », c'est-à-dire la philosophie enseignée dans les écoles — dirigées naturellement à cette époque par les prêtres. Ces serviteurs de l'Église acceptaient comme vérité les doctrines transmises par les grands Docteurs chrétiens; le critère de la vérité était donc l'autorité de ces théologiens philosophes; et la « logique » enseignée à « l'école » (et fondée sur l'art du raisonnement d'Aristote) servait à démontrer ces doctrines acceptées d'avance. Toute manière de penser qui n'aboutissait pas à ces doctrines traditionnelles des pères et Docteurs de l'Eglise était rejetée *à priori* comme erronée; l'étudiant selon le mot d'Horace, devait donc *Jurare in verba magistri*.[1]

C'est ce *critère de l'autorité* que contestera Descartes, et il mettra à sa place le *critère de la raison* — de la raison qui satisfait l'élève et non le maître.

Ceci nous paraît simple et évident aujourd'hui, mais ne l'était pas au temps de Descartes qui avait bien conscience de l'audace de sa formule. D'autre part, on verra qu'il adoptera, au nom de sa raison, plusieurs des doctrines essentielles que les siècles précédents avaient adoptées par autorité et par tradition; donc la révolution ne choquera pas, au XVIIe siècle autant qu'on aurait pu le croire; Descartes eut des disciples même parmi les théologiens, tels Pascal, Bossuet et Fénelon qui seront étudiés dans les chapitres suivants.]

Avertissement de Descartes

Si ce discours semble trop long pour être lu en une fois, on le pourra distinguer en six parties; et en la première on trouvera diverses considérations touchant les sciences; en la seconde, les principales règles de la méthode que l'auteur a cherchée; en la troisième, quelques-unes de celles de la morale qu'il a tirée de cette méthode; en la quatrième, les raisons par lesquelles il prouve l'existence de Dieu et de l'âme humaine, qui sont les fondements de sa métaphysique; en la cinquième, l'ordre des questions de physique qu'il a cherchées, et particulièrement l'explication du mouvement du cœur et de quelques autres difficultés qui appartiennent à la médecine, puis aussi la différence qui est entre notre âme et celle des bêtes; et en la dernière, quelles choses il croit être requises pour aller plus avant en la recherche de la nature qu'il n'a été, et quelles raisons l'ont fait écrire.

PREMIÈRE PARTIE

Diverses considérations touchant les sciences

[Le bon sens — ou la raison — est la chose du monde la mieux partagée.]

Le bon sens est la chose du monde la mieux partagée, car chacun pense en être si bien pourvu, que ceux même

[1] Montaigne, au XVIe siècle avait déjà montré qu'une logique toute formelle pouvait être trompeuse, et qu'on pouvait, en s'en servant, prouver à peu près tout; par exemple, qu'il faut manger du

qui sont les plus difficiles à contenter en toute autre chose
n'ont point coutume d'en désirer plus qu'ils n'en ont.   En
quoi il n'est pas vraisemblable que tous se trompent; mais
plutôt cela témoigne que la puissance de bien juger et distinguer le vrai d'avec le faux, qui est proprement ce qu'on   5
nomme le bon sens ou la raison, est naturellement égale
en tous les hommes, et ainsi que la diversité de nos opinions
ne vient pas de ce que les uns sont plus raisonnables que
les autres, mais seulement de ce que nous conduisons nos
pensées par diverses voies, et ne considérons pas les mêmes   10
choses.   Car ce n'est pas assez d'avoir l'esprit bon, mais
le principal est de l'appliquer bien . . .

   . . . Ainsi mon dessein n'est pas d'enseigner ici la
méthode que chacun doit suivre pour bien conduire sa
raison, mais seulement de faire voir en quelle sorte j'ai   15
tâché de conduire la mienne.   Ceux qui se mêlent de
donner des préceptes se doivent estimer plus habiles que
ceux auxquels ils les donnent; et s'ils manquent en la
moindre chose, ils en sont blâmables.   Mais ne propo-
sant cet écrit que comme une histoire, ou, si vous   20
l'aimez mieux, que comme une fable,[1] en laquelle, parmi
quelques exemples qu'on peut imiter, on en trouvera
peut-être aussi plusieurs autres qu'on aura raison de ne
pas suivre, j'espère qu'il sera utile à quelques-uns sans
être nuisible à personne, et que tous me sauront gré de   25
ma franchise.

   [Descartes raconte l'expérience qu'il a eue.   On lui avait laissé
croire que les « lettres », c'est à dire ce qui était dans les livres et ce

---

jambon pour se désaltérer; car: *le boire désaltère; or, le jambon fait
boire;   donc le jambon désaltère.*
   [1] *Fable*, dans le sens étymologique d'histoire fictive, par opposition
à l'histoire d'événements réels.

qu'on enseignait dans les écoles, lui donneraient « une connaissance claire et assurée de tout ce qui est utile à la vie ». Il fut déçu.]

J'ai été nourri aux lettres dès mon enfance,[1] et, pour ce qu'on me persuadait que par leur moyen on pouvait ac- quérir une connaissance claire et assurée de tout ce qui est utile à la vie, j'avais un extrême désir de les apprendre.
5 Mais sitôt que j'eus achevé tout ce cours d'études au bout duquel on a coutume d'être reçu au rang des doctes, je changeai entièrement d'opinion. Car je me trouvais em- barrassé de tant de doutes et d'erreurs, qu'il me semblait n'avoir fait autre profit, en tâchant de m'instruire, sinon
10 que j'avais découvert de plus en plus mon ignorance. Et néanmoins j'étais en l'une des plus célèbres écoles de l'Europe, où je pensais qu'il devait y avoir de savants hommes, s'il y en avait en aucun endroit de la terre. J'y avais appris tout ce que les autres y apprenaient; et
15 même, ne m'étant pas contenté des sciences qu'on nous enseignait, j'avais parcouru tous les livres traitant de celles qu'on estime les plus curieuses et les plus rares qui avaient pu tomber entre mes mains. Avec cela je savais les jugements que les autres faisaient de moi; et je ne
20 voyais point qu'on m'estimât inférieur à mes condisci- ples, bien qu'il y en eût déjà entre eux quelques-uns qu'on destinait à remplir les places de nos maîtres. Et enfin notre siècle me semblait aussi fleurissant et aussi fertile en bons esprits qu'ait été aucun des précédents. Ce qui
25 me faisait prendre la liberté de juger par moi de tous les autres, et de penser qu'il n'y avait aucune doctrine dans le monde qui fût telle qu'on m'avait auparavant fait espérer.

---

[1] Descartes entra au collège jésuite de La Flèche (Anjou), à l'âge de huit ans, et y resta huit ans (1604–1612).

Je ne laissais pas toutefois d'estimer les exercices auxquels on s'occupe dans les écoles. Je savais que les langues
que l'on y apprend sont nécessaires pour l'intelligence des
livres anciens; que la gentillesse des fables réveille l'esprit;
que les actions mémorables des histoires le relèvent, et 5
qu'étant lues avec discrétion, elles aident à former le
jugement ... Mais je croyais avoir déjà donné assez de
temps aux langues, et même aussi à la lecture des livres
anciens, et à leurs histoires, et à leurs fables ...

J'estimais fort l'éloquence, et j'étais amoureux de la 10
poésie, mais je pensais que l'une et l'autre étaient des
dons de l'esprit plutôt que des fruits de l'étude ...

Je me plaisais surtout aux mathématiques, à cause
de la certitude et de l'évidence de leurs raisons, mais
je ne remarquais point encore leur vrai usage, et, pen- 15
sant qu'elles ne servaient qu'aux arts mécaniques, je
m'étonnais de ce que, leurs fondements étant si fermes et si solides, on n'avait rien bâti dessus de plus
relevé ...[1]

Je révérais notre théologie, et prétendais autant qu'au- 20
cun autre à gagner le ciel; mais ayant appris, comme
chose très assurée, que le chemin n'en est pas moins
ouvert aux plus ignorants qu'aux plus doctes, et que les
vérités révélées qui y conduisent sont au-dessus de notre
intelligence, je n'eusse osé les soumettre à la faiblesse 25
de mes raisonnements, et je pensais que pour entreprendre de les examiner et y réussir il était besoin d'avoir
quelque extraordinaire assistance du ciel et d'être plus
qu'homme.

Je ne dirai rien de la philosophie, sinon que, voyant 30

---

[1] Descartes fit des travaux fort importants dans le domaine des
mathématiques et de la physique.

qu'elle a été cultivée par les plus excellents esprits qui
aient vécu depuis plusieurs siècles, et que néanmoins il
ne s'y trouve encore aucune chose dont on ne dispute,
et par conséquent qui ne soit douteuse, je n'avais point
5 assez de présomption pour espérer d'y rencontrer mieux
que les autres . . . [1]

Puis, pour les autres sciences, d'autant qu'elles empruntent leurs principes de la philosophie, je jugeais
qu'on ne pouvait avoir rien bâti qui fût solide sur des
10 fondements si peu fermes . . .

[Il essaye les voyages, « le grand livre du monde ». Il est déçu
encore, trouvant « quasi autant de liberté [variété] dans les mœurs
des hommes que dans les opinions des philosophes ». Il cherche
enfin en lui-même, c'est à dire dans sa raison.]

C'est pourquoi, sitôt que l'âge me permit de sortir de
la sujétion de mes précepteurs, je quittai entièrement
l'étude des lettres; et me résolvant de ne chercher plus
d'autre science que celle qui se pourrait trouver en moi-
15 même, ou bien dans le grand livre du monde, j'employai
le reste de ma jeunesse à voyager, à voir des cours et des
armées, à fréquenter des gens de diverses humeurs et conditions, à recueillir diverses expériences, à m'éprouver
moi-même dans les rencontres que la fortune me propo-
20 sait, et partout à faire telle réflexion sur les choses qui se
présentaient que j'en pusse tirer quelque profit. Car il me
semblait que je pourrais rencontrer beaucoup plus de
vérité dans les raisonnements que chacun fait touchant
les affaires qui lui importent, et dont l'événement le doit
25 punir bientôt après s'il a mal jugé, que dans ceux que fait

---

[1] Descartes prend ses précautions contre les désaveux de l'Eglise;
il n'enviait point le sort de Galilée, qui, à l'âge de 70 ans, dut abjurer à
genoux, devant le tribunal de l'Inquisition, « l'hérésie » que c'est la
terre qui tourne autour du soleil et non le contraire.

un homme de lettres dans son cabinet touchant des spéculations qui ne produisent aucun effet, et qui ne lui sont d'autre conséquence, sinon que peut-être il en tirera d'autant plus de vanité qu'elles seront plus éloignées du sens commun, à cause qu'il aura dû employer d'au- 5 tant plus d'esprit et d'artifice à tâcher de les rendre vraisemblables. Et j'avais toujours un extrême désir d'apprendre à distinguer le vrai d'avec le faux, pour voir clair en mes actions et marcher avec assurance en cette vie. 10

Il est vrai que pendant que je ne faisais que considérer les mœurs des autres hommes, je n'y trouvais guère de quoi m'assurer, et que j'y remarquais quasi autant de diversité que j'avais fait auparavant entre les opinions des philosophes. En sorte que le plus grand profit que j'en 15 retirais était que, voyant plusieurs choses qui, bien qu'elles nous semblent fort extravagantes et ridicules, ne laissent pas d'être [1] communément reçues et approuvées par d'au- très grands peuples, j'apprenais à ne rien croire trop fermement de ce qui ne m'avait été persuadé que par 20 l'exemple et par la coutume; et ainsi je me délivrais peu à peu de beaucoup d'erreurs qui peuvent offusquer notre lumière naturelle et nous rendre moins capables d'en- tendre raison. Mais, après que j'eus employé quelques années à étudier ainsi dans le livre du monde et à tâcher 25 d'acquérir quelque expérience, je pris un jour résolution d'étudier aussi en moi-même, et d'employer toutes les forces de mon esprit à choisir les chemins que je devais suivre; ce qui me réussit beaucoup mieux, ce me semble, que si je ne me fusse jamais éloigné ni de mon pays ni de 30 mes livres.

---

[1] Ne laissent pas d'être = *n'en sont pas moins* . . .

DEUXIÈME PARTIE

Principales règles de la méthode

[Descartes continue ses méditations pendant les longues heures
d'oisiveté dans ses campagnes au cours de la Guerre de Trente ans.
Il comprend que la « sagesse » des hommes n'est qu'une accumulation
incohérente des idées venant des âges passés, et que si l'on aspire à
une philosophie ayant de l'unité, il y aura toujours plus de chances
de réussite si un seul homme, d'une intelligence assurée, entreprend
la tâche.]

J'étais alors en Allemagne où l'occasion des guerres [1]
qui n'y sont pas encore finies m'avait appelé; et comme
je retournais du couronnement de l'empereur [2] vers l'armée,
le commencement de l'hiver m'arrêta en un quartier [3]
5 où, ne trouvant aucune conversation qui me divertît, et
n'ayant d'ailleurs, par bonheur, aucuns soins ni passions
qui me troublassent, je demeurais tout le jour enfermé
seul dans un poêle,[4] où j'avais tout le loisir de m'entretenir de mes pensées. Entre lesquelles l'une des premières
10 fut que je m'avisai de considérer que souvent il n'y a pas
tant de perfection dans les ouvrages composés de plusieurs pièces, et faits de la main de divers maîtres, qu'en
ceux auxquels un seul a travaillé. Ainsi voit-on que les
bâtiments qu'un seul architecte a entrepris et achevés
15 ont coutume d'être plus beaux et mieux ordonnés que
ceux que plusieurs ont tâché de raccommoder en faisant

---

[1] C'était l'époque de la guerre de Trente ans (1618–1648); Des-
cartes avait pris du service comme officier, d'abord sous Maurice de
Nassau, le fils du Prince d'Orange, et depuis 1619 sous Tilly et sous
Boucquoi.

[2] Ferdinand II (1619–1637).

[3] A Neubourg, ville de Bavière, sur le Danube.

[4] Ellipse pour *la chambre avec le poêle*. Il n'y en avait pas, en
général, plus d'une par maison.

servir de vieilles murailles qui avaient été bâties à d'autres
fins. Ainsi ces anciennes cités qui, n'ayant été au commencement que des bourgades, sont devenues par succession de temps de grandes villes, sont ordinairement si
mal compassées, au prix de ces places régulières qu'un   5
ingénieur trace à sa fantaisie dans une plaine, qu'encore
que, considérant leurs édifices chacun à part, on y trouve
souvent autant ou plus d'art qu'en ceux des autres, toutefois, à voir comme ils sont arrangés, ici un grand, là un
petit, et comme ils rendent les rues courbées et inégales, 10
on dirait plutôt que c'est la fortune que la volonté de
quelques hommes usant de raison qui les a ainsi disposés.
Et si on considère qu'il y a eu néanmoins de tout temps
quelques officiers qui ont eu charge de prendre garde
aux bâtiments des particuliers pour les faire servir à 15
l'ornement du public, on connaîtra bien qu'il est malaisé,
en ne travaillant que sur les ouvrages d'autrui, de faire
des choses fort accomplies. Ainsi je m'imaginai que les
peuples qui, ayant été autrefois demi-sauvages, et ne
s'étant civilisés que peu à peu, n'ont fait leurs lois qu'à 20
mesure que l'incommodité des crimes et les querelles les
y a contraints, ne sauraient être si bien policés que ceux
qui, dès le commencement qu'ils se sont assemblés, ont
observé les constitutions de quelque prudent législateur.
Comme il est bien certain que l'état de la vraie religion, 25
dont Dieu seul a fait les ordonnances, doit être incomparablement mieux réglé que tous les autres. Et, pour
parler des choses humaines, je crois que si Sparte a été
autrefois très florissante, ce n'a pas été à cause de la
bonté de chacune de ses lois en particulier, vu que plu- 30
sieurs étaient fort étranges, et même contraires aux
bonnes mœurs; mais à cause que, n'ayant été inventées

que par un seul, elles tendaient toutes à même fin. Et
ainsi je pensai que les sciences des livres, au moins celles
dont les raisons ne sont que probables, et qui n'ont
aucunes démonstrations, s'étant composées et grossies
5 peu à peu des opinions de plusieurs diverses personnes, ne
sont point si approchantes de la vérité que les simples
raisonnements que peut faire naturellement un homme
de bon sens touchant les choses qui se présentent. Et
ainsi encore je pensai que pour ce que nous avons tous
10 été enfants avant que d'être hommes, et qu'il nous a
fallu longtemps être gouvernés par nos appétits et nos
précepteurs, qui étaient souvent contraires les uns aux
autres, et qui, ni les uns ni les autres, ne nous conseil-
laient peut-être pas toujours le meilleur, il est presque
15 impossible que nos jugements soient si purs ni si solides
qu'ils auraient été si nous avions eu l'usage entier de
notre raison dès le point de notre naissance, et que nous
n'eussions jamais été conduits que par elle.

[La méthode]

Mais comme un homme qui marche seul et dans les
20 ténèbres, je me résolus d'aller si lentement et d'user de
tant de circonspection en toutes choses, que si je n'avan-
çais que fort peu, je me garderais bien au moins de tomber. Même je ne voulus point commencer à rejeter tout
à fait aucune des opinions qui s'étaient pu glisser autre-
25 fois en ma créance sans y avoir été introduites par la raison, que je n'eusse auparavant employé assez de temps à
faire le projet de l'ouvrage que j'entreprenais, et à chercher la vraie méthode pour parvenir à la connaissance de
toutes les choses dont mon esprit serait capable . . .

[N'y a-t-il rien à emprunter aux autres ? Il a étudié un peu la
logique, la géométrie et l'algèbre; les deux dernières demeurent toujours dans le domaine de l'abstrait. Quant à la première:]

Mais, en les examinant, je pris garde que, pour la logique,
ses syllogismes et la plupart de ses autres instructions servent plutôt à expliquer à autrui les choses qu'on sait, ou
même, comme l'art de Lulle,[1] à parler sans jugement de
celles qu'on ignore, qu'à les apprendre; et bien qu'elle 5
contienne en effet beaucoup de préceptes très vrais et très
bons, il y en a toutefois tant d'autres mêlés parmi [2] qui sont
ou nuisibles ou superflus, qu'il est presque aussi malaisé de
les en séparer que de tirer une Diane ou une Minerve hors
d'un bloc de marbre qui n'est point encore ébauché. 10

[C'est ici que Descartes vise la scolastique, ou philosophie d'autorité qui avait prévalu pendant le moyen-âge et qui ne l'avait pas
satisfait, comme nous l'avons expliqué tout à l'heure.]

... Ce qui fut cause que je pensai qu'il fallait chercher
quelque autre méthode qui, comprenant les avantages de
ces trois, fût exempte de leurs défauts. Et comme la
multitude des lois fournit souvent des excuses aux vices,
en sorte qu'un État est bien mieux réglé lorsque, n'en 15
ayant que fort peu, elles y sont fort étroitement observées; ainsi, au lieu de ce grand nombre de préceptes dont
la logique est composée, je crus que j'aurais assez des
quatre suivants, pourvu que je prisse une ferme et con-

---

[1] Raymond Lulle (1235-1315) philosophe espagnol, auteur du
Ars Magna (1275 ?) et qui prétendait avoir inventé un moyen de
faire mécaniquement le travail de la pensée philosophique, à peu
près comme nos machines à compter font pour nous des opérations de
chiffres.

[2] parmi = parmi eux.

stante résolution de ne manquer pas une seule fois à les
observer.

Le premier était de ne recevoir jamais aucune chose
pour vraie que je ne la connusse évidemment être telle;
5 c'est-à-dire d'éviter soigneusement la précipitation et la
prévention, et de ne comprendre rien de plus en mes jugements que ce qui se présenterait si clairement et si distinctement à mon esprit, que je n'eusse aucune occasion
de le mettre en doute.

10 Le second, de diviser chacune des difficultés que j'exa-
minerais en autant de parcelles qu'il se pourrait et qu'il
serait requis pour les mieux résoudre.

Le troisième, de conduire par ordre mes pensées, en
commençant par les objets les plus simples et les plus
15 aisés à connaître, pour monter peu à peu comme par degrés jusques à la connaissance des plus composés, et sup-
posant même de l'ordre entre ceux qui ne se précèdent
point naturellement les uns les autres.

Et le dernier, de faire partout des dénombrements si
20 entiers et des revues si générales, que je fusse assuré de
ne rien omettre.[1]

Ces longues chaînes de raisons, toutes simples et faciles,
dont les géomètres ont coutume de se servir pour parvenir
à leurs plus difficiles démonstrations, m'avaient donné oc-
25 casion de m'imaginer que toutes les choses qui peuvent
tomber sous la connaissance des hommes s'entresuivent
en même façon, et que, pourvu seulement qu'on s'abs-
tienne d'en recevoir aucune pour vraie qui ne le soit, et
qu'on garde toujours l'ordre qu'il faut pour les déduire

---

[1] Tout ce qui est impliqué dans la méthode de Descartes, ici
seulement esquissée, a été développé par Stuart Mill, *A system of
Logic, Rationative and Inductive* (1843).

les unes des autres, il n'y en peut avoir de si éloignées
auxquelles enfin on ne parvienne, ni de si cachées qu'on
ne découvre.

. . . .

... Mais ce qui me contentait le plus de cette méthode
était que par elle j'étais assuré d'user en tout de ma rai- 5
son, sinon parfaitement, au moins le mieux qui fût en
mon pouvoir ... Non que pour cela j'osasse entreprendre
d'abord d'examiner toutes les matières qui se présenteraient,
car cela même eût été contraire à l'ordre qu'elle prescrit;
mais ayant pris garde que leurs principes devaient tous être 10
empruntés de la philosophie, en laquelle je n'en trouvais
point encore de certains, je pensai qu'il fallait avant tout
que je tâchasse d'y en établir; et que, cela étant la chose
du monde la plus importante, et où la précipitation et la
prévention étaient le plus à craindre, je ne devais point 15
entreprendre d'en venir à bout que je n'eusse atteint un
âge bien plus mûr que celui de vingt-trois ans que j'avais
alors, et que je n'eusse auparavant employé beaucoup de
temps à m'y préparer, tant en déracinant de mon esprit
toutes les mauvaises opinions que j'y avais reçues avant ce 20
temps-là qu'en faisant amas de plusieurs expériences, pour
être après la matière de mes raisonnements, et en m'exer-
çant toujours en la méthode que je m'étais prescrite, afin
de m'y affermir de plus en plus.

TROISIÈME PARTIE

[Maximes provisoires de conduite dans la vie, jusqu'à ce que la
vérité trouvée par la nouvelle *méthode* en indique peut-être d'autres.]

Et enfin, comme ce n'est pas assez, avant de commencer 25
à rebâtir le logis où on demeure, que de l'abattre, et de

faire provision de matériaux et d'architectes, ou s'exercer
soi-même à l'architecture, et outre cela d'en avoir soigneusement tracé le dessin, mais qu'il faut aussi s'être
pourvu de quelque autre où on puisse être logé commodé-
5 ment pendant le temps qu'on y travaillera; ainsi, afin que
je ne demeurasse point irrésolu en mes actions, pendant
que la raison m'obligerait de l'être en mes jugements, et
que je ne laissasse pas de vivre dès lors le plus heureusement que je pourrais, je me formai une morale par provi-
10 sion, qui ne consistait qu'en trois ou quatre maximes dont
je veux bien vous faire part.

La première était d'obéir aux lois et aux coutumes de
mon pays, retenant constamment la religion en laquelle
Dieu m'a fait la grâce d'être instruit dès mon enfance, et
15 me gouvernant en toute autre chose suivant les opinions
les plus modérées et les plus éloignées de l'excès qui fussent
communément reçues en pratique par les mieux sensés de
ceux avec lesquels j'aurais à vivre. Car, commençant dès
lors à ne compter pour rien les miennes propres, à cause
20 que je les voulais remettre toutes à l'examen, j'étais assuré
de ne pouvoir mieux que de suivre celles des mieux sensés.
Et encore qu'il y en ait peut-être d'aussi bien sensés parmi
les Perses ou les Chinois que parmi nous, il me semblait
que le plus utile était de me régler selon ceux avec les-
25 quels j'aurais à vivre; et que, pour savoir quelles étaient
véritablement leurs opinions, je devais plutôt prendre
garde à ce qu'ils pratiquaient qu'à ce qu'ils disaient, non
seulement à cause qu'en la corruption de nos mœurs il y
a peu de gens qui veuillent dire tout ce qu'ils croient,
30 mais aussi à cause que plusieurs l'ignorent eux-mêmes:
car l'action de la pensée par laquelle on croit une chose
étant différente de celle par laquelle on connaît qu'on la

croit, elles sont souvent l'une sans l'autre.[1] Et entre plusieurs opinions également reçues, je ne choisissais que les
plus modérées, tant à cause que ce sont toujours les plus
commodes pour la pratique, et vraisemblablement les meilleures, tous excès ayant coutume d'être mauvais, comme   5
aussi afin de me détourner moins du vrai chemin, en cas
que je faillisse, que si, ayant choisi l'un des extrêmes,
c'eût été l'autre qu'il eût fallu suivre. Et particulièrement je mettais entre les excès [2] toutes les promesses par
lesquelles on retranche quelque chose de sa liberté; non 10
que je désapprouvasse les lois qui, pour remédier à l'inconstance des esprits faibles, permettent, lorsqu'on a
quelque bon dessein, ou même, pour la sûreté du commerce, quelque dessein qui n'est qu'indifférent, qu'on
fasse des vœux ou des contrats qui obligent à y persévérer; 15
mais à cause que je ne voyais au monde aucune chose qui
demeurât toujours en même état, et que, pour mon particulier, je me promettais de perfectionner de plus en plus
mes jugements, et non point de les rendre pires, j'eusse
pensé commettre une grande faute contre le bon sens, si, 20
pource que j'approuvais alors quelque chose, je me fusse
obligé de la prendre pour bonne encore après, lorsqu'elle
aurait peut-être cessé de l'être, ou que j'aurais cessé de
l'estimer telle.

Ma seconde maxime était d'être le plus ferme et le plus 25
résolu en mes actions que je pourrais, et de ne suivre pas
moins constamment les opinions les plus douteuses, lorsque je m'y serais une fois déterminé, que si elles eussent
été très assurées: imitant en ceci les voyageurs qui, se

---

[1] On peut croire, par exemple, en l'existence réelle du monde
extérieur, mais ne pas être conscient que c'est là une simple croyance.

[2] Je mettais entre les excès = *je comptais parmi les excès*.

trouvant égarés en quelque forêt, ne doivent pas errer en tournoyant tantôt d'un côté, tantôt d'un autre, ni encore moins s'arrêter en une place, mais marcher toujours le plus droit qu'ils peuvent vers un même côté, et ne le

5 changer point pour de faibles raisons, encore que ce n'ait peut-être été au commencement que le hasard seul qui les ait déterminés à le choisir: car par ce moyen, s'ils ne vont justement où ils désirent, ils arriveront au moins à la fin quelque part où vraisemblablement ils seront mieux

10 que dans le milieu d'une forêt. Et ainsi les actions de la vie ne souffrant souvent aucun délai, c'est une vérité très certaine que, lorsqu'il n'est pas en notre pouvoir de discerner les plus vraies opinions, nous devons suivre les plus probables; et même qu'encore que nous ne remar-

15 quions point davantage de probabilité aux unes qu'aux autres, nous devons néanmoins nous déterminer à quelques-unes, et les considérer après, non plus comme douteuses en tant qu'elles se rapportent à la pratique, mais comme très vraies et très certaines, à cause que la raison

20 qui nous y a fait déterminer se trouve telle. Et ceci fut capable dès lors de me délivrer de tous les repentirs et les remords qui ont coutume d'agiter les consciences de ces esprits faibles et chancelants qui se laissent aller inconstamment à pratiquer comme bonnes les choses qu'ils

25 jugent après être mauvaises.

Ma troisième maxime était de tâcher toujours plutôt à me vaincre que la fortune, et à changer mes désirs que l'ordre du monde, et généralement de m'accoutumer à croire qu'il n'y a rien qui soit entièrement en notre pou-

30 voir que nos pensées, en sorte qu'après que nous avons fait notre mieux touchant les choses qui nous sont extérieures, tout ce qui manque de nous réussir est au regard

de nous absolument impossible. Et ceci seul me semblait
être suffisant pour m'empêcher de rien désirer à l'avenir
que je n'acquisse, et ainsi pour me rendre content: car
notre volonté ne se portant naturellement à désirer que
les choses que notre entendement lui représente en quelque 5
façon comme possibles, il est certain que si nous considérons tous les biens qui sont hors de nous comme également
ment éloignés de notre pouvoir, nous n'aurons pas plus
de regret de manquer de ceux qui semblent être dûs à
notre naissance, lorsque nous en serons privés sans notre 10
faute, que nous avons de ne posséder pas les royaumes de
la Chine ou du Mexique; et que faisant, comme on dit, de
nécessité vertu, nous ne désirerons pas davantage d'être
sains étant malades, ou d'être libres étant en prison, que
nous faisons maintenant d'avoir des corps d'une matière 15
aussi peu corruptible que les diamants, ou des ailes pour
voler comme les oiseaux. Mais j'avoue qu'il est besoin
d'un long exercice et d'une méditation souvent réitérée
pour s'accoutumer à regarder de ce biais toutes les choses:
et je crois que c'est principalement en ceci que consistait 20
le secret de ces philosophes [1] qui ont pu autrefois se soustraire de l'empire de la fortune, et malgré les douleurs et
la pauvreté disputer de la félicité avec leurs dieux. Car
s'occupant sans cesse à considérer les bornes qui leur
étaient prescrites par la nature, ils se persuadaient si par- 25
faitement que rien n'était en leur pouvoir que leurs pensées, que cela seul était suffisant pour les empêcher d'avoir
aucune affection pour d'autres choses; et ils disposaient
d'elles si absolument qu'ils avaient en cela quelque raison
de s'estimer plus riches et plus puissants, et plus libres et 30
plus heureux qu'aucun des autres hommes, qui, n'ayant

[1] Les Stoïciens.

point cette philosophie, tant favorisés de la nature et de
la fortune qu'ils puissent être, ne disposent jamais ainsi
de tout ce qu'ils veulent.

Enfin, pour conclusion de cette morale, je m'avisai de
5 faire une revue sur les diverses occupations qu'ont les
hommes en cette vie, pour tâcher à faire choix de la meilleure; et sans que je veuille rien dire de celles des autres,
je pensai que je ne pouvais mieux que de continuer en
celle-là même où je me trouvais, c'est-à-dire que d'em-
10 ployer toute ma vie à cultiver ma raison, et m'avancer
autant que je pourrais en la connaissance de la vérité,
suivant la méthode que je m'étais prescrite. J'avais
éprouvé de si extrêmes contentements depuis que j'avais
commencé à me servir de cette méthode, que je ne croyais
15 pas qu'on en pût recevoir de plus doux ni de plus inno-
cents en cette vie; et découvrant tous les jours, par son
moyen, quelques vérités qui me semblaient assez importantes et communément ignorées des autres hommes, la
satisfaction que j'en avais remplissait tellement mon es-
20 prit, que tout le reste ne me touchait point.

. . . .

Après m'être ainsi assuré de ces maximes, et les avoir
mises à part avec les vérités de la foi, qui ont toujours été
les premières en ma créance, je jugeai que pour tout le
reste de mes opinions je pouvais librement entreprendre
25 de m'en défaire. Et d'autant que j'espérais en pouvoir
mieux venir à bout en conversant avec les hommes, qu'en
demeurant plus longtemps renfermé dans le poêle où
j'avais eu toutes ces pensées, l'hiver n'était pas encore
bien achevé que je me remis à voyager. Et en toutes les
30 neuf années suivantes je ne fis autre chose que rouler çà
et là dans le monde, tâchant d'y être spectateur plutôt

qu'acteur en toutes les comédies qui s'y jouent; et faisant particulièrement réflexion en chaque matière sur ce qui la pouvait rendre suspecte et nous donner occasion de nous méprendre, je déracinais cependant de mon esprit toutes les erreurs qui s'y étaient pu glisser auparavant. Non 5 que j'imitasse pour cela les sceptiques qui ne doutent que pour douter, et affectent d'être toujours irrésolus: car au contraire tout mon dessein ne tendait qu'à m'assurer, et à rejeter la terre mouvante et le sable pour trouver le roc ou l'argile [1] ... Et il y a justement huit ans que ce désir 10 me fit résoudre à m'éloigner de tous les lieux où je pouvais avoir des connaissances, et à me retirer ici [2] en un pays où la longue durée de la guerre a fait établir de tels ordres que les armées qu'on y entretient ne semblent servir qu'à faire qu'on y jouisse des fruits de la paix avec 15 d'autant plus de sûreté, et où, parmi la foule d'un grand peuple fort actif et plus soigneux de ses propres affaires que curieux de celles d'autrui, sans manquer d'aucune des commodités qui sont dans les villes les plus fréquentées, j'ai pu vivre aussi solitaire et retiré que dans les déserts 20 les plus écartés.

QUATRIÈME PARTIE

[Application de la *méthode*, et surtout du premier précepte « de ne jamais recevoir aucune chose pour vraie que je ne la connusse évidemment être telle ».

Le « doute philosophique » — ou provisoire —; et découverte du « premier principe »: *Je pense donc je suis.*]

---

[1] C'est ce qu'on appelle le doute « provisoire » de Descartes, par opposition à celui des philosophes qui prétendent que l'homme est condamné à un doute éternel — et dont le représentant par excellence est le grec Pyrrhon, du IV[o] siècle avant J.-C.

[2] Amsterdam.

Je ne sais si je dois vous entretenir des premières méditations que j'y ai faites [sur les fondements de la philosophie]: car elles sont si métaphysiques et si peu communes, qu'elles ne seront peut-être pas au goût de tout le monde;
5 et toutefois, afin qu'on puisse juger si les fondements que j'ai pris sont assez fermes, je me trouve en quelque façon contraint d'en parler. J'avais dès longtemps remarqué que pour les mœurs il est besoin quelquefois de suivre des opinions qu'on sait être fort incertaines, tout de même que
10 si elles étaient indubitables, ainsi qu'il a été dit ci-dessus; mais pour ce qu'alors je désirais vaquer seulement à la recherche de la vérité, je pensai qu'il fallait que je fisse tout le contraire, et que je rejetasse comme absolument faux tout ce en quoi je pourrais imaginer le moindre doute, afin
15 de voir s'il ne resterait point après cela quelque chose en ma créance qui fût entièrement indubitable. Ainsi, à cause que nos sens nous trompent quelquefois, je voulus supposer qu'il n'y avait aucune chose qui fût telle qu'ils nous la font imaginer [1]; et parce qu'il y a des hommes qui se mépren
20 nent en raisonnant, même touchant les plus simples matières de géométrie, et y font des paralogismes,[2] jugeant que j'étais sujet à faillir autant qu'aucun autre, je rejetai comme fausses toutes les raisons que j'avais prises auparavant pour démonstrations; et enfin, considérant que
25 toutes les mêmes pensées que nous avons étant éveillés nous peuvent aussi venir quand nous dormons, sans qu'il y en ait aucune pour lors qui soit vraie, je me résolus de feindre que toutes les choses qui m'étaient entrées en

[1] « Comme lorsque ceux qui ont la jaunisse voient tout de couleur jaune, ou que les astres ou autres corps fort éloignés nous paraissent beaucoup plus petits qu'ils ne sont » (IVᵉ Partie).

[2] Erreurs involontaires—par opposition aux sophismes où l'homme est conscient qu'il tire des conclusions fausses de prémisses justes.

l'esprit n'étaient non plus vraies que les illusions de mes songes. Mais aussitôt après je pris garde que, pendant que je voulais ainsi penser que tout était faux, il fallait nécessairement que moi qui le pensais fusse quelque chose; et remarquant que cette vérité, *je pense, donc je* 5 *suis*,[1] était si ferme et si assurée, que toutes les plus extravagantes suppositions des sceptiques n'étaient pas capables de l'ébranler, je jugeai que je pouvais la recevoir sans scrupule pour le premier principe de la philosophie que je cherchais. 10

Après cela je considérai en général ce qui est requis à une proposition pour être vraie et certaine: car puisque je venais d'en trouver une que je savais être telle, je pensai que je devais aussi savoir en quoi consiste cette certitude. Et, ayant remarqué qu'il n'y a rien du tout en ceci, *je* 15 *pense, donc je suis*, qui m'assure que je dis la vérité, sinon que je vois très clairement que pour penser il faut être, je jugeai que je pouvais prendre pour règle générale que les choses que nous concevons fort clairement et fort distinctement sont toutes vraies, mais qu'il y a seulement 20 quelque difficulté à bien remarquer quelles sont celles que nous concevons distinctement.

[Descartes ré-affirme ensuite en se fondant sur son raisonnement personnel, et non plus à cause de l'autorité des Docteurs scolastiques, certaines croyances métaphysiques. En voici quelques unes qu'il a expliquées dans les parties suivantes du *Discours de la Méthode* et dans ses *Méditations métaphysiques* (1641):

D'abord, il constate « avec évidence » qu'il y a en nous deux sortes d'idées, les *idées innées* et les *idées acquises* — acquises par les sens ou par le raisonnement. Or, parmi les idées innées, il y a celle de Dieu. Personne n'a jamais vu, entendu, touché Dieu; et comme la raison

---

[1] Ce mot est peut-être encore plus connu sous sa forme latine: *Cogito, ergo sum.* Descartes avait d'abord écrit son *Discours* en latin.

nous trompe, il se peut que même le raisonnement d'après lequel le monde aurait besoin d'une cause première qui serait Dieu, soit incertain. Mais Descartes croit trouver un argument plus convaincant de l'existence de Dieu dans ceci qu'elle est *innée:* Comment moi, homme, néant, aurais-je cette idée de Dieu si Dieu n'existait pas pour la mettre en moi ? Descartes exprime dans les mots suivants cette (preuve); on l'appelle *l'argument ontologique* de l'existence de Dieu.

« Et pour ce qu'il n'y a pas moins de répugnance que le plus
« parfait soit une suite et une dépendance du moins parfait, qu'il n'y
« en a que de rien procède quelque chose, je ne la pouvais tenir non
« plus de moi-même: de façon qu'il restait qu'elle eût été mise en moi
« par une nature qui fût véritablement plus parfaite que je n'étais, et
« même qui eût en soi toutes les perfections dont je pouvais avoir
« quelque idée, c'est-à-dire, pour m'expliquer en un mot, qui fût
« Dieu. »

Continuant ses méditations, Descartes démontre ceci: Dieu étant naturellement parfait, et la perfection comportant la véracité, Dieu ne peut vouloir tromper sa créature; d'où il résulte que je *dois* croire à la réalité du monde extérieur et de mon propre corps dont j'avais provisoirement douté; il serait indigne de Dieu de me faire croire que j'ai un corps quand je n'en aurais point.

Descartes passe ensuite à la constatation qui porte un caractère d'évidence parfaite encore selon lui, que l'homme est composé de deux éléments *l'âme* et *le corps.* Le corps est matière et dépérit, mais l'âme, l'esprit, la pensée, est indépendante de la matière, du corps: d'où l'on arrive à *l'immortalité;* car, le corps peut bien mourir, cette mort n'affecte pas l'âme.]

CINQUIÈME PARTIE

Ordre des questions de physique, et particulièrement explication du mouvement du cœur, etc.

[C'est à cette idée de l'immortalité de l'âme que se rattache une des doctrines les plus curieuses et les plus célèbres de Descartes, la doctrine de *l'automatisme des bêtes:* Les bêtes n'ont pas d'âme comme celle des hommes pour diriger leurs actions, donc ne sont pas immortelles.

Nous reproduisons ici le passage dans lequel est résumée cette thèse de « la différence qui est entre notre âme et celle des bêtes ». Descartes distingue deux causes aux mouvements que nous imprimons à nos corps: « la volonté » et « les esprits animaux. » Les

« esprits animaux » (nous dirions aujourd'hui les « éléments physiologiques ») suffisent tout-à-fait à mettre en action nos membres, c.à.d.
que même sans volonté, l'être humain se mouvrait; la « volonté » —
qui seule est consciente — peut intervenir et commander aux « esprits » et modifier à son gré les mouvements; elle seule est *animée*
dans le sens supérieur de ce mot; elle apporte la « liberté. » Les
animaux ont seulement des « esprits animaux, » pas d'« âme » ou de
« volonté »; ils sont des machines très complexes.

Le disciple de Descartes, le philosophe Malebranche, a développé
particulièrement cette théorie. Pascal aussi a partagé cette manière
de voir avec tous ses confrères de l'abbaye de Port Royal, par
exemple le grand Arnauld. Mais les adversaires étaient nombreux.
Dans les *Mémoires* de Fontaine on lit cette anecdote: « M. Arnauld
qui était entré dans le système de Descartes sur les bêtes soutenait
que ce n'étaient que des horloges . . . M. de Liancourt lui dit: « J'ai
là-bas deux chiens qui tournent la broche chacun leur jour; l'un s'en
trouvant embarrassé, se cacha lorsqu'on l'allait prendre, et on eut recours à son camarade pour tourner au lieu de lui. Le camarade cria
et fit signe de la queue qu'on le suivît. Il alla dénicher l'autre dans
le grenier et le houspilla. Sont-ce là des horloges ? dit-il à M. Arnauld, qui trouva cela si plaisant qu'il ne put faire autre chose que
d'en rire. » La Fontaine prit rang parmi les adversaires de Descartes.
Voir p. 190, la fable: *Les souris et le chat-huant.*]

J'avais expliqué assez particulièrement toutes ces choses dans le traité[1] que j'avais eu ci-devant dessein de
publier. Et ensuite j'y avais montré quelle doit être la
fabrique des nerfs et des muscles du corps humain pour
faire que les esprits animaux étant dedans aient la force de 5
mouvoir ses membres, ainsi qu'on voit que les têtes, un peu
après avoir été coupées, se remuent encore et mordent la
terre, nonobstant qu'elles ne soient plus animées; . . . ce
qui ne semblera nullement étrange à ceux qui, — sachant
combien de divers *automates*, ou machines mouvantes, l'in- 10
dustrie des hommes peut faire, sans y employer que fort

[1] *Traité du monde ou de la lumière*, dans lequel Descartes admet-
tait le mouvement de la terre autour du soleil; publié 17 ans après
la mort de l'auteur.

peu de pièces, à comparaison de la grande multitude des os,
des muscles, des nerfs, des artères, des veines et de toutes
les autres parties qui sont dans le corps de chaque animal,
— considéreront ce corps comme une machine qui, ayant
5 été faite des mains de Dieu, est incomparablement mieux
ordonnée et a en soi des mouvements plus admirables
qu'aucune de celles qui peuvent être inventées par les
hommes.

Et je m'étais ici particulièrement arrêté à faire voir
10 que, s'il y avait de telles machines qui eussent les organes et la figure extérieure d'un singe ou de quelque
autre animal sans raison, nous n'aurions aucun moyen
pour reconnaître qu'elles ne seraient pas en tout de même
nature que ces animaux; au lieu que, s'il y en avait qui
15 eussent la ressemblance de nos corps, et imitassent autant
nos actions que moralement il serait possible, nous aurions toujours *deux moyens* très-certains pour reconnaître
qu'elles ne seraient point pour cela de vrais hommes: dont
le premier est que jamais elles ne pourraient user de pa-
20 roles ni d'autres signes en les composant, comme nous
faisons pour déclarer aux autres nos pensées: car on peut
bien concevoir qu'une machine soit tellement faite qu'elle
profère des paroles, et même qu'elle en profère quelques-
unes à propos des actions corporelles qui causeront quel-
25 que changement en ses organes, comme si on la touche en
quelque endroit, qu'elle demande ce qu'on veut lui dire;
si en un autre, qu'elle crie qu'on lui fait mal, et choses
semblables; mais non pas qu'elle les arrange diversement
pour répondre au sens de tout ce qui se dira en sa pré-
30 sence, ainsi que les hommes les plus hébétés peuvent
faire; et *le second* est que, bien qu'elles fissent plusieurs
choses aussi bien ou peut-être mieux qu'aucun de nous,

elles manqueraient infailliblement en quelques autres, par
lesquelles on découvrirait qu'elles n'agiraient pas par connaissance, mais seulement par la disposition de leurs
organes: car, au lieu que la raison est un instrument
universel qui peut servir en toutes sortes de rencontres, 5
ces organes ont besoin de quelque particulière disposition
pour chaque action particulière; d'où vient qu'il est moralement impossible qu'il y en ait assez de divers en une
machine pour la faire agir en toutes les occurrences de la
vie de même façon que notre raison nous fait agir. 10

Or, par ces deux mêmes moyens, on peut aussi connaître la différence qui est entre les hommes et les
bêtes. Car c'est une chose bien remarquable qu'il n'y
a point d'hommes si hébétés et si stupides, sans en ex-
cepter même les insensés, qu'ils ne soient capables d'ar- 15
ranger ensemble diverses paroles et d'en composer un
discours par lequel ils fassent entendre leurs pensées; et
qu'au contraire il n'y a point d'autre animal, tant parfait
et tant heureusement né qu'il puisse être, qui fasse le
semblable. Ce qui n'arrive pas de ce qu'ils ont faute 20
d'organes: car on voit que les pies et les perroquets peuvent proférer des paroles ainsi que nous, et toutefois ne
peuvent parler ainsi que nous, c'est-à-dire en témoignant
qu'ils pensent ce qu'ils disent; au lieu que les hommes
qui, étant nés sourds et muets, sont privés des organes 25
qui servent aux autres pour parler, autant ou plus que
les bêtes, ont coutume d'inventer d'eux-mêmes quelques
signes par lesquels ils se font entendre à ceux qui, étant
ordinairement avec eux, ont loisir d'apprendre leur langue. Et ceci ne témoigne pas seulement que les bêtes ont 30
moins de raison que les hommes, mais qu'elles n'en ont
point du tout: car on voit qu'il n'en faut que fort peu

pour savoir parler; et d'autant qu'on remarque de l'inégalité entre les animaux d'une même espèce aussi bien
qu'entre les hommes, et que les uns sont plus aisés à
dresser que les autres, il n'est pas croyable qu'un singe
5 ou un perroquet qui serait des plus parfaits de son espèce
n'égalât en cela un enfant des plus stupides, ou du moins
un enfant qui aurait le cerveau troublé, si leur âme n'était
d'une nature toute différente de la nôtre.   Et on ne doit
pas confondre les paroles avec les mouvements naturels
10 qui témoignent les passions et peuvent être imités par des
machines aussi bien que par les animaux; ni penser,
comme quelques anciens, que les bêtes parlent, bien que
nous n'entendions pas leur langage.   Car, s'il était vrai,
puisqu'elles ont plusieurs organes qui se rapportent aux
15 nôtres, elles pourraient aussi bien se faire entendre à
nous qu'à leurs semblables.   C'est aussi une chose fort
remarquable que, bien qu'il y ait plusieurs animaux qui
témoignent plus d'industrie que nous en quelques-unes
de leurs actions, on voit toutefois que les mêmes n'en
20 témoignent point du tout en beaucoup d'autres: de façon
que ce qu'ils font mieux que nous ne prouve pas qu'ils
ont de l'esprit, car à ce compte ils en auraient plus qu'aucun de nous et feraient mieux en toute autre chose; mais
plutôt qu'ils n'en ont point, et que c'est la nature qui agit
25 en eux selon la disposition de leurs organes: ainsi qu'on
voit qu'une horloge, qui n'est composée que de roues et
de ressorts, peut compter les heures et mesurer le temps
plus justement que nous avec toute notre prudence.

J'avais décrit après, l'âme raisonnable, et fait voir
30 qu'elle ne peut aucunement être tirée de la puissance de
la matière, ainsi que les autres choses dont j'avais parlé,
mais qu'elle doit expressément être créée, et comment il

ne suffit pas qu'elle soit logée dans le corps humain, ainsi
qu'un pilote en son navire, sinon peut-être pour mouvoir
ses membres; mais qu'il est besoin qu'elle soit jointe et
unie plus étroitement avec lui, pour avoir outre cela des
sentiments et des appétits semblables aux nôtres, et ainsi   5
composer un vrai homme.   Au reste je me suis ici un peu
étendu sur le sujet de l'âme, à cause qu'il est des plus importants: car, après l'erreur de ceux qui nient Dieu, laquelle je pense avoir ci-dessus assez réfutée, il n'y en a
point qui éloigne plutôt les esprits faibles du droit chemin 10
de la vertu que d'imaginer que l'âme des bêtes soit de
même nature que la nôtre, et que par conséquent nous
n'avons rien à craindre ni à espérer après cette vie, non
plus que les mouches et les fourmis; au lieu que, lorsqu'on
sait combien elles diffèrent, on comprend beaucoup mieux 15
les raisons qui prouvent que la nôtre est d'une nature entièrement indépendante du corps, et par conséquent
qu'elle n'est point sujette à mourir avec lui; puis d'autant qu'on ne voit point d'autres causes qui la détruisent,
on est porté naturellement à juger de là qu'elle est immor- 20
telle.

2. Le traité des passions de l'âme, 1649

[Dans la Troisième Partie du *Discours de la méthode*, Descartes
avait donné une « morale provisoire » en attendant d'avoir élaboré
une philosophie. Douze ans plus tard, dans le *Traité des passions* il a
arrêté sa morale définitive. C'est au fond celle déjà contenue dans
la troisième « maxime » du *Discours:* une morale de la « volonté »
basée sur la raison: « Tâcher plutôt à me vaincre que la fortune, et
mes désirs que l'ordre du monde. » Une volonté sera rationnelle et
vertueuse quand elle agira guidée par une représentation claire et
complète de nos passions. Le *Traité des passions* a justement pour
but pratique de donner à l'homme cette connaissance, en sorte qu'il
n'essaiera pas d'affirmer ses passions en face d'une « fortune » et d'un

« monde » plus forts que lui. Cette morale de la volonté rationnelle avait été celle de Socrate et des Grecs; c'était celle de Corneille (*Le Cid*, 1636; *Discours de la méthode*, 1637; *Traité des passions* 1649); et ce fut après Descartes et Corneille, celle des grands prédicateurs du siècle de Louis XIV. Et ce sera celle de Jean-Jacques Rousseau, au XVIII° siècle, qui l'opposera au matérialisme de ceux qui réclamaient pour eux le nom de « Philosophes ».]

PREMIÈRE PARTIE

. . . . . .

Article 18. — Nos volontés sont de deux sortes: car les unes sont des actions de l'âme qui se terminent en l'âme même, comme lorsque nous voulons aimer Dieu, ou généralement appliquer notre pensée à quelque objet qui n'est
5 point matériel; les autres sont des actions qui se terminent en notre corps, comme lorsque, de cela seul que nous avons la volonté de nous promener, il suit que nos jambes se remuent et que nous marchons.

Art. 40 — ... Il n'y a point d'âme si faible qu'elle ne
10 puisse, étant bien conduite, acquérir un pouvoir absolu sur ses passions ...

Art. 41. — ... La volonté est tellement libre dans sa nature, qu'elle ne peut jamais être contrainte ...

Art. 45. — Nos passions ne peuvent pas directement
15 être excitées ni ôtées par l'action de notre volonté; mais elles peuvent l'être indirectement par la représentation des choses qui ont coutume d'être jointes avec les passions que nous voulons avoir et qui sont contraires à celles que nous voulons rejeter. Ainsi, pour exciter en soi la
20 hardiesse et ôter la peur, il ne suffit pas d'en avoir la volonté, mais il faut s'appliquer à considérer les raisons, les objets ou les exemples qui persuadent que le péril n'est pas grand, qu'il y a toujours plus de sûreté en la défense

qu'en la fuite, qu'on aura de la gloire et de la joie d'avoir
vaincu, au lieu qu'on ne peut attendre que du regret et
de la honte d'avoir fui, et choses semblables.

Art. 46. — Il y a une raison particulière qui empêche
l'âme de pouvoir promptement changer ou arrêter ses 5
passions ... Cette raison est qu'elles sont presque toutes
accompagnées de quelque émotion qui se fait dans le
cœur, et par conséquent aussi en tout le sang et les esprits: en sorte que, jusqu'à ce que cette émotion ait cessé,
elles demeurent présentes à notre pensée en même façon 10
que les objets sensibles y sont présents pendant qu'ils
agissent contre les organes de nos sens. Et comme l'âme,
en se rendant fort attentive à quelque autre chose, peut
s'empêcher d'ouïr un petit bruit ou de sentir une petite
douleur, mais ne peut s'empêcher en même façon d'ouïr 15
le tonnerre ou de sentir le feu qui brûle la main, ainsi elle
peut aisément surmonter les moindres passions, mais non
pas les plus violentes et les plus fortes, sinon après que
l'émotion du sang et des esprits est apaisée. Le plus que
la volonté puisse faire pendant que cette émotion est en 20
sa vigueur, c'est de ne pas consentir à ses effets, et de retenir plusieurs des mouvements auxquels elle dispose le
corps. Par exemple, si la colère fait lever la main pour
frapper, la volonté peut ordinairement la retenir; si la
peur incite les gens à fuir, la volonté peut les arrêter et 25
ainsi des autres.

Art. 48. — Or, c'est par le succès de ces combats que
chacun peut connaître la force ou la faiblesse de son âme;
car ceux en qui naturellement la volonté peut le plus
aisément vaincre les passions et arrêter les mouvements 30
du corps qui les accompagnent, ont sans doute les âmes
les plus fortes. Mais il y en a qui ne peuvent éprouver

leur force, parce qu'ils ne font jamais combattre leur
volonté avec ses propres armes, mais seulement avec
celles que lui fournissent quelques passions pour résister
à quelques autres. Ce que je nomme ses propres armes
5 sont des jugements fermes et déterminés touchant la connaissance du bien et du mal, suivant lesquels elle a résolu
de conduire les actions de sa vie; et les âmes les plus
faibles de toutes sont celles dont la volonté ne se déter-
mine point ainsi à suivre certains jugements, mais se
10 laisse continuellement emporter aux passions présentes,
lesquelles, étant souvent contraires les unes aux autres, la
tirent tour à tour à leur parti, et, l'employant à combattre
contre elle-même, mettent l'âme au plus déplorable état
qu'elle puisse être. Ainsi, lorsque la peur représente la
15 mort comme un mal extrême et qui ne peut être évité que
par la fuite, l'ambition, d'autre côté, représente l'infamie
de cette fuite comme un mal pire que la mort; ces deux
passions agitent diversement la volonté, laquelle, obéissant tantôt à l'une, tantôt à l'autre, s'oppose continuel-
20 lement à soi-même, et ainsi rend l'âme esclave et
malheureuse.

Art. 49. — Il est vrai qu'il y a fort peu d'hommes si
faibles et irrésolus qu'ils ne veulent rien que ce que leur
passion leur dicte. La plupart ont des jugements déter-
25 minés suivant lesquels ils règlent une partie de leurs actions; et, bien que souvent ces jugements soient faux, et
même fondés sur quelques passions par lesquelles la
volonté s'est auparavant laissé vaincre ou séduire, toutefois à cause qu'elle continue de les suivre lorsque la pas-
30 sion qui les a causés est absente, on les peut considérer
comme ses propres armes, et penser que les âmes sont
plus fortes ou plus faibles à raison de ce qu'elles peuvent

plus ou moins suivre ces jugements et résister aux passions présentes qui leur sont contraires. Mais il y a pourtant grande différence entre les résolutions qui procèdent
de quelque fausse opinion et celles qui ne sont appuyées
que sur la connaissance de la vérité; d'autant que, si 5
on suit ces dernières, on est assuré de n'en avoir jamais
de regret ni de repentir, tandis qu'on en a toujours d'avoir
suivi les précédentes lorsqu'on en découvre l'erreur.

Art. 50. — ... Et on peut remarquer la même chose
dans les bêtes; car encore qu'elles n'aient point de raison, 10
ni peut-être aussi aucune pensée, tous les mouvements ...
qui excitent en nous les passions ne laissent pas d'être
en elles, et d'y servir à entretenir et fortifier, et non pas
comme en nous, les passions, mais les mouvements des
nerfs et des muscles qui ont coutume de les accompagner. 15
Ainsi lorsqu'un chien voit une perdrix, il est naturellement porté à courir vers elle; et lorsqu'il voit un fusil,
ce bruit l'incite naturellement à s'enfuir; mais, néanmoins
on dresse les chiens en telle sorte que la vue d'une perdrix
fait qu'ils s'arrêtent, et que le bruit qu'ils entendent après 20
lorsqu'on tire sur elle fait qu'ils y accourent. Or, ces
choses sont utiles à savoir pour donner le courage à un
chacun d'étudier à regarder ses passions: car puisqu'on
peut avec un peu d'industrie, changer les mouvements du
cerveau dans les animaux dépourvus de raison, il est évi- 25
dent qu'on le peut encore mieux dans les hommes, et que
ceux même qui ont les plus faibles âmes pourraient acquérir un empire très absolu sur toutes leurs passions, si
on employait assez d'industrie à les dresser et à les conduire. 30

[La deuxième et la troisième partie du *Traité* sont des analyses
physiologiques et psychologiques des passions.

Les six passions primitives sont: « l'admiration, l'amour, la haine,
le désir, la joie et la tristesse » ... « et toutes les autres sont composées
de quelques-unes de ces six, ou bien en sont des espèces. » Quelques
chapitres caractéristiques sont: les « Articles » 76, 79, 81, 83, 93 à 98,
120. Voici la conclusion:]

Art. 211. *Un remède général contre les passions.* — Et
maintenant que nous les connaissons toutes, nous avons
beaucoup moins de sujet de les craindre que nous n'avions
auparavant; car nous voyons qu'elles sont toutes bonnes
5 de leur nature, et que nous n'avons rien à éviter que leurs
mauvais usages ou leur excès, contre lesquels les remèdes
que j'ai expliqués pourraient suffire, si chacun avait assez
de soin de les pratiquer. Mais ... j'avoue qu'il y a peu
de personnes qui se soient assez préparées en cette façon
10 contre toutes sortes de rencontres, et ... qu'il n'y a
point de sagesse humaine qui soit capable de leur résister
lorsqu'on n'y est pas assez préparé. Ainsi plusieurs ne
sauraient s'abstenir de rire étant chatouillés, encore qu'ils
n'y prennent point de plaisir; car l'impression de la joie et
15 de la surprise, qui les a fait rire autrefois pour le même
sujet étant réveillée en leur fantaisie, fait que leur poumon est subitement enflé malgré eux par le sang que le
cœur lui envoie. Ainsi ceux qui sont fort portés de leur
naturel aux émotions de la joie et de la pitié, ou de la
20 peur, ou de la colère, ne peuvent s'empêcher de pâmer,
ou de pleurer, ou de trembler, ou d'avoir le sang tout
ému, en même façon que s'ils avaient la fièvre, lorsque
leur fantaisie est fortement touchée par l'objet de quelqu'une de ces passions. Mais ce qu'on peut toujours faire
25 en telle occasion, et que je pense pouvoir mettre ici comme
le remède le plus général et le plus aisé à pratiquer contre
tous les excès des passions, c'est que, lorsqu'on se sent le

sang ainsi ému, on doit être averti et se souvenir que tout
ce qui se présente à l'imagination tend à tromper l'âme et
à lui faire paraître les raisons qui servent à persuader
l'objet de sa passion beaucoup plus fortes qu'elles ne sont,
et celles qui servent à la dissuader beaucoup plus faibles. 5

Et lorsque la passion ne persuade que des choses dont
l'exécution souffre quelque délai, il faut s'abstenir d'en
porter sur l'heure aucun jugement, et se divertir par
d'autres pensées, jusqu'à ce que le temps et le repos
aient entièrement apaisé l'émotion qui est dans le sang. 10
Et enfin, lorsqu'elle incite à des actions touchant lesquelles il est nécessaire qu'on prenne résolution sur-le-
champ, il faut que la volonté se porte principalement à
considérer et à suivre les raisons qui sont contraires à
celles que la passion représente, encore qu'elles parais- 15
sent moins fortes: comme lorsqu'on est inopinément attaqué par quelque ennemi, l'occasion ne permet pas qu'on
emploie aucun temps à délibérer. Mais ce qu'il me
semble que ceux qui sont accoutumés à faire réflexion sur
leurs actions peuvent toujours, c'est que, lorsqu'ils se 20
sentiront saisis de la peur, ils tâcheront à détourner leur
pensée de la considération du danger, en se représentant
les raisons pour lesquelles il y a beaucoup plus de sûreté
et plus d'honneur en la résistance qu'en la fuite; et au
contraire, lorsqu'ils sentiront que le désir de vengeance 25
et la colère les incite à courir inconsidérément vers ceux
qui les attaquent, ils se souviendront de penser que c'est
imprudence de se perdre quand on peut sans déshonneur
se sauver; et que si la partie est fort inégale, il vaut mieux
faire une honnête retraite ou prendre quartier, que s'ex- 30
poser brutalement à une mort certaine.

Art. 212. Que c'est d'elles seules que dépend tout le bien

et le mal de cette vie. — Au reste l'âme peut avoir ses plaisirs à part, mais pour ceux qui lui sont communs avec le
corps, ils dépendent entièrement des passions, en sorte
que les hommes qu'elles peuvent le plus émouvoir sont
5 capables de goûter le plus de douceur en cette vie: il est
vrai qu'ils y peuvent aussi trouver le plus d'amertume,
lorsqu'ils ne les savent pas bien employer, et que la fortune leur est contraire; mais la sagesse est principalement utile en ce point, qu'elle enseigne à s'en rendre
10 tellement maître, et à les ménager avec tant d'adresse,
que les maux qu'elles causent sont fort supportables, et
même qu'on tire de la joie de tous.

CHAPITRE SEPT

PASCAL

1623–1662

Port-Royal. L'œuvre littéraire de Pascal est intimement liée à une période de l'histoire de Port-Royal et du mouvement janséniste.

L'abbaye de Port-Royal, dans la vallée de Chevreuse (8 lieues à l'ouest de Paris), couvent de religieuses de l'ordre de Saint-Bernard, avait été fondée au XIII° siècle, mais était tombée dans un état de profonde décadence. Une jeune femme, Angélique Arnauld (1591–1661), qui devint abbesse au commencement du XVII° siècle, sut rétablir le prestige de l'institution. En 1626, à cause de l'insalubrité des bâtiments, on émigra à Paris, dans l'Hôtel de Clagny, au Faubourg Saint-Jacques [aujourd'hui l'Hôpital de la Maternité]; mais le nombre croissant des pensionnaires obligea plus tard à rouvrir la maison de la vallée de Chevreuse; il y eut, dès lors, un *Port-Royal de Paris* et un *Port-Royal des Champs.* Angélique Arnauld avait pris comme directeur religieux depuis 1633, Duvergier de Hauranne, abbé de Saint-Cyran, qui était janséniste.

Le Jansénisme. Qu'était le Jansénisme ? Pour le comprendre, il faut se souvenir qu'on fait remonter aux apôtres deux doctrines du salut: 1. celle de Saint-Pierre et de Saint-Jacques, selon laquelle l'homme obtient le Paradis ou *le salut par les bonnes œuvres;* et il faut ajouter que selon l'Église, Dieu a confié aux descendants de Saint-Pierre, c'est à dire au Pape et aux prêtres, la mission d'absoudre le fidèle de ses péchés ou de lui refuser l'absolution — c'est le pouvoir des clefs (clefs du paradis; Saint-Pierre est représenté dans la statuaire, tenant une clef). 2. L'autre doctrine, opposée à celle des bonnes œuvres, est celle de Saint-Paul, selon laquelle l'homme obtient *le salut par la foi.* On l'appelle souvent la doctrine de la grâce; elle se fonde sur une croyance au « péché originel »; c'est à dire que l'homme étant né dans le péché, et sa nature étant mauvaise (étant égoïste, sensuelle, passionnée), il lui est impossible d'espérer réaliser aucune action digne de lui mériter le salut: « Je ne fais pas le bien que je voudrais faire, mais je fais le mal que je ne voudrais pas faire » (Rom. VII, 18) dit Saint-Paul. Par conséquent, puisque ce n'est pas par ses œuvres que l'homme peut obtenir son salut, il faut, s'il l'obtient, que ce soit par la grâce de Dieu, par un don: « Dieu a offert son Fils unique au monde afin que celui qui croit en lui ait la vie éternelle » (Jean III, 16). L'homme ne peut rien puisque toutes ses actions sont, par nature, entachées de corruption — sauf accepter le salut par la foi. Et encore, ne peut-il l'accepter que si celui-ci lui est offert; c'est en effet un acte de prédestination divine qui confère le salut aux uns, et ne le donne pas aux autres. L'homme peut, cependant, s'affliger de la corruption de sa nature, et renoncer aux plaisirs mondains qui en sont l'expression.[1] [Pascal explique en termes théologiques cette doctrine à la page 256 ci-dessous.]

Or, les Jansénistes étaient des défenseurs ardents de la Doctrine du salut par la Grâce. Le livre de Jansénius (1585–1638) qui exposait cette doctrine (publié en 1640) a pour titre *Augustinus;* ce titre signifie que l'auteur acceptait la doctrine de Saint-Augustin, qui lui-même avait accepté celle de Saint-Paul. Les Jansénistes étaient donc des gens très austères; et leur but très net était de réagir contre le danger de mœurs trop faciles qui menaçaient la société d'alors. Et les représentants les plus coupables, selon eux, de cette morale facile étaient les Jésuites.

L'ordre des Jésuites (ou Compagnie de Jésus) avait été fondé par Ignace de Loyola, en 1534, ayant avant tout en vue la conversion des hérétiques (surtout Protestants). Mais le mouvement de la Réforme avait eu comme effet dans le monde religieux, tant catholique que protestant, de resserrer la discipline morale; et ce joug d'austérité était maintenant supporté impatiemment par beaucoup, surtout par des personnages haut placés dont l'Eglise désirait le patronage; c'est à eux que les Pères Jésuites s'efforcèrent de prouver que la loi divine n'était pas d'une si inhumaine sévérité, que plutôt Dieu tenait compte de la fragilité de sa créature, et qu'il n'était pas si rigide que de lui refuser toute joie dans ce monde. Les disciples de Jansénius formèrent le noyau de la résistance aux Jésuites, qui le comprirent bien et se déclarèrent aussitôt des adversaires décidés; les Jansénistes furent accusés de professer des doctrines hérétiques.

Des hommes d'esprit profondément religieux se groupèrent autour de l'abbaye de Port-Royal où prévalait l'esprit de Saint-Cyran et de Jansénius; on les appelait les *Solitaires.* Ils avaient même fondé ce qu'on appela les (Petites Écoles), qui rivalisèrent avec celles, très célèbres alors, des Jésuites; ils résidaient aux Granges, une ferme dépendant de l'Abbaye de Port-Royal des Champs [Leur élève le plus

---

[1] En ceci, on reconnaît la doctrine de Calvin, Luther et Knox.

illustre fut Racine]. Les principaux solitaires furent Antoine Arnauld, frère d'Angélique Arnauld (et souvent nommé « le Grand Arnauld »), Pierre Nicole, et, depuis 1655, Pascal.

La Querelle. Dès 1638 les Jésuites persuadèrent au Cardinal Richelieu de faire enfermer Saint-Cyran dans la prison de Vincennes. L'abbé n'en sortit qu'en 1642, et mourut peu après. Entre temps, en 1640, parut imprimé le fameux livre *Augustinus*. Et ce fut d'abord Arnauld qui devint le principal champion des Jansénistes. En 1643 il publia un *Traité de la Fréquente Communion* dont le ton sévère excita encore l'animosité contre les Jansénistes; Arnauld dut se cacher. Mais le succès s'affirmait toujours; en 1648 Sœur Angélique dut même rouvrir le Port-Royal des Champs et retourna y séjourner elle-même. En 1653 les Jésuites firent condamner l'*Augustinus* à Rome; cinq propositions étaient incriminées. Les Jansénistes ripostèrent en acceptant la condamnation des cinq propositions, mais en déclarant qu'elles ne se trouvaient point en réalité dans le livre de Jansénius. En 1655, nouvel incident: le sacrement de la communion fut refusé au Duc de Liancourt parce qu'il avait confié l'éducation de sa fille à Port-Royal. Alors Arnauld fit imprimer la *Lettre à une personne de condition* (le Duc de Liancourt), qui fut dénoncée par les Jésuites et condamnée par un tribunal de Docteurs à la Sorbonne.

Ici entre en scène Pascal, qui écrira, pour défendre Arnauld, *Les Lettres Provinciales*.

Blaise Pascal (1623–1662) était né à Clermont-Ferrand, en Auvergne, où son père était magistrat; l'enfant avait neuf ans quand celui-ci pour mieux élever sa petite famille, vint à Paris. Blaise donna de très bonne heure des preuves d'une intelligence extraordinaire (on raconte qu'à l'âge de douze ans, il aurait trouvé par lui-même les 32 premières propositions de la géométrie d'Euclide). Son intérêt se tourna d'abord vers les sciences, où il se trouva l'émule de Descartes.[1]

Il avait été initié au Jansénisme dès 1646, mais il ne se consacra à la vie religieuse (où sa sœur Jacqueline Pascal, qui nous a laissé une histoire de sa vie, l'avait précédé) qu'en 1654, après une nuit d'extase (23 nov.); on a pensé qu'un accident de voiture au Pont-de-Neuilly (8 nov.) n'avait pas été étranger à cette conversion. En tous cas il était établi à Port-Royal depuis quelques mois, lorsqu'en 1656 il se prêta à ce qu'on demandait de lui, prendre part au grand débat.

---

[1] Il fit des expériences sur la pesanteur de l'air qui conduisirent à l'invention du baromètre; il inventa une « machine arithmétique » (machine à calculer); et c'est à lui qu'on attribue l'invention des voitures publiques ou *omnibus*, le « carrosse à cinq sous ».

Les Lettres Provinciales (1656–57). Il imagina une personne de la province écrivant à un ami de Paris pour demander des éclaircissements sur le Jansénisme. Le titre de ce célèbre ouvrage (qui circula d'abord sous forme de lettres isolées) est *Dix-huit Lettres Provinciales, ou Lettres écrites par Louis de Montalte à un Provincial de ses amis, et aux Révérends Pères Jésuites sur le sujet de la morale et de la politique de ces Pères.*

Pour bien comprendre les *Lettres provinciales*, il faut savoir que les Jésuites avaient préparé pour les jeunes confesseurs de leur ordre une sorte de manuel qui leur donnait des directions sur la manière de juger les péchés au confessionnal. Il fallait surtout ne pas adhérer trop strictement aux principes acceptés de morale ou aux décisions de la conscience, mais plutôt prendre en considération les *cas* particuliers (de là, le nom *casuistique* donné à cette morale des Jésuites). Pascal va s'appliquer à montrer les dangers de cette *casuistique* en dénonçant quelques doctrines qu'on en a tirées; par exemple la « doctrine des équivoques », qui autorisait à prendre avantage d'une équivoque de langage; il y a équivoque, par exemple, si dans cette phrase « j'ai vu cet homme, » l'un des interlocuteurs entend Pierre et l'autre Jacques [Pascal signale des cas d'équivoque à la page 234; et à la page 248 où le mot « assassin » ne s'applique *pas* à un meurtrier qui n'a pas pris de l'argent pour commettre son action]; ou la « doctrine des restrictions mentales » (*mental reservations*); ou la « doctrine des probabilités ».

Consulter: De l'immense bibliographie sur le Jansénisme et Pascal, citons seulement: A. Gazier, *Histoire du mouvement janséniste depuis les origines jusqu'à nos jours* (Champion, 2 vol. 1922); A. Hallays, *Le pèlerinage de Port-Royal* (Perrin, 1909); Strowski, *Pascal et son temps* (Plon, 1907-9) et surtout Boutroux, *Pascal* (Coll. des Grands écrivains fr. 7me éd. 1919).

1. La Cinquième Provinciale

La *Cinquième Provinciale* expose « la doctrine des probabilités »: [1]

---

[1] Dans les quatre premières *Lettres* Pascal expliquait le point de vue des jansénistes — que les jésuites avaient attaqué — au sujet des doctrines du Pouvoir prochain, de la Grâce suffisante, efficace, et actuelle, des Péchés de Commission et d'Omission. Toutes ces doctrines développent ces idées: que les hommes sont responsables de leurs péchés, car ils se sont servis des facultés (ou Pouvoirs prochains) pour réaliser le mal que Dieu avait rendu seulement possible; et que Dieu seul est auteur du bien parcequ'il faut sa Grâce

De Paris, ce 20 mars 1656

Monsieur, voici ce que je vous ai promis.[1] Voici les premiers traits de la morale des bons pères jésuites, « de ces hommes éminents en doctrine et en sagesse, qui sont tous conduits par la sagesse divine, qui est plus assurée que toute la philosophie. » Vous pensez peut-être que je 5 raille. Je le dis sérieusement, ou plutôt ce sont eux-mêmes qui le disent dans leur livre intitulé *Imago primi sæculi*. Je ne fais que copier leurs paroles, aussi bien que dans la suite de cet éloge: « c'est une société d'hommes, ou plutôt d'anges, qui a été prédite par Isaïe en ces paroles: 10 Allez, anges prompts et légers. » La prophétie n'en est-elle pas claire ? « Ce sont des esprits d'aigles; c'est une troupe de phénix,[2] un auteur ayant montré depuis peu qu'il y en a plusieurs. Ils ont changé la face de la chrétienté. » Il le faut croire, puisqu'ils le disent. Et vous 15 l'allez bien voir dans la suite de ce discours, qui vous apprendra leurs maximes.

J'ai voulu m'en instruire de bonne sorte. Je ne me suis pas fié à ce que notre ami[3] m'en avait appris. J'ai voulu les voir eux-mêmes; mais j'ai trouvé qu'il ne m'avait 20 rien dit que de vrai. Je pense qu'il ne ment jamais. Vous le verrez par le récit de ces conférences.

---

surnaturelle (suffisante et actuelle) pour vaincre la nature pécheresse de l'homme. Depuis la *Cinquième lettre* Pascal cesse de défendre les jansénistes et porte la lutte dans le camp adverse en montrant combien de raisons les jansénistes avaient de s'élever avec indignation contre la morale que beaucoup des jésuites faisaient prévaloir.

[1] A la fin de la lettre précédente, il avait promis de montrer « le renversement que la doctrine des jésuites apportait dans la morale. »

[2] *Phénix*, ici dans le sens de personnes très rares, comme uniques en leur espèce.

[3] Un janséniste de sa connaissance dont la lettre précédente rapportait la conversation.

Dans celle que j'eus avec lui, il me dit de si étranges
choses, que j'avais peine à le croire; mais il me les montra
dans les livres de ses pères: de sorte qu'il ne me resta rien à
dire pour leur défense, sinon que c'étaient les sentiments
5 de quelques particuliers qu'il n'était pas juste d'imputer
au corps. Et en effet, je l'assurai que j'en connaissais
qui sont aussi sévères que ceux qu'il me citait sont relâchés. Ce fut sur cela qu'il me découvrit l'esprit de la
société, qui n'est pas connu de tout le monde, et vous
10 serez peut-être bien aise de l'apprendre. Voici ce qu'il
me dit:

« Vous pensez beaucoup faire en leur faveur, de montrer qu'ils ont de leurs pères aussi conformes aux maximes
évangéliques que les autres y sont contraires; et vous
15 concluez de là que ces opinions larges n'appartiennent
pas à toute la société. Je le sais bien; car si cela était, ils
n'en souffriraient pas qui y fussent si contraires. Mais,
puisqu'ils en ont aussi qui sont dans une doctrine si licen-
cieuse, concluez-en de même que l'esprit de la société
20 n'est pas celui de la sévérité chrétienne: car, si cela était,
ils n'en souffriraient pas qui y fussent si opposés. — Eh
quoi! lui répondis-je, quel peut donc être le dessein du
corps entier? C'est sans doute qu'ils n'en ont aucun
d'arrêté, et que chacun a la liberté de dire à l'aventure
25 ce qu'il pense! — Cela ne peut pas être, me répondit-il:
un si grand corps ne subsisterait pas dans une conduite
téméraire, et sans une âme qui le gouverne et qui règle
tous ses mouvements; outre qu'ils ont un ordre particulier de ne rien imprimer sans l'aveu de leurs supérieurs. —
30 Mais quoi! lui dis-je, comment les mêmes supérieurs peuvent-ils consentir à des maximes si différentes? — C'est
ce qu'il faut vous apprendre, me répliqua-t-il.

Sachez donc que leur objet n'est pas de corrompre les mœurs: ce n'est pas leur dessein. Mais ils n'ont pas aussi pour unique but celui de les réformer: ce serait une mauvaise politique. Voici quelle est leur pensée. Ils ont assez bonne opinion d'eux-mêmes pour croire qu'il est 5 utile et comme nécessaire au bien de la religion que leur crédit s'étende partout, et qu'ils gouvernent toutes les consciences. Et, parce que les maximes évangéliques et sévères sont propres pour gouverner quelques sortes de personnes, ils s'en servent dans ces occasions où elles 10 leur sont favorables. Mais, comme ces mêmes maximes ne s'accordent pas au dessein de la plupart des gens, ils les laissent à l'égard de ceux-là, afin d'avoir de quoi satisfaire tout le monde. C'est pour cette raison que, ayant affaire à des personnes de toutes sortes de conditions et 15 de nations si différentes, il est nécessaire qu'ils aient des casuistes [1] assortis à toute cette diversité.

De ce principe vous jugez aisément que, s'ils n'avaient que des casuistes relâchés, ils ruineraient leur principal dessein, qui est d'embrasser tout le monde, puisque ceux 20 qui sont véritablement pieux cherchent une conduite plus sévère. Mais, comme il n'y en a pas beaucoup de cette sorte, ils n'ont pas besoin de beaucoup de directeurs sévères pour les conduire. Ils en ont peu pour peu; au lieu que la foule des casuistes relâchés s'offre à la foule de 25 ceux qui cherchent le relâchement.

C'est par cette conduite *obligeante et accommodante*, comme l'appelle le père Petau, qu'ils tendent les bras à tout le monde. Car, s'il se présente à eux quelqu'un qui soit tout résolu de rendre des biens mal acquis ne craignez 30

---

[1] *Casuistes* = qui discutent des *cas* de conscience morale. Voir Introduction.

pas qu'ils l'en détournent. Ils loueront au contraire et
confirmeront une si sainte résolution. Mais qu'il en
vienne un autre qui veuille avoir l'absolution sans restituer, la chose sera bien difficile, s'ils n'en fournissent des
5 moyens dont ils se rendront les garants.

Par là ils conservent tous leurs amis, et se défendent
contre tous leurs ennemis. Car, si on leur reproche leur
extrême relâchement, ils produisent incontinent au public
leurs directeurs austères, avec quelques livres qu'ils ont
10 faits de la rigueur de la loi chrétienne; et les simples, et
ceux qui n'approfondissent pas plus avant les choses, se
contentent de ces preuves.

Ainsi ils en ont pour toutes sortes de personnes, et
répondent si bien selon ce qu'on leur demande, que,
15 quand ils se trouvent en des pays où un Dieu crucifié
passe pour folie, ils suppriment le scandale de la croix,
et ne prêchent que Jésus-Christ glorieux, et non pas Jésus-
Christ souffrant: comme ils ont fait dans les Indes et dans
la Chine, où ils ont permis aux chrétiens l'idolâtrie même,
20 par cette subtile invention de leur faire cacher sous leurs
habits une image de Jésus-Christ à laquelle ils leur en-
seignent de rapporter mentalement[1] les adorations
publiques qu'ils rendent à l'idole Cachinchoam et à leur
Keum-fucum; comme Gravina, dominicain,[2] le leur re-
25 proche, et comme le témoigne le mémoire, en espagnol,
présenté au roi d'Espagne Philippe IV, par les cordeliers
des îles Philippines, rapporté par Thomas Hurtado dans
son livre du *Martyre de la foi*, page 427. De telle sorte
que la congrégation des cardinaux *de propaganda fide* fut

---

[1] Exemple d'application de la doctrine des « Équivoques ».

[2] Dominicains ... Cordeliers = ordres religieux qui avaient aussi
des missionnaires en Chine et aux îles Philippines.

obligée de défendre particulièrement aux jésuites, sous
peine d'excommunication, de permettre des adorations
d'idole sous aucun prétexte, et de cacher le mystère de
la croix à ceux qu'ils instruisent de la religion, leur commandant expressément de n'en recevoir aucun au baptême 5
qu'après cette connaissance, et leur ordonnant d'exposer dans leurs églises l'image du crucifix, comme il est
porté amplement dans le décret de cette congrégation,
donné le 9 juillet 1646, signé par le cardinal Capponi.

Voilà de quelle manière ils se sont répandus par toute 10
la terre à la faveur *de la doctrine des opinions probables*,[1]
qui est la source et la base de tout ce dérèglement. C'est
ce qu'il faut que vous appreniez d'eux-mêmes; car ils ne
le cachent à personne, non plus que tout ce que vous
venez d'entendre, avec cette seule différence, qu'ils cou- 15
vrent leur prudence humaine et politique du prétexte d'une
prudence divine et chrétienne, comme si la foi et la tradition qui la maintient n'étaient pas toujours une et in-
variable dans tous les temps et dans tous les lieux; comme
si c'était à la règle à se fléchir pour convenir au sujet qui 20
doit lui être conforme; et comme si les âmes n'avaient,
pour se purifier de leurs taches qu'à corrompre la loi du
Seigneur; au lieu « que la loi du Seigneur, qui est sans
tache et toute sainte, est celle qui doit convertir les âmes »,
et les conformer à ses salutaires instructions ! 25

Allez donc, je vous prie, voir ces bons pères, et je
m'assure que vous remarquerez aisément dans le relâchement de leur morale la cause de leur doctrine touchant
la grâce. Vous y verrez les vertus chrétiennes si incon-

---

[1] Cette doctrine sera développée plus bas; selon elle, l'autorisa-
tion de ce « dérèglement » ayant été donnée par un religieux dont
l'opinion compte, pouvait être acceptée par ses collègues.

nues et si dépourvues de la charité, qui en est l'âme et la
vie; vous y verrez tant de crimes palliés, et tant de désordres soufferts, que vous ne trouverez plus étrange qu'ils
soutiennent que tous les hommes ont toujours assez de
5 grâce pour vivre dans la piété de la manière qu'ils l'entendent.   Comme leur morale est toute païenne, la nature
suffit pour l'observer.   Quand nous soutenons la nécessité de la grâce efficace,[1] nous lui donnons d'autres vertus
pour objet.   Ce n'est pas simplement pour guérir les vices
10 par d'autres vices; ce n'est pas seulement pour faire
pratiquer aux hommes les devoirs extérieurs de la religion; c'est pour une vertu plus haute que celle des phari-
siens et des plus sages du paganisme.   La loi et la raison
sont des grâces suffisantes pour ces effets.   Mais pour
15 dégager l'âme de l'amour du monde, pour la retirer de ce
qu'elle a de plus cher, pour la faire mourir à soi-même,
pour la porter et l'attacher uniquement et invariable-
ment à Dieu, ce n'est l'ouvrage que d'une main toute-
puissante.   Et il est aussi peu raisonnable de prétendre
20 que l'on a toujours un plein pouvoir, qu'il le serait de
nier que ces vertus destituées d'amour de Dieu, lesquelles
ces bons pères confondent avec les vertus chrétiennes, ne
sont pas en notre puissance. »

Voilà comment il me parla, et avec beaucoup de dou-
25 leur; car il s'afflige sérieusement de tous ces désordres.
Pour moi, j'estimai ces bons pères de l'excellence de leur
politique, et je fus, selon son conseil, trouver un bon
casuiste de la société.   C'est une de mes anciennes connaissances, que je voulus renouveler exprès.   Et comme
30 j'étais instruit de la manière dont il les fallait traiter, je

---

[1] La doctrine fondamentale des jansénistes, que le passage suivant
explique.

n'eus pas de peine à le mettre en train. Il me fit d'abord
mille caresses, car il m'aime toujours, et, après quelques
discours indifférents, je pris occasion du temps où nous
sommes pour apprendre de lui quelque chose sur le jeûne,
afin d'entrer insensiblement en matière. Je lui témoignai 5
donc que j'avais de la peine à le supporter.[1] Il m'ex-
horta à me faire violence; mais, comme je continuai à me
plaindre, il en fut touché et se mit à chercher quelque
cause de dispense. Il m'en offrit en effet plusieurs qui ne
me convenaient point, lorsqu'il s'avisa enfin de me deman- 10
der si je n'avais pas de peine à dormir sans souper. « Oui,
lui dis-je, mon père, et cela m'oblige souvent à faire collation à midi et à souper le soir. — Je suis bien aise, me
répliqua-t-il, d'avoir trouvé ce moyen de vous soulager
sans péché; allez, vous n'êtes point obligé de jeûner. Je 15
ne veux pas que vous m'en croyiez; venez à la bibliothèque. »

J'y fus, et là, en prenant un livre: « En voici la preuve,
me dit-il, et Dieu sait quelle ! C'est Escobar. — Qui est
Escobar, lui dis-je, mon père ? — Quoi ! vous ne savez 20
pas qui est Escobar de notre société, qui a compilé cette
Théologie morale de vingt-quatre de nos pères; sur quoi
il fait, dans la préface, une allégorie de ce livre, « à celui
de l'*Apocalypse*,[2] qui était scellé de sept sceaux ? Et il dit

[1] Au jour de jeûne, le catholique fait un repas régulier seulement,
au lieu de deux les autres jours; c'est le *souper;* et à côté de cela,
il fait une *collation* très légère (*luncheon*, quelques onces de pain par
exemple). Le *souper* est généralement pris au milieu du jour; la
collation le soir.

[2] Chap. IV du *Livre de l'Apocalypse*, décrivant « un agneau qui
était là comme immolé » sur un trône, et qui remit à quatre grands
animaux (le lion, le veau, l'homme et l'aigle) et vingt-quatre vieillards, un livre scellé de sept sceaux; ils vont briser les sept sceaux
pour interpréter au monde le contenu divin du livre.

que Jésus l'offre ainsi scellé aux quatre animaux Suarez, Vasquez, Molina, Valentia,[1] en présence de vingt-quatre jésuites qui représentent les vingt-quatre vieillards ? »

Il lut toute cette allégorie, qu'il trouvait bien juste, 5 et par où il me donnait une grande idée de l'excellence de cet ouvrage. Ayant ensuite cherché son passage du jeûne: « Le voici, me dit-il, au traité 1, exemple 13, n° 67. « Celui qui ne peut dormir s'il n'a soupé, est-il obligé de jeûner ? Nullement. » N'êtes-vous pas content ? — Non, 10 pas tout à fait, lui dis-je; car je puis bien supporter le jeûne en faisant collation le matin et soupant le soir. — Voyez donc la suite, me dit-il, ils ont pensé à tout. « Et que dira-t-on si on peut bien se passer d'une collation le matin en soupant le soir ? — Me voilà. — On n'est point encore 15 obligé de jeûner. Car personne n'est obligé de changer l'ordre de ses repas. » — Oh, la bonne raison ! lui dis-je. — Mais, dites-moi, continua-t-il, usez-vous de beaucoup de vin ? — Non, mon père, lui dis-je; je ne le puis souffrir. — Je vous disais cela, me répondit-il, pour vous avertir que 20 vous en pourriez boire le matin, et quand il vous plairait, sans rompre le jeûne; et cela soutient toujours. En voici la décision au même lieu, n° 57. « Peut-on, sans rompre le jeûne, boire du vin à telle heure qu'on voudra, et même en grande quantité ? On le peut, et même de l'hypocras. » 25 Je ne me souvenais pas de cet hypocras, dit-il; il faut que je le mette sur mon recueil. — Voilà un honnête homme, lui dis-je, qu'Escobar. — Tout le monde l'aime, répondit le père. Il fait de si jolies questions ! Voyez celle-ci qui est au même endroit, n° 38. « Si un homme doute qu'il 30 ait vingt et un ans,[2] est-il obligé de jeûner ? — Non. —

---

[1] Les quatre grandes autorités théologiques des jésuites.
[2] On jeûne seulement depuis 21 ans, mais on fait maigre (abstention de viande) dès l'âge de la communion (10 à 12 ans).

Mais si j'ai vingt et un ans cette nuit à une heure après minuit, et qu'il soit demain jeûne, serai-je obligé de jeûner demain ? — Non; car vous pourriez manger autant qu'il vous plairait depuis minuit jusqu'à une heure, puisque vous n'auriez pas encore vingt et un ans: et ainsi, 5 ayant droit de rompre le jeûne, vous n'y êtes point obligé. » —Oh ! que cela est divertissant ! lui dis-je. — On ne s'en peut tirer, me répondit-il; je passe les jours et les nuits à le lire; je ne fais autre chose.

Le bon père, voyant que j'y prenais plaisir, en fut 10 ravi . . . — En vérité, mon père, lui dis-je, je ne le crois pas bien encore. Eh quoi ? n'est-ce pas un péché de ne pas jeûner quand on le peut ? Est-il permis de rechercher les occasions de pécher ? ou plutôt n'est-on pas obligé de les fuir ? Cela serait assez commode. — Non pas toujours, 15 me dit-il; c'est selon. — Selon quoi ? lui dis-je. — Ho ! ho ! repartit le père. — Et si on recevait quelque incommodité en fuyant les occasions, y serait-on obligé, à votre avis ? — Ce n'est pas au moins celui du père Bauny, que voici, p. 1084. « On ne doit pas refuser l'absolution à ceux qui 20 demeurent dans les occasions prochaines du péché, s'ils sont en tel état qu'ils ne puissent les quitter sans donner sujet au monde de parler, ou sans qu'ils en reçussent eux-mêmes de l'incommodité. » — Je m'en réjouis, mon père, il ne reste plus qu'à dire qu'on peut rechercher les 25 occasions de propos délibéré, puisqu'il est permis de ne les pas fuir. — Cela même est aussi quelquefois permis, ajouta-t-il. Le célèbre casuiste Basile Ponce l'a dit, et le père Bauny le cite et approuve son sentiment, que voici dans le *Traité de la pénitence*, question 4, p. 94. 30 « On peut rechercher une occasion directement et pour elle-même, *primo et per se*, quand le bien spirituel

et temporel de nous ou de notre prochain nous y
porte. »

Vraiment, lui dis-je, il me semble que je rêve quand
j'entends des religieux parler de cette sorte ! Eh quoi !
5 mon père, dites-moi, en conscience, êtes-vous dans ce
sentiment-là ? — Non vraiment, me dit le père. — Vous
parlez donc, continuai-je, contre votre conscience ? —
Point du tout, dit-il. Je ne parlais pas en cela selon ma
conscience, mais selon celle de Ponce et du père Bauny:
10 et vous pourriez les suivre en sûreté; car ce sont d'habiles
gens. — Quoi ! mon père, parce qu'ils ont mis ces trois
lignes dans leurs livres, sera-t-il devenu permis de rechercher les occasions de pécher ? Je croyais ne devoir prendre
pour règle que l'Écriture et la tradition de l'Église, mais
15 non pas vos casuistes. — O bon Dieu, s'écria le père,
vous me faites souvenir de ces jansénistes ! Est-ce que
le père Bauny et Basile Ponce ne peuvent pas rendre
leur opinion probable ? — Je ne me contente pas du
probable, lui dis-je, je cherche le sûr. — Je vois bien, me
20 dit le bon père, que vous ne savez pas ce que c'est que la
doctrine des opinions probables. Vous parleriez autrement si vous le saviez. Ah ! vraiment, il faut que je
vous en instruise. Vous n'aurez pas perdu votre temps
d'être venu ici; sans cela vous ne pouviez rien entendre.
25 C'est le fondement et l'*a b c* de toute notre morale.

Je fus ravi de le voir tombé dans ce que je souhaitais:
et, le lui ayant témoigné, je le priai de m'expliquer ce que
c'était qu'une opinion probable. « Nos auteurs vous y
répondront mieux que moi, dit-il. Voici comme ils en
30 parlent tous généralement, et entre autres, nos vingt-
quatre, *in principibus*, exemplum 3, n° 8. « Une opinion est
appelée probable, lorsqu'elle est fondée sur des raisons de

quelque considération. D'où il arrive quelquefois qu'un
seul docteur fort grave peut rendre une opinion probable. »
Et en voici la raison: « car un homme adonné particulièrement à l'étude ne s'attacherait pas à une opinion, s'il n'y
était attiré par une raison bonne et suffisante. » — Et 5
ainsi, lui dis-je, un seul docteur peut tourner les consciences et les bouleverser à son gré, et toujours en sûreté.
— Il n'en faut pas rire, me dit-il, ni penser combattre
cette doctrine. Quand les jansénistes l'ont voulu faire,
ils y ont perdu leur temps. Elle est trop bien établie. 10
Écoutez Sanchez, qui est un des plus célèbres de nos
pères (*Somme* liber 1, ch. 9, n° 7). — « Vous douterez peut-
être si l'autorité d'un seul docteur bon et savant rend une
opinion probable. A quoi je réponds que oui. Et c'est
ce qu'assurent Angelus, Sylvius Navarrus, Emmanuel Sa, 15
etc. Et voici comme on le prouve. Une opinion probable
est celle qui a un fondement considérable. Or l'autorité
d'un homme savant et pieux n'est pas de petite considération, mais plutôt de grande considération. Car, écoutez
bien cette raison: Si le témoignage d'un tel homme est 20
de grand poids pour nous assurer qu'une chose se soit
passée, par exemple, à Rome, pourquoi ne le sera-t-il pas
de même dans un doute de morale ? »
— La plaisante comparaison, lui dis-je, des choses du
monde à celles de la conscience. — Ayez patience: San- 25
chez répond à cela dans les lignes qui suivent immédiatement: « Et la restriction qu'y apportent certains auteurs
ne me plaît pas, que l'autorité d'un tel docteur est suffisante dans les choses de droit humain, mais non pas dans
celles de droit divin. Car elle est de grand poids dans les 30
unes et dans les autres. »
Mon père, lui dis-je franchement, je ne puis faire cas

de cette règle.   Qui m'a assuré que, dans la liberté que
vos docteurs se donnent d'examiner les choses par la raison, ce qui paraîtra sûr à l'un le paraisse à tous les autres ?
La diversité des jugements est si grande . . . — Vous ne
5 l'entendez pas, dit le père en m'interrompant, aussi sont-
ils fort souvent de différents avis, mais cela n'y fait rien.
Chacun rend le sien probable et sûr.   Vraiment l'on sait
bien qu'ils ne sont pas tous de même sentiment, et cela
n'en est que mieux.   Ils ne s'accordent au contraire pres-
10 que jamais.   Il y a peu de questions où vous ne trouviez que
l'un dit oui, l'autre dit non.   Et en tous ces cas-là, l'une et
l'autre des opinions contraires est probable.   Et c'est pourquoi Diana dit sur un certain sujet, part, 3, traité 4, rép.
244 : « Ponce et Sanchez sont de contraires avis; mais, parce
15 qu'ils étaient tous deux savants, chacun rend son opinion
probable. »

Mais, mon père, lui dis-je, on doit être bien embarrassé à choisir alors ! — Point du tout, dit-il, il n'y a qu'à
suivre l'avis qui agrée le plus. — Eh quoi ! si l'autre est
20 plus probable ? — Il n'importe, me dit-il. — Et si l'autre
est plus sûr ? — Il n'importe, me dit encore le père, le
voici bien expliqué.   C'est Emmanuel Sa, de notre société,
dans son aphorisme de Dubio, p. 183 : « On peut faire ce
qu'on pense être permis selon une opinion probable,
25 quoique le contraire soit plus sûr.   Or, l'opinion d'un seul
docteur grave y suffit. » — Et si une opinion est tout ensemble et moins probable et moins sûre, sera-t-il permis
de la suivre en quittant ce que l'on croit être plus probable
et plus sûr ? — Oui, encore une fois, me dit-il; écoutez
30 Filiutius, ce grand jésuite de Rome, Morales Quæstiones;
tractatus 21, ch. 4, n°, 128 : « Il est permis de suivre l'opinion la moins probable, quoiqu'elle soit la moins sûre.   C'est

l'opinion commune des nouveaux auteurs. » Cela n'est-il
pas clair ? —Nous voici bien au large, lui dis-je, mon révé-
rend père.   Grâces à vos opinions probables, nous avons
une belle liberté de conscience.   Et vous autres casuistes,
avez-vous la même liberté dans vos réponses ? — Oui, me   5
dit-il, nous répondons aussi ce qu'il nous plaît, ou plutôt ce
qu'il plaît à ceux qui nous interrogent.   Car voici nos règles,
prises de nos pères, Layman (*Theol. Mor.* l. I, tr. 1, c. 2,
§ 2, n° 7): Vasquez (*Distinctiones* 62, c. 9, n° 47); Sanchez
(*in Summâ* l. I, c. 9, n° 23); et de nos vingt-quatre (*in*   10
princ. ex. 3, n° 24).   Voici les paroles de Layman, que le
livre de nos vingt-quatre a suivies: « Un docteur, étant
consulté, peut donner un conseil, non-seulement probable
selon son opinion, mais contraire à son opinion, s'il est estimé probable par d'autres, lorsque cet avis contraire au 15
sien se rencontre plus favorable et plus agréable à celui
qui le consulte: SI FORTE *et illi favorabilior seu exoptatior sit.*
Mais je dis de plus qu'il ne sera point hors de raison qu'il
donne à ceux qui le consultent un avis tenu pour probable
par quelque personne savante, quand même il s'assure- 20
rait qu'il serait absolument faux. »

Tout de bon, mon père, votre doctrine est bien commode.   Quoi ! avoir à répondre oui et non à son choix ?
On ne peut assez priser un tel avantage.   Et je vois bien
maintenant à quoi vous servent les opinions contraires 25
que vos docteurs ont sur chaque matière.   Car l'une vous
sert toujours, et l'autre ne vous nuit jamais.   Si vous ne
trouvez votre compte d'un côté, vous vous jetez de l'autre,
et toujours en sûreté. — Cela est vrai, dit-il, et ainsi nous
pouvons toujours dire avec Diana, qui trouva le père 30
Bauny pour lui, lorsque le père Lugo lui était contraire:

Sæpe, premente Deo, fert Deus alter opem.
Si quelque Dieu nous presse, un autre nous délivre.

— J'entends bien, lui dis-je, mais il me vient une difficulté dans l'esprit. C'est qu'après avoir consulté un de vos docteurs, et pris de lui une opinion un peu large, on sera peut-être attrapé si on rencontre un confesseur qui
5 n'en soit pas, et qui refuse l'absolution, si l'on ne change de sentiment. N'y avez-vous point donné ordre, mon père ? — En doutez-vous ? me répondit-il. On les a obligés à absoudre leurs pénitents qui ont des opinions probables, sur peine de péché mortel, afin qu'ils n'y man-
10 quent pas. C'est ce qu'ont bien montré nos pères, et entre autres le père Bauny (tr. 4, *de Pœnitentiâ*, q. 13, p. 93): « Quand le pénitent, dit-il, suit une opinion probable, le confesseur le doit absoudre, quoique son opinion soit contraire à celle du pénitent. » — Mais il ne dit pas que
15 ce soit un péché mortel de ne le pas absoudre. — Que vous êtes prompt ! me dit-il; écoutez la suite: il en fait une conclusion expresse: « Refuser l'absolution à un pénitent qui agit selon une opinion probable, est un péché qui, de sa nature, est mortel. » Et il cite, pour confirmer ce senti-
20 ment, trois des plus fameux de nos pères, Suarez (tom. 4, dist. 32, sect. 5); Vasquez (disputatio 62, c. 7); et Sanchez (n° 29).

— O mon père ! lui dis-je, voilà qui est bien prudemment ordonné ! Il n'y a plus rien à craindre. Un confesseur
25 n'oserait plus y manquer. Je ne savais pas que vous eussiez le pouvoir d'ordonner sur peine de damnation. Je croyais que vous ne saviez qu'ôter les péchés; je ne pensais pas que vous en sussiez introduire. Mais vous avez tout pouvoir, à ce que je vois. — Vous ne parlez pas
30 proprement, me dit-il. Nous n'introduisons pas les

péchés, nous ne faisons que les remarquer. J'ai déjà bien
reconnu deux ou trois fois que vous n'êtes pas bon scolastique.[1] — Quoi qu'il en soit, mon père, voilà mon doute
bien résolu. Mais j'en ai un autre encore à vous proposer:
c'est que je ne sais comment vous pouvez faire, quand les   5
pères de l'Église sont contraires au sentiment de quelqu'un
de vos casuistes.

— Vous l'entendez bien peu, me dit-il. Les pères étaient
bons pour la morale de leur temps, mais ils sont trop
éloignés pour celle du nôtre. Ce ne sont plus eux qui la   10
règlent, ce sont les nouveaux casuistes. Écoutez notre
père Cellot (de Hier., l. VIII, c. 16, p. 714), qui suit en
cela notre fameux père Reginaldus: « Dans les questions
de morale, les nouveaux casuistes sont préférables aux
anciens pères, quoiqu'ils fussent plus proches des apôtres. »   15
Et c'est en suivant cette maxime que Diana parle de cette
sorte (p. 5, tr. 8, reg. 31): « Les bénéficiers [2] sont-ils obligés
de restituer leur revenu dont ils disposent mal ? Les anciens disaient que oui, mais les nouveaux disent que non:
ne quittons donc pas cette opinion qui décharge de l'obli-   20
gation de restituer. » — Voilà de belles paroles, lui dis-je,
et pleines de consolation pour bien du monde. — Nous
laissons les pères, me dit-il, à ceux qui traitent la morale
positive: mais, pour nous, qui gouvernons les consciences,
nous les lisons peu, et ne citons dans nos écrits que les   25
nouveaux casuistes. Voyez Diana qui a tant écrit; il a
mis à l'entrée de ses livres la liste des auteurs qu'il rap-
porte. Il y en a deux cent quatre-vingt-seize, dont le plus
ancien est mort depuis quatre-vingts ans. — Cela est donc
venu au monde depuis votre société ? lui dis-je. — Environ,   30

[1] Raisonneur selon la doctrine de l'École (scola).
[2] Titulaires de dignités ecclésiastiques avec revenus.

me répondit-il. — C'est-à-dire, mon père, qu'à votre arrivée on a vu disparaître saint Augustin, saint Chrysostome,
saint Ambroise, saint Jérôme et les autres pour ce qui
est de la morale. Mais au moins que je sache les noms de
5 ceux qui leur ont succédé; qui sont-ils ces *nouveaux*
auteurs ? — Ce sont des gens bien habiles et bien célèbres,
me dit-il. C'est Villalobos, Conink, Llamas, Achokier,
Dealkozer, Dellacruz, Veracruz, Ugolin, Tambourin,
Fernandez, Martinez, Suarez, Henriquez, Vasquez, Lopez,
10 Gomez, Sanchez, de Veanis, de Grassis, de Grassaïis, de
Pitigianis, de Graphæis, Squilanti, Bizozeri, Barcola, de
Bobadilla, Simancha, Perez de Lara, Adretta, Lorca, de
Scarcia, Quaranta, Scophra, Pedrezza, Cabrezza, Bisbe,
Dias, de Clavasio, Villagut, Adam à Manden, Iribarne,
15 Binsfeld, Volfangi à Vorberg, Vosthery, Strevesdorf. —
O mon père ! lui dis-je tout effrayé, tous ces gens-là
étaient-ils chrétiens ? — Comment, chrétiens ! me répondit-il. Ne vous disais-je pas que ce sont les seuls par
lesquels nous gouvernons aujourd'hui la chrétienté ? »
20 Cela me fit pitié, mais je ne lui en témoignai rien, et
lui demandai seulement si tous ces auteurs-là étaient
jésuites. « Non, me dit-il, mais il n'importe; ils n'ont pas
laissé de dire de bonnes choses. Ce n'est pas que la plupart
ne les aient prises ou imitées des nôtres; mais nous ne
25 nous piquons pas d'honneur, outre qu'ils citent nos pères
à toute heure et avec éloge. Voyez Diana, qui n'est pas
de notre société; quand il parle de Vasquez, il l'appelle *le*
phénix des esprits. Et quelquefois il dit « que Vasquez
seul lui est autant que tout le reste des hommes ensem-
30 ble. *Instar omnium.* » Aussi tous nos pères se servent
fort souvent de ce bon Diana: car, si vous entendez bien
notre doctrine de la probabilité, vous verrez que cela n'y

fait rien. Au contraire; nous avons bien voulu que
d'autres que les jésuites puissent rendre leurs opinions
probables, afin qu'on ne puisse pas nous les imputer
toutes. Et ainsi, quand quelque auteur que ce soit en a
avancé une, nous avons droit de la prendre, si nous le 5
voulons, par la doctrine des opinions probables; et nous
n'en sommes pas les garants, quand l'auteur n'est pas de
notre corps. — J'entends tout cela, lui dis-je. Je vois
bien par là que tout est bien venu chez vous, hormis les
anciens pères, et que vous êtes les maîtres de la campagne. 10
Vous n'avez plus qu'à courir.

Mais je prévois trois ou quatre grands inconvénients,
et de puissantes barrières qui s'opposeront à votre course.
— Et quoi? me dit le père tout étonné. — C'est, lui répondis-je, l'Écriture sainte, les papes et les conciles, que 15
vous ne pouvez démentir, et qui sont tous dans la voie
unique de l'Évangile. — Est-ce là tout? me dit-il. Vous
m'avez fait peur. Croyez-vous qu'une chose si visible
n'ait pas été prévue, et que nous n'y ayons pas pourvu?
Vraiment je vous admire, de penser que nous soyons op- 20
posés à l'Écriture, aux papes ou aux conciles! Il faut que
je vous éclaircisse du contraire. Je serais bien marri que
vous crussiez que nous manquons à ce que nous leur
devons. Vous avez sans doute pris cette pensée de quelques opinions de nos pères qui paraissent choquer leurs 25
décisions, quoique cela ne soit pas. Mais, pour en entendre
l'accord, il faudrait avoir plus de loisir. Je souhaite que
vous ne demeuriez pas mal édifié de nous. Si vous voulez
que nous nous revoyions demain, je vous en donnerai
l'éclaircissement. » 30

Voilà la fin de cette conférence, qui sera celle de cet
entretien: aussi en voilà bien assez pour une lettre. Je

m'assure que vous en serez satisfait en attendant la suite.
Je suis, etc.

[Voici un passage de la Lettre sixième qui explique comment le
jésuite propose d'écarter l'autorité de l'Écriture et de l'Église:

« . . . Il m'en a instruit, en effet, dans ma seconde visite, dont
voici le récit.

Ce bon père me parla de cette sorte: « Une des manières dont nous
accordons ces contradictions apparentes est par l'interprétation de
quelque terme. Par exemple, le pape Grégoire XIV a déclaré que
les assassins sont indignes de jouir de l'asile des églises, et qu'on les
en doit arracher. Cependant nos vingt-quatre vieillards disent (tr.
6, ex. 4, n. 27): « Que tous ceux qui tuent en trahison ne doivent pas
encourir la peine de cette bulle. » Cela vous paraît être contraire,
mais on l'accorde, en interprétant le mot d'*assassin*, comme ils
font par ces paroles: « Les assassins ne sont-ils pas indignes de jouir du
privilège des églises ? Oui, par la bulle de Grégoire XIV. Mais nous
entendons par le mot d'assassins, ceux qui ont reçu de l'argent pour
tuer quelqu'un en trahison. D'où il arrive que ceux qui tuent sans
en recevoir aucun prix, mais seulement pour obliger leurs amis, ne
sont pas appelés assassins. » De même il est dit dans l'Évangile:
«Donnez l'aumône de votre superflu. » Cependant plusieurs casuistes
ont trouvé moyen de décharger les personnes les plus riches de l'obligation de donner l'aumône. Cela vous paraît encore contraire; mais
on en fait voir facilement l'accord, en interprétant le mot de *superflu*,
en sorte qu'il n'arrive presque jamais que personne en ait. Et c'est
ce qu'a fait le docte Vasquez en cette sorte, dans son *Traité de l'aumône*, c. 4: « Ce que les personnes du monde gardent pour relever
leur condition et celle de leurs parents n'est pas appelé superflu; et
c'est pourquoi à peine trouvera-t-on qu'il y ait jamais de superflu chez
les gens du monde, et non pas même chez les rois. »—Je vois bien, mon
père, que cela suit de la doctrine de Vasquez. Mais que répondrait-on,
si l'on objectait qu'afin de faire son salut, il serait donc aussi sûr,
selon Vasquez, de ne point donner l'aumône, pourvu qu'on ait assez
d'ambition pour n'avoir point de superflu, qu'il est sûr, selon l'Évangile, de n'avoir point d'ambition, afin d'avoir du superflu pour en
pouvoir donner l'aumône ? — Il faudrait répondre, me dit-il, que
toutes ces deux voies sont sûres, selon le même Évangile: l'une selon
l'Évangile dans le sens le plus littéral et le plus facile à trouver;
l'autre selon le même Évangile, interprété par Vasquez. Vous voyez
par là l'utilité des interprétations . . . »]

La réponse faite à Pascal par les défenseurs des Jésuites, est que

ceux-ci ne sont nullement les inventeurs de la « casuistique »,
et que Saint-Paul lui-même fut le premier casuiste chrétien dans
ses épîtres, lorsqu'il discute plusieurs (cas) de conduite pour les
chrétiens de la première église: par exemple, si on peut manger des
viandes sacrifiées aux idoles, si les femmes doivent porter un voile à
l'église, le cas du divorce, etc. Voir Belloc *Pascal's Provinciales* pour
une réfutation courte et aisée à comprendre. Comme écrivain non-
catholique, voir par exemple, *Le chemin de velours*, par Rémy de Gourmont, qui, lui aussi, considère que les cas de conduite sont tous des
cas individuels et que Pascal n'a pas raison en principe dans son attaque.

Plusieurs érudits affirment aujourd'hui que Pascal a, dans les
derniers temps de sa vie, récusé le Jansénisme.

* * *

L'attaque des *Lettres Provinciales* était trop forte; elle aggrava le
péril au lieu de le conjurer. Les Jésuites employèrent les plus grands
moyens pour réduire au silence leurs redoutables adversaires; ils
avaient, avec eux, le pouvoir temporel. Ils firent fermer les Petites
Écoles et chasser les Solitaires. Ceci ne suffisant pas, en 1660 les
persécutions reprennent; on ordonne la destruction des Petites Écoles;
en 1665 on enferma les religieuses récalcitrantes à Port-Royal-des-
Champs où elles restèrent séquestrées jusqu'en 1669; en 1668 on avait
nommé comme abbesse de Port-Royal-de-Paris une religieuse qui
avait renié le Jansénisme. En 1679 on défendit formellement de
recruter de nouvelles pensionnaires; c'était assurer, semble-t-il, la dis-
parition de la secte; en 1707 on priva de communion celles qui
restaient fidèles à Jansénius, et on les excommunia; en 1709 on pro-
mulgua la suppression de Port-Royal, et les dernières religieuses furent
jetées dans divers couvents; en 1710 enfin, Louis XIV ordonna de
raser les bâtiments de Port-Royal-des-Champs (dont on visite les
restes aujourd'hui).

Disons cependant que la chose ne s'arrêta pas là; le XVIII° siècle
vit la continuation de cette lutte sourde et opiniâtre, avec ce résultat
qu'en 1762 l'ordre des Jésuites fut à son tour expulsé de France, et en
1773 supprimé par le Pape. Il ne fut rétabli qu'en 1814, à la Restauration.

2. Les Pensées

[Pendant les cinq dernières années de sa vie, Pascal, dont la santé
était précaire, s'abandonna à une piété exaltée, se condamnant à des
macérations qui hâtèrent sa mort (à 39 ans, 1662). Il avait espéré

écrire un grand ouvrage destiné à prouver la vérité de la religion chrétienne. On a publié (1670) de nombreuses notes qu'il avait laissées, sous le titre de *Pensées*. Il n'avait laissé aucun plan définitif; aucun des plans adoptés par les éditeurs n'est satisfaisant. Bien des Pensées publiées n'ont apparemment rien à faire avec l'« Apologie du Christianisme. » Nous citons d'après l'édition Havet, (5ᵉ éd. 1897).

Les idées qui reviennent avec persistance sont: L'homme qui réfléchit a conscience de sa fragilité dans la nature. Cette « pensée » fait sa grandeur; car les forces brutales et immenses qui l'écrasent ne savent pas leur puissance, et lui, l'homme, sait sa faiblesse. L'homme aspire à sortir de son néant. Cependant la « pensée » qui lui a mis au cœur cette aspiration, ne lui aide aucunement à la satisfaire. Au contraire, la raison humaine, quand nous nous adressons à elle, loin de nous montrer une voie de salut, augmente encore notre sens d'impuissance: parce que, plus elle cherche à pénétrer la vérité des choses, plus elle s'enfonce dans des contradictions; il faut renoncer à trouver dans la philosophie. Pascal s'adresse alors à la religion. Or plusieurs religions déclarent avoir une « révélation » divine de la vérité. Mais, parmi celles-ci il en est une qui repose toute sur cette fragilité humaine et sur son besoin de délivrance: c'est le Christianisme. Ses dogmes ne sont pas établis sur la raison philosophique; mais elle satisfait le cœur; et « le cœur a ses raisons que la raison ne connaît pas. »]

L'homme cherche à connaître la vérité. Dans cette recherche, la raison, loin de fournir une réponse, rend l'homme plus perplexe, et semble l'éloigner de la vérité. L'infiniment grand.[1]

Art. I. — 1. Que l'homme contemple donc la nature entière dans sa haute et pleine majesté; qu'il éloigne sa vue des objets bas qui l'environnent; qu'il regarde cette éclatante lumière mise comme une lampe éternelle pour
5 éclairer l'univers; que la terre lui paraisse comme un point, au prix du vaste tour [2] que cet astre décrit, et qu'il

[1] Ces titres n'appartiennent pas à Pascal; ils doivent faciliter la compréhension du texte à l'étudiant.

[2] Pascal croyait encore au système géocentrique. Copernic n'avait vécu qu'au XVIᵉ siècle; et Galilée avait été condamné pour sa croyance au système héliocentrique en 1633. Descartes croyait au

s'étonne de ce que ce vaste tour lui-même n'est qu'une
pointe très délicate à l'égard de celui que les astres qui
roulent dans le firmament embrassent.   Mais si notre
vue s'arrête là, que l'imagination passe outre: elle se las-
sera plus tôt de concevoir que la nature de fournir.   Tout   5
ce monde visible n'est qu'un trait imperceptible dans
l'ample sein de la nature.   Nulle idée n'en approche.
Nous avons beau enfler nos conceptions au delà des espaces imaginables, nous n'enfantons que des atomes, au
prix de la réalité des choses.   C'est une sphère infinie dont   10
le centre est partout, la circonférence nulle part.   Enfin,
c'est le plus grand caractère sensible de la toute-puissance
de Dieu, que notre imagination se perde dans cette pensée.

Que l'homme, étant revenu à soi, considère ce qu'il est
au prix de ce qui est; qu'il se regarde comme égaré dans   15
ce canton détourné de la nature, et que, de ce petit cachot [1] où il se trouve logé, j'entends l'univers, il apprenne
à estimer la terre, les royaumes, les villes et soi-même
son juste prix.

L'infiniment petit.

Qu'est-ce qu'un homme dans l'infini?   Mais pour lui   20
présenter un autre prodige aussi étonnant, qu'il recherche dans ce qu'il connaît les choses les plus délicates.
Qu'un ciron lui offre dans la petitesse de son corps des
parties incomparablement plus petites, des jambes avec

mouvement de la terre autour du soleil, mais il n'osa pas publier le
Traité du monde qu'il avait écrit cette même année, 1633, et dans lequel il exposait cette opinion.
   [1] Pascal se représentait la « nature » comme composée d'un grand
nombre de systèmes planétaires ou « univers » juxtaposés, chacun de
ceux-ci étant infiniment petit — un « cachot » — dans ce nombre
immense.

des jointures, des veines dans ces jambes, du sang dans ces veines, des humeurs dans ce sang, des gouttes dans ces humeurs, des vapeurs [1] dans ces gouttes; que, divisant encore ces dernières choses, il épuise ses forces en ces con-
5 ceptions, et que le dernier objet où il peut arriver soit maintenant celui de notre discours; il pensera peut-être que c'est là l'extrême petitesse de la nature. Je veux lui faire voir là-dedans un abîme nouveau. Je lui veux peindre non-seulement l'univers visible, mais l'immensité
10 qu'on peut concevoir de la nature, dans l'enceinte de ce raccourci d'atome. Qu'il y voie une infinité d'univers, dont chacun a son firmament, ses planètes, sa terre, en la même proportion que le monde visible; dans cette terre, des animaux, et enfin des cirons, dans lesquels il retrou-
15 vera ce que les premiers ont donné; et, trouvant encore dans les autres la même chose, sans fin et sans repos, qu'il se perde dans ces merveilles, aussi étonnantes, dans leur petitesse, que les autres dans leur étendue; car qui n'ad-mirera que notre corps, qui tantôt n'était pas perceptible
20 dans l'univers, imperceptible lui-même dans le sein du tout, soit à présent un colosse, un monde, ou plutôt un tout, à l'égard du néant où l'on ne peut arriver?

Qui se considère de la sorte s'effrayera de soi-même, et, se considérant soutenu dans la masse que la nature lui a
25 donnée, entre ces deux abîmes de l'infini et du néant, il tremblera à la vue de ces merveilles; et je crois que, sa curiosité se changeant en admiration, il sera plus disposé à les contempler en silence qu'à les rechercher avec pré-somption.

---

[1] humeurs . . . vapeurs . . . gouttes. Termes médicaux du xvii⁰
siècle pour désigner des substances indéfinies, et couvrant l'ignorance
de ceux qui les employaient.

Car enfin qu'est-ce que l'homme dans la nature ? Un néant à l'égard de l'infini, un tout à l'égard du néant, un milieu entre rien et tout. Infiniment éloigné de comprendre les extrêmes, la fin des choses et leur principe sont pour lui invinciblement cachés dans un secret impéné- 5 trable; également incapable de voir le néant d'où il est tiré, et l'infini où il est englouti ...

La supériorité de l'homme consiste à pouvoir prendre connaissance de son ignorance et de son impuissance vis-à-vis de la nature où il est placé.

2. Je puis bien concevoir un homme sans mains, pieds, tête, car ce n'est que l'expérience qui nous apprend que la tête est plus nécessaire que les pieds. Mais je ne puis 10 concevoir l'homme sans pensée, ce serait une pierre ou une brute.

3. La grandeur de l'homme est grande en ce qu'il se connaît misérable. Un arbre ne se connaît pas misérable. C'est donc être misérable que de se connaître misérable; 15 mais c'est être grand que de connaître qu'on est miséra- ble. Toutes ces misères-là mêmes prouvent sa grandeur. Ce sont misères de grand seigneur, misères d'un roi dé- possédé.

6. L'homme n'est qu'un roseau, le plus faible de la na- 20 ture, mais c'est un roseau pensant. Il ne faut pas que l'univers entier s'arme pour l'écraser. Une vapeur, une goutte d'eau, suffit pour le tuer. Mais quand l'univers l'écraserait, l'homme serait encore plus noble que ce qui le tue, parce qu'il sait qu'il meurt, et l'avantage que l'uni- 25 vers a sur lui, l'univers n'en sait rien.

Toute notre dignité consiste donc en la pensée. C'est de là qu'il faut nous relever, et non de l'espace et de la

durée, que nous ne saurions remplir. Travaillons donc à
bien penser: voilà le principe de la morale.

   Art. II. — 3. La vanité est si ancrée dans le cœur de
l'homme, qu'un soldat, un goujat, un cuisinier, un cro-
5 cheteur se vante et veut avoir ses admirateurs: et les
philosophes mêmes en veulent.   Et ceux qui écrivent
contre veulent avoir la gloire d'avoir bien écrit; et ceux
qui le lisent veulent avoir la gloire de l'avoir lu; et moi
qui écris ceci, ai peut-être cette envie; peut-être que
10 ceux qui le liront . . .

   *Les hommes agissent le plus souvent sans être guidés par
la raison.   Nouvelle preuve de l'impuissance de celle-ci.*

   Art. III. — 3. . . . Le plus grand philosophe du monde,
sur une planche plus large qu'il ne faut, s'il y a au-dessous un précipice, quoique sa raison le convainque de sa
sûreté, son imagination prévaudra.   Plusieurs n'en sau-
15 raient soutenir la pensée sans pâlir et suer.

   Qui ne sait que la vue de chats, de rats, l'écrasement
d'un charbon, etc., emportent la raison hors des gonds ?
Le ton de voix impose aux plus sages, et change un discours et un poème de force.

20   L'affection ou la haine changent la justice de face; et
combien un avocat bien payé par avance trouve-t-il plus
juste la cause qu'il plaide ! combien son geste hardi le
fait-il paraître meilleur aux juges, dupés par cette apparence !   Plaisante raison qu'un vent manie, et à tout
25 sens !

   Je ne veux pas rapporter tous ses effets; je rapporterais
presque toutes les actions des hommes, qui ne branlent
presque que par ses secousses.   Car la raison a été obligée
de céder, et la plus sage prend pour ses principes ceux que

l'imagination des hommes a témérairement introduits en chaque lieu.

Nos magistrats ont bien connu ce mystère. Leurs robes rouges, leurs hermines,[1] dont ils s'emmaillottent en chats fourrés,[2] les palais où ils jugent, les fleurs de lis, tout cet appareil auguste était fort nécessaire; et si les médecins n'avaient des soutanes et des mules, et que les docteurs n'eussent des bonnets carrés et des robes trop amples de quatre parties,[3] jamais ils n'auraient dupé le monde, qui ne peut résister à cette montre si authentique. Les seuls gens de guerre ne se sont pas déguisés de la sorte, parce qu'en effet leur part est plus essentielle: ils s'établissent par la force, les autres par grimace...

8. ... Sur quoi fondera-t-il l'économie du monde qu'il veut gouverner ? Sera-ce sur le caprice de chaque particulier ? Quelle confusion ! Sera-ce sur la justice ? Il l'ignore.

Les hommes, n'ayant pas de vérité et de justice pour les guider, finissent par adopter certains usages qu'ils suivent, à défaut de mieux.

Certainement s'il la connaissait, il n'aurait pas établi cette maxime, la plus générale de toutes celles qui sont parmi les hommes, que chacun suive les mœurs de son pays; l'éclat de la véritable équité aurait assujetti tous les peuples, et les législateurs n'auraient pas pris pour modèle, au lieu de cette justice constante, les fantaisies et les caprices des Perses, des Allemands et des Indiens. On la verrait plantée par tous les États du monde et dans

[1] Pour *robes d'hermine*.
[2] *Chats fourrés* se dit plaisamment des juges qui, avec leurs robes à fourrures, rappellent les chats au poil doux et lisse recouvrant des griffes.
[3] Des quatre-cinquièmes.

tous les temps, au lieu qu'on ne voit rien de juste ou d'injuste qui ne change de qualité en changeant de climat. Trois degrés de latitude du pôle renversent toute la jurisprudence. Un méridien décide de la vérité. En peu d'années de possession, les lois fondamentales changent. Le droit a ses époques.[1] L'entrée de Saturne au Lion[2] nous marque l'origine d'un tel crime. Plaisante justice qu'une rivière borne! Vérité au deçà des Pyrénées, erreur au delà...

« L'homme n'est qu'un sujet plein d'erreur naturelle et ineffaçable sans la grâce ».

19. L'homme n'est qu'un sujet plein d'erreur naturelle et ineffaçable sans la grâce. Rien ne lui montre la vérité: tout l'abuse. Ces deux principes de vérités, la raison et les sens, outre qu'ils manquent chacun de sincérité, s'abusent réciproquement l'un l'autre. Les sens abusent la raison par de fausses apparences; et cette même piperie[3] qu'ils apportent à la raison, ils la reçoivent d'elle à leur tour: elle s'en revanche. Les passions de l'âme troublent les sens, et leur font des impressions fausses. Ils mentent et se trompent à l'envi...

Art. VIII. — 1. ... Les principales forces des pyrrhoniens,[4] je laisse les moindres, sont: Que nous n'avons au-

---

[1] Par exemple, les Romains conquièrent un pays, et les lois changent.

[2] Allusion aux croyances astrologiques: quand la planète Saturne entre dans le domaine céleste de la constellation du Lion, il y a conjonction funeste. Pascal n'y croit pas lui-même, cela va sans dire; mais c'est toujours la même idée: l'homme n'ayant pas la vérité par sa raison, et aspirant à la vérité, il s'accroche à la superstition.

[3] Terme archaïque, *tromperie.*

[4] Sceptiques, disciples de Pyrrhon, philosophe grec, IVe siècle av. J.-C.

cune certitude de la vérité de ces principes,[1] hors la foi
et la révélation, sinon en ce que nous les sentons naturellement en nous; or, ce sentiment naturel n'est pas une
preuve convaincante de leur vérité, puisque n'y ayant
point de certitude, hors la foi, si l'homme est créé par un   5
Dieu bon, par un démon méchant, ou à l'aventure, il est
en doute si ces principes nous sont donnés ou véritables,
ou faux, ou incertains, selon notre origine. De plus, que
personne n'a d'assurance, hors de la foi, s'il veille ou s'il
dort, vu que durant le sommeil on croit veiller aussi fer-   10
mement que nous faisons; on croit voir les espaces, les
figures, les mouvements; on sent couler le temps, on le
mesure, et enfin on agit de même qu'éveillé; de sorte que,
la moitié de la vie se passant en sommeil, par notre propre
aveu, où, quoi qu'il nous en paraisse, nous n'avons aucune   15
idée du vrai, tous nos sentiments étant alors des illusions,
qui sait si cette autre moitié de la vie où nous pensons
veiller n'est pas un autre sommeil un peu différent du
premier, dont nous nous éveillons quand nous pensons
dormir ? . . .   20

Que fera donc l'homme en cet état ? Doutera-t-il de
tout ? doutera-t-il s'il veille, si on le pince, si on le brûle ?
doutera-t-il s'il doute ? doutera-t-il s'il est ? On n'en peut
venir là; et je mets en fait qu'il n'y a jamais eu de pyr-
rhonien effectif parfait. La nature soutient la raison im-   25
puissante, et l'empêche d'extravaguer jusqu'à ce point.

Dira-t-il donc, au contraire, qu'il possède certainement
la vérité, lui qui, si peu qu'on le pousse, ne peut en montrer aucun titre, et est forcé de lâcher prise ?

Quelle chimère est-ce donc que l'homme ! quelle nou-   30
veauté, quel monstre, quel chaos, quel sujet de contradic-

[1] Voir Art. III. Pensée 13, ci-dessus.

tion, quel prodige ! Juge de toutes choses, imbécile ver de terre, dépositaire du vrai, cloaque d'incertitude et d'erreur, gloire et rebut de l'univers.

Qui démêlera cet embrouillement ? La nature confond 5 les pyrrhoniens et la raison confond les dogmatiques. Que deviendrez-vous donc, ô homme ! qui cherchez quelle est votre véritable condition par votre raison naturelle ? Vous ne pouvez fuir une de ces sectes, ni subsister dans aucune.

Connaissez donc, superbe, quel paradoxe vous êtes à 10 vous-même. Humiliez-vous, raison impuissante; taisez-vous, nature imbécile: apprenez que l'homme passe infiniment l'homme, et entendez de votre maître votre condition véritable, que vous ignorez. Écoutez Dieu . . .

2. Tous les hommes recherchent d'être heureux; cela 15 est sans exception. Quelque différents moyens qu'ils y emploient, ils tendent tous à ce but. Ce qui fait que les uns vont à la guerre et que les autres n'y vont pas est ce même désir qui est dans tous les deux, accompagné de différentes vues. La volonté ne fait jamais la moindre dé-20 marche que vers cet objet. C'est le motif de toutes les actions de tous les hommes, jusqu'à ceux qui vont se pendre.

Et cependant, depuis un si grand nombre d'années, jamais personne, sans la foi, n'est arrivé à ce point où tous visent continuellement. Tous se plaignent: princes, sujets; 25 nobles, roturiers; vieux, jeunes; forts, faibles; savants, ignorants; sains, malades; de tous pays, de tous les temps, de tous âges et de toutes conditions.

Une épreuve si longue, si continuelle et si uniforme, devrait bien nous convaincre de notre impuissance d'ar-30 river au bien par nos efforts; mais l'exemple nous instruit peu. Il n'est jamais si parfaitement semblable, qu'il n'y

ait quelque délicate différence; et c'est de là que nous attendons que notre attente ne sera pas déçue en cette occasion comme en l'autre. Et ainsi, le présent ne nous
satisfaisant jamais, l'espérance nous pipe, et de malheur
en malheur, nous mène jusqu'à la mort, qui en est un 5
comble éternel . . .

Les deux manières de connaître: par la raison, par le
cœur. Le cœur ne demande pas de preuves rationnelles; le
cœur « sent » la vérité.

6. Nous connaissons la vérité, non-seulement par la
raison, mais encore par le cœur; c'est de cette dernière
sorte que nous connaissons les premiers principes, et c'est
en vain que le raisonnement, qui n'y a point de part, 10
essaie de les combattre. Les pyrrhoniens, qui n'ont que
cela pour objet, y travaillent inutilement. Nous savons
que nous ne rêvons point, quelque impuissance où nous
soyons de le prouver par raison; cette impuissance ne
conclut autre chose que la faiblesse de notre raison, mais 15
non pas l'incertitude de toutes nos connaissances, comme
ils le prétendent. Car la connaissance des premiers principes, comme qu'il y a *espace, temps, mouvement, nombres,*
est aussi ferme qu'aucune de celles que nos raisonnements
nous donnent. Et c'est sur ces connaissances du cœur et 20
de l'instinct qu'il faut que la raison s'appuie, et qu'elle y
fonde tout son discours. Le cœur sent qu'il y a trois
dimensions dans l'espace, et que les nombres sont infinis;
et la raison démontre ensuite qu'il n'y a point deux
nombres carrés dont l'un soit double de l'autre. Les 25
principes se sentent, les propositions se concluent; et le
tout avec certitude, quoique par différentes voies. Et il
est aussi inutile et aussi ridicule que la raison demande au

cœur des preuves de ses premiers principes, pour vouloir y consentir, qu'il serait ridicule que le cœur demandât a la raison un sentiment de toutes les propositions qu'elle démontre, pour vouloir les recevoir ...

Dieu est une connaissance du cœur, ou sentiment.

5   *Art. IX.* — 1. ... Qu'ils apprennent au moins quelle est la religion qu'ils combattent, avant que de la combattre. Si cette religion se vantait d'avoir une vue claire de Dieu, et de le posséder à découvert et sans voile, ce serait la combattre que de dire qu'on ne voit rien dans le monde
10 qui le montre avec cette évidence. Mais puisqu'elle dit au contraire que les hommes sont dans les ténèbres et dans l'éloignement de Dieu, qu'il s'est caché à leur connaissance, que c'est même le nom qu'il se donne dans les Écritures, *Deus absconditus;* et enfin, si elle travaille égale-
15 ment à établir ces deux choses: que Dieu a établi des marques sensibles dans l'Église pour se faire reconnaître à ceux qui le chercheraient sincèrement, et qu'il les a couvertes néanmoins de telle sorte qu'il ne sera aperçu que de ceux qui le cherchent de tout leur cœur, quel
20 avantage peuvent-ils tirer, lorsque, dans la négligence où ils font profession d'être, de chercher la vérité, ils crient que rien ne la leur montre ? puisque cette obscurité où ils sont, et qu'ils objectent à l'Église, ne fait qu'établir une des choses qu'elle soutient, sans toucher à l'autre, et
25 établit sa doctrine, bien loin de la ruiner ...

    ... Mais, en vérité, je leur dirais ce que j'ai dit souvent, que cette négligence n'est pas supportable. Il ne s'agit pas ici de l'intérêt léger de quelque personne étrangère, pour en user de cette façon; il s'agit de nous-mêmes, et de
30 notre tout.

L'immortalité de l'âme est une chose qui nous importe
si fort, qui nous touche si profondément, qu'il faut avoir
perdu tout sentiment pour être dans l'indifférence de
savoir ce qui en est. Toutes nos actions et nos pensées
doivent prendre des routes si différentes, selon qu'il y aura   5
des biens éternels à espérer ou non, qu'il est impossible de
faire une démarche avec sens et jugement, qu'en la réglant
par la vue de ce point qui doit être notre dernier objet.

Ainsi, notre premier intérêt et notre premier devoir est
de nous éclaircir sur ce sujet, d'où dépend toute notre con-   10
duite. Et c'est pourquoi, entre ceux qui n'en sont pas
persuadés, je fais une extrême différence de ceux qui
travaillent de toutes leurs forces à s'en instruire, à ceux
qui vivent sans s'en mettre en peine et sans y penser . . .

Le « pari de Pascal ».

Ainsi on peut bien connaître qu'il y a un Dieu sans sa-   15
voir ce qu'il est . . .

Qui blâmera donc les chrétiens de ne pouvoir rendre
raison de leur créance, eux qui professent une religion dont
ils ne peuvent rendre raison ? Ils déclarent, en l'exposant
au monde, que c'est une sottise, *stultitiam*, et puis vous   20
vous plaignez de ce qu'ils ne la prouvent pas ! S'ils la
prouvaient, ils ne tiendraient pas parole: c'est en man-
quant de preuves qu'ils ne manquent pas de sens. — Oui;
mais encore que cela excuse ceux qui l'offrent telle, et
que cela les ôte de blâme de la produire sans raison, cela   25
n'excuse pas ceux qui la reçoivent. — Examinons donc
ce point, et disons: Dieu est, ou il n'est pas. Mais de
quel côté pencherons-nous ? La raison n'y peut rien
déterminer. Il y a un chaos infini qui nous sépare. Il
se joue un jeu, à l'extrémité de cette distance infinie, où   30

il arrivera croix ou pile. [1] Que gagerez-vous ? Par raison, vous ne pouvez faire ni l'un ni l'autre; par raison, vous ne pouvez défendre nul des deux . . .

Le cœur ne révèle pas seulement Dieu, mais aussi autre chose: L'homme, par le cœur a conscience, outre de sa fragilité dans l'univers, de sa misère morale, ou, en langage théologique, de sa nature mauvaise, de son état de péché — et il aspire à la délivrance, à la rédemption de cette misère: cette rédemption offerte par la religion chrétienne.

Art. XI. — 10 *bis* . . . Elle enseigne donc ensemble aux
5 hommes ces deux vérités: et qu'il y a un Dieu dont les hommes sont capables, et qu'il y a une corruption dans la nature qui les en rend indignes. Il importe également aux hommes de connaître l'un et l'autre de ces points, et il est également dangereux à l'homme de connaître Dieu
10 sans connaître sa misère, et de connaître sa misère sans connaître le Rédempteur qui l'en peut guérir. Une seule de ces connaissances fait ou l'orgueil des philosophes, qui ont connu Dieu et non leur misère, ou le désespoir des athées, qui connaissent leur misère sans Rédempteur.
15 Et ainsi, comme il est également de la nécessité de l'homme de connaître ces deux points, il est aussi également de la miséricorde de Dieu de nous les avoir fait connaître. La religion chrétienne le fait; c'est en cela qu'elle consiste. Qu'on examine l'ordre du monde sur cela, et qu'on voie
20 si toutes choses ne tendent pas à l'établissement des deux chefs de cette religion.

Art. XII. — 1. Les grandeurs et les misères de l'homme sont tellement visibles, qu'il faut nécessairement que la véritable religion nous enseigne, et qu'il y a quelque grand

[1] face et revers de pièce de monnaie (*head or tail*).

principe de grandeur en l'homme, et qu'il y a un grand
principe de misère. Il faut donc qu'elle nous rende raison
de ces étonnantes contrariétés.

Il faut que, pour rendre l'homme heureux, elle lui
montre qu'il y a un Dieu; qu'on est obligé de l'aimer; que 5
notre vraie félicité est d'être en lui, et notre unique mal
d'être séparé de lui; qu'elle reconnaisse que nous sommes
pleins de ténèbres qui nous empêchent de le connaître et
de l'aimer; et qu'ainsi nos devoirs nous obligeant d'aimer
Dieu, et nos concupiscences nous en détournant, nous 10
sommes pleins d'injustice. Il faut qu'elle nous rende
raison de ces oppositions que nous avons à Dieu et à
notre propre bien; il faut qu'elle nous enseigne les remèdes
à ces impuissances, et les moyens d'obtenir ces remèdes.
Qu'on examine sur cela toutes les religions du monde, et 15
qu'on voie s'il y en a une autre que la chrétienne qui y
satisfasse . . .

Art. XX. — 19. On n'entend rien aux ouvrages de
Dieu, si on ne prend pour principe qu'il a voulu aveugler
les uns et éclairer les autres.   20

Art. XXIV. — 5. Le cœur a ses raisons, que la raison
ne connaît point; on le sait en mille choses. Je dis que
le cœur aime l'être universel naturellement, et soi-même
naturellement, selon qu'il s'y adonne; et il se durcit
contre l'un ou l'autre, à son choix. Vous avez rejeté l'un 25
et conservé l'autre: est-ce par raison que vous aimez?
C'est le cœur qui sent Dieu, et non la raison. Voilà ce
que c'est que la foi: Dieu sensible au cœur, non à la raison.

Le mystère de Jésus

. . . Console-toi: tu ne me chercherais pas, si tu ne
m'avais trouvé.   30

Je pense à toi dans mon agonie; j'ai versé telles gouttes de sang pour toi ...

Laisse-toi conduire à mes règles; vois comme j'ai bien conduit la Vierge et les Saints, qui m'ont laissé agir en eux.

5 Le Père aime tout ce que JE fais.

Veux-tu qu'il me coûte toujours du sang de mon humanité, sans que tu donnes des larmes ?

C'est mon affaire que ta confession; ne crains point, et prie avec confiance, comme pour moi ...

10 Les médecins ne te guériront pas; car tu mourras à la fin. Mais c'est moi qui guéris et rends le corps immortel.

Souffre les chaînes et la servitude corporelles; je ne te délivre que de la spirituelle à présent.

Je te suis plus ami que tel et tel; car j'ai fait pour toi 15 plus qu'eux, et ils ne souffriraient pas ce que j'ai souffert de toi, et ne mourraient pas pour toi dans le temps de tes infidélités et cruautés, comme j'ai fait, et comme je suis prêt à faire et fais, dans mes élus et au Saint Sacrement ...

20 Je t'aime plus ardemment que tu n'as aimé tes souillures. *Ut immundus pro luto*.[1]

Qu'à moi en soit la gloire, et non à toi, ver et terre ...

Je te parle et te conseille souvent ... car je ne veux pas que tu manques de conducteur ... Tu ne me chercherais 25 pas si tu ne me possédais; ne t'inquiète donc pas ...

Quelques pensées célèbres de Pascal qui n'ont pas trait à la religion

Art. VI. — 3. Pourquoi me tuez-vous ? Eh quoi ! ne demeurez-vous pas de l'autre côté de l'eau ? Mon ami, si

[1] Comme l'homme immonde pour sa fange.

vous demeuriez de ce côté, je serais un assassin, cela serait injuste de vous tuer de la sorte; mais, puisque vous demeurez de l'autre côté, je suis un brave, et cela est juste.

19. Diseur de bons mots, mauvais caractère. 5

43. *bis.* Qui voudra connaître à plein la vanité de l'homme n'a qu'à considérer les causes et les effets de l'amour. La cause en est « un je ne sais quoi » (COR-NEILLE) [1]; et les effets en sont effroyables. Ce je ne sais quoi, si peu de chose qu'on ne peut le reconnaître, remue 10 toute la terre, les princes, les armées, le monde entier. Le nez de Cléopâtre: s'il eût été plus court, toute la face de la terre aurait changé.

56. Voulez-vous qu'on croie du bien de vous? n'en dites pas. 15

Art. VII. — 1. A mesure qu'on a plus d'esprit, on trouve qu'il y a plus d'hommes originaux. Les gens du commun ne trouvent pas de différence entre les hommes.

13. L'homme n'est ni ange ni bête, et le malheur veut que qui veut faire l'ange fait la bête. 20

---

[1] Il est des nœuds secrets, il est des sympathies,
  Dont par le doux rapport les âmes assorties
  S'attachent l'une à l'autre et se laissent piquer
  Par ces je ne sais quoi qu'on ne peut expliquer.
              (CORNEILLE, *Rodogune,* vers 359–362.)

CHAPITRE HUIT

BOSSUET

1627–1704

Bossuet est, au grand siècle, le grand représentant de l'éloquence de la chaire (*pulpit*) comme Mirabeau sera, au temps de la Révolution, le grand représentant de l'éloquence politique. Ce ne fut cependant pas le seul domaine où il gagna sa renommée.

Il naquit à Dijon (Bourgogne), où il fit ses premières études au Collège des Jésuites; il alla ensuite à Paris, où il fut ordonné prêtre en 1652. Par scrupule, craignant les flatteries que lui valaient ses talents oratoires, il voulut commencer son activité dans une petite localité près de Metz, en Lorraine. C'est là qu'il se trouva pour la première fois en face du problème protestant. On se préparait à révoquer l'Edit de Nantes (1598) qui avait accordé aux Protestants la liberté de conscience, et, pour atténuer les effets de cet acte, on cherchait à opérer d'avance de nombreuses conversions; Bossuet fut chargé de la direction d'une ‹ maison de nouvelles converties ›, mission fort délicate. En 1659 il est nommé évêque de Condom; mais il réside à Paris où son influence à la cour grandit de jour en jour. C'est ainsi qu'il fut chargé de l'éducation du Dauphin (prince héritier, fils aîné de Louis XIV). En 1681 il est nommé évêque de Meaux, près de Paris.

Bossuet est souvent appelé, à cause de son éloquence et de l'autorité avec laquelle il exerçait son ministère, l'*Aigle de Meaux*.

Bossuet défenseur de la doctrine du droit divin des rois. Personne mieux que Bossuet n'incarne l'esprit du grand siècle. Il est celui qui a affirmé avec le plus d'assurance la doctrine du droit divin des rois; à titre de conseiller privé il a servi Louis XIV comme si celui-ci était le représentant de Dieu sur la terre; et lorsqu'il fut nommé précepteur de l'héritier du trône, il instruisait son royal élève dans ces mêmes idées. Plusieurs des écrits de Bossuet ont été composés en vue de cette charge de précepteur du dauphin; ainsi son *Discours sur l'Histoire universelle* (1678) et son *Traité de politique tirée des Ecritures* (1678).

Bossuet et les Protestants. Il a d'autre part affirmé, avec non moins de force, l'autorité de l'Eglise; et il a approuvé les mesures

prises pour forcer les Protestants à rentrer dans le sein du Catholi-
cisme. Le plus célèbre de ses ouvrages exposant cette manière de voir,
est l'*Histoire des Variations des Eglises protestantes* (1668): L'argumentation est fondée sur cette idée que tant de sectes variées dues aux
Protestants suggèrent bien des doutes sur la valeur d'une religion si
incertaine, tandis que l'unité doctrinale parfaite qui règne chez les
Catholiques est comme une garantie de sa vérité.

Bossuet et le Quiétisme. Il a également affirmé l'autorité du
dogme catholique en matière de foi vis-à-vis du mouvement quiétiste.
Son principal adversaire dans cette controverse fut Fénelon dont il
sera question dans le chapitre suivant.

Bossuet et le Gallicanisme. Lorsque, cependant, s'éleva en France
un conflit entre l'Eglise et le Roi, Bossuet prit parti pour ce dernier,
et prétendit que le pape n'avait pas d'autorité en ce qui concerne les
affaires temporelles du royaume de France. En opposition à l'*Ultra-
montanisme*, le clergé de France dirigé par Bossuet fit la (Déclaration
du Clergé de France en quatre articles, sur les libertés de l'Eglise gal-
licane) (1682); cette *Déclaration* ayant été attaquée, Bossuet écrivit
une *Défense* de la Déclaration.

Bossuet prédicateur. Pour la postérité, Bossuet est surtout
admirable par son éloquence de la chaire. S'il avait, dans tant d'écrits,
affirmé et fait respecter l'autorité des grands, il n'a jamais parlé avec
autant de force que quand, comme prédicateur de la cour, il rappelait
aux puissants de ce monde que Dieu seul est grand et que les honneurs
du monde ne sont que néant. C'est surtout dans ses « Oraisons
funèbres » que ce thème fut développé. En effet la vanité des grandeurs humaines ne pouvait jamais apparaître plus frappante que devant la mort.

Trois des *oraisons funèbres* de Bossuet sont surtout célèbres: Celle
d'*Henriette, reine d'Angleterre,* morte en France en 1661; elle était la
fille de Henri IV de France et elle avait épousé Charles Iᵒ, roi d'Angleterre; son époux mourut sur l'échafaud; elle dut fuir en France, crut
un moment avoir recouvré son trône, dut encore s'incliner devant la
destinée: — reine, elle connut surtout la misère. Celle de *la Duchesse
d'Orléans*, fille de la précédente, qui, princesse née en Angleterre,
avait épousé le frère de Louis XIV, Monsieur, Duc d'Orléans; elle
était douée des plus beaux talents de l'intelligence et du cœur, et très
appréciée à la cour; elle mourut soudainement, un an après sa mère,
au retour d'une mission diplomatique en Angleterre que lui avait
confiée Louis XIV (on crut à un empoisonnement par vengeance
politique; mais cette idée est généralement abandonnée). Bossuet
choisit comme texte le mot: *Tout est vanité!* La troisième parmi ces
oraisons funèbres particulièrement célèbres fut prononcée beaucoup

plus tard, en 1687, à l'occasion de la mort du *Grand Condé*, un ami personnel de Bossuet (Voir plus bas).

Consulter: Lanson, *Bossuet* (Classiques populaires); Rébelliau, *Bossuet* (Coll. Grands écrivains de la France); Brunetière, *Bossuet* (1914); et, pour un livre beaucoup plus complet et savant, Rébelliau *Bossuet, historien du Protestantisme* (1891).

D'autres représentants de l'éloquence de la chaire à la même époque sont Bourdaloue (1632–1714) l'égal de Bossuet comme prédicateur, aux yeux des contemporains; Fléchier (1632–1710); et Massillon (1663–1742).

1. Discours sur l'Histoire Universelle

à Monseigneur le Dauphin pour expliquer la suite de la religion et les changements des empires

[La philosophie de l'histoire que Bossuet enseigne à son royal élève dans le *Discours sur l'Histoire Universelle* est celle-ci: D'abord, Dieu gouverne le monde; sa Providence se manifeste au cours de toute l'histoire (dont Bossuet emprunte les éléments à la Bible): Personne ne peut aller contre sa volonté. Ensuite, les événements ont, à côté de la Cause première qui est Dieu, des causes particulières; connaître ces causes-là en sorte de pouvoir diriger un peuple selon la volonté divine, est la condition pour un prince de bien administrer son royaume. Bossuet cherche à déterminer ces causes en étudiant les destinées des empires depuis l'origine du monde jusqu'à Charlemagne. Il n'eut pas le loisir de continuer son œuvre jusqu'à son temps.[1]]

CHAPITRE VIII: — *Conclusion de tout le Discours précédent, où l'on montre qu'il faut tout rapporter à une Providence.*

Mais souvenez-vous, Monseigneur, que ce long enchaînement des causes particulières qui font et défont les empires,
5 dépend des ordres secrets de la divine Providence. Dieu tient du plus haut des cieux les rênes de tous les royaumes; il a tous les cœurs en sa main: tantôt il retient les passions;

[1] Mais Voltaire, au siècle suivant, dans l'*Essai sur les Mœurs et l'Esprit des Nations*, a repris l'histoire où Bossuet l'avait laissée. Il oppose à ce qui était le fond de la doctrine de Bossuet: (Tout ce qui est bien dans ce monde revient à Dieu), cette idée que (tout ce qui dans ce monde est mauvais est dû à l'Eglise) (pas à Dieu, car Voltaire était déiste).

tantôt il leur lâche la bride, et par là il remue tout le genre humain. Veut-il faire des conquérants, il fait marcher l'épouvante devant eux, et il inspire à eux et à leurs soldats une hardiesse invincible. Veut-il faire des législateurs? il leur envoie son esprit de sagesse et de prévoyance; il leur 5 fait prévenir les maux qui menacent les États, et poser les fondements de la tranquillité publique. Il connaît la sagesse humaine, toujours courte par quelque endroit; il l'éclaire, il étend ses vues, et puis il l'abandonne à ses ignorances: il l'aveugle, il la précipite; il la confond par elle- 10 même: elle s'enveloppe, elle s'embarrasse dans ses propres subtilités, et ses précautions lui sont un piège. Dieu exerce par ce moyen ses redoutables jugements, selon les règles de sa justice toujours infaillible. C'est lui qui prépare les effets dans les causes les plus éloignées, et qui frappe ces 15 grands coups dont le contre-coup porte si loin. . . .

C'est ainsi que Dieu règne sur tous les peuples. Ne parlons plus de hasard ni de fortune, ou parlons-en seulement comme d'un nom dont nous couvrons notre ignorance. Ce qui est hasard à l'égard de nos conseils incertains, est un 20 dessein concerté dans un conseil plus haut, c'est-à-dire, dans ce conseil éternel qui renferme toutes les causes et tous les effets dans un même ordre. De cette sorte, tout concourt à la même fin; et c'est faute d'entendre le tout, que nous trouvons du hasard ou de l'irrégularité dans les 25 rencontres particulières.

C'est pourquoi tous ceux qui gouvernent se sentent assujettis à une force majeure. Ils font plus ou moins qu'ils ne pensent, et leurs conseils n'ont jamais manqué d'avoir des effets imprévus. Ni ils [1] ne sont maîtres des disposi- 30

----

[1] Cette construction *Ni ils . . . ni ils . . .* ne serait plus guère autorisée chez des auteurs modernes.

tions que les siècles passés ont mises dans les affaires; ni
ils ne peuvent prévoir le cours que prendra l'avenir, loin
qu'ils le puissent forcer. Celui-là seul tient tout en sa
main, qui sait le nom de ce qui est et de ce qui n'est pas
5 encore; qui préside à tous les temps, et prévient tous les
conseils.

2. Politique tirée des propres paroles de l'Écriture Sainte

(à Monseigneur le Dauphin)

[La doctrine du « droit divin des rois » est formulée au Livre III:
« Où l'on commence à expliquer la nature et les propriétés de l'autorité
royale ». A l'Article Premier on lit que « il y a quatre caractères ou
qualités essentielles à l'autorité royale: 1. L'autorité royale est
sacrée; 2. Elle est paternelle; 3. Elle est absolue; 4. Elle est soumise à la raison ». L'Article II développe le premier caractère:
« L'autorité royale est sacrée »; et Bossuet se fonde surtout sur la
parole de Saint-Paul (Epître aux Romains, XIII, 4): « Le Prince est
ministre de Dieu pour le bien. Si vous faites mal, tremblez; car ce
n'est pas en vain qu'il a le glaive: et il est ministre de Dieu, vengeur
des mauvaises actions » (Romains, XIII, 4). Bossuet commente:
« Les princes agissent donc comme ministres de Dieu, et ses lieutenants sur la terre. C'est par eux qu'il exerce son empire. (Pensez-
vous pouvoir résister au royaume du Seigneur, qu'il possède par les
enfants de David ?) » (II Chroniques, XIII, 8).]

Et voici l'ARTICLE IV:

*Conséquences de la doctrine précédente: de la majesté, et
de ses accompagnements.*

Ce que c'est que la majesté: Je n'appelle pas majesté
cette pompe qui environne les rois, ou cet éclat extérieur
qui éblouit le vulgaire. C'est le rejaillissement de la
10 majesté, et non pas la majesté elle-même.

La majesté est l'image de la grandeur de Dieu dans le
prince.

Dieu est infini, Dieu est tout. Le prince, en tant que

prince, n'est pas regardé comme un homme particulier:
c'est un personnage public, tout l'État est en lui; la volonté de tout le peuple est renfermée dans la sienne.
Comme en Dieu est réunie toute perfection et toute vertu,
ainsi toute la puissance des particuliers est réunie en la   5
personne du prince. Quelle grandeur qu'un seul homme en
contienne tant !

La puissance de Dieu se fait sentir en un instant de l'extrémité du monde à l'autre: la puissance royale agit en
même temps dans tout le royaume. Elle tient tout le 10
royaume en état, comme Dieu y tient tout le monde.

Que Dieu retire sa main, le monde retombera dans le
néant: que l'autorité cesse dans le royaume, tout sera en
confusion.

Considérez le prince dans son cabinet. De là partent les 15
ordres qui font aller de concert les magistrats et les capitaines, les citoyens et les soldats, les provinces et les armées
par mer et par terre. C'est l'image de Dieu qui, assis dans
son trône au plus haut des cieux, fait aller toute la nature. . . .   20

Enfin, ramassez ensemble les choses si grandes et si augustes que nous avons dites sur l'autorité royale. Voyez un
peuple immense réuni en une seule personne: voyez cette
puissance sacrée, paternelle et absolue: voyez la raison
secrète qui gouverne tout le corps de l'État, renfermée 25
dans une seule tête: vous voyez l'image de Dieu dans les
rois, et vous avez l'idée de la majesté royale.

Dieu est la sainteté même, la bonté même, la puissance
même, la raison même. En ces choses est la majesté de
Dieu. En l'image de ces choses est la majesté du prince. 30

Elle est si grande, cette majesté, qu'elle ne peut être
dans le prince comme dans sa source; elle est empruntée

de Dieu, qui la lui donne pour le bien des peuples, à qui il
est bon d'être contenus par une force supérieure.

Je ne sais quoi de divin s'attache au prince, et inspire
la crainte aux peuples.   Que le roi ne s'oublie pas pour cela
5 lui-même.   « Je l'ai dit, c'est Dieu qui parle; je l'ai dit:
Vous êtes des dieux; et vous êtes tous enfants du Très-
Haut; mais vous mourrez comme les grands. » [1]   Je l'ai dit.
Vous êtes des dieux; c'est-à-dire: Vous avez dans votre
autorité, vous portez sur votre front un caractère divin.
10 Vous êtes les enfants du Très-Haut: c'est lui qui a établi
votre puissance pour le bien du genre humain.   Mais, ô
dieux de chair et de sang, ô dieux de boue et de poussière,
« vous mourrez comme des hommes, vous tomberez comme
les grands. » [2]   La grandeur sépare les hommes pour un
15 peu de temps; une chute commune à la fin les égale tous.

O rois, exercez donc hardiment votre puissance; car elle
est divine et salutaire au genre humain; mais exercez-la
avec humilité.   Elle vous est appliquée par le dehors.   Au
fond, elle vous laisse faibles; elle vous laisse mortels; elle
20 vous laisse pécheurs, et vous charge devant Dieu d'un plus
grand compte.

3. Saint-Paul

(Sermon de Bossuet)

Afin que vous compreniez quel est ce prédicateur, destiné
par la Providence pour confondre la sagesse humaine,
écoutez la description que j'en ai tirée de lui-même dans la
25 première [Epître] aux Corinthiens.

---

[1] *Psaume LXXXII*, 67 (Dans la Bible protestante, c'est *Psaume
LXXXI*)
[2] *Ibid.*

Trois choses contribuent ordinairement à rendre un
orateur agréable et efficace; la personne de celui qui parle,
la beauté des choses qu'il traite, la manière ingénieuse dont
il les explique; et la raison en est évidente. Car l'estime de
l'orateur prépare une attention favorable, les belles choses 5
nourrissent l'esprit, et l'adresse de les expliquer d'une
manière qui plaise les fait doucement entrer dans le cœur.
Mais de la manière que se représente le prédicateur dont je
parle, il est bien aisé de juger qu'il n'a aucun de ces avantages.... 10

Mais peut-être que sa doctrine sera si plausible et si
belle, qu'elle donnera du crédit à cet homme si méprisé.
Non, il n'en est pas de la sorte: « Il ne sait, dit-il, autre
chose que son Maître crucifié » : c'est-à-dire, qu'il ne sait
rien que ce qui choque, que ce qui scandalise, que ce qui 15
paraît folie et extravagance. Comment donc peut-il
espérer que ses auditeurs soient persuadés ? Mais, grand
Paul, si la doctrine que vous annoncez est si étrange et si
difficile, cherchez du moins des termes polis, couvrez des
fleurs de la rhétorique cette face hideuse de votre Évangile, 20
et adoucissez son austérité par les charmes de votre éloquence. A Dieu ne plaise, répond ce grand homme, que je
mêle la sagesse humaine à la sagesse du Fils de Dieu ! c'est
la volonté de mon Maître que mes paroles ne soient pas
moins rudes que ma doctrine paraît incroyable. Saint- 25
Paul rejette tous les artifices de la rhétorique. Son discours, bien loin de couler avec cette douceur agréable, avec
cette égalité tempérée que nous admirons dans les orateurs, paraît inégal et sans suite à ceux qui ne l'ont pas
assez pénétré; et les délicats de la terre, qui ont, disent-ils, 30
les oreilles fines, sont offensés de la dureté de son style
irrégulier. Mais, mes frères, n'en rougissons pas. Le dis-

cours de l'apôtre est simple; mais ses pensées sont toutes divines. S'il ignore la rhétorique, s'il méprise la philosophie, Jésus-Christ lui tient lieu de tout; et son nom qu'il a toujours à la bouche, ses mystères qu'il traite si divine-
5 ment, rendront sa simplicité toute-puissante. Il ira, cet ignorant dans l'art de bien dire, avec cette locution rude, avec cette phrase qui sent l'étranger, il ira en cette Grèce polie, la mère des philosophes et des orateurs; et malgré la résistance du monde, il y établira plus d'églises, que
10 Platon n'y a gagné de disciples par cette éloquence qu'on a crue divine. Il prêchera Jésus dans Athènes, et le plus savant de ses sénateurs passera de l'Aréopage en l'école de ce Barbare.[1] Il poussera encore plus loin ses conquêtes, il abattra aux pieds du Sauveur la majesté des faisceaux
15 romains en la personne d'un proconsul,[2] et il fera trembler dans leurs tribunaux les juges devant lesquels on le cite. Rome même entendra sa voix; et un jour cette ville maîtresse se tiendra bien plus honorée d'une lettre du style de Paul, adressée à ses concitoyens, que de tant de fameuses
20 harangues qu'elle a entendues de son Cicéron.

Et d'où vient cela, chrétiens? C'est que Paul a des moyens pour persuader que la Grèce n'enseigne pas, et que Rome n'a pas appris. Une puissance surnaturelle, qui se plaît à relever ce que les superbes méprisent, s'est répandue
25 et mêlée dans l'auguste simplicité de ses paroles. De là vient que nous admirons dans ses admirables épîtres une certaine vertu plus qu'humaine, qui persuade contre les règles, ou plutôt qui ne persuade pas tant, qu'elle captive les entendements; qui ne flatte pas les oreilles, mais qui
30 porte ses coups droit au cœur. De même qu'on voit un

---

[1] Denys l'Aréopagite (*Actes des Apôtres*, XVII, 34).
[2] Serge-Paul, dans l'île de Chypre (*Actes*, XIII, 6–12).

grand fleuve qui retient encore, coulant dans la plaine, cette force violente et impétueuse, qu'il avait acquise aux montagnes d'où il tire son origine; ainsi cette vertu céleste, qui est contenue dans les écrits de saint Paul, même dans cette simplicité de style, conserve toute la vigueur qu'elle 5 apporte du ciel, d'où elle descend.

C'est par cette vertu divine que la simplicité de l'apôtre a assujetti toutes choses. Elle a renversé les idoles, établi la croix de Jésus, persuadé à un million d'hommes de mourir pour en défendre la gloire: enfin, dans ses ad- 10 mirables épîtres, elle a expliqué de si grands secrets, qu'on a vu les plus sublimes esprits, après s'être exercés longtemps dans les plus hautes spéculations où pouvait aller la philosophie, descendre de cette vaine hauteur, où ils se croyaient élevés, pour apprendre à bégayer humblement dans l'école 15 de Jésus-Christ, sous la discipline de Paul.

4. Oraison funèbre de Louis de Bourbon, prince de Condé (*fils de Henri II de Bourbon*)

Prononcée à Notre-Dame, le 10ᵉ jour de mars 1687, en présence du prince de Condé, son fils

[Louis de Bourbon, prince de Condé, dit le Grand Condé, l'un des plus grands capitaines de la France, né à Paris en 1621. Il porta le titre de duc d'Enghien jusqu'à la mort de son père (1646). En 1638 il remplaça son père comme gouverneur de Bourgogne; c'est là qu'il connut Bossuet dont il resta l'ami. Il fit ses premières armes à dix-neuf ans; à vingt-deux ans il était général, et chargé de repousser l'armée du roi d'Espagne, Philippe IV, laquelle venant de la Flandre espagnole menaçait les frontières du nord; il remporta la célèbre victoire de Rocroy (Ardennes) le 18 mai, 1643; couronnant son succès par la prise de Thionville et de Sierk. L'année suivante il alla rejoindre son émule, Turenne, à l'armée française combattant en Allemagne où rageait la guerre de Trente Ans et gagna la sanglante bataille de Fribourg, 1644. Il occupa une partie du Palatinat, prit Philipsbourg (Baden), Worms, Spire, Mayence et Landau

(Vallée du Rhin): à Nordlingue (Bavière) il battit Merc (1645). Après un an de repos il reprit les armes et fit capituler Dunkerque. Puis il fut envoyé en Espagne (1647), où il assiégea Lérida, puis de nouveau en Flandres où il écrasa à Lens (1648), les restes de la fameuse infanterie espagnole dont il avait ébranlé le prestige à Rocroy; il hâta ainsi la conclusion du Traité de Westphalie qui clôt la guerre de Trente Ans (1648).

Il fut mêlé aux Guerres de la Fronde; d'abord du côté de la cour et de Mazarin; il assiégea et reprit Paris; mais il éleva de telles prétentions après la victoire, que Mazarin, effrayé de lui, le jeta en prison (1650). Quand il en sortit un an après il ne respirait que la vengeance; il se mit lui-même à la tête d'une nouvelle Fronde et alla jusqu'à faire alliance avec l'Espagne: le grand Condé, à la solde du roi Philippe IV, marcha contre la France; il eut comme adversaire le grand Turenne, son compagnon d'armes d'autrefois, et ne fut pas très heureux. Au Traité des Pyrenées (1659), la paix se fit entre Condé et son roi et Condé fut rétabli dans ses anciens honneurs. En 1668 il dirigea l'invasion de la Franche-Comté; il commanda une armée à la guerre de Hollande (1672), — qui débuta par le Passage du Rhin chanté par Boileau —; et il écrasa le Prince d'Orange à Senef en 1674. Sa dernière campagne fut celle d'Alsace en 1675 contre le général autrichien Montecuculli.[1]

Il passa les dernières années de sa vie dans la retraite, dans son magnifique château de Chantilly (trente milles au nord de Paris) et mourut à Fontainebleau le 11 décembre 1686.

Condé est le *Grand Cyrus* de Mlle de Scudéry et l'*Æmile* de La Bruyère.]

> *Dominus tecum, vivorum fortissime . . . Vade in hâc fortitudine tuâ . . . Ego ero tecum.*
> Le Seigneur est avec vous, ô le plus courageux de tous les hommes. Allez avec ce courage dont vous êtes rempli. Je serai avec vous.
> (JUGES, VI, 12, 14, 16)

Monseigneur [2], au moment que j'ouvre la bouche pour célébrer la gloire immortelle de Louis de Bourbon, prince

[1] On lira avec intérêt, dans Henri-Robert, *Les grands procès de l'histoire*, IV° série, (Paris, Payot, 1925) le chapitre sur « Le Grand Condé. »   [2] Henri-Jules, duc d'Enghien, fils unique de Condé.

de Condé, je me sens également confondu, et par la grandeur du sujet, et, s'il m'est permis de l'avouer, par l'inutilité du travail. Quelle partie du monde habitable n'a
pas ouï les victoires du prince de Condé et les merveilles
de sa vie ? On les raconte partout: le Français qui les 5
vante n'apprend rien à l'étranger, et quoi que je puisse
aujourd'hui vous en rapporter, toujours prévenu par vos
pensées, j'aurai encore à répondre au secret reproche que
vous me ferez, d'être demeuré beaucoup au-dessous.
Nous ne pouvons rien, faibles orateurs, pour la gloire 10
des âmes extraordinaires: le Sage a raison de dire que
« leurs seules actions les peuvent louer »: toute autre louange languit auprès des grands noms; et la seule simplicité d'un récit fidèle pourrait soutenir la gloire du prince
de Condé. Mais en attendant que l'histoire, qui doit ce 15
récit aux siècles futurs, le fasse paraître, il faut satisfaire,
comme nous pourrons, à la reconnaissance publique et
aux ordres du plus grand de tous les rois.[1] Que ne doit
point le royaume à un prince qui a honoré la maison de
France [2], tout le nom français, son siècle, et pour ainsi 20
dire l'humanité tout entière ? Louis le Grand [3] est entré
lui-même dans ces sentiments. Après avoir pleuré ce
grand homme, et lui avoir donné par ses larmes, au milieu
de toute sa cour, le plus glorieux éloge qu'il pût recevoir,
il assemble dans un temple si célèbre [4] ce que son royaume 25
a de plus auguste pour y rendre des devoirs publics à la
mémoire de ce prince; et il veut que ma faible voix anime

[1] Voir neuf lignes plus bas.

[2] Condé, le premier prince du sang; son arrière-grand-père fut
l'oncle de Henri IV.

[3] Louis XIV; le titre de « Louis le Grand » lui avait été conféré
par la ville de Paris, en 1680.

[4] Notre-Dame de Paris.

toutes ces tristes représentations et tout cet appareil funèbre. Faisons donc cet effort sur notre douleur.

Les qualités du cœur et celles de l'esprit ne seraient rien si Condé n'y avait ajouté la piété qui est « le tout de l'homme ».

Ici un plus grand objet, et plus digne de cette chaire, se présente à ma pensée. C'est Dieu qui fait les guerriers et
5 les conquérants. « C'est vous, lui disait David, qui avez instruit mes mains à combattre, et mes doigts à tenir l'épée. » S'il inspire le courage, il ne donne pas moins les autres grandes qualités naturelles et surnaturelles, et du cœur et de l'esprit. Tout part de sa puissante main:
10 c'est lui qui envoie du ciel les généreux sentiments, les sages conseils et toutes les bonnes pensées. Mais il veut que nous sachions distinguer entre les dons qu'il abandonne à ses ennemis, et ceux qu'il réserve à ses serviteurs. Ce qui distingue ses amis d'avec tous les autres,
15 c'est la piété: jusqu'à ce qu'on ait reçu ce don du ciel, tous les autres non seulement ne sont rien, mais encore tournent en ruine à ceux qui en sont ornés. Sans ce don inestimable de la piété, que serait-ce que le prince de Condé avec tout ce grand cœur et ce grand génie ? Non,
20 mes Frères, si la piété n'avait comme consacré ses autres vertus, ni ces princes [1] ne trouveraient aucun adoucissement à leur douleur, ni ce religieux pontife [2] aucune confiance dans ses prières, ni moi-même aucun soutien aux louanges que je dois à un si grand homme. Poussons
25 donc à bout la gloire humaine par cet exemple: détruisons l'idole des ambitieux; qu'elle tombe anéantie devant ces autels. Mettons ensemble aujourd'hui, car nous le pou-

---

[1] Le fils de Condé, duc d'Enghien; le petit-fils, duc de Bourbon; le neveu, prince de Conti.

[2] L'archevêque de Paris, Harlay de Champvallon.

vons dans un si noble sujet, toutes les plus belles qualités
d'une excellente nature; et à la gloire de la vérité, montrons dans un prince admiré de tout l'univers que ce qui
fait les héros, ce qui porte la gloire du monde jusqu'au
comble: valeur, magnanimité, bonté naturelle, voilà pour   5
le cœur: vivacité, pénétration, grandeur et sublimité de
génie, voilà pour l'esprit, ne seraient qu'une illusion, si la
piété ne s'y était jointe: et enfin, que la piété est le tout
de l'homme. C'est, Messieurs, ce que vous verrez dans
la vie éternellement mémorable de très haut et très puis-   10
sant prince Louis de Bourbon, Prince de Condé, premier
prince du sang.

I

*Les qualités de l'esprit. Dieu fait les grands conquérants,
Cyrus, Alexandre, Condé.*

Dieu nous a révélé que lui seul il fait les conquérants, et
que seul il les fait servir à ses desseins. Quel autre a fait
un Cyrus, si ce n'est Dieu, qui l'avait nommé deux cents   15
ans avant sa naissance dans les oracles d'Isaïe ? « Tu n'es
pas encore, lui disait-il, mais je te vois, et je t'ai nommé
par ton nom: tu t'appelleras Cyrus: je marcherai devant
toi dans les combats: à ton approche je mettrai les rois
en fuite: je briserai les portes d'airain: c'est moi qui   20
étends les cieux, qui soutiens la terre, qui nomme ce qui
n'est pas, comme ce qui est:» c'est-à-dire c'est moi qui fais
tout, et moi qui vois dès l'éternité tout ce que je fais.
Quel autre a pu former un Alexandre, si ce n'est ce même
Dieu, qui en a fait voir de si loin et par des figures si   25
vives l'ardeur indomptable à son prophète Daniel ? « Le
voyez-vous, dit-il, ce conquérant; avec quelle rapidité il

s'élève de l'occident comme par bonds, et ne touche pas à
terre ?» Semblable dans ses sauts hardis et dans sa légère
démarche à ces animaux vigoureux et bondissants, il ne
s'avance que par vives et impétueuses saillies, et n'est
5 arrêté ni par montagnes ni par précipices. Déjà le roi de
Perse est entre ses mains : « A sa vue il s'est animé : *effe-
ratus est in eum* », dit le prophète; « il l'abat, il le foule aux
pieds : nul ne le peut défendre des coups qu'il lui porte,
ni lui arracher sa proie. » A n'entendre que ces paroles
10 de Daniel, qui croiriez-vous voir, Messieurs, sous cette
figure, Alexandre ou le prince de Condé ?

Dieu donc lui avait donné cette indomptable valeur
pour le salut de la France durant la minorité d'un roi de
quatre ans.[1] Laissez-le croître, ce roi chéri du ciel; tout
15 cédera à ses exploits : supérieur aux siens comme aux ennemis, il saura tantôt se servir, tantôt se passer de ses
plus fameux capitaines; et seul, sous la main de Dieu,
qui sera continuellement à son secours, on le verra l'assuré
rempart de ses états.[2] Mais Dieu avait choisi le duc
20 d'Enghien pour le défendre dans son enfance. Aussi, vers
les premiers jours de son règne, à l'âge de vingt-deux ans,
le duc conçut un dessein où les vieillards expérimentés[3]
ne purent atteindre : mais la victoire le justifia devant
Rocroy.

La bataille de Rocroy (1643). On admire la description
très exacte de chaque phase de la bataille par Bossuet qui
n'était cependant pas un stratégiste.

[1] Louis XIV, né en 1638, devint roi en 1643. Anne d'Autriche
fut Régente jusqu'en 1651, date de la majorité de Louis XIV. Rocroy,
1643.

[2] Voir p. 299, notre note 2.

[3] Le maréchal de L'Hôpital, et ses généraux s'étaient opposés au
plan d'attaque devant Rocroy.

L'armée ennemie est plus forte, il est vrai: elle est composée de ces vieilles bandes wallonnes,[1] italiennes et es-
pagnoles, qu'on n'avait pu rompre jusqu'alors. Mais
pour combien fallait-il compter le courage qu'inspirait à
nos troupes le besoin pressant de l'État, les avantages 5
passés, et un jeune prince du sang qui portait la victoire
dans ses yeux? Don Francisco de Mellos[2] l'attend de
pied ferme; et, sans pouvoir reculer, les deux généraux et
les deux armées semblent avoir voulu se renfermer dans
des bois et dans des marais pour décider leur querelle, 10
comme deux braves, en champ clos. Alors que ne vit-on
pas? Le jeune prince parut un autre homme. Touchée
d'un si digne objet, sa grande âme se déclara tout entière: son courage croissait avec les périls et ses lumières
avec son ardeur. A la nuit qu'il fallut passer en présence 15
des ennemis, comme un vigilant capitaine, il reposa le
dernier: mais jamais il ne reposa plus paisiblement. A
la veille d'un si grand jour, et dès la première bataille,
il est tranquille, tant il se trouve dans son naturel: et on
sait que le lendemain, à l'heure marquée, il fallut réveiller 20
d'un profond sommeil cet autre Alexandre.[3] Le voyez-
vous comme il vole, ou à la victoire, ou à la mort? Aussitôt qu'il eut porté de rang en rang l'ardeur dont il était
animé, on le vit presque en même temps pousser l'aile
droite des ennemis, soutenir la nôtre ébranlée, rallier le 25
Français à demi vaincu, mettre en fuite l'Espagnol victorieux, porter partout la terreur, et étonner de ses regards étincelants ceux qui échappaient à ses coups.

[1] Wallonie = ancien nom d'une partie des Pays-Bas.
[2] Gouverneur des Pays-Bas espagnols.
[3] L'histoire raconte qu'Alexandre dormit profondément la nuit précédant l'importante bataille d'Arbelles contre Darius (331 av. J.-C.)

Restait cette redoutable infanterie de l'armée d'Espagne, dont les gros bataillons serrés, semblables à autant
de tours, mais à des tours qui sauraient réparer leurs
brèches, demeuraient inébranlables au milieu de tout le
5 reste en déroute, et lançaient des feux de toutes parts.
Trois fois le jeune vainqueur s'efforça de rompre ces in-
trépides combattants: trois fois il fut repoussé par le
valeureux comte de Fontaines,[1] qu'on voyait porté dans
sa chaise, et, malgré ses infirmités, montrer qu'une âme
10 guerrière est maîtresse du corps qu'elle anime. Mais
enfin il faut céder. C'est en vain qu'à travers des bois,
avec sa cavalerie toute fraîche, Bek [2] précipite sa marche
pour tomber sur nos soldats épuisés: le prince l'a prévenu: les bataillons enfoncés demandent quartier: mais
15 la victoire va devenir plus terrible pour le duc d'Enghien
que le combat. Pendant qu'avec un air assuré il s'avance
pour recevoir la parole de ces braves gens, ceux-ci toujours en garde craignent la surprise de quelque nouvelle
attaque: leur effroyable décharge met les nôtres en furie:
20 on ne voit plus que carnage: le sang enivre le soldat,
jusqu'à ce que le grand prince, qui ne put voir égorger
ces lions comme de timides brebis, calma les courages
émus, et joignit au plaisir de vaincre celui de pardonner.
Quel fut alors l'étonnement de ces vieilles troupes et de
25 leurs braves officiers, lorsqu'ils virent qu'il n'y avait plus
de salut pour eux qu'entre les bras du vainqueur? De
quels yeux regardèrent-ils le jeune prince, dont la victoire avait relevé la haute contenance, à qui la clémence
ajoutait de nouvelles grâces? Qu'il eût encore volon-

---

[1] Pedro, comte de Fuentes (1560–1643), commandant l'armée
espagnole, malgré son grand âge. Il mourut à Rocroy.
[2] Chef des contingents allemands au service des Espagnols.

tiers sauvé la vie au brave comte de Fontaines! Mais il
se trouva par terre, parmi ces milliers de morts dont
l'Espagne sent encore la perte. Elle ne savait pas que
le prince qui lui fit perdre tant de ses vieux régiments à
la journée de Rocroy, en devait achever les restes dans 5
les plaines de Lens.[1] Ainsi la première victoire fut le
gage de beaucoup d'autres. Le prince fléchit le genou,
et, dans le champ de bataille, rend au Dieu des armées
la gloire qu'il lui envoyait. Là on célébra Rocroy délivré, les menaces d'un redoutable ennemi tournées à sa 10
honte, la régence affermie, la France en repos; et un règne
qui devait être si beau, commencé par un si heureux présage. L'armée commença l'action de grâces; toute la
France suivit; on y élevait jusqu'au ciel le coup d'essai
du duc d'Enghien: c'en serait assez pour illustrer une 15
autre vie que la sienne, mais pour lui, c'est le premier pas
de sa course.

Dès cette première campagne, après la prise de Thionville, digne prix de la victoire de Rocroy, il passa pour un
capitaine également redoutable dans les sièges et dans les 20
batailles. Mais voici dans un jeune prince victorieux
quelque chose qui n'est pas moins beau que la victoire.
La cour, qui lui préparait à son arrivée les applaudissements qu'il méritait, fut surprise de la manière dont il
les reçut. La reine régente lui a témoigné que le roi était 25
content de ses services. C'est dans la bouche du souverain
la digne récompense de ses travaux. Si les autres osaient
le louer, il repoussait leurs louanges comme des offenses;
et indocile à la flatterie, il en craignait jusqu'à l'apparence . . .   30

---

[1] 1648. Voir introduction.

Autres campagnes (*voir l'introduction à ce morceau*).

La cour ne le retint guère, quoiqu'il en fût la merveille. Il fallait montrer partout, et à l'Allemagne comme
à la Flandre, le défenseur intrépide que Dieu nous donnait. Arrêtez ici vos regards. Il se prépare contre le
5 Prince quelque chose de plus formidable qu'à Rocroy; et
pour éprouver sa vertu, la guerre va épuiser toutes ses
inventions et tous ses efforts. Quel objet se présente à
mes yeux? Ce n'est pas seulement des hommes à combattre: c'est des montagnes inaccessibles;[1] c'est des ravines
10 et des précipices d'un côté; c'est de l'autre un bois im-
pénétrable, dont le fond est un marais; et derrière des
ruisseaux, de prodigieux retranchements: c'est partout
des forts élevés, et des forêts abattues que traversent des
chemins affreux: et au dedans, c'est Merci avec ses braves
15 Bavarois, enflés de tant de succès et de la prise de Fribourg;[2] Merci qu'on ne vit jamais reculer dans les combats; Merci que le prince de Condé et le vigilant Turenne
n'ont jamais surpris dans un mouvement irrégulier, et à
qui ils ont rendu ce grand témoignage, que jamais il
20 n'avait perdu un seul moment favorable, ni manqué de
prévenir leurs desseins, comme s'il eût assisté à leurs
conseils. Ici donc, durant huit jours et à quatre attaques
différentes, on vit tout ce qu'on peut soutenir et entreprendre à la guerre. Nos troupes semblent rebutées,
25 autant par la résistance des ennemis que par l'effroyable
disposition des lieux; et le prince se vit quelque temps
comme abandonné. Mais comme un autre Machabée,

---

[1] C'est la campagne de la Forêt-Noire (1644).
[2] Les Bavarois avaient pris Fribourg (1644), une semaine avant
qu'il fût attaqué par Condé.

« son bras ne l'abandonna pas, et son courage irrité par
tant de périls vint à son secours. »[1] On ne l'eut pas plutôt
vu pied à terre forcer le premier ces inaccessibles hauteurs,
que son ardeur entraîna tout après elle. Merci voit sa
perte assurée; ses meilleurs régiments sont défaits; la   5
nuit sauve les restes de son armée. Mais que des pluies
excessives s'y joignent encore, afin que nous ayons à la
fois, avec tout le courage et tout l'art, toute la nature à
combattre. Quelque avantage que prenne un ennemi
habile autant que hardi, et dans quelque affreuse mon-   10
tagne qu'il se retranche de nouveau, poussé de tous côtés,
il faut qu'il laisse en proie au duc d'Enghien, non seulement son canon et son bagage, mais encore tous les
environs du Rhin. Voyez comme tout s'ébranle. Philipsbourg [2] est aux abois en dix jours, malgré l'hiver qui   15
approche: Philipsbourg qui tint si longtemps le Rhin
captif sous nos lois, et dont le plus grand des rois a si
glorieusement réparé la perte. Worms, Spire, Mayence,
Landau, vingt autres places de nom ouvrent leurs portes.
Merci ne les peut défendre, et ne paraît plus devant son   20
vainqueur. Ce n'est pas assez; il faut qu'il tombe à ses
pieds, digne victime de sa valeur. Nordlingue en verra
la chute: il y sera décidé qu'on ne tient non plus devant
les Français en Allemagne qu'en Flandre, et on devra
tous ces avantages au même prince. Dieu, protecteur   25
de la France et d'un roi qu'il a destiné à ses grands ouvrages, l'ordonne ainsi.

¹ Judas, le Macchabée, avait délivré Jérusalem des Syriens (163 av.
J.-C.), mais périt trois ans après dans une bataille, lors d'une nouvelle
attaque des envahisseurs.
² Ville prise aux Espagnols en 1644, appartint à la France jusqu'en
1676, quand elle fut reprise par l'armée autrichienne lors de la guerre
de Hollande; mais sa perte fut compensée par le territoire cédé à
Louis XIV par le traité de Nimègue (1678).

Par ces ordres, tout paraissait sûr sous la conduite du duc d'Enghien: et sans vouloir ici achever le jour à vous marquer seulement ses autres exploits, vous savez, parmi tant de fortes places attaquées, qu'il n'y en eut qu'une
5 seule [1] qui put échapper à ses mains; encore releva-t-elle la gloire du prince. L'Europe, qui admirait la divine ardeur dont il était animé dans les combats, s'étonna qu'il en fût le maître, et dès l'âge de vingt-six ans, aussi capable de ménager ses troupes que de les pousser dans les
10 hasards, et de céder à la fortune que de la faire servir à ses desseins . . .

Brève allusion aux Guerres de la Fronde (voir l'intro-duction à ce morceau).

Après avoir fait sentir aux ennemis, durant tant d'années, l'invincible puissance du roi, s'il fallut agir au dedans pour la soutenir, je dirai tout en un mot, il fit
15 respecter la régente; [2] et puisqu'il faut une fois parler de ces choses dont je voudrais pouvoir me taire éternellement, jusqu'à cette fatale prison [3] il n'avait pas seulement songé qu'on pût rien attenter contre l'État; et dans son plus grand crédit, s'il souhaitait d'obtenir des grâces,
20 il souhaitait encore plus de les mériter. C'est ce qui lui faisait dire; — je puis bien ici répéter devant ces autels les paroles que j'ai recueillies de sa bouche, puisqu'elles marquent si bien le fond de son cœur — il disait donc,

---

[1] Lérida, en Espagne; Condé en abandonna le siège (1646), préférant un acte de sagesse à un acte de simple bravoure militaire.

[2] Anne d'Autriche, régente jusqu'en 1651. Condé lui fut fidèle pendant la première Fronde. Voir l'introduction sur le rôle de Condé pendant les guerres des Frondes.

[3] Allusion à sa trahison. Bossuet veut montrer que c'est la prison à laquelle il avait été condamné par Mazarin (voir introduction), et non les sentiments personnels de Condé qui l'ont détourné de son roi.

en parlant de cette prison malheureuse, qu'il y était
entré le plus innocent de tous les hommes, et qu'il en
était sorti le plus coupable. « Hélas ! poursuivait-il, je ne
respirais que le service du roi et la grandeur de l'État ! »
On ressentait dans ses paroles un regret sincère d'avoir 5
été poussé si loin par ses malheurs. Mais sans vouloir
excuser ce qu'il a si hautement condamné lui-même,
disons, pour n'en parler jamais, que, comme dans la gloire
éternelle les fautes des saints pénitents, couvertes de ce
qu'ils ont fait pour les réparer et de l'éclat infini de la 10
divine miséricorde, ne paraissent plus, ainsi, dans des
fautes si sincèrement reconnues, et dans la suite si glorieusement réparées par de fidèles services, il ne faut plus
regarder que l'humble reconnaissance du prince qui s'en
repentit, et la clémence du grand roi qui les oublia ... 15

II

Les qualités de l'esprit manifestées dans le génie militaire.

Venons maintenant aux qualités de l'esprit ; et puisque,
pour notre malheur, ce qu'il y a de plus fatal à la vie
humaine, c'est-à-dire l'art militaire, est en même temps ce
qu'elle a de plus ingénieux et de plus habile, considérons
d'abord par cet endroit le grand génie de notre prince. Et 20
premièrement, quel général porta jamais plus loin sa prévoyance ? C'était une de ses maximes, qu'il fallait craindre
les ennemis de loin, pour ne les plus craindre de près et
se réjouir à leur approche ... Rien n'échappe à sa prévoyance ... Il tenait pour maxime qu'un habile capitaine 25
peut bien être vaincu, mais qu'il ne lui est pas permis
d'être surpris. Aussi lui devons-nous cette louange, qu'il

ne l'a jamais été. A quelque heure et de quelque côté que
viennent les ennemis, ils le trouvent toujours sur ses
gardes, toujours prêt à fondre sur eux et à prendre ses
avantages: comme un aigle qu'on voit toujours, soit
5 qu'il vole au milieu des airs, soit qu'il se pose sur le
haut de quelque rocher, porter de tous côtés des regards
perçants, et tomber si sûrement sur sa proie, qu'on ne
peut éviter ses ongles non plus que ses yeux. Aussi vifs
étaient les regards, aussi vite et impétueuse était l'at-
10 taque, aussi fortes et inévitables étaient les mains du
prince de Condé. En son camp on ne connaît point les
vaines terreurs, qui fatiguent et rebutent plus que les
véritables. Toutes les forces demeurent entières pour
les vrais périls: tout est prêt au premier signal; et, comme
15 dit le prophète, « toutes les flèches sont aiguisées, et tous
les arcs sont tendus » ...

. . . .

Quoiqu'une heureuse naissance eût apporté de si grands
dons à notre prince, il ne cessait de l'enrichir par ses réflexions. Les campements de César firent son étude. Je
20 me souviens qu'il nous ravissait, en nous racontant comme
en Catalogne, dans les lieux où ce fameux capitaine, par
l'avantage des postes, contraignit cinq légions romaines et
deux chefs [1] expérimentés à poser les armes sans combat,
lui-même il avait été reconnaître les rivières et les mon-
25 tagnes qui servirent à ce grand dessein: et jamais un si
digne maître n'avait expliqué par de si doctes leçons les
Commentaires de César. Les capitaines des siècles futurs
lui rendront un honneur semblable. On viendra étudier

---

[1] Afranius et Petreius, lieutenants de Pompée. (Cf. César, *De
Bello civ.*, Livre I.)

sur les lieux[1] ce que l'histoire racontera du campement
de Piéton,[2] et des merveilles dont il fut suivi. On re-
marquera dans celui de Châtenoy[3] l'éminence qu'occupa
ce grand capitaine, et le ruisseau dont il se couvrit sous le
canon du retranchement de Selestad.[4] Là on lui verra
mépriser l'Allemagne conjurée, suivre à son tour les ennemis, quoique plus forts, rendre leurs projets inutiles, et
leur faire lever le siège de Saverne, comme il avait fait un
peu auparavant celui de Haguenau.[5] C'est par de semblables coups, dont sa vie est pleine, qu'il a porté si haut
sa réputation, que ce sera dans nos jours s'être fait un
nom parmi les hommes et s'être acquis un mérite dans les
troupes, d'avoir servi sous le prince de Condé; et comme
un titre pour commander, de l'avoir vu faire . . .

. . . .

Mais ce qu'un sage général doit le mieux connaître,
c'est ses soldats et ses chefs. Car de là vient ce parfait
concert qui fait agir les armées comme un seul corps, ou
pour parler avec l'Écriture, « comme un seul homme »:
Egressus est Israel tanquam vir unus. Pourquoi comme un
seul homme ? Parce que sous un même chef, qui connaît
et les soldats et les chefs comme ses bras et ses mains,
tout est également vif et mesuré. C'est ce qui donne la

---

[1] Allusions à la campagne d'Alsace, dirigée par Condé et Turenne,
contre la Hollande.

[2] Ruisseau près de Senef. Condé s'y est si bien retranché que
l'ennemi, malgré sa supériorité numérique n'a pas osé l'attaquer.

[3] En Lorraine; Condé y tint Montecuculli en échec, grâce aux
avantages stratégiques de la position.

[4] Près de Châtenoy; après la mort de Turenne, Condé y commanda
l'armée française (1675).

[5] Villes d'Alsace, près de Strasbourg; épisodes de la campagne
contre Montecuculli, en 1675.

victoire; et j'ai ouï dire à notre grand prince qu'à la journée de Nordlingue, ce qui l'assurait du succès, c'est qu'il
connaissait M. de Turenne, dont l'habileté consommée
n'avait besoin d'aucun ordre pour faire tout ce qu'il fal-
5 lait. Celui-ci publiait de son côté qu'il agissait sans inquiétude, parce qu'il connaissait le prince et ses ordres
toujours sûrs. C'est ainsi qu'ils se donnaient mutuellement un repos qui les appliquait chacun tout entier à son
action: ainsi finit heureusement la bataille la plus hasar-
10 deuse et la plus disputée qui fût jamais.[1]

*Les deux grands généraux du grand siècle, Turenne et
Condé.*

Ç'a été dans notre siècle un grand spectacle, de voir
dans le même temps et dans les mêmes campagnes ces
deux hommes, que la voix commune de toute l'Europe
égalait aux plus grands capitaines des siècles passés: tan-
15 tôt à la tête de corps séparés; tantôt unis plus encore par
le concours des mêmes pensées que par les ordres que l'inférieur recevait de l'autre; tantôt opposés [2] front à front,
et redoublant l'un dans l'autre l'activité et la vigilance:
comme si Dieu, dont souvent, selon l'Écriture, la sagesse
20 se joue dans l'univers, eût voulu nous les montrer en
toutes les formes, et nous montrer ensemble tout ce qu'il
peut faire des hommes. Que de campements, que de

[1] A la bataille de Norlingue, les Français furent repoussés plusieurs fois avant que Merci, blessé enfin grièvement, se rendît.

[2] Turenne, considéré comme l'égal de Condé comme général,
était de naissance moins noble, et par là son inférieur hiérarchique.
Ils unirent leurs efforts pour la France dans la campagne d'Allemagne, en 1645, et dans la première guerre de la Fronde. Mais ils
combattirent dans des camps opposés lors de la seconde guerre de la
Fronde; Turenne était resté fidèle à la cour, et Condé était passé au
service de l'Espagne.

belles marches, que de hardiesses, que de précautions, que
de périls, que de ressources ! Vit-on jamais en deux
hommes les mêmes vertus avec des caractères si divers,
pour ne pas dire si contraires ? L'un[1] paraît agir par des
réflexions profondes, et l'autre par de soudaines illumi-   5
nations: celui-ci par conséquent plus vif, mais sans que
son feu eût rien de précipité; celui-là d'un air plus froid
sans jamais rien avoir de lent, plus hardi à faire qu'à parler, résolu et déterminé au dedans, lors même qu'il paraissait embarrassé au dehors. L'un, dès qu'il parut dans les   10
armées, donne une haute idée de sa valeur, et fait attendre
quelque chose d'extraordinaire; mais toutefois s'avance
par ordre, et vient comme par degrés aux prodiges[2] qui
ont fini le cours de sa vie: l'autre, comme un homme inspiré, dès sa première bataille s'égale aux maîtres les plus   15
consommés. L'un, par de vifs et continuels efforts, emporte l'admiration du genre humain, et fait taire l'envie;
l'autre jette d'abord une si vive lumière, qu'elle n'osait
l'attaquer. L'un enfin, par la profondeur de son génie et
les incroyables ressources de son courage, s'élève au-des-   20
sus des plus grands périls, et sait même profiter de toutes
les infidélités de la fortune: l'autre, et par l'avantage
d'une si haute naissance, et par ces grandes pensées que
le Ciel envoie, et par une espèce d'instinct admirable dont
les hommes ne connaissent pas le secret, semble né pour   25
entraîner la fortune dans ses desseins et forcer les destinées. Et afin que l'on vît toujours dans ces deux hommes
de grands caractères, mais divers, l'un, emporté d'un coup
soudain, meurt pour son pays comme un Judas le Macha-

---

[1] Turenne.
[2] La délivrance de l'Alsace (1675). Turenne fut tué au cours de
cette campagne, à Salzbach, le 27 juillet.

bée [1]; l'armée le pleure comme son père, et la cour [2] et tout
le peuple gémit; sa piété est louée comme son courage, et
sa mémoire ne se flétrit point par le temps: l'autre, élevé
par les armes au comble de la gloire comme un David,
5 comme lui meurt dans son lit en publiant les louanges de
Dieu et instruisant sa famille, et laisse tous les cœurs
remplis tant de l'éclat de sa vie que de la douceur de sa
mort.   Quel spectacle de voir et d'étudier ces deux
hommes, et d'apprendre de chacun d'eux toute l'estime
10 que méritait l'autre !   C'est ce qu'a vu notre siècle: et ce
qui est encore plus grand, il a vu un roi se servir de ces
deux grands chefs, et profiter du secours du Ciel; et après
qu'il en est privé par la mort de l'un et les maladies de
l'autre,[3] concevoir de plus grands desseins, exécuter de
15 plus grandes choses, s'élever au-dessus de lui-même, surpasser et l'espérance des siens et l'attente de l'univers:
tant est haut son courage, tant est vaste son intelligence,
tant ses destinées sont glorieuses.[4]

Voilà, Messieurs, les spectacles que Dieu donne à l'uni-
20 vers; et les hommes qu'il y envoie quand il y veut faire
éclater, tantôt dans une nation, tantôt dans une autre,
selon ses conseils éternels, sa puissance ou sa sagesse . . .

---

[1] Voir *note* 2, page 291.

[2] Mme de Sévigné dit de sa mort: « Toute la cour fut en larmes;
M. de Condom [Bossuet, alors évêque de Condom] pensa s'évanouir. »

[3] Après 1675 Condé se retira à Chantilly à cause de ses infirmités.

[4] Cette comparaison entre Turenne et Condé avait indisposé
certains contemporains, mais Bossuet veut ignorer la différence dans
le rang de noblesse, et ne considérer que l'égalité dans les talents et
les actions.

*Les héros païens sont des ornements de la création, mais
Condé est en outre un ornement de la piété.*

C'est de Dieu que viennent ces dons: qui en doute?
Ces dons sont admirables: qui ne le voit pas? Mais pour
confondre l'esprit humain qui s'enorgueillit de tels dons,
Dieu ne craint point d'en faire part à ses ennemis. Saint
Augustin considère parmi les païens tant de sages, tant 5
de conquérants, tant de graves législateurs, tant d'excellents citoyens, un Socrate, un Marc-Aurèle, un Scipion,
un César, un Alexandre, tous privés de la connaissance
de Dieu, et exclus de son royaume éternel. N'est-ce donc
pas Dieu qui les a faits? Mais quel autre les pouvait 10
faire, si ce n'est celui qui fait tout dans le ciel et dans la
terre? Mais pourquoi les a-t-il faits? et quels étaient les
desseins particuliers de cette sagesse profonde qui jamais
ne fait rien en vain? Écoutez la réponse de saint Augustin: « Il les a faits, nous dit-il, pour orner le siècle présent:» 15
Ut ordinem sæculi præsentis ornaret. Il a fait dans les
grands hommes ces rares qualités, comme il a fait le soleil.

Qui n'admire ce bel astre? Qui n'est ravi de l'éclat de
son midi, et de la superbe parure de son lever et de son
coucher? Mais puisque Dieu le fait luire sur les bons et 20
sur les mauvais, ce n'est pas un si bel objet qui nous rend
heureux: Dieu l'a fait pour embellir et pour éclairer ce
grand théâtre du monde. De même, quand il a fait dans
ses ennemis aussi bien que dans ses serviteurs ces belles
lumières d'esprit, ces rayons de son intelligence, ces 25
images de sa bonté: ce n'est pas pour les rendre heureux
qu'il leur a fait ces riches présents; c'est une décoration
de l'univers, c'est un ornement du siècle présent. Et
voyez la malheureuse destinée de ces hommes qu'il a

choisis pour être les ornements de leur siècle. Qu'ont-ils
voulu, ces hommes rares, sinon des louanges et la gloire
que les hommes donnent? Peut-être que, pour les confondre, Dieu refusera cette gloire à leurs vains désirs? —
5 Non: il les confond mieux en la leur donnant, et même
au delà de leur attente. Cet Alexandre, qui ne voulait
que faire du bruit dans le monde, y en fait plus qu'il
n'aurait osé espérer. Il faut encore qu'il se trouve dans
tous nos panégyriques; et il semble, par une espèce de
10 fatalité glorieuse à ce conquérant, qu'aucun prince ne
puisse recevoir de louanges qu'il ne les partage. S'il a
fallu quelque récompense à ces grandes actions des Romains, Dieu leur en a su trouver une convenable à leurs
mérites comme à leurs désirs. Il leur donne pour récom-
15 pense l'empire du monde, comme un présent de nul prix:
O rois, confondez-vous dans votre grandeur: conquérants,
ne vantez pas vos victoires. Il leur donne pour récompense la gloire des hommes; récompense qui ne vient pas
jusqu'à eux; qui s'efforce de s'attacher, à quoi? peut-être
20 à leurs médailles, ou à leurs statues déterrées, restes des
ans et des barbares; aux ruines de leurs monuments et de
leurs ouvrages qui disputent avec le temps; ou plutôt à
leur idée, à leur ombre, à ce qu'on appelle leur nom.
Voilà le digne prix de tant de travaux, et dans le comble
25 de leurs vœux la conviction de leur erreur. Venez, ras-
sasiez-vous, grands de la terre: saisissez-vous, si vous pouvez, de ce fantôme de gloire, à l'exemple de ces grands
hommes que vous admirez. Dieu, qui punit leur orgueil
dans les enfers, ne leur a pas envié, dit saint Augustin,
30 cette gloire tant désirée; et « vains, ils ont reçu une récompense aussi vaine que leur désirs »: *Receperunt mer-*
cedem suam, vani vanam.

III

La mort très chrétienne du Grand Condé.

Il n'en sera pas ainsi de notre grand prince: l'heure de
Dieu est venue, heure attendue, heure désirée, heure de
miséricorde et de grâce.   Sans être averti par la maladie,
sans être pressé [1] par le temps, il exécute ce qu'il méditait.
Un sage religieux,[2] qu'il appelle exprès, règle les affaires   5
de sa conscience: il obéit, humble chrétien, à sa décision;
et nul n'a jamais douté de sa bonne foi.   Dès lors aussi
on le vit toujours sérieusement occupé du soin de se vaincre
soi-même, de rendre vaines toutes les attaques de ses in-
supportables douleurs, d'en faire par sa soumission un 10
continuel sacrifice.   Dieu, qu'il invoquait avec foi, lui
donna le goût de son Écriture, et dans ce livre divin la
solide nourriture de la piété.   Ses conseils se réglaient
plus que jamais par la justice: on y soulageait la veuve et
l'orphelin; et le pauvre en approchait avec confiance. 15
Sérieux autant qu'agréable père de famille, dans les douceurs qu'il goûtait avec ses enfants, il ne cessait de leur
inspirer les sentiments de la véritable vertu; et ce jeune
prince son petit-fils [3] se sentira éternellement d'avoir été
cultivé par de telles mains.   Toute sa maison profitait de 20
son exemple.   Plusieurs de ses domestiques avaient été
malheureusement nourris dans l'erreur que la France
tolérait alors [4]: combien de fois l'a-t-on vu inquiété de leur
salut, affligé de leur résistance, consolé par leur conver-

---

[1] Condé s'était tourné vers la religion, trois ans avant sa mort.
[2] Le Père Deschamps, jésuite.
[3] Le duc de Bourbon (1668–1710).
[4] Le protestantisme avait été toléré en France jusqu'à la révocation, deux ans auparavant, de l'Édit de Nantes.

sion ! Avec quelle incomparable netteté d'esprit leur fai-
sait-il voir l'antiquité et la vérité de la religion catholique !
Ce n'était plus cet ardent vainqueur, qui semblait vouloir tout emporter: c'était une douceur, une patience, une
5 charité qui songeait à gagner les cœurs, et à guérir les
esprits malades. Ce sont, Messieurs, ces choses simples,
gouverner sa famille, édifier ses domestiques, faire justice
et miséricorde, accomplir le bien que Dieu veut et souffrir
les maux qu'il envoie; ce sont ces communes pratiques de
10 la vie chrétienne, que Jésus-Christ louera au dernier jour
devant ses saints anges et devant son père céleste. Les
histoires seront abolies avec les empires, et il ne se parlera
plus de tous ces faits éclatants dont elles sont pleines.

　　　·　　·　　·　　·　　·　　·　　·

　　Il s'affaiblissait, ce grand prince, mais la mort cachait
15 ses approches. Lorsqu'on le crut en meilleur état, et que
le duc d'Enghien, toujours partagé entre les devoirs de
fils et de sujet, était retourné par son ordre auprès du roi,
tout change en un moment, et on déclare au prince sa
mort prochaine. Chrétiens, soyez attentifs, et venez ap-
20 prendre à mourir; ou plutôt venez apprendre à n'attendre
pas la dernière heure pour commencer à bien vivre. Quoi !
attendre à commencer une vie nouvelle, lorsqu'entre les
mains de la mort, glacés sous ses froides mains, vous ne
saurez si vous êtes avec les morts ou encore avec les vi-
25 vants ! Ah ! prévenez par la pénitence cette heure de
troubles et de ténèbres. Par là, sans être étonné de cette
dernière sentence qu'on lui prononça, le prince demeure
un moment dans le silence; et tout à coup: « O mon Dieu !
dit-il, vous le voulez, votre volonté soit faite: je me jette
30 entre vos bras; donnez-moi la grâce de bien mourir. »
Que désirez-vous davantage ? Dans cette courte prière

vous voyez la soumission aux ordres de Dieu, l'abandon à
sa providence, la confiance en sa grâce, et toute la piété.
Dès lors aussi, tel qu'on l'avait vu dans tous ses combats,
résolu, paisible, occupé sans inquiétude de ce qu'il fallait
faire pour les soutenir, tel fut-il à ce dernier choc; et la 5
mort ne lui parut pas plus affreuse, pâle et languissante,
que lorsqu'elle se présente au milieu du feu sous l'éclat de
la victoire qu'elle montre seule . . .

Ce que le prince commença ensuite pour s'acquitter
des devoirs de la religion mériterait d'être raconté à toute 10
la terre: non à cause qu'il est remarquable, mais à cause
pour ainsi dire qu'il ne l'est pas, et qu'un prince si exposé
à tout l'univers ne donne rien aux spectateurs. N'attendez donc pas, Messieurs, de ces magnifiques paroles qui
ne servent qu'à faire connaître, sinon un orgueil caché, 15
du moins les efforts d'une âme agitée qui combat ou qui
dissimule son trouble secret. Le prince de Condé ne sait
ce que c'est de prononcer de ces pompeuses sentences; et
dans la mort comme dans la vie, la vérité fit toujours
toute sa grandeur. Sa confession fut humble, pleine de 20
componction et de confiance. Il ne lui fallut pas longtemps pour la préparer: la meilleure préparation pour
celle des derniers temps, c'est de ne les attendre pas.

Mais, Messieurs, prêtez l'oreille à ce qui va suivre. A
la vue du saint viatique[1] qu'il avait tant désiré, voyez 25
comme il s'arrête sur ce doux objet. Alors il se souvint
des irrévérences, dont, hélas! on déshonore ce divin mystère. Les chrétiens ne connaissent plus la sainte frayeur
dont on était saisi autrefois à la vue du sacrifice. On
dirait qu'il eût cessé d'être terrible, comme l'appelaient 30

[1] Le sacrement de l'Eucharistie — dernière communion — reçu par
un malade sur le chemin (*via*) de la mort.

les saints Pères, et que le sang de notre victime n'y coule
pas encore aussi véritablement que sur le Calvaire. Loin
de trembler devant les autels, on y méprise Jésus-Christ
présent; et dans un temps où tout un royaume se remue
5 pour la conversion des hérétiques, on ne craint point d'en
autoriser les blasphèmes. Gens du monde, vous ne pensez pas à ces horribles profanations: à la mort vous y
penserez avec confusion et saisissement. Le prince se
ressouvint de toutes les fautes qu'il avait commises; et
10 trop faible pour expliquer avec force ce qu'il en sentait, il
emprunta la voix de son confesseur pour en demander
pardon au monde, à ses domestiques et à ses amis. On
lui répondit par des sanglots: ah! répondez-lui maintenant
en profitant de cet exemple.

15 Les autres devoirs de la religion furent accomplis avec
la même piété et la même présence d'esprit. Avec quelle
foi, et combien de fois pria-t-il le Sauveur des âmes, en
baisant sa croix, que son sang répandu pour lui ne le fût
pas inutilement! C'est ce qui justifie le pécheur, c'est ce
20 qui soutient le juste, c'est ce qui rassure le chrétien. Que
dirai-je des saintes prières des agonisants, où dans les
efforts que fait l'Église, on entend ses vœux les plus empressés, et comme les derniers cris par où cette sainte
mère achève de nous enfanter à la vie céleste? Il se les
25 fit répéter trois fois, et il y trouva toujours de nouvelles
consolations. En remerciant ses médecins: « Voilà, dit-il,
maintenant mes vrais médecins. » Il montrait les ecclésiastiques dont il écoutait les avis, dont il continuait les
prières, les psaumes toujours à la bouche, la confiance
30 toujours dans le cœur. S'il se plaignit, c'était seulement
d'avoir si peu à souffrir pour expier ses péchés. Sensible
jusqu'à la fin à la tendresse des siens, il ne s'y laissa ja-

mais vaincre; et au contraire il craignait toujours de trop
donner à la nature.

. . . .

Puis-je taire durant ce temps ce qui se faisait à la cour
et en la présence du roi? Lorsqu'il y fit lire la dernière
lettre que lui écrivit ce grand homme, et qu'on y vit, dans 5
les trois temps [1] que marquait le prince, ses services qu'il y
passait si légèrement au commencement et à la fin de sa
vie, et dans le milieu ses fautes dont il faisait une si sincère reconnaissance, il n'y eut cœur qui ne s'attendrît à
l'entendre parler de lui-même avec tant de modestie; et 10
cette lecture, suivie des larmes du roi, fit voir ce que les
héros sentent les uns pour les autres. Mais lorsqu'on vint
à l'endroit du remercîment, où le prince marquait qu'il
mourait content, et trop heureux d'avoir encore assez de
vie pour témoigner au roi sa reconnaissance, son dévoue- 15
ment, et s'il l'osait dire, sa tendresse, tout le monde rendit témoignage à la vérité de ses sentiments; et ceux qui
l'avaient ouï parler si souvent de ce grand roi dans ses
entretiens familiers pouvaient assurer que jamais ils
n'avaient rien entendu ni de plus respectueux et de plus 20
tendre pour sa personne sacrée, ni de plus fort pour célébrer ses vertus royales,[2] sa piété, son courage, son grand
génie, principalement à la guerre, que ce qu'en disait ce
grand prince avec aussi peu d'exagération que de flatterie.

Pendant qu'on lui rendait ce beau témoignage, ce grand 25
homme n'était plus. Tranquille entre les bras de son
Dieu où il s'était une fois jeté, il attendait sa miséricorde
et implorait son secours, jusqu'à ce qu'il cessa enfin de
respirer et de vivre . . .

---

[1] Périodes de la vie du Prince.

[2] Remarquez l'éloge du roi constamment répété, et comparez la
note d'introduction à Boileau sur cette coutume du XVIIe siècle.

Vanité des honneurs que peuvent conférer les hommes.

Venez, peuples, venez maintenant; mais venez plutôt,
princes et seigneurs; et vous qui jugez la terre, et vous
qui ouvrez aux hommes les portes du ciel; et vous plus
que tous les autres, princes et princesses, nobles rejetons
5 de tant de rois, lumières de la France, mais aujourd'hui
obscurcies et couvertes de votre douleur comme d'un
nuage: venez voir le peu qui nous reste d'une si auguste
naissance, de tant de grandeur, de tant de gloire. Jetez
les yeux de toutes parts[1]: voilà tout ce qu'a pu faire la
10 magnificence et la piété pour honorer un héros: des titres,
des inscriptions, vaines marques de ce qui n'est plus; des
figures qui semblent pleurer autour d'un tombeau, et des
fragiles images d'une douleur que le temps emporte avec
tout le reste; des colonnes qui semblent vouloir porter
15 jusqu'au ciel le magnifique témoignage de notre néant: et
rien enfin ne manque dans tous ces honneurs, que celui à
qui on les rend. Pleurez donc sur ces faibles restes de la
vie humaine, pleurez sur cette triste immortalité que nous
donnons aux héros . . .
20 Pour moi, s'il m'est permis, après tous les autres, de
venir rendre les derniers devoirs à ce tombeau, ô prince,
le digne sujet de nos louanges et de nos regrets, vous
vivrez éternellement dans ma mémoire: votre image y
sera tracée, non point avec cette audace qui promettait
25 la victoire, — non, je ne veux rien voir en vous de ce que
la mort y efface. — Vous aurez dans cette image des
traits immortels: je vous y verrai tel que vous étiez à ce

---

[1] Le chœur était décoré de magnifiques tentures; le catafalque
montait jusqu'à la voûte; des images allégoriques et des inscriptions
représentaient les victoires de Condé.

dernier jour, sous la main de Dieu, lorsque sa gloire
sembla commencer à vous apparaître. C'est là que je
vous verrai plus triomphant qu'à Fribourg et à Rocroy;
et ravi d'un si beau triomphe, je dirai en actions de grâces
ces belles paroles du bien-aimé disciple: *Et hæc est victoria* 5
quæ vincit mundum, fides nostra: « La véritable victoire,
celle qui met sous nos pieds le monde entier, c'est notre
foi. » Jouissez, prince, de cette victoire, jouissez-en éternellement par l'immortelle vertu de ce sacrifice. Agréez
ces derniers efforts d'une voix qui vous fut connue. Vous 10
mettrez fin à tous ces discours.[1] Au lieu de déplorer la
mort des autres, grand prince, dorénavant je veux apprendre de vous à rendre la mienne sainte: heureux si,
averti par ces cheveux blancs du compte que je dois
rendre de mon administration, je réserve au troupeau que 15
je dois nourrir de la parole de vie les restes d'une voix qui
tombe et d'une ardeur qui s'éteint.

[1] Ce fut la dernière oraison funèbre prononcée par Bossuet. Il
avait 60 ans.

CHAPITRE NEUF

FÉNELON

1651–1715

On rapproche toujours les noms de Bossuet et Fénelon (comme Racine et Corneille), les deux grands dignitaires de l'Église, mais pour les opposer en même temps l'un à l'autre à cause de la manière différente en laquelle ils ont exercé leur ministère: à « l'Aigle de Meaux » (Bossuet), on compare — à cause de son éloquence suave et à cause de ses méthodes d'action par persuasion plutôt que par autorité — « le Cygne de Cambrai » (Fénelon mourut archevêque de Cambrai).

De famille très noble, François de Salignac de la Mothe Fénelon naquit à Sarlat, dans le Périgord. Sa carrière présente quelques parallèles curieux avec celle de Bossuet. Tous deux, lorsqu'ils étaient venus terminer leurs études de théologie à Paris (Fénelon, au fameux Séminaire de Saint-Sulpice) y acquièrent prématurément une réputation d'éloquence. Puis, de même que Bossuet, Fénelon fut appelé à diriger une (Maison des nouvelles catholiques) (1678), — et tous deux approuvèrent, quoique avec regret, les mesures de violence décrétées contre les Protestants et qui aboutirent, en 1685, à la Révocation de l'Édit de Nantes. En 1689, Fénelon fut nommé précepteur du Duc de Bourgogne; c'était le petit-fils de Louis XIV, et le fils du Dauphin qui avait été l'élève de Bossuet. Contrairement toutefois à Bossuet, Fénelon réussit de manière remarquable dans sa tâche; trop bien même au gré de Louis XIV, car il inculqua au Duc des idées de réforme du royaume qui ne plaisaient point au souverain.[1] Fénelon prépara plusieurs ouvrages spécialement pour son élève, des *Fables*, les *Dialogues des Morts*, un *Traité de l'Existence de Dieu*, et surtout *Les Aventures de Télémaque*. Il fut nommé par le roi, en reconnaissance de ses services de précepteur, Archevêque de Cambrai (non loin

[1] Le Duc de Bourgogne ne régna pas; comme son père, le Dauphin, il mourut (1712) avant Louis XIV; — de sorte que ce fut l'arrière-petit-fils de Louis XIV qui en 1715 monta sur le trône, sous le nom de Louis XV.

de la frontière de Belgique, au Nord de Paris); c'est à dire que cette récompense était en même temps une punition puisque ce poste éloignait Fénelon de la cour (1695).[1]

C'est vers la même époque qu'il fut mêlé à l'*Affaire du Quiétisme* (voir plus bas) où il se trouva en opposition très forte avec Bossuet, ce qui compromit encore son prestige à la cour.

Il mourut dans son archevêché en 1715, laissant le souvenir de beaucoup de charité dans le territoire de sa juridiction.

Consulter: Paul Janet. *Fénelon* (Coll. des Grands écrivains français); J. Lemaître, *Fénelon* (1910); H. Brémond, *Apologie pour Fénelon* (1910). Les ouvrages d'érudition sur Fénelon sont dûs à la plume de l'abbé Chérel.

1. Éducation des filles, 1687

[Le premier ouvrage de l'abbé Fénelon, écrit à 36 ans, non pour le public, mais « pour répondre aux pieuses intentions d'une mère vertueuse, madame la duchesse de Beauvilliers, » laquelle, « outre plusieurs garçons, eut huit filles, qui, grâce aux exemples domestiques qu'elles eurent sous les yeux pendant leur jeunesse, et aux principes qu'elles puisèrent dans les instructions de Fénelon, furent des modèles de toutes les vertus que la charité inspire et que la religion embellit » (*Histoire de Fénelon*, par le Cardinal de Bausset, 1809). La position de Supérieur de la Maison des Nouvelles Catholiques de Paris —

---

[1] On comprend que Louis XIV n'ait pas beaucoup aimé un homme qui osait parler à son Roi comme le faisait Fénelon. Voici comment se terminait une lettre célèbre dans laquelle le prélat flétrissait les ambitions de Louis XIV dans la seconde partie du règne (1694):

« ... En voilà assez, Sire, pour reconnaître que vous avez passé votre vie entière hors des chemins de la vérité et de la justice, et par conséquent hors de celui de l'Evangile. Tant de troubles affreux qui ont désolé l'Europe depuis plus de vingt ans, tant de sang répandu, tant de scandales commis, tant de provinces saccagées, tant de villes et de villages mis en cendres sont la funeste suite de cette guerre de 1672, entreprise pour votre gloire et pour la confusion des faiseurs de gazettes et de médailles de Hollande.

« Cependant vos peuples, que vous devriez aimer comme vos enfants, et qui ont été jusqu'ici si passionnés pour vous, meurent de faim. La culture de la terre est presque abandonnée. La France entière n'est plus qu'un grand hôpital désolé et sans provisions ...

« Vous n'aimez point Dieu, vous ne le craignez même que d'une crainte d'esclave; c'est l'enfer et non pas Dieu que vous craignez ... »

une de ces maisons établies alors dans différentes villes de la France
pour ramener les jeunes filles protestantes à la foi catholique, et y
retenir les catholiques qui songeaient à adopter la Réforme [1] — et
la part qu'il prit à l'instruction des Demoiselles de Saint Louis, à
l'école de Saint-Cyr, fondée par Mme de Maintenon en 1685 l'avaient
préparé à écrire ce traité.]

I. DE L'IMPORTANCE DE L'ÉDUCATION DES FILLES

(extrait du chapitre I)

Rien n'est plus négligé que l'éducation des filles. La
coutume et le caprice des mères y décident souvent de
tout. On suppose qu'on doit donner à ce sexe peu d'instruction. L'éducation des garçons passe pour une des
5 principales affaires par rapport au bien public; et, quoiqu'on n'y fasse guère moins de fautes que dans celle des
filles, du moins on est persuadé qu'il faut beaucoup de
lumières pour y réussir. Les plus habiles gens se sont ap-
pliqués à donner des règles dans cette matière. Combien
10 voit-on de maîtres et de collèges! Combien de dépenses
pour des impressions de livres, pour des recherches de
sciences, pour des méthodes d'apprendre les langues, pour
le choix des professeurs! Tous ces grands préparatifs ont
souvent plus d'apparence que de solidité; mais enfin ils
15 marquent la haute idée qu'on a de l'éducation des garçons.
Pour les filles, dit-on, il ne faut pas qu'elles soient savantes;
la curiosité les rend vaines et précieuses; il suffit qu'elles
sachent gouverner un jour leurs ménages, et obéir à leurs
maris sans raisonner. On ne manque pas de se servir de
20 l'expérience qu'on a de beaucoup de femmes que la science
a rendues ridicules; après quoi on se croit en droit d'abandonner aveuglément les filles à la conduite des mères
ignorantes et indiscrètes.[2]

---

[1] Voir note d'introduction.   [2] Indiscrètes = sans discernement.

Il est vrai qu'il faut craindre de faire des savantes ridicules. Les femmes ont d'ordinaire l'esprit encore plus faible et plus curieux que les hommes; aussi n'est-il point à propos de les engager dans des études dont elles pourraient s'entêter. Elles ne doivent ni gouverner l'État, ni 5 faire la guerre, ni entrer dans le ministère des choses sacrées; ainsi elles peuvent se passer de certaines connaissances étendues qui appartiennent à la politique, à l'art militaire, à la jurisprudence, à la philosophie et à la théologie. La plupart même des arts mécaniques ne leur con- 10 viennent pas; elles sont faites pour des exercices modérés. Leur corps, aussi bien que leur esprit, est moins fort et moins robuste que celui des hommes. En revanche, la nature leur a donné en partage l'industrie, la propreté et l'économie, pour les occuper tranquillement dans leur 15 maison.

Mais que s'ensuit-il de la faiblesse naturelle des femmes ? Plus elles sont faibles, plus il est important de les fortifier. N'ont-elles pas des devoirs à remplir, mais des devoirs qui sont les fondements de toute la vie humaine ? Ne 20 sont-ce pas les femmes qui ruinent et qui soutiennent les maisons, qui règlent tout le détail des choses domestiques, et qui, par conséquent, décident de ce qui touche de plus près à tout le genre humain ? Par là, elles ont la principale part aux bonnes ou aux mauvaises mœurs de presque 25 tout le monde. Une femme judicieuse, appliquée et pleine de religion, est l'âme de toute une grande maison; elle y met de l'ordre pour les biens temporels et pour le salut. Les hommes mêmes, qui ont toute l'autorité en public, ne peuvent par leurs délibérations établir aucun bien effec- 30 tif, si les femmes ne leur aident à l'exécuter.

2. COMMENT IL FAUT FAIRE ENTRER DANS L'ESPRIT DES ENFANTS LES PREMIERS PRINCIPES DE LA RELIGION

(extrait du chapitre VII)

Nous avons remarqué que le premier âge des enfants n'est pas propre à raisonner; non qu'ils n'aient déjà toutes les idées et tous les principes généraux de raison qu'ils auront dans la suite, mais parce que, faute de connaître
5 beaucoup de faits, ils ne peuvent appliquer leur raison, et que d'ailleurs l'agitation de leur cerveau les empêche de suivre leurs pensées et de les lier.

Il faut pourtant, sans les presser, tourner doucement le premier usage de leur raison à connaître Dieu. Persua-
10 dez-les des vérités chrétiennes, sans leur donner des sujets de doute. Ils voient mourir quelqu'un; ils savent qu'on l'enterre; dites-leur: « Ce mort est-il dans le tombeau ? — Oui. — Il n'est donc pas en paradis ? — Pardonnez-moi; il y est. — Comment est-il dans le tombeau et dans le
15 paradis en même temps ? — C'est son âme qui est en paradis, c'est son corps qui est mis dans la terre.

Son âme n'est donc pas son corps ? — Non. — L'âme n'est donc pas morte ? — Non; elle vivra toujours dans le ciel. » Ajoutez: « Et vous, voulez-vous être sauvée ? —
20 Oui. — Mais qu'est-ce que se sauver ? — C'est que l'âme va en paradis quand on est mort. — Et la mort, qu'est-ce ? — C'est que l'âme quitte le corps, et que le corps s'en va en poussière. »

Je ne prétends pas qu'on mène d'abord les enfants à
25 répondre ainsi; je puis dire néanmoins que plusieurs m'ont fait ces réponses dès l'âge de quatre ans. Mais je suppose un esprit moins ouvert et plus reculé; le pis aller, c'est de l'attendre quelques années de plus sans impatience.

Il faut montrer aux enfants une maison, et les accoutumer à comprendre que cette maison ne s'est pas bâtie d'elle-même. « Les pierres, leur direz-vous, ne se sont pas élevées sans que personne les portât. » Il est bon même de leur montrer des maçons qui bâtissent; puis faites-leur regarder le ciel, la terre, et les principales choses que Dieu y a faites pour l'usage de l'homme; dites-leur: « Voyez combien le monde est plus beau et mieux fait qu'une maison. S'est-il fait de lui-même? Non, sans doute; c'est Dieu qui l'a bâti de ses propres mains. »

D'abord, suivez la méthode de l'Écriture: frappez vivement leur imagination; ne leur proposez rien qui ne soit revêtu d'images sensibles. Représentez Dieu assis sur un trône, avec des yeux plus brillants que les rayons du soleil et plus perçants que les éclairs: faites-le parler; donnez-lui des oreilles qui écoutent tout; des mains qui portent l'univers, des bras toujours levés pour punir les méchants, un cœur tendre et paternel pour rendre heureux ceux qui l'aiment. Viendra le temps que vous rendrez toutes ces connaissances plus exactes. Observez toutes les ouvertures que l'esprit de l'enfant vous donnera; tâtez-le par divers endroits, pour découvrir par où les grandes vérités peuvent mieux entrer dans sa tête. Surtout ne lui dites rien de nouveau sans le lui familiariser par quelque comparaison sensible.

Par exemple, demandez-lui s'il aimerait mieux mourir que de renoncer à Jésus-Christ; il vous répondra: « Oui. » Ajoutez: « Mais quoi! donneriez-vous votre tête à couper pour aller en paradis? — Oui. » — Jusque-là, l'enfant croit qu'il aurait assez de courage pour le faire. Mais vous, qui voulez lui faire sentir qu'on ne peut rien sans la grâce, vous ne gagnerez rien si vous lui dites simplement qu'on

a besoin de grâce pour être fidèle: il n'entend point tous
ces mots-là, si vous l'accoutumez à les dire sans les entendre, vous n'en êtes pas plus avancé. Que ferez-vous donc ?
Racontez-lui l'histoire de Saint-Pierre; représentez-le
5 qui dit d'un ton présomptueux: « S'il faut mourir, je vous
suivrai: quand tous les autres vous quitteraient, je ne vous
abandonnerai jamais. » Puis dépeignez sa chute; il renie
trois fois Jésus-Christ; une servante lui fait peur. Dites
pourquoi Dieu permit qu'il fût si faible: puis servez-vous
10 de la comparaison d'un enfant ou d'un malade qui ne saurait marcher tout seul, et faites-lui entendre que nous avons
besoin que Dieu nous porte, comme une nourrice porte son
enfant: par là vous rendrez sensible le mystère de la grâce.

Mais la vérité la plus difficile à faire entendre est que
15 nous avons une âme plus précieuse que notre corps. On
accoutume d'abord les enfants à parler de leur âme; et
on fait bien, car ce langage qu'ils n'entendent point ne
laisse pas de les accoutumer à supposer confusément la
distinction du corps et de l'âme, en attendant qu'ils puis-
20 sent la concevoir. Autant les préjugés de l'enfance sont
pernicieux quand ils mènent à l'erreur, autant sont-ils
utiles lorsqu'ils accoutument l'imagination à la vérité,
en attendant que la raison puisse s'y tourner par principes. Mais enfin il faut établir une vraie persuasion.
25 Comment le faire ? Sera-ce en jetant une jeune fille dans
des subtilités de philosophie ? Rien n'est si mauvais, il
faut se borner à lui rendre clair et sensible, s'il se peut,
ce qu'elle entend et ce qu'elle dit tous les jours.

Pour son corps, elle ne le connaît que trop; tout la
30 porte à le flatter, à l'orner et à s'en faire une idole; il est
capital de lui en inspirer le mépris, en lui montrant quelque chose de meilleur en elle.

Dites donc à un enfant en qui la raison agit déjà:
« Est-ce votre âme qui mange ? » S'il répond mal, ne le
grondez point; mais dites-lui doucement que l'âme ne
mange pas. « C'est le corps, direz-vous, qui mange;
c'est le corps qui est semblable aux bêtes. Les bêtes ont- 5
elles de l'esprit ? Sont-elles savantes ? — Non, répondra
l'enfant. — Mais elles mangent, continuerez-vous, quoiqu'elles n'aient point d'esprit. Vous voyez donc bien
que ce n'est pas l'esprit qui mange, c'est le corps qui
prend les viandes pour se nourrir; c'est lui qui marche, 10
c'est lui qui dort. — Et l'âme, que fait-elle ? — Elle rai-
sonne; elle connaît tout le monde; elle aime certaines
choses; il y en a d'autres qu'elle regarde avec aversion. »
Ajoutez, comme en vous jouant: « Voyez-vous cette table ?
— Oui. — Vous la connaissez donc ? — Oui. — Vous voyez 15
bien qu'elle n'est pas faite comme cette chaise; vous
savez bien qu'elle est de bois, et qu'elle n'est pas comme
la cheminée, qui est de pierre ? — Oui. » — répondra
l'enfant. N'allez pas plus loin sans avoir reconnu, dans
le ton de sa voix et dans ses yeux, que ces vérités si simples 20
l'ont frappé. Puis dites-lui: « Mais, cette table vous
connaît-elle ? » Vous verrez que l'enfant se mettra à rire,
pour se moquer de cette question. N'importe, ajoutez:
« Qui vous aime mieux de cette table ou de cette chaise ? »
Il rira encore. Continuez: « Et la fenêtre, est-elle bien 25
sage ? » Puis essayez d'aller plus loin. « Et cette poupée,
vous répond-elle quand vous lui parlez ? — Non. — Pourquoi ? Est-ce qu'elle n'a point d'esprit ? — Non, elle n'en
a pas. — Elle n'est donc pas comme vous; car vous la
connaissez, et elle ne vous connaît point. Mais après 30
votre mort, quand vous serez sous terre, ne serez-vous
pas comme cette poupée ? — Oui. — Vous ne sentirez

plus rien ? — Non. — Vous ne connaîtrez plus personne ?
— Non. — Et votre âme sera dans le ciel ? — Oui. —
N'y verra-t-elle pas Dieu ? — Il est vrai. — Et l'âme de
la poupée, où est-elle à présent ? » Vous verrez que l'en-
5 fant souriant vous répondra, ou du moins vous fera entendre que la poupée n'a point d'âme ...

3. REMARQUES SUR PLUSIEURS DÉFAUTS DES FILLES

(extrait du chapitre IX)

Nous avons encore à parler du soin qu'il faut prendre
pour préserver les filles de plusieurs défauts ordinaires à
leur sexe. On les nourrit dans une mollesse et dans une
10 timidité qui les rend incapables d'une conduite ferme et
réglée. Au commencement, il y a beaucoup d'affectation, et ensuite beaucoup d'habitude, dans ces craintes
mal fondées et dans ces larmes qu'elles versent à si bon
marché: le mépris de ces affectations peut servir beau-
15 coup à les corriger, puisque la vanité y a tant de part.

Il faut aussi réprimer en elles les amitiés trop tendres,
les petites jalousies, les compliments excessifs, les flatteries, les empressements: tout cela les gâte et les accoutume à trouver que tout ce qui est grave et sérieux est
20 trop sec et trop austère. Il faut même tâcher de faire en
sorte qu'elles s'étudient à parler d'une manière courte et
précise. Le bon esprit consiste à retrancher tout discours
inutile et à dire beaucoup en peu de mots; au lieu que la
plupart des femmes disent peu en beaucoup de paroles.
25 Elles prennent la facilité de parler et la vivacité d'imagination pour l'esprit; elles ne choisissent point entre leurs
pensées; elles n'y mettent aucun ordre par rapport aux
choses qu'elles ont à expliquer; elles sont passionnées sur

presque tout ce qu'elles disent, et la passion fait parler
beaucoup; cependant, on ne peut espérer rien de fort bon
d'une femme si l'on ne la réduit à réfléchir de suite, à
examiner ses pensées, à les expliquer d'une manière
courte, et à savoir ensuite se taire.   5

Une autre chose contribue beaucoup aux longs discours
des femmes: c'est qu'elles sont nées artificieuses, et
qu'elles usent de longs détours pour venir à leur but.
Elles estiment la finesse; et comment ne l'estimeraient-
elles pas, puisqu'elles ne connaissent point de meilleure 10
prudence, et que c'est d'ordinaire la première chose que
l'exemple leur a enseignée? Elles ont un naturel souple
pour jouer facilement toutes sortes de comédies; les larmes
ne leur coûtent rien: leurs passions sont vives, et leurs
connaissances bornées: de là vient qu'elles ne négligent 15
rien pour réussir, et que les moyens qui ne conviendraient
pas à des esprits plus réglés leur paraissent bons; elles ne
raisonnent guère pour examiner s'il faut désirer une
chose, mais elles sont très industrieuses pour y parvenir.

Ajoutez qu'elles sont timides et pleines de fausse 20
honte; ce qui est encore une source de dissimulation. Le
moyen de prévenir un si grand mal est de ne les mettre
jamais dans le besoin de la finesse et de les accoutumer à
dire ingénument leurs inclinations sur toutes les choses
permises. Qu'elles soient libres pour témoigner leur 25
ennui quand elles s'ennuient; qu'on ne les assujettisse
point à paraître goûter certaines personnes ou certains
livres qui ne leur plaisent pas.

2. Télémaque, 1699

Le plus important des ouvrages composés pour le Duc de Bourgogne. Le récit des aventures n'est qu'un prétexte pour l'enseignement du jeune homme. Télémaque est le fils d'Ulysse, roi d'Ithaque.

Celui-ci, après la prise de Troie, ne réussit pas, pendant de longues années, à rentrer dans sa patrie; il est poursuivi par la colère de Neptune, le dieu de la mer et le protecteur des Troïens, qui soulève des tempêtes sur sa route. La nouvelle de sa mort s'est répandue, et de nombreux prétendants se pressent autour de Pénélope, la reine; ils veulent sa main pour avoir la couronne. Télémaque, cependant, va entreprendre un périlleux voyage à la recherche de son père. Minerve, la déesse de la sagesse et protectrice d'Ulysse, accompagnera Télémaque comme guide et comme conseiller; dans ce but, elle a revêtu la forme mortelle de Mentor, un vieux et dévoué serviteur de la maison d'Ulysse. Ils parcourent des pays très divers dans leurs organisations politiques, dans leurs coutumes, dans leur religion; cela procure à Mentor l'occasion de donner à son jeune ami, mille enseignements utiles sur l'art de vivre et de gouverner — le Duc de Bourgogne ne devait-il pas se préparer à monter sur le trône de France ? A la fin de ces aventures (qui ont conduit Télémaque jusqu'aux enfers), ils rentrent à Ithaque où Ulysse les a précédés. Minerve, après avoir donné ses suprêmes recommandations à Télémaque s'élève dans les airs et disparaît.

On trouve dans le *Télémaque* beaucoup de ces traits qui étaient une critique très claire du gouvernement absolutiste de Louis XIV, de sa trop grande disposition à faire la guerre, de son amour du grand luxe et des coûteux palais, et qui indisposèrent le roi contre Fénelon.

Il y a deux chapitres fort importants, celui de la Bétique, qui oppose la description de « l'âge d'or » à l'âge de luxe de Louis XIV (Livre VII), et celui de Salente où Fénelon montre que même un état victime des dangers d'une civilisation excessive peut être réformé (Livres X, XI, XVII). Le *Télémaque* fut publié pour la première fois en 1699, à l'insu de Fénelon.

Voir la note à Boileau, *Art poétique*, Chant III, sur le style mythologique.

I. LA BÉTIQUE

(extrait du livre VII)

[Mentor et Télémaque s'étaient enfuis de l'Ile où Calypso avait essayé, par ses charmes féminins, de retenir le fils d'Ulysse, en se précipitant dans la mer. Adoam, capitaine d'un vaisseau phénicien, les avait recueillis et leur fait la description du pays idéal, où règne encore sur cette terre l'Age d'or. L'imagination de Fénelon choisit, pour y placer ce pays idéal, la Bétique au Sud-Ouest de l'Espagne (aujourd'hui la province de Grenade), au climat doux et fertile, arrosé par le fleuve Bétis (aujourd'hui le Guadalquivir).]

Cependant Télémaque dit à Adoam:

« Je me souviens que vous m'avez parlé d'un voyage
que vous fîtes dans la Bétique depuis que nous fûmes
partis d'Égypte. La Bétique est un pays dont on raconte tant de merveilles, qu'à peine peut-on les croire. 5
Daignez m'apprendre si tout ce qu'on en dit est vrai. —
Je serai bien aise, dit Adoam, de vous dépeindre ce fameux
pays, digne de votre curiosité, et qui surpasse tout ce que
la renommée en publie. »

Aussitôt il commença ainsi: 10

« Le fleuve Bétis coule dans un pays fertile, et sous un
ciel doux, qui est toujours serein. Le pays a pris le nom
de ce fleuve, qui se jette dans le grand Océan, assez près
des colonnes d'Hercule,[1] et de cet endroit où la mer
furieuse, rompant ses digues, sépara autrefois la terre de 15
Tarsis[2] d'avec la grande Afrique. Ce pays semble avoir
conservé les délices de l'âge d'or. Les hivers y sont tièdes,
et les rigoureux aquilons n'y soufflent jamais. L'ardeur
de l'été y est toujours tempérée par des zéphirs rafraîchis-
sants, qui viennent adoucir l'air vers le milieu du jour. 20
Ainsi toute l'année n'est qu'un heureux hymen du printemps et de l'automne, qui semblent se donner la main.
La terre, dans les vallons et dans es campagnes unies, y
porte chaque année une double moisson. Les chemins y
sont bordés de lauriers, de grenadiers, de jasmins, et 25
d'autres arbres toujours verts et toujours fleuris. Les
montagnes sont couvertes de troupeaux qui fournissent
des laines fines recherchées de toutes les nations connues.

[1] Les montagnes escarpées qui se dressent des deux côtés du Détroit de Gibraltar. Hercule, selon la fable, ouvrit un passage à la
mer en séparant les deux montagnes.

[2] L'Espagne.

Il y a plusieurs mines d'or et d'argent dans ce beau pays:
mais les habitants, simples et heureux dans leur simplicité, ne daignent pas seulement compter l'or et l'argent
parmi leurs richesses; ils n'estiment que ce qui sert véri-
5 tablement aux besoins de l'homme.

« Quand nous avons commencé à faire notre commerce
chez ces peuples, nous avons trouvé l'or et l'argent parmi
eux employés aux mêmes usages que le fer; par exemple,
pour des socs de charrue. Comme ils ne faisaient aucun
10 commerce au dehors, ils n'avaient besoin d'aucune monnaie. Ils sont presque tous bergers ou laboureurs. On
voit en ce pays peu d'artisans: car ils ne veulent souffrir
que les arts qui servent aux véritables nécessités des
hommes; encore même la plupart des hommes en ce pays,
15 étant adonnés à l'agriculture ou à la conduite des troupeaux, ne laissent pas d'exercer les arts nécessaires à leur
vie simple et frugale.

« Les femmes filent cette belle laine, et en font des étoffes
fines d'une merveilleuse blancheur: elles font le pain,
20 apprêtent à manger, et ce travail leur est facile, car on
vit en ce pays de fruits ou de lait, et rarement de viande.
Elles emploient le cuir de leurs moutons à faire une légère
chaussure pour elles, pour leurs maris, et pour leurs enfants; elles font des tentes, dont les unes sont de peaux
25 cirées, et les autres d'écorces d'arbres; elles font et lavent
tous les habits de la famille et tiennent leurs meubles
dans une propreté admirable. Leurs habits sont aisés à
faire: car, en ce doux climat, on ne porte qu'une pièce
d'étoffe fine et légère, qui n'est point taillée, et que cha-
30 cun met à longs plis autour de son corps pour la modestie,
lui donnant la forme qu'il veut.

« Les hommes n'ont d'autres arts à exercer, outre la

culture des terres et la conduite des troupeaux, que l'art
de mettre le bois et le fer en œuvre; encore même ne se
servent-ils guère du fer, excepté pour les instruments
nécessaires au labourage.   Tous les arts qui regardent
l'architecture leur sont inutiles; car ils ne bâtissent jamais   5
de maisons.   C'est, disent-ils, s'attacher trop à la terre, que
de s'y faire une demeure qui dure beaucoup plus que nous;
il suffit de se défendre des injures de l'air.   Pour tous les
autres arts estimés chez les Grecs, chez les Égyptiens, et
chez tous les autres peuples bien policés, ils les détestent,   10
comme des inventions de la vanité et de la mollesse.

« Quand on leur parle des peuples qui ont l'art de faire
des bâtiments superbes, des meubles d'or et d'argent, des
étoffes ornées de broderies et de pierres précieuses, des
parfums exquis, des mets délicieux, des instruments dont   15
l'harmonie charme, ils répondent en ces termes: Ces
peuples sont bien malheureux d'avoir employé tant de
travail et d'industrie à se corrompre eux-mêmes ! Ce
superflu amollit, enivre, tourmente ceux qui le possèdent;
il tente ceux qui en sont privés de vouloir l'acquérir par   20
l'injustice et par la violence.   Peut-on nommer bien un
superflu qui ne sert qu'à rendre les hommes mauvais ?
Les hommes de ces pays sont-ils plus sains et plus ro-
bustes que nous ? vivent-ils plus longtemps ? sont-ils plus
unis entre eux ? mènent-ils une vie plus libre, plus tran-   25
quille, plus gaie ?   Au contraire, ils doivent être jaloux
les uns des autres, rongés par une lâche et noire envie,
toujours agités par l'ambition, par la crainte, par l'avarice, incapables des plaisirs purs et simples, puisqu'ils
sont esclaves de tant de fausses nécessités dont ils font   30
dépendre tout leur bonheur.   C'est ainsi, continuait
Adoam, que parlent ces hommes sages, qui n'ont appris

la sagesse qu'en étudiant la simple nature. Ils ont horreur de notre politesse; et il faut avouer que la leur est
grande dans leur aimable simplicité. Ils vivent tous ensemble, sans partager les terres; chaque famille est gou-
5 vernée par son chef, qui en est le véritable roi. Le père
de famille est en droit de punir chacun de ses enfants ou
petits-enfants qui fait une mauvaise action; mais, avant
que de le punir, il prend les avis du reste de la famille.
Ces punitions n'arrivent presque jamais; car l'innocence
10 des mœurs, la bonne foi, l'obéissance et l'horreur du vice,
habitent dans cette heureuse terre. Il semble qu'Astrée,[1]
qu'on dit retirée dans le ciel, est encore ici-bas cachée
parmi ces hommes. Il ne faut point de juge parmi eux,
car leur propre conscience les juge. Tous les biens sont
15 communs: les fruits des arbres, les légumes de la terre,
les troupeaux sont des richesses si abondantes, que des
peuples si sobres et si modérés n'ont pas besoin de les
partager. Chaque famille, errante dans ce beau pays,
transporte ses tentes d'un lieu en un autre, quand elle a
20 consumé les fruits et épuisé les pâturages de l'endroit où
elle s'était mise. Ainsi ils n'ont point d'intérêts à soutenir les uns contre les autres, et ils s'aiment tous d'un
amour fraternel que rien ne trouble. C'est le retranchement des vaines richesses et des plaisirs trompeurs qui
25 leur conserve cette paix, cette union et cette liberté. Ils
sont tous libres et tous égaux.

« On ne voit parmi eux aucune distinction que celle qui
vient de l'expérience des sages vieillards ou de la sagesse
extraordinaire de quelques jeunes hommes qui égalent

---

[1] Fille de Jupiter et de Thémis, déesse de la Justice, qui habitait
la terre pendant l'âge d'or; puis les crimes de l'âge de fer l'ayant
remplie d'horreur, elle s'était enfuie au ciel.

les vieillards consommés en vertu.   La fraude, la violence, le parjure, les procès, les guerres ne font jamais
entendre leur voix cruelle et empestée dans ce pays chéri
des dieux.   Jamais le sang humain n'a rougi cette terre;
à peine y voit-on couler celui des agneaux.   Quand on 5
parle à ces peuples des batailles sanglantes, des rapides
conquêtes, des renversements d'États qu'on voit dans les
autres nations, ils ne peuvent assez s'étonner.   Quoi !
disent-ils, les hommes ne sont-ils pas assez mortels, sans
se donner encore les uns aux autres une mort précipitée ? 10
La vie est si courte ! et il semble qu'elle leur paraisse trop
longue ! sont-ils sur la terre pour se déchirer les uns les
autres pour se rendre mutuellement malheureux ?

  « Au reste, ces peuples de la Bétique ne peuvent comprendre qu'on admire tant les conquérants qui subju- 15
guent les grands empires.   Quelle folie, disent-ils, de mettre
son bonheur à gouverner les autres hommes, dont le gouvernement donne tant de peine, si on veut les gouverner
avec raison et suivant la justice !   Mais pourquoi prendre
plaisir à les gouverner malgré eux ?   C'est tout ce qu'un 20
homme sage peut faire que de s'assujettir à gouverner un
peuple docile dont les dieux l'ont chargé, ou un peuple
qui le prie d'être comme son père et son pasteur.   Mais
gouverner les peuples contre leur volonté, c'est se rendre
très misérable, pour avoir le faux honneur de les tenir 25
dans l'esclavage.   Un conquérant est un homme que les
dieux, irrités contre le genre humain, ont donné à la
terre dans leur colère pour ravager les royaumes, pour
répandre partout l'effroi, la misère, le désespoir, et pour
faire autant d'esclaves qu'il y a d'hommes libres.   Un 30
homme qui cherche la gloire ne la trouve-t-il pas assez
en conduisant avec sagesse ce que les dieux ont mis dans

ses mains ? Croit-il ne pouvoir mériter des louanges qu'en devenant violent, injuste, hautain, usurpateur et tyrannique sur tous ses voisins ? Il ne faut jamais songer à la guerre que pour défendre sa liberté. Heureux celui qui,
5 n'étant point esclave d'autrui, n'a point la folle ambition de faire d'autrui son esclave ! Ces grands conquérants, qu'on nous dépeint avec tant de gloire, ressemblent à ces fleuves débordés qui paraissent majestueux, mais qui ravagent toutes les fertiles campagnes qu'ils devaient
10 seulement arroser. »

Après qu'Adoam eut fait cette peinture de la Bétique, Télémaque, charmé, lui fit diverses questions curieuses.

« Ces peuples, lui dit-il, boivent-ils du vin ? — Ils n'ont garde d'en boire, reprit Adoam, car ils n'ont jamais voulu
15 en faire. Ce n'est pas qu'ils manquent de raisins, aucune terre n'en porte de plus délicieux; mais ils se contentent de manger le raisin comme les autres fruits, et ils craignent le vin comme le corrupteur des hommes. « C'est une espèce de poison, disent-ils, qui met en fureur; il ne
20 fait pas mourir l'homme, mais il le rend bête. Les hommes peuvent conserver leur santé et leurs forces sans vin: avec le vin, ils courent risque de ruiner leur santé et de perdre les bonnes mœurs » . . .

2. LES ADIEUX DE MENTOR A TÉLÉMAQUE

[Les pages suivantes sont les dernières du *Télémaque*. L'éducation du jeune héros est terminée; il va enfin faire voile pour Ithaque, où l'a précédé Ulysse, son père. C'est alors que Minerve, qui avait pris pour l'accompagner dans ses voyages, la forme de Mentor, se fait reconnaître et lui adresse ses adieux.]

Dans le moment où Télémaque allait avec ardeur presser les matelots pour hâter le départ,[1] Mentor l'arrêta tout à coup, et l'engagea à faire sur le rivage un grand sacrifice à Minerve. Télémaque fait avec docilité ce que Mentor veut. On dresse deux autels de gazon; 5 l'encens fume, le sang des victimes coule. Télémaque pousse des soupirs tendres vers le ciel, et reconnaît la puissante protection de la déesse.

A peine le sacrifice est-il achevé qu'il suit Mentor dans les routes sombres d'un petit bois voisin. Là il aperçoit 10 tout à coup que le visage de son ami prend une nouvelle forme; les rides de son front s'effacent, comme les ombres disparaissent quand l'Aurore, de ses doigts de rose, ouvre les portes de l'orient et enflamme tout l'horizon; ses yeux creux et austères se changent en des yeux bleus d'une 15 douceur céleste et pleins d'une flamme divine; sa barbe grise et négligée disparaît; des traits nobles et fiers, mêlés de douceur et de grâce, se montrent aux yeux de Télémaque ébloui. Il reconnaît un visage de femme, avec un teint plus uni qu'une fleur tendre et nouvellement 20 éclose au soleil: on y voit la blancheur des lis mêlée de roses naissantes. Sur ce visage fleurit une éternelle jeunesse avec une majesté simple et négligée: une odeur d'ambroisie se répand de ses cheveux flottants; ses habits éclatent comme les vives couleurs dont le soleil en se 25 levant peint les sombres voûtes du ciel et les nuages qu'il vient dorer. Cette divinité ne touche pas du pied à terre; elle coule légèrement dans l'air comme un oiseau le fend de ses ailes: elle tient de sa puissante main une lance

---

[1] Le manque de vent avait obligé Télémaque et Mentor à s'arrêter dans une « petite île déserte et sauvage, bordée de rochers affreux. » La prochaine étape allait être Ithaque.

brillante capable de faire trembler les villes et les nations
les plus guerrières; Mars même en serait effrayé: sa
voix est douce et modérée, mais forte et insinuante;
toutes ses paroles sont des traits de feu qui percent le
5 cœur de Télémaque, et qui lui font ressentir je ne sais
quelle douleur délicieuse; sur son casque paraît l'oiseau
triste d'Athènes, et sur sa poitrine brille la redoutable
égide. A ces marques Télémaque reconnaît Minerve.

« O déesse, dit-il, c'est donc vous-même qui avez daigné
10 conduire le fils d'Ulysse pour l'amour de son père ! » ...
Il voulait en dire davantage, mais la voix lui manqua;
ses lèvres s'efforçaient en vain d'exprimer les pensées
qui sortaient avec impétuosité du fond de son cœur; la
divinité présente l'accablait, et il était comme un homme
15 qui dans un songe est oppressé jusqu'à perdre la respiration, et qui, par l'agitation pénible de ses lèvres, ne peut
former aucune voix.

Enfin Minerve prononça ces paroles: « Fils d'Ulysse,
écoutez-moi pour la dernière fois. Je n'ai instruit aucun
20 mortel avec autant de soin que vous; je vous ai mené
par la main au travers des naufrages, des terres inconnues,
des guerres sanglantes et de tous les maux qui peuvent
éprouver le cœur de l'homme.

« Je vous ai montré par des expériences sensibles les
25 vraies et les fausses maximes par lesquelles on peut
régner. Vos fautes ne vous ont pas été moins utiles que
vos malheurs: car quel est l'homme qui peut gouverner
sagement s'il n'a jamais souffert, et s'il n'a jamais profité
des souffrances où ses fautes l'ont précipité ?

30 « Vous avez rempli, comme votre père, les terres et les
mers de vos tristes aventures. Allez, vous êtes maintenant digne de marcher sur ses pas. Il ne vous reste plus

qu'un court et facile trajet jusqu'à Ithaque, où il arrive
dans ce moment: combattez avec lui, et obéissez-lui
comme le moindre de ses sujets; donnez-en l'exemple
aux autres.   Il vous donnera pour épouse Antiope, et
vous serez heureux avec elle, pour avoir moins cherché la   5
beauté que la sagesse et la vertu.

« Lorsque vous règnerez, mettez toute votre gloire à renouveler l'âge d'or; écoutez tout le monde, croyez peu de
gens: gardez-vous bien de vous croire trop vous-même,
craignez de vous tromper; mais ne craignez jamais de   10
laisser voir aux autres que vous avez été trompé.

« Aimez les peuples; n'oubliez rien pour en être aimé.
La crainte est nécessaire quand l'amour manque, mais
il la faut toujours employer à regret comme les remèdes
violents et les plus dangereux.   15

« Considérez toujours de loin toutes les suites de ce que
vous voudrez entreprendre; prévoyez les plus terribles
inconvénients, et sachez que le vrai courage consiste à
envisager tous les périls, et à les mépriser quand ils deviennent nécessaires.   Celui qui ne veut pas les voir n'a   20
pas assez de courage pour en supporter tranquillement
la vue: celui qui les voit tous, qui évite tous ceux qu'on
peut éviter, et qui tente les autres sans s'émouvoir, est
le seul sage et magnanime.

« Fuyez la mollesse, le faste, la profusion; mettez votre   25
gloire dans la simplicité: que vos vertus et vos bonnes
actions soient les ornements de votre personne et de votre
palais; qu'elles soient la garde qui vous environne, et
que tout le monde apprenne de vous en quoi consiste le
vrai honneur.   30

« N'oubliez jamais que les rois ne règnent point pour
leur propre gloire, mais pour le bien des peuples.   Les

biens qu'ils font s'étendent jusque dans les siècles les plus éloignés; les maux qu'ils font se multiplient de génération en génération jusqu'à la postérité la plus reculée. Un mauvais règne fait quelquefois la calamité de plusieurs
5 siècles.

« Surtout, soyez en garde contre votre humeur: c'est un *ennemi* que vous porterez partout avec vous jusqu'à la mort; [1] il entrera dans vos conseils, et vous trahira si vous l'écoutez. L'humeur fait perdre les occasions les
10 plus importantes: elle donne des inclinations et des aversions d'enfant, au préjudice des plus grands intérêts; elle fait décider les plus grandes affaires par les plus petites raisons; elle obscurcit tous les talents, rabaisse le courage, rend un homme inégal, faible, vil et insuppor-
15 table. Défiez-vous de cet ennemi.

« Craignez les dieux, ô Télémaque; cette crainte est le plus grand trésor du cœur de l'homme: avec elle vous viendront la sagesse, la justice, la paix, la joie, les plaisirs purs, la vraie liberté, la douce abondance, la gloire sans
20 tache.

« Je vous quitte, ô fils d'Ulysse: mais ma sagesse ne vous quittera point, pourvu que vous sentiez toujours que vous ne pouvez rien sans elle. Il est temps que vous appreniez à marcher tout seul. Je ne me suis séparée de
25 vous en Égypte et à Salente que pour vous accoutumer à être privé de cette douceur, comme on sèvre les enfants lorsqu'il est temps de leur ôter le lait pour leur donner des aliments solides. »

A peine la déesse eut achevé ce discours qu'elle s'éleva
30 dans les airs, et s'enveloppa d'un nuage d'or et azur, où elle disparut. Télémaque, soupirant, étonné et hors de

[1] Le Duc de Bourgogne était d'un caractère très emporté

lui-même, se prosterna à terre, levant les mains au ciel;
puis il alla éveiller ses compagnons, se hâta de partir,
arriva à Ithaque, et reconnut son père chez le fidèle
Eumée.[1]

3. Dialogues des morts, 1700–1712

LE CONNÉTABLE DE BOURBON ET BAYARD

[Charles de Bourbon, de la famille royale des Bourbons, né en
1489, reçut le titre de Connétable — le plus grand titre militaire de
France, c.-à-d. général des armées du roi (supprimé par Louis XIII
en 1627) — à l'âge de 26 ans. Sa bravoure à la bataille de Marignan,
où il commandait l'avant-garde (13 et 14 sept. 1515) est surtout
restée fameuse. Madame, Louise de Savoie, duchesse d'Angoulême,
mère de François I°, lui offrit sa main, qu'il refusa. Elle n'oublia
pas cet affront, le fit dépouiller de ses richesses, et excita l'animosité
du roi son fils contre lui. Cette persécution irrita le Connétable qui
mit son bras au service de Charles-Quint, l'ennemi de la France; il
contribua beaucoup à la victoire de Charles sur François, à Pavie
(1525). Plus tard, du reste, lorsqu'il n'eut plus besoin de ses services,
Charles-Quint se montra ingrat envers le Connétable. Celui-ci finit
par mourir au siège de Rome en 1527, en montant à l'assaut de la
ville.

Pierre du Terrail, Seigneur de Bayard, né en 1476, surnommé « le
chevalier sans peur et sans reproche », se signala par son héroïsme
splendide et ses vertus chevaleresques sous Charles VIII, Louis XII,
et François I°. Celui-ci voulut être armé chevalier par lui sur le
champ de bataille de Marignan. Bayard fut blessé grièvement à
Biagrasso, luttant pour couvrir contre Bourbon la retraite de
l'armée française, compromise par l'imprudence de Bonnivet, ur
favori de François I°.

La scène du *Dialogue* est sur le champ de bataille où Bourbor
vient d'apercevoir Bayard blessé et qui va mourir.

Les *Dialogues* ont été écrits aussi à l'intention du Duc de Bourgogne.]

_____

[1] Le gardien des troupeaux d'Ulysse. Son nom est synonyme de
serviteur dévoué. C'est sous son toit déjà qu'était descendu Ulysse
en abordant à Ithaque après ses longues pérégrinations sur les mers;
et ce fut lui qui aida son maître à se défaire des insolents prétendants
de Pénélope.

Le Connétable. — N'est-ce point le pauvre Bayard que
je vois, au pied de cet arbre, étendu sur l'herbe, et percé
d'un grand coup ? Oui, c'est lui-même. Hélas ! je le
plains. En voilà deux qui périssent aujourd'hui par nos
5 armes, Vandenesse[1] et lui. Ces deux Français étaient
deux ornements de leur nation par leur courage. Je sens
que mon cœur est encore touché pour sa patrie. Mais
avançons pour lui parler. Ah ! mon pauvre Bayard, c'est
avec douleur que je te vois en cet état.

10 *Bayard.* — C'est avec douleur que je vous vois aussi.

Le Connétable. — Je comprends bien que tu es fâché de
te voir dans mes mains par le sort de la guerre. Mais je
ne veux point te traiter en prisonnier; je te veux garder
comme un bon ami, et prendre soin de ta guérison comme
15 si tu étais mon propre frère: ainsi tu ne dois point être
fâché de me voir.

Bayard. — Hé ! croyez-vous que je ne suis point fâché
d'avoir obligation au plus grand ennemi de la France ?
Ce n'est point de ma captivité ni de ma blessure dont je
20 suis en peine. Je meurs: dans un moment, la mort va
me délivrer de vos mains.

Le Connétable. — Non, mon cher Bayard, j'espère que
nos soins réussiront à te guérir.

Bayard. — Ce n'est point là ce que je cherche, et je
25 suis content de mourir.

Le Connétable. — Qu'as-tu donc ? Est-ce que tu ne
saurais te consoler d'avoir été vaincu et fait prisonnier
dans la retraite de Bonnivet ? Ce n'est pas ta faute; c'est
la sienne: les armes sont journalières .[2] Ta gloire est assez

---

[1] Jean de Chabannes, seigneur de Vandenesse, mort comme son
ami Bayard, sur le champ de bataille de Biagrasso (1524).

[2] archaïque dans ce sens: variables selon les *jours.*

bien établie par tant de belles actions. Les Impériaux [1]
ne pourront jamais oublier cette vigoureuse défense de
Mézières [2] contre eux.

Bayard. — Pour moi, je ne puis jamais oublier que vous
êtes ce grand connétable, ce prince du plus noble sang 5
qu'il y ait dans le monde, et qui travaille à déchirer de ses
propres mains sa patrie et le royaume de ses ancêtres.

Le Connétable. — Quoi ! Bayard, je te loue, et tu me
condamnes ! je te plains, et tu m'insultes !

Bayard. — Si vous me plaignez, je vous plains aussi; et 10
je vous trouve bien plus à plaindre que moi. Je sors de
la vie sans tache; j'ai sacrifié la mienne à mon devoir; je
meurs pour mon pays, pour mon roi, estimé des ennemis
de la France, et regretté de tous les bons Français. Mon
état est digne d'envie.   15

Le Connétable. — Et moi je suis victorieux d'un ennemi
qui m'a outragé; je me venge de lui; je le chasse du
Milanais; [3] je fais sentir à toute la France combien elle est
malheureuse de m'avoir perdu en me poussant à bout:
appelles-tu cela être à plaindre ?   20

Bayard. — Oui: on est toujours à plaindre quand on
agit contre son devoir: il vaut mieux périr en combattant
pour la patrie, que la vaincre et triompher d'elle. Ah !
quelle horrible gloire que celle de détruire son propre
pays !   25

Le Connétable. — Mais ma patrie a été ingrate après
tant de services que je lui avais rendus. Madame m'a
fait traiter indignement par un dépit d'amour. Le roi,

[1] Soldats de l'empereur Charles-Quint.

[2] Sur la Meuse, dans les Ardennes. Bayard y fit une défense
héroïque contre les Impériaux (1521).

[3] Longtemps objet de dispute entre François I° et Charles-Quint;
il finit par rester à ce dernier.

par faiblesse pour elle, m'a fait une injustice énorme en
me dépouillant de mon bien. On a détaché de moi jusqu'à mes domestiques, Matignon et d'Argonges. J'ai été
contraint, pour sauver ma vie, de m'enfuir presque seul:
5 que voulais-tu que je fisse ?

Bayard. — Que vous souffrissiez toutes sortes de maux,
plutôt que de manquer à la France et à la grandeur de
votre maison. Si la persécution était trop violente, vous
pouviez vous retirer; mais il valait mieux être pauvre,
10 obscur, inutile à tout, que de prendre les armes contre
nous. Votre gloire eût été au comble dans la pauvreté et
dans le plus misérable exil.

Le Connétable. — Mais ne vois-tu pas que la vengeance
s'est jointe à l'ambition pour me jeter dans cette extré-
15 mité ? J'ai voulu que le roi se repentît de m'avoir traité si
mal.

Bayard. — Il fallait l'en faire repentir par une patience
à toute épreuve, qui n'est pas moins la vertu d'un héros
que le courage.

20 *Le Connétable.* — Mais le roi étant si injuste et si
aveuglé par sa mère, méritait-il que j'eusse de si grands
égards pour lui ?

Bayard. — Si le roi ne le méritait pas, la France entière
le méritait. La dignité même de la couronne, dont vous
25 êtes un des héritiers, le méritait. Vous vous deviez à
vous-même d'épargner la France, dont vous pouviez être
un jour roi.

Le Connétable. — Eh bien ! j'ai tort, je l'avoue; mais ne
sais-tu pas combien les meilleurs cœurs ont de peine à
30 résister à leur ressentiment ?

Bayard. — Je le sais bien; mais le vrai courage consiste
à y résister. Si vous connaissez votre faute, hâtez-vous

de la réparer. Pour moi, je meurs; et je vous trouve plus
à plaindre dans vos prospérités, que moi dans mes souffrances. Quand l'empereur ne vous tromperait pas,[1]
quand même il vous donnerait sa sœur en mariage, et
qu'il partagerait la France avec vous, il n'effacerait point 5
la tache qui déshonore votre vie. Le connétable de Bourbon rebelle! Ah! quelle honte! Écoutez Bayard mourant comme il a vécu, et ne cessant de dire la vérité.

4. Lettre à propos des affaires du Quiétisme, 3 août 1697

(Au Duc de Beauvillier.)

[La doctrine du « Quiétisme » ou du « pur amour », ou de « l'amour
désintéressé », par lequel l'homme trouve dans la contemplation intérieure de Dieu une « quiétude » absolue jusqu'à en perdre la conscience de sa propre personnalité et à s'abîmer dans la divinité, qui
venue d'Espagne était répandue en France par Mme de la Mothe-Guyon
(1648–1717) avait été considérée comme favorisant le sectarisme et
avait été condamnée — comme le Protestantisme et le Jansénisme.
Fénelon, alors archevêque de Cambrai, avait pris la défense de Mme
de la Mothe-Guyon jetée en prison (1695); Bossuet lui avait opposé l'autorité de l'Église; alors à son tour, Fénelon avait soutenu
dans son livre sur les *Maximes des saints* (1697) que les idées quiétistes
avaient été professées en fait précisément par les Pères de l'Église. Le
livre ayant été condamné en France, Fénelon en avait appelé au pape
déclarant que, en bon catholique, il accepterait la décision du Saint-
Père (1699). Le pape confirma la condamnation; Fénelon se soumit.
Cette lettre est écrite avant que le pape ait parlé; Fénelon, absolument mais avec dignité, comme tout le XVIIe siècle, se déclare prêt à
s'incliner devant l'autorité.]

Ne soyez pas en peine de moi, Monsieur, l'affaire de
mon livre va à Rome. Si je me suis trompé, l'autorité 10
du Saint-Siège me détrompera, et fera ce que je cherche
avec un cœur docile et soumis. Si je me suis mal expliqué,
on réformera mes expressions. Si la matière paraît mé-

---

[1] Voir note d'introduction.

riter une explication plus étendue, je la ferai avec joie
par les additions que l'on me demandera. Si mon livre
n'exprime pas une doctrine pure, j'aurai la consolation
de savoir précisément ce qu'on doit croire, et ce qu'on
5 doit rejeter. Je ne laisserai pas de faire toutes les additions qui, sans affaiblir la vérité, pourraient éclaircir et
édifier les lecteurs les plus alarmés. Mais enfin, Monsieur, si le pape condamne mon livre, je serai, s'il plaît à
Dieu, le premier à le condamner, et à faire des mande-
10 ments pour en défendre la lecture dans le diocèse de Cambrai. Je demanderai seulement au Pape qu'il ait la bonté
de marquer précisément les endroits qu'il condamne, et
les sens qui portent sa condamnation, afin que ma sous-
cription soit sans restriction, et que je ne coure jamais
15 risque de défendre, ni d'excuser, ni de tolérer le sens déjà
condamné. Ainsi, vous le voyez, Monsieur, avec ces dispositions que Dieu me donne, je suis en paix, et n'ai qu'à
attendre la décision de mon supérieur, dans lequel je re-
connais l'autorité de Jésus-Christ. Je ne défendrai
20 l'amour désintéressé qu'avec un sincère désintéressement.
Il ne s'agit point ici du point d'honneur, ni de l'opinion
du monde, ni de l'humiliation profonde que la nature
peut craindre d'un mauvais succès. J'agis, ce me semble,
avec droiture; mes ennemis le reconnaîtront. Je crains
25 autant d'être présomptueux et retenu par une mauvaise
honte, que d'être faible, politique et timide dans la
défense de la vérité.

Si le pape me condamne, je serai détrompé, et par là le
vaincu aura tout le véritable fruit de la victoire. *Vic-*
30 *toria cedet victis*, dit Saint-Augustin. Si au contraire le
pape ne condamne pas ma doctrine, je tâcherai par mon
silence et par mon respect d'apaiser ceux de mes confrères

dont le zèle s'est animé contre moi et qui m'ont imputé
une doctrine dont je n'ai pas moins d'horreur qu'eux et
que j'ai toujours détestée.[1]   Peut-être me rendront-ils
justice quand ils verront ma bonne foi.

Voilà mes sentiments, Monsieur. Je pars pour Cam- 5
brai, ayant sacrifié à Dieu, au fond de mon cœur, tout ce
que je puis lui sacrifier là-dessus. Souffrez que je vous
exhorte dans ce même esprit; je n'ai rien ménagé d'humain et de temporel pour la doctrine que j'ai crue véritable, je ne laisse ignorer au Pape aucune des raisons qui 10
peuvent appuyer cette doctrine. En voilà assez; c'est à
Dieu à faire le reste, si c'est sa cause que j'ai défendue,
ne regardant point les intérêts des hommes ni leur procédé; c'est Dieu seul qu'il faut voir en tout ceci . . .

---

[1] Pour mieux attaquer le Quiétisme, certains avaient prétendu
l'identifier avec une doctrine païenne selon laquelle s'abandonner à
l'amour, c'était suivre l'appel de la nature et par conséquent honorer
Dieu, l'auteur de la nature. Bossuet lui-même avait ajouté foi à
certaines rumeurs qui accusaient Mme de Guyon de pratiquer ainsi
le « pur amour. »

CHAPITRE X

LES MORALISTES

I. LA ROCHEFOUCAULD

1613–1680

Le Duc François de La Rochefoucauld appartenait à une des premières familles de France. Sa naissance le conduisit à l'armée. Il passa toute la première partie de sa vie à nouer des intrigues politiques, d'abord contre Richelieu et puis contre Mazarin qui tous deux cherchaient à réduire les privilèges de la noblesse — sources constantes de désordre dans le royaume. Les événements de la Fronde finirent par le ruiner et faillirent lui coûter la vue (par un coup de mousquet). Après le retour de la paix, il se retira (1653) dans son château de Verteuil en Poitou, où il écrivit ses *Mémoires* (On y admire entre autres choses un portrait de Richelieu.). A 43 ans, il rentra à Paris; il fréquenta beaucoup le salon de Madame de Sablé; là, on cultivait volontiers un jeu de société, le jeu des « maximes »: les partenaires cherchaient à exprimer d'une façon brève et frappante, quelque observation psychologique ou pensée morale. La Rochefoucauld s'y montrait très habile; rentré chez lui, il travaillait encore ses maximes avec un soin extrême, et finit par les publier, en 1665.

L'esprit de ces célèbres « maximes » est celui d'un homme qui a été désabusé de la vie et refuse de parer de beaux noms des vérités sévères. On dit cependant que sa philosophie aurait été plus amère encore si sa grande amie, Mme de La Fayette (voir plus bas) ne l'eût adoucie parfois. L'épigraphe est bien choisie. La plus célèbre de toutes les maximes est celle du numéro 218.

Consulter: J. Bourdeau, *La Rochefoucauld* (Coll. des Grands écrivains français); G. Grappe, *La Rochefoucauld* (Plon, 1914) E. Magne, *Le vrai visage de La Rochefoucauld,* (Ollendorff, 1923).

1. Maximes, 1665

*Nos vertus ne sont le plus souvent
que des vices déguisés*

1. Ce que nous prenons pour des vertus n'est souvent
qu'un assemblage de diverses actions et de divers intérêts que la fortune ou notre industrie savent arranger; et
ce n'est pas toujours par valeur et par chasteté que les
hommes sont vaillants et que les femmes sont chastes. 5

16. Cette clémence, dont on fait une vertu, se pratique
tantôt par vanité, quelquefois par paresse, souvent par
crainte, et presque toujours par toutes les trois ensemble.

17. La modération des personnes heureuses vient du
calme que la bonne fortune donne à leur humeur. 10

19. Nous avons tous assez de force pour supporter les
maux d'autrui.

20. La constance des sages n'est que l'art de renfermer
leur agitation dans le cœur.

22. La philosophie triomphe aisément des maux passés 15
et des maux à venir; mais les maux présents triomphent
d'elle.

29. Le mal que nous faisons ne nous attire pas tant de
persécution et de haine que nos bonnes qualités.

31. Si nous n'avions point de défauts, nous ne pren- 20
drions pas tant de plaisir à en remarquer dans les autres.

37. L'orgueil a plus de part que la bonté aux remon-
trances que nous faisons à ceux qui commettent des
fautes; et nous ne les reprenons pas tant pour les en corriger, que pour leur persuader que nous en sommes exempts. 25

38. Nous promettons selon nos espérances, et nous
tenons selon nos craintes.

42. Nous n'avons pas assez de force pour suivre toute notre raison.

44. La force et la faiblesse de l'esprit sont mal nommées; elles ne sont en effet que la bonne ou la mauvaise disposition des organes du corps.

49. On n'est jamais si heureux ni si malheureux qu'on s'imagine.

54. Le mépris des richesses était dans les philosophes [1] un désir caché de venger leur mérite de l'injustice de la fortune par le mépris des mêmes biens dont elle les privait; c'était un secret pour se garantir de l'avilissement de la pauvreté; c'était un chemin détourné pour aller à la considération qu'ils ne pouvaient avoir par les richesses.

62. La sincérité est une ouverture de cœur. On la trouve en fort peu de gens; et celle que l'on voit d'ordinaire n'est qu'une fine dissimulation pour attirer la confiance des autres.

72. Si on juge de l'amour par la plupart de ses effets, il ressemble plus à la haine qu'à l'amitié.

78. L'amour de la justice n'est, en la plupart des hommes, que la crainte de souffrir l'injustice.

84. Il est plus honteux de se défier de ses amis que d'en être trompé.

85. Nous nous persuadons souvent d'aimer les gens plus puissants que nous, et néanmoins c'est l'intérêt seul qui produit notre amitié. Nous ne nous donnons pas à eux pour le bien que nous leur voulons faire, mais pour celui que nous en voulons recevoir.

93. Les vieillards aiment à donner de bons préceptes,

---

[1] Les Stoïciens. Voir la fable de La Fontaine, *Le Renard et les Raisins* (III, 11).

pour se consoler de n'être plus en état de donner de mauvais exemples.

116. Rien n'est moins sincère que la manière de demander et de donner des conseils. Celui qui en demande paraît avoir une déférence respectueuse pour les sentiments de son ami, bien qu'il ne pense qu'à lui faire approuver les siens, et à le rendre garant de sa conduite; et celui qui conseille paye la confiance qu'on lui témoigne d'un zèle ardent et désintéressé, quoiqu'il ne cherche le plus souvent, dans les conseils qu'il donne, que son propre intérêt ou sa gloire.

121. On fait souvent du bien pour pouvoir impunément faire du mal.

138. On aime mieux dire du mal de soi-même que de n'en point parler.

146. On ne loue d'ordinaire que pour être loué.

149. Le refus des louanges est un désir d'être loué deux fois.

169. Pendant que la paresse et la timidité nous retiennent dans notre devoir, notre vertu en a souvent tout l'honneur.

171. Les vertus se perdent dans l'intérêt, comme les fleuves se perdent dans la mer.

178. Ce qui nous fait aimer les nouvelles connaissances n'est pas tant la lassitude que nous avons des vieilles, ou le plaisir de changer, que le dégoût de n'être pas assez admirés de ceux qui nous connaissent trop, et l'espérance de l'être davantage de ceux qui ne nous connaissent pas tant.

184. Nous avouons nos défauts pour réparer par notre sincérité le tort qu'ils nous font dans l'esprit des autres.

196. Nous oublions aisément nos fautes lorsqu'elles ne sont sues que de nous.

200. La vertu n'irait pas si loin si la vanité ne lui tenait compagnie.

204. La sévérité des femmes est un ajustement et un fard qu'elles ajoutent à leur beauté.

205. L'honnêteté des femmes est souvent l'amour de leur réputation et de leur repos.

212. La plupart des gens ne jugent des hommes que par la vogue qu'ils ont, ou par leur fortune.

218. L'hypocrisie est un hommage que le vice rend à la vertu.

219. La plupart des hommes s'exposent assez dans la guerre pour sauver leur honneur; mais peu se veulent toujours exposer autant qu'il est nécessaire pour faire réussir le dessein pour lequel ils s'exposent.

226. Le trop grand empressement qu'on a de s'acquitter d'une obligation est une espèce d'ingratitude.

227. Les gens heureux ne se corrigent guère, et ils croient toujours avoir raison, quand la fortune soutient leur mauvaise conduite.

231. C'est une grande folie de vouloir être sage tout seul.

235. Nous nous consolons aisément des disgrâces de nos amis, lorsqu'elles servent à signaler notre tendresse pour eux.

237. Nul ne mérite d'être loué de bonté s'il n'a pas la force d'être méchant; toute autre bonté n'est le plus souvent qu'une paresse ou une impuissance de la volonté.

245. C'est une grande habileté que de savoir cacher son habileté.

251. Il y a des personnes à qui les défauts siéent bien, et d'autres qui sont disgrâciées avec leurs bonnes qualités.

261. L'éducation que l'on donne d'ordinaire aux jeunes gens est un second amour-propre qu'on leur inspire.

262. Il n'y a point de passion où l'amour de soi-même règne si puissamment que dans l'amour; et on est toujours plus disposé à sacrifier le repos de ce qu'on aime, qu'à perdre le sien.

263. Ce qu'on nomme libéralité n'est le plus souvent que la vanité de donner, que nous aimons mieux que ce que nous donnons.

276. L'absence diminue les médiocres passions et augmente les grandes, comme le vent éteint les bougies et allume le feu.

279. Quand nous exagérons la tendresse que nos amis ont pour nous, c'est souvent moins par reconnaissance que par le désir de faire juger de notre mérite.

284. Il y a des méchants qui seraient moins dangereux s'ils n'avaient aucune bonté.

294. Nous aimons toujours ceux qui nous admirent, et nous n'aimons pas toujours ceux que nous admirons.

298. La reconnaissance de la plupart des hommes n'est qu'une secrète envie de recevoir de plus grands bienfaits.

303. Quelque bien qu'on nous dise de nous, on ne nous apprend rien de nouveau.

304. Nous pardonnons souvent à ceux qui nous ennuient, mais nous ne pouvons pardonner à ceux que nous ennuyons.

316. Les personnes faibles ne peuvent être sincères.

327. Nous n'avouons de petits défauts que pour persuader que nous n'en avons pas de grands.

329. On croit quelquefois haïr la flatterie, mais on ne hait que la manière de flatter.

347. Nous ne trouvons guère de gens de bon sens que ceux qui sont de notre avis.

356. Nous ne louons d'ordinaire de bon cœur que ceux qui nous admirent.

409. Nous aurions souvent honte de nos plus belles actions, si le monde voyait tous les motifs qui les pro-
5 duisent.

428. Nous pardonnons aisément à nos amis les défauts qui ne nous regardent pas.

438. Il y a une certaine reconnaissance vive, qui ne nous acquitte pas seulement des bienfaits que nous avons
10 reçus, mais qui fait même que nos amis nous doivent, en leur payant ce que nous leur devons.

462. Le même orgueil qui nous fait blâmer les défauts dont nous nous croyons exempts, nous porte à mépriser les bonnes qualités que nous n'avons pas.

15 479. Il n'y a que les personnes qui ont de la fermeté qui puissent avoir une véritable douceur; celles qui paraissent douces n'ont d'ordinaire que de la faiblesse, qui se convertit aisément en aigreur.

483. On est d'ordinaire plus médisant par vanité que
20 par malice.

489. Quelque méchants que soient les hommes, ils n'oseraient paraître ennemis de la vertu, et lorsqu'ils la veulent persécuter ils feignent de croire qu'elle est fausse, ou ils lui supposent des crimes.

2. Portrait de M. de la Rochefoucauld fait par lui-même, 1659

25 Je suis d'une taille médiocre, libre et bien proportionnée. J'ai le teint brun, mais assez uni, le front élevé et d'une raisonnable grandeur, les yeux noirs, petits et enfoncés, et les sourcils noirs et épais, mais bien tournés. Je serais fort empêché de dire de quelle sorte j'ai le nez

tait; car il n'est ni camus, ni aquilin, ni gros, ni pointu,
au moins à ce que je crois: tout ce que je sais, c'est qu'il
est plutôt grand que petit, et qu'il descend un peu trop
bas. J'ai la bouche grande, et les lèvres assez rouges d'ordinaire, et ni bien ni mal taillées. J'ai les dents blanches 5
et passablement bien rangées. On m'a dit autrefois que
j'avais un peu trop de menton: je viens de me regarder
dans le miroir pour savoir ce qui en est, et je ne sais pas
trop bien qu'en juger. Pour le tour du visage je l'ai ou
carré ou en ovale; lequel des deux, il me serait fort diffi- 10
cile de le dire. J'ai les cheveux noirs, naturellement fri-
sés, et avec cela assez épais et assez longs pour pouvoir
prétendre en belle tête.

J'ai quelque chose de chagrin et de fier dans la mine;
cela fait croire à la plupart des gens que je suis méprisant, 15
quoique je ne le sois point du tout. J'ai l'action fort aisée,
et même un peu trop, et jusqu'à faire beaucoup de gestes
en parlant...

Premièrement, pour parler de mon humeur, je suis mé-
lancolique, et je le suis à un point que, depuis trois ou 20
quatre ans, à peine m'a-t-on vu rire trois ou quatre fois.
... J'ai de l'esprit, et je ne fais point difficulté de le dire;
car à quoi bon façonner là-dessus? Tant biaiser et tant
apporter d'adoucissement pour dire les avantages que
l'on a, c'est, ce me semble, cacher un peu de vanité sous 25
une modestie apparente, et se servir d'une manière bien
adroite pour faire croire de soi beaucoup plus de bien que
l'on n'en dit...

La conversation des honnêtes gens est un des plaisirs
qui me touchent le plus. J'aime qu'elle soit sérieuse, et 30
que la morale en fasse la plus grande partie. Cependant,
je sais la goûter aussi, lorsqu'elle est enjouée; et si je ne

dis pas beaucoup de petites choses pour rire, ce n'est pas
du moins que je ne connaisse pas ce que valent les bagatelles bien dites, et que je ne trouve fort divertissante
cette manière de badiner, où il y a certains esprits prompts
5 et aisés qui réussissent si bien. J'écris bien en prose, je
fais bien en vers; et, si j'étais sensible à la gloire qui vient
de ce côté-là, je pense qu'avec peu de travail je pourrais
m'acquérir assez de réputation . . .

Je juge assez bien des ouvrages de vers et de prose que
10 l'on me montre; mais j'en dis peut-être mon sentiment
avec un peu trop de liberté. Ce qu'il y a encore de mal
en moi, c'est que j'ai quelquefois une délicatesse trop scru-
puleuse et une critique trop sévère . . .

J'ai les sentiments vertueux, les inclinations belles, et
15 une si forte envie d'être tout à fait honnête homme, que
mes amis ne me sauraient faire un plus grand plaisir que
de m'avertir sincèrement de mes défauts . . .

J'ai toutes les passions assez douces et assez réglées: on
ne m'a presque jamais vu en colère, et je n'ai jamais eu
20 de haine pour personne. Je ne suis pas pourtant incapable de me venger, si l'on m'avait offensé et qu'il y allât
de mon honneur à me ressentir de l'injure qu'on m'aurait faite. Au contraire, je suis assuré que le devoir
ferait si bien en moi l'office de la haine, que je poursui-
25 vrais ma vengeance avec encore plus de vigueur qu'un
autre.

L'ambition ne me travaille point. Je ne crains guère
de choses, et ne crains aucunement la mort. Je suis peu
sensible à la pitié, et voudrais ne l'y être point du tout.
30 Cependant, il n'est rien que je ne fisse pour le soulagement d'une personne affligée; et je crois effectivement
que l'on doit tout faire, jusqu'à lui témoigner même beau-

coup de compassion de son mal, car les misérables sont si sots, que cela leur fait le plus grand bien du monde; mais je tiens aussi qu'il faut se contenter d'en témoigner et se garder soigneusement d'en avoir. C'est une passion qui n'est bonne à rien au dedans d'une âme bien faite, qui ne sert qu'à affaiblir le cœur, et qu'on doit laisser au peuple, qui, n'exécutant jamais rien par la raison, a besoin de passions pour le porter à faire les choses.

J'aime mes amis; et je les aime d'une façon que je ne balancerais pas un moment à sacrifier mes intérêts aux leurs. J'ai de la condescendance pour eux, je souffre patiemment leurs mauvaises humeurs; seulement je ne leur fais pas beaucoup de caresses, et je n'ai pas non plus de grandes inquiétudes en leur absence.

J'ai naturellement fort peu de curiosité pour la plus grande partie de tout ce qui en donne aux autres gens. Je suis fort secret, et j'ai moins de difficulté que personne à taire ce qu'on m'a dit en confidence. Je suis extrêmement régulier à ma parole; je n'y manque jamais, de quelque conséquence que puisse être ce que j'ai promis, et je m'en suis fait toute ma vie une loi indispensable. J'ai une civilité fort exacte parmi les femmes; et je ne crois pas avoir jamais rien dit devant elles qui leur ait pu faire de la peine. Quand elles ont l'esprit bien fait, j'aime mieux leur conversation que celle des hommes: on y trouve une certaine douceur qui ne se rencontre point parmi nous; et il me semble, outre cela, qu'elles s'expliquent avec plus de netteté, et qu'elles donnent un tour plus agréable aux choses qu'elles disent . . .

J'approuve extrêmement les belles passions; elles marquent la grandeur de l'âme; et quoique, dans les inquié-

tudes qu'elles donnent, il y ait quelque chose de contraire
à la sévère sagesse, elles s'accommodent si bien d'ailleurs
avec la plus austère vertu, que je crois qu'on ne les saurait condamner avec justice. Moi qui connais tout ce
5 qu'il y a de délicat et de fort dans les grands sentiments
de l'amour, si jamais je viens à aimer, ce sera assurément
de cette sorte; mais, de la façon dont je suis, je ne crois
pas que cette connaissance que j'ai me passe jamais de
l'esprit au cœur.

II. LA BRUYÈRE

1645–1696

Jean de La Bruyère naquit à Paris. Il fut de 1666 à 1675 avocat au
Parlement de Paris; puis jusqu'en 1687, trésorier des finances à
Caen — où il ne résida pas cependant. C'est pourquoi il put en 1684,
sur la recommandation de Bossuet se charger d'enseigner au petit-fils
du Prince de Condé, le Duc de Bourbon, l'histoire et la philosophie.
Il ne s'entendit guère avec le jeune seigneur, et la conséquence fut qu'il
traça dans son livre un portrait peu flatteur des enfants. Quand cette
éducation fut terminée, il resta chez Condé, au château de Chantilly,
en qualité de gentilhomme attaché au Duc d'Enghien, fils du Prince.
C'est ainsi qu'il put observer de près la cour et étudier cette société à
laquelle il emprunta les matériaux pour son ouvrage *Les Caractères*.
Un philosophe grec Théophraste, avait laissé un certain nombre de
portraits ou (caractères.) La Bruyère les traduisit assez librement,
et surtout en ajouta d'autres de sa propre plume. Le succès fut comme
on l'a dit (bruyant.) On mettait des noms sous les personnages
décrits; on écrivit des « clefs » dont la plus célèbre est celle conservée
à la Bibliothèque de l'Arsenal, à Paris (1693).

Les « Maximes » de La Rochefoucauld (1665) se rapportent à
l'homme en général, tandis que les « caractères » de La Bruyère, tout
en prétendant être généraux, visent fort souvent très particulièrement
les hommes de son temps. Il y a là les éléments d'une satire qui prépare la réaction du XVIII° siècle contre le XVII°.

Consulter: P. Morillot, *La Bruyère* (Coll. des Grands écrivains
français); E. Magne, *La Bruyère* (Plon, 1914).

Les caractères ou les mœurs de ce siècle

(Ire éd. 1688, 9e éd. 1696) [1]

Extraits

> *Admonere voluimus, non mordere;*
> *prodesse, non laedere; consulere*
> *moribus hominum, non officere.*
> (ÉRASME)

PRÉFACE

Je rends au public ce qu'il m'a prêté; j'ai emprunté de
lui la matière de cet ouvrage: il est juste que l'ayant
achevé avec toute l'attention pour la vérité dont je suis
capable, et qu'il mérite de moi, je lui en fasse la restitu-
tion. Il peut regarder avec loisir ce portrait que j'ai fait 5
de lui d'après nature, et s'il se connaît quelques-uns des
défauts que je touche, s'en corriger. C'est l'unique fin
que l'on doit se proposer en écrivant, et le succès aussi
que l'on doit moins se promettre; mais comme les hommes
ne se dégoûtent point du vice, il ne faut pas aussi se lasser 10
de le leur reprocher: ils seraient peut-être pires, s'ils venaient à manquer de censeurs ou de critiques; c'est ce qui
fait que l'on prêche et que l'on écrit ... Il y a une autre
règle et que j'ai intérêt que l'on veuille suivre, qui est de ne

[1] La Bruyère, prévoyant les attaques, procéda avec prudence.
Il publia d'abord sous ce titre: *Les caractères de Théophraste traduits
du grec, avec les caractères ou les mœurs de ce siècle.* Il y eut trois
éditions cette première année. La 4me édition, 1690, La Bruyère
s'enhardit, imprima les caractères de Théophraste en petites lettres,
son texte à lui en grosses lettres, et au lieu de 420 pages il y en donna
maintenant 764. La 5me édition a cent nouveaux ‹caractères›; la
6me, (en 1691) 77, — entre autres celui d'Onuphre, l'hypocrite religieux; et Théophraste n'en a plus alors que 54, sur 587; la 7me
édition (1692) a 77 nouveaux caractères; la 8me (1694) 42 nouveaux
caractères; la 9me est posthume (1696) (cf. Morillot, *ouvrage cité*).

pas perdre mon titre de vue, et de penser toujours et dans
toute la lecture de cet ouvrage, que ce sont les caractères
ou les mœurs de ce siècle que je décris; car bien que je
les tire souvent de la cour de France et des hommes de
5 ma nation, on ne peut pas néanmoins les restreindre à
une seule cour, ni les renfermer en un seul pays sans que
mon livre ne perde beaucoup de sa portée et de son
utilité, ni ne s'écarte du plan que je me suis fait d'y peindre
les hommes en général, comme des raisons qui entrent
10 dans l'ordre des chapitres et dans une certaine suite insensible des réflexions qui les composent. Après cette
précaution si nécessaire, et dont on pénètre assez les conséquences, je crois pouvoir protester contre tout chagrin,
toute plainte, toute maligne interprétation, toute fausse
15 application et toute censure, contre les froids plaisants
et les lecteurs malintentionnés... Ce ne sont point des
maximes que j'ai voulu écrire; elles sont comme des lois
dans la morale, et j'avoue que je n'ai ni assez d'autorité
ni assez de génie pour faire le législateur; je sais même
20 que j'aurais péché contre l'usage des maximes, qui veut
qu'à la manière des oracles elles soient courtes et concises.
Quelques-unes de ces remarques le sont, quelques autres
sont plus étendues: on pense les choses d'une manière
différente, et on les explique par un tour aussi tout dif-
25 férent, par une sentence, par un raisonnement, par une
métaphore ou quelque autre figure, par un parallèle, par
une simple comparaison, par un fait tout entier, par un
seul trait, par une description, par une peinture: de là
procède la longueur ou la brièveté de mes réflexions.
30 Ceux enfin qui font des maximes veulent être crus: je
consens, au contraire, que l'on dise de moi que je n'ai pas
quelquefois bien remarqué, pourvu que l'on remarque
mieux.

DES OUVRAGES DE L'ESPRIT.

[La Bruyère reprend ici, à sa manière, la « Querelle des Anciens et des Modernes » (Voir Chapitre IV). Il expose la théorie suivante: Le beau est absolu, c'est à dire que ce qui est beau l'est pour tout le monde, en tous lieux et en tous temps; donc on peut discuter si une œuvre est belle ou non. Le beau absolu a été atteint par les Grecs de l'antiquité, tandis que tout l'art médiéval ou « gothique » est un recul et un art « barbare ». Cette manière de voir est, d'ailleurs, celle du XVII° siècle ou siècle classique, comme nous l'avons déjà vu chez Boileau, et que le Romantisme reniera; le premier, Chateaubriand, dans le *Génie du Christianisme* (1802) annihilait cette idée si surprenante pour nous que l'art des cathédrales, l'art de la *Chanson de Roland*, de *Tristan et Iseut*, etc. est « barbarie ».

Les Français du XVII° siècle, continue La Bruyère, sont revenus à l'aspiration au beau absolu des Anciens; mais ils ne pourront jamais dépassser ceux-ci; ils n'ont pas même atteint à leur perfection. La Bruyère fait une distinction entre ouvrages beaux mais qui ont cependant des défauts, et ouvrages sans défauts c'est à dire qui ont la perfection de ceux des Anciens. Un exemple des premiers est *Le Cid* de Corneille, « un des plus beaux poèmes que l'on puisse faire »; MAIS « l'une des meilleures critiques qui ait été faite sur aucun sujet est celle du *Cid* » (Il s'agit de cette critique du *Cid* faite par L'Académie Française, dont il a été question plus haut, et où l'on déclarait que cette pièce violait les règles d'une tragédie parfaite). Un autre exemple est celui de Molière dont les pièces sont magnifiques mais non sans défauts. Quant à Térence, il est Latin et pas Grec, et s'il n'a pas les défauts de Molière, il lui manque la chaleur: le Grec Aristophane avait toute beauté *et* la perfection.]

1. Tout est dit, et l'on vient trop tard depuis plus de sept mille ans qu'il y a des hommes, et qu'ils pensent. Sur ce qui concerne les mœurs, le plus beau et le meilleur est enlevé; l'on ne fait que glaner après les anciens et les habiles d'entre les modernes. 5

10. Il y a dans l'art un point de perfection, comme de bonté ou de maturité dans la nature. Celui qui le sent et qui l'aime a le goût parfait; celui qui ne le sent pas, et qui aime en deçà ou au delà, a le goût défectueux. Il y a

donc un bon et un mauvais goût, et l'on dispute des goûts avec fondement.

14. Tout l'esprit d'un auteur consiste à bien définir et à bien peindre. Moïse, Homère, Platon, Virgile, 5 Horace, ne sont au-dessus des autres écrivains que par leurs expressions et par leurs images: il faut exprimer le vrai pour écrire naturellement, fortement, délicatement.

15. On a dû faire du style ce qu'on a fait de l'architec- ture. On a entièrement abandonné l'ordre gothique, que 10 la barbarie avait introduit pour les palais et pour les temples; on a rappelé le dorique, l'ionique et le corin- thien; ce qu'on ne voyait plus que dans les ruines de l'an cienne Rome et de la vieille Grèce, devenu moderne, éclate dans nos portiques et dans nos péristyles. De 15 même on ne saurait en écrivant rencontrer le parfait et, s'il se peut, surpasser les anciens que par leur imitation.

Combien de siècles se sont écoulés avant que les hommes, dans les sciences et dans les arts, aient pu re- venir au goût des anciens et reprendre enfin le simple 20 et le naturel !

On se nourrit des anciens et des habiles modernes; on les presse, on en tire le plus que l'on peut, on en renfle ses ouvrages: et quand enfin l'on est auteur, et que l'on croit marcher tout seul, on s'élève contre eux, on les maltraite, 25 semblable à ces enfants drus et forts d'un bon lait qu'ils ont sucé, qui battent leur nourrice.

Un auteur moderne prouve ordinairement que les an- ciens nous sont inférieurs en deux manières, par raison et par exemple: il tire la raison de son goût particulier, et 30 l'exemple de ses ouvrages.

Il avoue que les anciens, quelque inégaux et peu cor- rects qu'ils soient, ont de beaux traits; il les cite, et ils sont si beaux qu'ils font lire sa critique.

Quelques habiles prononcent en faveur des anciens contre les modernes; mais ils sont suspects et semblent juger en leur propre cause, tant leurs ouvrages sont faits sur le goût de l'antiquité: on les récuse.

30. Quelle prodigieuse distance entre un bel ouvrage et un ouvrage parfait ou régulier ! Je ne sais s'il s'en est encore trouvé de ce dernier genre. Il est peut-être moins difficile aux rares génies de rencontrer le grand et le sublime, que d'éviter toute sorte de fautes. Le *Cid* n'a eu qu'une voix pour lui à sa naissance, qui a été celle de l'admiration; il s'est vu plus fort que l'autorité et la politique qui ont tenté vainement de le détruire; il a réuni en sa faveur des esprits toujours partagés d'opinions et de sentiments, les grands et le peuple; ils s'accordent tous à le savoir de mémoire, et à prévenir au théâtre les acteurs qui le récitent. Le *Cid* enfin est l'un des plus beaux poèmes que l'on puisse faire; et l'une des meilleures critiques qui ait été faite sur aucun sujet est celle du *Cid*.

38. Il n'a manqué à Térence que d'être moins froid: quelle pureté, quelle exactitude, quelle politesse, quelle élégance, quels caractères ! Il n'a manqué à Molière que d'éviter le jargon et le barbarisme, et d'écrire purement: quel feu, quelle naïveté, quelle source de la bonne plaisanterie, quelle imitation des mœurs, quelles images, et quel fléau de ridicule ! Mais quel homme on aurait pu faire de ces deux comiques !

DU MÉRITE PERSONNEL

1. Qui peut, avec les plus rares talents et le plus excellent mérite, n'être pas convaincu de son inutilité, quand il considère qu'il laisse en mourant un monde qui ne se sent pas de sa perte et où tant de gens se trouvent pour le remplacer ?

2. De bien des gens il n'y a que le nom qui vale quelque chose. Quand vous les voyez de fort près, c'est moins que rien; de loin ils imposent.

21. S'il est heureux d'avoir de la naissance, il ne l'est pas moins d'être tel qu'on ne s'informe plus si vous en avez.

27. L'or éclate, dites-vous, sur les habits de *Philémon.* Il éclate de même chez les marchands. — Il est habillé des plus belles étoffes. — Le sont-elles moins toutes déployées dans les boutiques et à la pièce ? — Mais la broderie et les ornements y ajoutent encore la magnificence. — Je loue donc le travail de l'ouvrier. — Si on lui demande quelle heure il est, il tire une montre qui est un chef-d'œuvre; la garde de son épée est un onyx; il a au doigt un gros diamant qu'il fait briller aux yeux, et qui est parfait; il ne lui manque aucune de ces curieuses bagatelles que l'on porte sur soi autant pour la vanité que pour l'usage, et il ne se plaint[1] non plus de toute sorte de parure qu'un jeune homme qui a épousé une riche vieille. — Vous m'inspirez enfin de la curiosité; il faut voir du moins des choses si précieuses: envoyez-moi cet habit et ces bijoux de Philémon, je vous tiens quitte de la personne.

Tu te trompes, Philémon, si avec ce carrosse brillant, ce grand nombre de coquins qui te suivent, et ces six bêtes qui te traînent, tu penses que l'on t'en estime davantage: l'on écarte tout cet attirail, qui t'est étranger, pour pénétrer jusques à toi, qui n'es qu'un fat.

Ce n'est pas qu'il faut quelquefois[2] pardonner à celui qui, avec un grand cortège, un habit riche et un magnifique équipage, s'en croit plus de naissance et plus d'es-

---

[1] *se plaindre* = *se priver* (rare, même au XVIIᵉ siècle).
[2] = Ce n'est pas dire qu'il ne faut point quelquefois...

prit: il lit cela dans la contenance et dans les yeux de ceux
qui lui parlent.

32. *Æmile* [1] était né ce que les plus grands hommes ne
deviennent qu'à force de règles, de méditation et d'exercice. Il n'a eu dans ses premières années qu'à remplir des 5
talents qui étaient naturels et qu'à se livrer à son génie.
Il a fait, il a agi, avant que de savoir, ou plutôt il a su ce
qu'il n'avait jamais appris. Dirai-je que les jeux de son
enfance ont été plusieurs victoires? Une vie accompa-
gnée d'un extrême bonheur joint à une longue expérience 10
serait illustre par les seules actions qu'il avait achevées
dès sa jeunesse. Toutes les occasions de vaincre qui se
sont depuis offertes, il les a embrassées; et celles qui
n'étaient pas, sa vertu et son étoile les ont fait naître:
admirable même et par les choses qu'il a faites, et par 15
celles qu'il aurait pu faire. On l'a regardé comme un
homme incapable de céder à l'ennemi, de plier sous le
nombre ou sous les obstacles; comme une âme du premier ordre, pleine de ressources et de lumières, et qui
voyait encore où personne ne voyait plus; comme celui 20
qui, à la tête des légions, était pour elles un présage de la
victoire, et qui valait seul plusieurs légions; qui était
grand dans la prospérité, plus grand quand la fortune lui
a été contraire (la levée d'un siège, [2] une retraite, l'ont plus
ennobli que ses triomphes; l'on ne met qu'après les ba- 25
tailles gagnées et les villes prises); qui était rempli de gloire
et de modestie: on lui a entendu dire: *Je fuyais*, avec la
même grâce qu'il disait: *Nous les battîmes;* un homme dévoué à l'État, à sa famille, au chef de sa famille [3]; sincère

---

[1] Condé, chez la famille duquel La Bruyère passa les 12 dernières
années de sa vie.

[2] Lérida, en Espagne. Voir introduction à l'Oraison funèbre de
Condé, par Bossuet.   [3] Louis XIV.

pour Dieu et pour les hommes; autant admirateur du mérite que s'il lui eût été moins propre et moins familier; un homme vrai, simple, magnanime, à qui il n'a manqué que les moindres vertus.

5   38. Je connais *Mopse*[1] d'une visite qu'il m'a rendue sans me connaître. Il prie des gens qu'il ne connaît point de le mener chez d'autres dont il n'est pas connu; il écrit à des femmes qu'il connaît de vue; il s'insinue dans un cercle de personnes respectables, et qui ne savent quel il est, et
10 là, sans attendre qu'on l'interroge, ni sans sentir qu'il interrompt, il parle, et souvent, et ridiculement. Il entre une autre fois dans une assemblée, se place où il se trouve, sans nulle attention aux autres ni à soi-même; on l'ôte d'une place destinée à un ministre, il s'assied à celle du
15 duc et pair; il est là précisément celui dont la multitude rit, et qui seul est grave et ne rit point. Chassez un chien du fauteuil du roi, il grimpe à la chaire du prédicateur; il regarde le monde indifféremment, sans embarras, sans pudeur; il n'a pas, non plus que le sot, de quoi rougir.

DE LA SOCIÉTÉ ET DE LA CONVERSATION

20   2. C'est le rôle d'un sot d'être importun: un homme habile sent s'il convient ou s'il ennuie; il sait disparaître le moment qui précède celui où il serait de trop quelque part.

3. L'on marche sur les mauvais plaisants, et il pleut
25 par tout pays de cette sorte d'insectes. Un bon plaisant est une pièce rare; à un homme qui est né tel, il est encore fort délicat d'en soutenir longtemps le personnage: il n'est pas ordinaire que celui qui fait rire se fasse estimer.

[1] D'après les Clefs, l'abbé de Saint-Pierre, auteur de la *Polysynodie* et du *Projet de paix perpétuelle* (1658–1743).

9. *Arrias*[1] a tout lu, a tout vu, il veut le persuader ainsi; c'est un homme universel, et il se donne pour tel; il aime mieux mentir que de se taire ou de paraître ignorer quelque chose. On parle à la table d'un grand d'une cour du Nord: il prend la parole, et l'ôte à ceux qui allaient dire ce qu'ils en savent; il s'oriente dans cette région lointaine comme s'il en était originaire; il discourt des mœurs de cette cour, des femmes du pays, de ses lois et de ses coutumes; il récite des historiettes qui y sont arrivées; il les trouve plaisantes, et il en rit le premier jusqu'à éclater. Quelqu'un se hasarde de le contredire, et lui prouve nettement qu'il dit des choses qui ne sont pas vraies. Arrias ne se trouble point, prend feu au contraire contre l'interrupteur: « Je n'avance, lui dit-il, je ne raconte rien que je ne sache d'original; je l'ai appris de *Sethon*, ambassadeur de France dans cette cour, revenu à Paris depuis quelques jours, que je connais familièrement, que j'ai fort interrogé, et qui ne m'a caché aucune circonstance. » Il reprenait le fil de sa narration avec plus de confiance qu'il ne l'avait commencée, lorsque l'un des conviés lui dit: « C'est Sethon à qui vous parlez, lui-même, et qui arrive de son ambassade. »

12. J'entends *Théodecte*[2] de l'antichambre; il grossit sa voix à mesure qu'il s'approche. Le voilà entré: il rit, il crie, il éclate; on bouche ses oreilles, c'est un tonnerre. Il n'est pas moins redoutable par les choses qu'il dit que par le ton dont il parle. Il ne s'apaise, et il ne revient de ce grand fracas que pour bredouiller des vanités et des sottises. Il a si peu d'égard au temps, aux personnes, aux

---

[1] D'après les Clefs le héros de cette mésaventure serait Robert de Chatillon, fils d'un procureur au tribunal du Châtelet.

[2] Les Clefs suggèrent le comte d'Aubigné, frère de Mme de Maintenon (douteux).

bienséances, que chacun a son fait sans qu'il ait eu intention de le lui donner; il n'est pas encore assis qu'il a, à son
insu, désobligé toute l'assemblée. A-t-on servi, il se met
le premier à table, et dans la première place; les femmes
5 sont à sa droite et à sa gauche. Il mange, il boit, il conte,
il plaisante, il interrompt tout à la fois. Il n'a nul discernement des personnes, ni du maître, ni des conviés; il
abuse de la folle déférence qu'on a pour lui. Est-ce lui,
est-ce *Eutidème* qui donne le repas ? Il rappelle à soi toute
10 l'autorité de la table, et il y a un moindre inconvénient à
la lui laisser entière qu'à la lui disputer. Le vin et les
viandes n'ajoutent rien à son caractère. Si l'on joue, il
gagne au jeu; il veut railler celui qui perd, et il l'offense;
les rieurs sont pour lui; il n'y a sorte de fatuités qu'on ne
15 lui passe. Je cède enfin et je disparais, incapable de souffrir plus longtemps Théodecte et ceux qui le souffrent.

16. L'esprit de la conversation consiste bien moins à en
montrer beaucoup qu'à en faire trouver aux autres: celui
qui sort de votre entretien content de soi et de son esprit
20 l'est de vous parfaitement. Les hommes n'aiment point à
vous admirer, ils veulent plaire; ils cherchent moins à être
instruits, et même réjouis, qu'à être goûtés et applaudis;
et le plaisir le plus délicat est de faire celui d'autrui.

41. Dans la société, c'est la raison qui plie la première.
25 Les plus sages sont souvent menés par le plus fou et le
plus bizarre: l'on étudie son faible, son humeur, ses caprices; l'on s'y accommode; l'on évite de le heurter; tout
le monde lui cède. La moindre sérénité qui paraît sur
son visage lui attire des éloges; on lui tient compte de
30 n'être pas toujours insupportable. Il est craint, ménagé,
obéi, quelquefois aimé.

65. L'on a vu, il n'y a pas longtemps, un cercle de per-

sonnes [1] des deux sexes, liées ensemble par la conversation
et par un commerce d'esprit. Ils laissaient au vulgaire
l'art de parler d'une manière intelligible; une chose dite
entre eux peu clairement en entraînait une autre encore
plus obscure, sur laquelle on enchérissait par de vraies 5
énigmes, toujours suivies de longs applaudissements: par
tout ce qu'ils appelaient délicatesse, sentiments, tour et
finesse d'expression, ils étaient enfin parvenus à n'être
plus entendus et à ne s'entendre pas eux-mêmes. Il ne
fallait, pour fournir à ces entretiens, ni bon sens, ni juge- 10
ment, ni mémoire, ni la moindre capacité; il fallait de
l'esprit, non pas du meilleur, mais de celui qui est faux,
et où l'imagination a trop de part.

68. Il a régné pendant quelque temps une sorte de conversation fade et puérile, qui roulait toute sur des ques- 15
tions frivoles qui avaient relation au cœur et à ce qu'on
appelle passion ou tendresse. La lecture de quelques
romans les avait introduites parmi les plus honnêtes gens [2]
de la ville et de la cour; ils s'en sont défaits, et la bourgeoisie les a reçues avec les pointes et les équivoques. 20

74. *Hermagoras* ne sait pas qui est roi de Hongrie; [3] il
s'étonne de n'entendre faire aucune mention du roi de
Bohême; [4] ne lui parlez pas des guerres de Flandre et de
Hollande; [5] dispensez-le du moins de vous répondre: il

[1] Evidemment l'Hôtel de Rambouillet.

[2] « honnête » au XVIIe siècle ne se rapportait pas tant à une qualité
morale qu'à la culture intellectuelle.

[3] Il n'y eut plus de roi depuis 1526. Pendant un siècle et demi
l'Autriche et la Turquie se disputèrent ce pays; en 1688 enfin il fut
réuni définitivement à la couronne d'Autriche.

[4] La Bohême n'avait pas eu de roi depuis 1526 et avait passé sous
la souveraineté de l'Autriche en 1545.

[5] Guerre de la France contre les Pays Bas espagnols en Flandre
(1668–1669) et contre la Hollande (1672–1678).

confond les temps, il ignore quand elles ont commencé,
quand elles ont fini; combats, sièges, tout lui est nouveau.
Mais il est instruit de la guerre des Géants,[1] il en raconte
le progrès et les moindres détails, rien ne lui est échappé;
5 il débrouille de même l'horrible chaos des deux empires,
le Babylonien et l'Assyrien; il connaît à fond les Égyptiens et leurs dynasties. Il n'a jamais vu Versailles, il ne
le verra point: il a presque vu la tour de Babel; il en
compte les degrés; il sait combien d'architectes ont pré-
10 sidé à cet ouvrage; il sait le nom des architectes. Dirai-je
qu'il croit Henri IV fils de Henri III ?[2] Il néglige du moins
de rien connaître aux maisons de France, d'Autriche et
de Bavière: « Quelles minuties ! » dit-il, pendant qu'il récite
de mémoire toute une liste des rois des Mèdes ou de Baby-
15 lone, et que les noms d'*Apronal*, d'*Hérigebal*, de *Noesne-
mordach*, de *Mardokempad*, lui sont aussi familiers qu'à
nous ceux de Valois et de Bourbon. Il demande si l'Empereur[3] a jamais été marié; mais personne ne lui apprendra
que Ninus[4] a eu deux femmes. On lui dit que le Roi jouit
20 d'une santé parfaite, et il se souvient que Thetmosis, un
roi d'Égypte, était valétudinaire, et qu'il tenait cette
complexion de son aïeul Alipharmutosis. Que ne sait-il
point ? Quelle chose lui est cachée de la vénérable anti-

---

[1] Les guerres fabuleuses des Cyclopes contre Jupiter.

[2] Henri III, dernier roi de la maison des Valois (1574–1589),
n'avait pas d'enfant. Après les guerres de religion, le fils d'Antoine
de Bourbon, Henri, roi de Navarre et chef du parti protestant, devint
roi de France sous le nom de Henri IV (1589–1610) après avoir
abjuré le protestantisme. Il inaugura le règne des Bourbons.

[3] L'empereur Léopold I⁰ d'Allemagne (1658–1705) avait eu trois
femmes.

[4] Le fondateur de Ninive (2000 av. J.-C.) le second mari de Sémiramis qui l'assassina et devint reine d'Assyrie. A son tour elle fut
assassinée par son fils Ninyas.

quité ? Il vous dira que Sémiramis, ou selon quelques-uns, Sérimaris, parlait comme son fils Ninyas, qu'on ne les distinguait pas à la parole: si c'était parce que la mère avait une voix mâle comme son fils, ou le fils une voix efféminée comme sa mère, qu'il n'ose pas le décider. Il vous révèlera que Nembrod [1] était gaucher, et Sésostris [2] ambidextre; que c'est une erreur de s'imaginer qu'un Artaxerxe [3] ait été appelé Longuemain parce que les bras lui tombaient jusqu'aux genoux, et non à cause qu'il avait une main plus longue que l'autre; et il ajoute qu'il y a des auteurs graves qui affirment que c'était la droite, qu'il croit néanmoins être bien fondé à soutenir que c'est la gauche.

DES BIENS DE FORTUNE

7. Si le financier manque son coup, les courtisans disent de lui: « C'est un bourgeois, un homme de rien, un malotru »; s'il réussit, ils lui demandent sa fille.

18. *Champagne*,[4] au sortir d'un long dîner qui lui enfle l'estomac, et dans les douces fumées d'un vin d'Avenay ou de Sillery,[5] signe un ordre qu'on lui présente, qui ôterait le pain à toute une province, si l'on n'y remédiait. Il est excusable: quel moyen de comprendre, dans la première heure de la digestion, qu'on puisse quelque part mourir de faim ?

78. Ni les troubles, *Zénobie*,[6] qui agitent votre empire,

[1] Fondateur de Babylone.   [2] Roi d'Égypte.   [3] Roi de Perse.
[4] Champagne = peut-être le financier Monnerot, homme de naissance obscure, ami des bons repas.
[5] Deux marques de vin de Champagne.
[6] La célèbre reine de Palmyre (IIIe siècle), qui eut à soutenir une guerre de cinq ans contre les Romains après la mort de son époux et qui fut vaincue. Les ruines de Palmyre venaient d'être découvertes en 1691, et La Bruyère écrivit ce Caractère en 1694.

ni la guerre que vous soutenez virilement contre une nation puissante depuis la mort du roi votre époux, ne diminuent rien de votre magnificence. Vous avez préféré à toute autre contrée les rives de l'Euphrate pour y 5 élever un superbe édifice: l'air y est sain et tempéré, la situation en est riante: un bois sacré l'ombrage du côté du couchant. Les dieux de Syrie, qui habitent quelquefois la terre, n'y auraient pu choisir une plus belle demeure. La campagne autour est couverte d'hommes qui taillent 10 et qui coupent, qui vont et qui viennent, qui roulent ou qui charrient le bois du Liban, l'airain et le porphyre; les grues et les machines gémissent dans l'air, et font espérer à ceux qui voyagent vers l'Arabie de revoir à leur retour en leurs foyers ce palais achevé, et dans cette splendeur 15 où vous désirez de le porter avant de l'habiter, vous et les princes vos enfants. N'y épargnez rien, grande reine; employez-y l'or et tout l'art des plus excellents ouvriers; que les Phidias et les Zeuxis de votre siècle déploient toute leur science sur vos plafonds et sur vos lambris; 20 tracez-y de vastes et délicieux jardins, dont l'enchantement soit tel qu'ils ne paraissent pas faits de la main des hommes; épuisez vos trésors et votre industrie sur cet ouvrage incomparable; et après que vous y aurez mis, Zénobie, la dernière main, quelqu'un de ces pâtres qui 25 habitent les sables voisins de Palmyre, devenu riche par les péages de vos rivières, achètera un jour à deniers comptants cette royale maison, pour l'embellir et la rendre plus digne de lui et de sa fortune.[1]

[1] La Bruyère a certainement dans l'idée plusieurs faits contemporains, par exemple, D'Hervart avait acheté et remis à neuf somptueusement le bel hôtel du duc d'Épernon. Et ces faits-là allaient se multiplier au XVIIIᵉ siècle. En 1698 déjà le château de Rambouillet (où était mort François Iᵒ) fut acheté par Fleuriau D'Armenon-

83. *Giton* [1] a le teint frais, le visage plein et les joues pendantes, l'œil fixe et assuré, les épaules larges, l'estomac haut, la démarche ferme et délibérée. Il parle avec confiance; il fait répéter celui qui l'entretient, et il ne goûte que médiocrement tout ce qu'il lui dit. Il déploie un 5 ample mouchoir, et se mouche avec grand bruit; il crache fort loin, et il éternue fort haut. Il dort le jour, il dort la nuit, et profondément: il ronfle en compagnie. Il occupe à table et à la promenade plus de place qu'un autre; il tient le milieu en se promenant avec ses égaux; il s'arrête, et l'on 10 s'arrête; il continue de marcher, et l'on marche; tous se règlent sur lui. Il interrompt, il redresse ceux qui ont la parole; on ne l'interrompt pas, on l'écoute aussi longtemps qu'il veut parler; on est de son avis, on croit les nouvelles qu'il débite. S'il s'assied, vous le voyez s'enfoncer dans 15 un fauteuil, croiser les jambes l'une sur l'autre, froncer le sourcil, abaisser son chapeau sur ses yeux pour ne voir personne, ou le relever ensuite et découvrir son front par fierté et par audace. Il est enjoué, grand rieur, impatient, présomptueux, colère, libertin, [2] politique, mystérieux sur 20 les affaires du temps; il se croit des talents et de l'esprit. Il est riche.

Phédon a les yeux creux, le teint échauffé, le corps sec et le visage maigre: il dort peu, et d'un sommeil fort léger; il est abstrait, rêveur, et il a avec de l'esprit l'air 25 d'un stupide; il oublie de dire ce qu'il sait, ou de parler

---

ville et « restauré »; l'un des plus célèbres de ces parvenus est Dupin qui s'était élevé au rang de fermier général, avait acquis le château de Chenonceaux et avait dépensé à sa reconstruction des sommes énormes.

[1] Les Clefs donnent Barbizieux, fils de l'opulent Louvois, comme l'original du riche.

[2] Libertin, au xviie siècle, = libre penseur.

d'évènements qui lui sont connus; et s'il le fait quelquefois, il s'en tire mal; il croit peser à ceux à qui il parle; il conte brièvement, mais froidement; il ne se fait pas écouter, il ne fait point rire: il applaudit, il sourit à ce que les autres
5 lui disent, il est de leur avis; il court, il vole pour leur rendre de petits services; il est complaisant, flatteur, empressé; il est mystérieux sur ses affaires, quelquefois menteur; il est superstitieux, scrupuleux, timide; il marche doucement et légèrement, il semble craindre de fouler la
10 terre; il marche les yeux baissés, et il n'ose les lever sur ceux qui passent. Il n'est jamais du nombre de ceux qui forment un cercle pour discourir; il se met derrière celui qui parle, recueille furtivement ce qui se dit, et il se retire si on le regarde. Il n'occupe point de lieu, il ne tient point
15 de place; il va les épaules serrées, le chapeau abaissé sur ses yeux pour n'être point vu; il se replie et se renferme dans son manteau: il n'y a point de rues ni de galeries si embarrassées et si remplies de monde, où il ne trouve moyen de passer sans effort, et de se couler sans être aperçu. Si on le
20 prie de s'asseoir, il se met à peine sur le bord d'un siège; il parle bas dans la conversation, et il articule mal; libre néanmoins avec ses amis sur les affaires publiques, chagrin contre le siècle, médiocrement apprécié des ministres et du ministère. Il n'ouvre la bouche que pour répondre;
25 il tousse, il se mouche sous son chapeau; il crache presque sur soi, et il attend qu'il soit seul pour éternuer, ou, si cela lui arrive, c'est à l'insu de la compagnie; il n'en coûte à personne ni salut ni compliment. Il est pauvre.

DE LA COUR

10. La cour est comme un édifice bâti de marbre: je
30 veux dire qu'elle est composée d'hommes fort durs, mais fort polis.

14. L'air de cour est contagieux: il se prend à Versailles, comme l'accent normand à Rouen ou à Falaise; on l'entrevoit en des fourriers, en de petits contrôleurs, en des chefs de fruiterie; l'on peut, avec une portée d'esprit fort médiocre, y faire de grands progrès. Un homme d'un génie 5 élevé et d'un mérite solide ne fait pas assez de cas de cette espèce de talent pour faire son capital de l'étudier et se le rendre propre; il l'acquiert sans réflexion, et il ne pense point à s'en défaire.

17. Vous voyez des gens qui entrent sans saluer que 10 légèrement, qui marchent des épaules, et qui se rengorgent comme une femme: ils vous interrogent sans vous regarder; ils parlent d'un ton élevé, et qui marque qu'ils se sentent au-dessus de ceux qui se trouvent présents; ils s'arrêtent, et on les entoure; ils ont la parole, président 15 au cercle, et persistent dans cette hauteur ridicule et contrefaite, jusqu'à ce qu'il survienne un grand, qui, la faisant tomber tout d'un coup par sa présence, les réduise à leur naturel, qui est moins mauvais.

DES GRANDS

25. Si je compare ensemble les deux conditions des 20 hommes les plus opposées, je veux dire les grands avec le peuple, ce dernier me paraît content du nécessaire, et les autres sont inquiets et pauvres avec le superflu. Un homme du peuple ne saurait faire aucun mal; un grand ne veut faire aucun bien et est capable de grands maux. 25 L'un ne se forme et ne s'exerce que dans les choses qui sont utiles; l'autre y joint les pernicieuses. Là se montrent ingénument la grossièreté et la franchise; ici se cache une sève maligne et corrompue sous l'écorce de la politesse. Le peuple n'a guère d'esprit, et les grands n'ont 30

point d'âme: celui-là a un bon fond et n'a point de dehors;
ceux-ci n'ont que des dehors et qu'une simple superficie.
Faut-il opter ? Je ne balance pas: je veux être peuple.

DE L'HOMME

50. Les enfants [1] sont hautains, dédaigneux, colères,
5 envieux, curieux, intéressés, paresseux, volages, timides,
intempérants, menteurs, dissimulés; ils rient et pleurent
facilement: ils ont des joies immodérées et des afflictions
amères sur de très petits sujets; ils ne veulent point souffrir
de mal, et aiment à en faire: ils sont déjà des hommes.
10　51. Les enfants n'ont ni passé ni avenir, et, ce qui ne
nous arrive guère, ils jouissent du présent.

57. Les enfants commencent entre eux par l'état populaire: chacun y est le maître; et ce qui est bien naturel,
ils ne s'en accommodent pas longtemps, et passent au
15 monarchique.　Quelqu'un se distingue, ou par une plus
grande vivacité, ou par une meilleure disposition du corps,
ou par une connaissance plus exacte des jeux différents et
des petites lois qui les composent; les autres lui défèrent,
et il se forme alors un gouvernement absolu qui ne roule
20 que sur le plaisir.

128. L'on voit certains animaux farouches,[2] des mâles
et des femelles, répandus par la campagne, noirs, livides
et tout brûlés du soleil, attachés à la terre qu'ils fouillent
et qu'ils remuent avec une opiniâtreté invincible; ils ont
25 comme une voix articulée, et quand ils se lèvent sur leurs

---

[1] La sévérité de La Bruyère pour les enfants s'explique par ce fait
qu'il ne connut jamais de près qu'*un* enfant, le difficile et très volontaire duc de Bourbon, petit-fils du Grand Condé, dont il avait été le
précepteur.
[2] A propos de ce passage connu de La Bruyère et qui en fait un
précurseur de la Révolution, rappelons dans les termes de Richelieu,

pieds, ils montrent une face humaine; et en effet ils sont
des hommes. Ils se retirent la nuit dans des tanières, où
ils vivent de pain noir, d'eau et de racines; ils épargnent
aux autres hommes la peine de semer, de labourer et de
recueillir pour vivre, et méritent ainsi de ne pas manquer 5
de ce pain qu'ils ont semé.

DE LA MODE

2. ... Le fleuriste a un jardin dans un faubourg; il y
court au lever du soleil, et il en revient à son coucher.
Vous le voyez planté, et qui a pris racine au milieu de ses
tulipes et devant la *Solitaire:* il ouvre de grands yeux, il 10
frotte ses mains, il se baisse, il la voit de plus près, il ne
l'a jamais vue si belle, il a le cœur épanoui de joie: il la
quitte pour l'*Orientale;* de là, il va à la *Veuve;* il passe au
Drap d'or; de celle-ci à l'*Agathe*, d'où il revient enfin à la
Solitaire, où il se fixe, où il se lasse, où il s'assied, où il 15
oublie de dîner: aussi est-elle nuancée, bordée, huilée, à
pièces emportées; elle a un beau vase ou un beau calice; il
la contemple, il l'admire. Dieu et la nature sont en tout
cela ce qu'il n'admire point; il ne va pas plus loin que
l'oignon de sa tulipe, qu'il ne livrerait pas pour mille écus, 20
et qu'il donnera pour rien quand les tulipes seront négligées et que les œillets auront prévalu. Cet homme rai-

la doctrine sociale alors acceptée: « Il les (paysans) faut comparer
aux mulets qui, étant accoutumés à la charge, se gâtent par un long
repos. » Et voici un rapport adressé à Louis XIV en 1687 (l'année
avant la publication des Caractères) sur la condition des paysans
de son royaume: « Les paysans vivent de pain fait avec du blé noir;
d'autres qui n'ont pas même de blé noir, vivent de racines de fougère
bouillies avec de la farine d'orge ou d'avoine et du sel. On les trouve
couchés sur la paille; point d'habits que ceux qu'ils portent, point de
meubles, point de provisions pour la vie. »

sonnable qui a une âme, qui a un culte et une religion,
revient chez soi fatigué, affamé, mais fort content de sa
journée; il a vu des tulipes.[1]

Parlez à cet autre de la richesse des moissons, d'une
ample récolte, d'une bonne vendange: il est curieux de
fruits; vous n'articulez pas, vous ne vous faites pas entendre.   Parlez-lui de figues et de melons, dites que les
poiriers rompent de fruit cette année, que les pêchers ont
donné avec abondance: c'est pour lui une idiome inconnu;
il s'attache aux seuls pruniers: il ne vous répond pas.
Ne l'entretenez pas même de vos pruniers: il n'a de
l'amour que pour une certaine espèce, toute autre que
vous lui nommez le fait sourire et se moquer.   Il vous
mène à l'arbre, cueille artistement cette prune exquise;
il l'ouvre, vous en donne une moitié et prend l'autre:
« Quelle chair ! dit-il; goûtez-vous cela ? cela est-il divin ?
voilà ce que vous ne trouverez pas ailleurs ! »   Et là-dessus
ses narines s'enflent, il cache avec peine sa joie et sa
vanité par quelques dehors de modestie.   O l'homme
divin, en effet ! homme qu'on ne peut jamais assez louer
et admirer ! homme dont il sera parlé dans plusieurs
siècles ! que je voie sa taille et son visage pendant qu'il
vit; que j'observe les traits et la contenance d'un homme
qui seul entre les mortels possède une telle prune !

. . . .

[1] Ici encore La Bruyère est extrêmement actuel; « Il y a eu en ce
siècle, écrit Furetière en 1690, une étrange manie des curieux pour
les tulipes; ils ont estimé leur beau carreau de tulipes des quinze
ou vingt mille francs. »   On cite un amateur qui avait donné pour
toute dot à sa fille un oignon de tulipe, un autre qui vendit trois
mille livres un seul oignon. — La littérature a depuis tiré parti de
cette mode. Citons la *Tulipe noire* d'A. Dumas, la comédie de
M. Jacques Normand, *L'Amiral*, et en Angleterre en 1914, *The
Laughing Cavalier*, par la Baroness Orczy.

Diphile commence par un oiseau et finit par mille: sa maison n'en est pas égayée, mais empestée. La cour, la salle, l'escalier, le vestibule, les chambres, le cabinet, tout est volière. Ce n'est plus un ramage, c'est un vacarme; les vents d'automne et les eaux dans leurs plus grandes 5 crues ne font pas un bruit si perçant et si aigu; on ne s'entend non plus parler les uns les autres que dans ces chambres où il faut attendre, pour faire le compliment d'entrée, que les petits chiens aient aboyé. Ce n'est plus pour Diphile un agréable amusement, c'est une affaire labo- 10 rieuse, et à laquelle à peine il peut suffire. Il passe les jours, ces jours qui échappent et qui ne reviennent plus, à verser du grain et à nettoyer des ordures. Il donne pension à un homme qui n'a point d'autre ministère que de siffler des serins au flageolet et de faire couver des 15 *Canaries*. Il est vrai que ce qu'il dépense d'un côté, il l'épargne de l'autre, car ses enfants sont sans maîtres et sans éducation. Il se renferme le soir, fatigué de son propre plaisir, sans pouvoir jouir du moindre repos que ses oiseaux ne reposent, et que ce petit peuple, qu'il n'aime 20 que parce qu'il chante, ne cesse de chanter. Il retrouve ses oiseaux dans son sommeil: lui-même il est oiseau, il est huppé, il gazouille, il perche; il rêve la nuit qu'il mue ou qu'il couve ...

Qui pourrait épuiser tous les différents genres de cu- 25 rieux ?

4. *Onuphre* [1] n'a pour tout lit qu'une housse de serge

[1] Nom du valet de chambre de Mazarin (Onofrio) qui aurait servi de modèle pour ce portrait selon M. Alméras, (*Le Tartuffe de Molière*, Paris, 1928, p. 64). Les « clefs » désignent comme original l'abbé du Pin, Docteur en Sorbonne, et M. de Mauroy, curé des Invalides.

On a observé qu'il y avait dans Onuphre des allusions évidentes au Tartuffe de Molière; — bien plus, que La Bruyère oppose son per-

grise, mais il couche sur le coton et sur le duvet: de même
il est habillé simplement, mais commodément, je veux
dire d'une étoffe fort légère en été, et d'une autre fort
moelleuse pendant l'hiver; il porte des chemises très
5 déliées,[1] qu'il a un très grand soin de bien cacher. Il ne
dit point: *Ma haire et ma discipline;* au contraire, il pas-
serait pour ce qu'il est, pour un hypocrite, et il veut
passer pour ce qu'il n'est pas, pour un homme dévot: il est
vrai qu'il fait en sorte que l'on croie, sans qu'il le dise,
10 qu'il porte une haire et qu'il se donne la discipline. Il y
a quelques livres répandus dans sa chambre indifféremment; ouvrez-les: c'est *le Combat spirituel, le Chrétien in-
térieur* et *l'Année sainte:* d'autres livres sont sous la clef.
S'il marche par la ville, et qu'il découvre de loin un homme
15 devant qui il est nécessaire qu'il soit dévot, les yeux
baissés, la démarche lente et modeste, l'air recueilli lui
sont familiers; il joue son rôle. S'il entre dans une église,
il observe d'abord de qui il peut être vu, et selon la découverte qu'il vient de faire, il se met à genoux et prie,
20 ou il ne songe ni à se mettre à genoux ni à prier. Arrive-
t-il vers un homme de bien et d'autorité qui le verra et
qui peut l'entendre, non seulement il prie, mais il médite,
il pousse des élans et des soupirs: si l'homme de bien se
retire, celui-ci, qui le voit partir, s'apaise et ne souffle
25 pas. Il entre une autre fois dans un lieu saint, perce la
foule, choisit un endroit pour se recueillir, et où tout le
monde voit qu'il s'humilie: s'il entend des courtisans qui
parlent, qui rient, et qui sont à la chapelle avec moins de

---

sonnage à celui de Molière: La Bruyère conçoit un hypocrite plus
subtil et plus retors que celui assez malhabile de Molière, un Tartuffe
supérieur (voir à ce sujet, Alméras, *ouvrage cité,* pp. 147-150).

[1] Amples et souples.

silence que dans l'antichambre, il fait plus de bruit
qu'eux pour les faire taire; il reprend sa méditation, qui
est toujours la comparaison qu'il fait de ces personnes
avec lui-même, et où il trouve son compte. Il évite une
église déserte et solitaire, où il pourrait entendre deux   5
messes de suite, le sermon, vêpres et complies, tout cela
entre Dieu et lui, et sans que personne lui en sût gré: il
aime la paroisse, il fréquente les temples où se fait un
grand concours; on n'y manque point son coup, on y est
vu. Il choisit deux ou trois jours dans toute l'année, où, 10
à propos de rien, il jeûne ou fait abstinence; mais à la fin
de l'hiver il tousse, il a une mauvaise poitrine, il a des
vapeurs, il a eu la fièvre: il se fait prier, presser, quereller,
pour rompre le carême dès son commencement, et il en
vient là par complaisance. Si Onuphre est nommé   15
arbitre dans une querelle de parents ou dans un procès
de famille, il est pour les plus forts, je veux dire pour les
plus riches, et il ne se persuade point que celui ou celle
qui a beaucoup de bien puisse avoir tort. S'il se trouve
bien d'un homme opulent, à qui il a su imposer,[1] dont il 20
est le parasite, et dont il peut tirer de grands secours, il
ne cajole point sa femme, il ne lui fait du moins ni avance
ni déclaration... Il n'oublie pas de tirer avantage de
l'aveuglement de son ami et de la prévention où il l'a
jeté en sa faveur: tantôt il lui emprunte de l'argent,   25
tantôt il fait si bien que cet ami lui en offre; il se fait reprocher de n'avoir pas recours à ses amis dans ses besoins.
Quelquefois il ne veut pas recevoir une obole sans donner
un billet,[2] qu'il est bien sûr de ne jamais retirer. Il dit

---

[1] Tout ce qui suit est une allusion bien directe au Tartuffe de
Molière.

[2] billet à ordre — promettant de restituer à une date fixe la somme
reçue.

une autre fois, et d'une certaine manière, que rien ne lui
manque, et c'est lorsqu'il ne lui faut qu'une petite somme.
Il vante quelque autre fois publiquement la générosité
de cet homme, pour le piquer d'honneur et le conduire
5 à lui faire une grande largesse. Il ne pense point à profiter de toute sa succession, ni à s'attirer une donation
générale de tous ses biens, s'il s'agit surtout de les enlever
à un fils, le légitime héritier. Un homme dévot n'est ni
avare, ni violent, ni injuste, ni même intéressé. Onuphre
10 n'est pas dévot, mais il veut être cru tel, et, par une parfaite quoique fausse imitation de la piété, ménager sourdement ses intérêts: aussi ne se joue-t-il pas à la ligne directe,
et il ne s'insinue jamais dans une famille où se trouvent
tout à la fois une fille à pourvoir et un fils à établir; il y
15 a là des droits trop forts et trop inviolables; on ne les
traverse point sans faire de l'éclat, et il l'appréhende, sans
qu'une pareille entreprise vienne aux oreilles du prince,
à qui il dérobe sa marche, par la crainte qu'il a d'être découvert et de paraître ce qu'il est. Il en veut à la ligne
20 collatérale, on l'attaque plus impunément: il est la terreur des cousins et des cousines, du neveu et de la nièce,
le flatteur et l'ami déclaré de tous les oncles qui ont fait
fortune; il se donne pour l'héritier légitime de tout vieillard qui meurt riche et sans enfants; et il faut que celui-ci
25 le déshérite, s'il veut que ses parents recueillent sa succession: si Onuphre ne trouve pas jour à les en frustrer à
fond, il leur en ôte du moins une bonne partie: une petite
calomnie, moins que cela, une légère médisance lui suffit
pour ce pieux dessein; et c'est le talent qu'il possède à un
30 plus haut degré de perfection; il se fait même souvent un
point de conduite de ne pas le laisser inutile: il y a des gens,
selon lui, qu'on est obligé en conscience de décrier; et ces

gens sont ceux qu'il n'aime point, à qui il veut nuire, et dont il désire la dépouille. Il vient à ses fins sans se donner même la peine d'ouvrir la bouche; on lui parle d'*Eudoxe*, il sourit ou il soupire; on l'interroge, on insiste, il ne répond rien; et il a raison: il en a assez dit. 5

CHAPITRE ONZE

TROIS FEMMES ÉCRIVAINS[1]

I. MADAME DE LA FAYETTE

(1634–1693)

Marie Madeleine Pioche de la Vergne est née à Paris. Elle fut
mariée en 1655 au Comte de La Fayette. Elle était fort instruite;
très bien en cour; et un des grands noms de l'Hôtel de Rambouillet.
Elle fut liée particulièrement avec Madame, Duchesse d'Orléans, et
avec Madame de Sévigné. (Pour sa grande et noble amitié avec La
Rochefoucauld, voir page 393). Comme Mademoiselle de Scudéry,
elle ne signait pas ses livres; le poète Segrais lui prêtait son nom.
Deux romans d'elle sont connus: *Zayde* (1670) dans le genre « précieux », et *La Princesse de Clèves* (1678); le second surtout dont l'importance dans l'histoire de la littérature est considérable; il est le
premier roman dans le sens moderne du mot, c'est à dire où la vie est
considérée sous les aspects de la réalité et où les sentiments analysés
sont ceux de la sincérité. Longtemps, il est demeuré le seul, la (préciosité) ayant continué à régner jusqu'assez avant dans le XVIII°
siècle. Le dernier roman intéressant de ce style précieux, *Le Temple
de Cnide*, par Montesquieu est de 1725, tandis que le genre dont Mme
de La Fayette a donné le modèle ne triomphera qu'avec *Manon Les-
caut*, de l'abbé Prévost, en 1731, et avec *Gil-Blas*, de Lesage, 1715-
1735. (Voir *Eighteenth Century French Readings*, Holt and Co.,
Chapitre « Le roman ».)
Consulter: Comte d'Haussonville, *Madame de La Fayette* (Coll.
Grands écrivains français, Hachette, 1891). Et si on veut, Emile
Magne, *Le cœur et l'esprit de Mme de La Fayette* (Emile-Paul 1930).
Du même, *Mme de La Fayette en ménage* (Emile-Paul, 1930).
    [Portrait de Mme de La Fayette, d'après Somaize, *Dictionnaire
des précieuses:* « Féliciane est une précieuse aimable, jeune et spiri-
tuelle, d'un esprit enjoué, d'un abord agréable; elle est civile, obli-
geante et un peu railleuse; mais elle raille de si bonne grâce qu'elle

---

[1] Voir E. Angot, *Dames du grand siècle* (Emile-Paul, 1919).

se fait aimer de ceux qu'elle traite le plus mal, ou du moins qu'elle ne s'en fait point haïr. Elle écrit bien en prose, comme il est aisé de voir par le portrait qu'elle a fait de Sophronie (Mme de Sévigné) dont elle est intime amie. »

Mme de Sévigné, lors de la mort de celle qui avait été son amie pendant quarante ans, écrit une longue lettre (3 juin 1693) dont voici un passage; — « Vous saviez tout le mérite de Mme de La Fayette ou par vous, ou par moi, ou par vos amis; sur cela vous n'en pouviez trop croire, elle était digne d'être de vos amis; et je me trouvais trop heureuse d'être aimée d'elle depuis un temps très considérable; jamais nous n'avions eu le moindre nuage dans notre amitié. La longue habitude ne m'avait point accoutumée à son mérite; ce goût était toujours vif et nouveau; je lui rendais beaucoup de soins, par le mouvement de mon cœur sans que la bienséance où l'amitié nous engage y eût aucune part; j'étais assurée aussi que je faisais sa plus tendre consolation, et depuis quarante ans c'était la même chose; cette date est violente, mais elle fonde bien aussi la vérité de notre liaison ... Elle a eu raison pendant sa vie, elle a eu raison après sa mort, et jamais elle n'a été sans cette divine raison, qui était sa qualité principale. »]

LA PRINCESSE DE CLÈVES, 1678

[Mlle de Chartres a épousé, sur le conseil de sa mère, le prince de Clèves pour lequel elle éprouvait beaucoup d'estime mais pas d'amour. Quelque temps après le mariage, elle rencontre à la cour (de Henri II, 1519-1559) le duc de Nemours, qui exerce un attrait irrésistible sur toutes les dames, un chevalier du reste parfait. Le duc tombe amoureux de la princesse de Clèves, qui répond à son amour. Mais elle reste inébranlablement attachée à son devoir, et pour se fortifier dans son cœur contre toute tentation, elle avoue sa passion à son époux. Le prince apprécie cette magnifique franchise et n'en estime que davantage la princesse, mais il ne résiste pas à l'amère jalousie qui étreint son cœur et qui le dispose à croire un moment à la culpabilité de son épouse. Il meurt consumé de chagrin. Nemours espère que la princesse va maintenant céder à l'amour et consentir au mariage; mais elle pense que son devoir consiste à rester fidèle à ses premiers vœux, et elle cherche refuge contre sa passion dans un couvent.]

1. La princesse confesse à son époux qu'elle porte au cœur un amour pour un autre.

M. de Clèves disait à sa femme: « Mais pourquoi ne voulez-vous point revenir à Paris ? Qui vous peut retenir à la campagne ? Vous avez depuis quelque temps un goût pour la solitude qui m'étonne et qui m'afflige, parce qu'il
5 nous sépare. Je vous trouve même plus triste que de coutume, et je crains que vous n'ayez quelque sujet d'afflic-tion. — Je n'ai rien de fâcheux dans l'esprit, répondit-elle avec un air embarrassé; mais le tumulte de la cour est si grand, et il y a toujours un si grand monde chez vous,
10 qu'il est impossible que le corps et l'esprit ne se lassent et que l'on ne cherche du repos. — Le repos, répliqua-t-il, n'est guère propre pour une personne de votre âge. Vous êtes chez vous et dans la cour de manière à ne vous pas donner de lassitude, et je craindrais plutôt que vous ne
15 fussiez bien aise d'être séparée de moi. — Vous me feriez une grande injustice d'avoir cette pensée, reprit-elle avec un embarras qui augmentait toujours; mais je vous supplie de me laisser ici. Si vous y pouviez demeurer, j'en aurais beaucoup de joie, pourvu que vous y de-
20 meurassiez seul et que vous voulussiez bien n'y avoir point ce nombre infini de gens qui ne vous quittent pres-que jamais. — Ah ! madame, s'écria M. de Clèves, votre air et vos paroles me font voir que vous avez des raisons pour souhaiter d'être seule; je ne les sais point, et je vous
25 conjure de me les dire. »

Il la pressa longtemps de les lui apprendre, sans pou-voir l'y obliger; et, après qu'elle se fut défendue d'une manière qui augmentait toujours la curiosité de son mari, elle demeura dans un profond silence, les yeux baissés:

puis tout à coup, prenant la parole et le regardant: « Ne me contraignez point, lui dit-elle, à vous avouer une chose que je n'ai pas la force de vous avouer, quoique j'en aie eu plusieurs fois le dessein. Songez seulement que la prudence ne veut pas qu'une femme de mon âge, et maîtresse de sa conduite, demeure exposée au milieu de la cour. — Que me faites-vous envisager, madame, s'écria M. de Clèves ! je n'oserais vous le dire de peur de vous offenser. » Mme de Clèves ne répondit point; et, son silence achevant de confirmer son mari dans ce qu'il avait pensé: « Vous ne me dites rien, reprit-il, et c'est me dire que je ne me trompe pas. — Eh bien, monsieur, lui répondit-elle en se jetant à ses genoux, je vais vous faire un aveu que l'on n'a jamais fait à un mari; mais l'innocence de ma conduite et de mes intentions m'en donne la force. Il est vrai que j'ai des raisons pour m'éloigner de la cour et que je veux éviter les périls où se trouvent quelquefois les personnes de mon âge. Je n'ai jamais donné nulle marque de faiblesse, et je ne craindrais pas d'en laisser paraître, si vous me laissiez la liberté de me retirer de la cour . . . Quelque dangereux que soit le parti que je prends, je le prends avec joie pour me conserver digne d'être à vous. Je vous demande mille pardons, si j'ai des sentiments qui vous déplaisent; du moins je ne vous déplairai jamais par mes actions. Songez que, pour faire ce que je fais, il faut avoir plus d'amitié et plus d'estime pour un mari que l'on n'en a jamais eu. Conduisez-moi, ayez pitié de moi, et aimez-moi encore, si vous pouvez. »

M. de Clèves était demeuré, pendant tout ce discours, la tête appuyée sur ses mains, hors de lui-même, et il n'avait pas songé à faire relever sa femme. Quand elle

eut cessé de parler, qu'il la vit à ses genoux, le visage
couvert de larmes, et d'une beauté si admirable, il pensa
mourir de douleur, et, l'embrassant en la relevant:
« Ayez pitié de moi, vous-même, madame, lui dit-il, j'en
5 suis digne, et pardonnez, si, dans les premiers moments
d'une affliction aussi violente qu'est la mienne, je ne
réponds pas comme je dois à un procédé comme le vôtre.
Vous me paraissez plus digne d'estime et d'admiration
que tout ce qu'il y a jamais eu de femmes au monde;
10 mais aussi je me trouve le plus malheureux homme qui
ait jamais existé. Vous m'avez donné de la passion dès
le premier moment que je vous ai vue; vos rigueurs et
votre possession n'ont pu l'éteindre, elle dure encore; je
n'ai jamais pu vous donner de l'amour et je vois que vous
15 craignez d'en avoir pour un autre. Et qui est-il, madame,
cet homme heureux qui vous donne cette crainte? Depuis quand vous plaît-il? Qu'a-t-il fait pour vous plaire?
Quel chemin a-t-il trouvé pour aller à votre cœur? Je
m'étais consolé en quelque sorte de ne l'avoir pas touché
20 par la pensée qu'il était incapable de l'être. Cependant
un autre fait ce que je n'ai pu faire: j'ai, tout ensemble,
la jalousie d'un mari et celle d'un amant. Mais il est
impossible d'avoir celle d'un mari après un procédé
comme le vôtre: il est trop noble pour ne pas me donner
25 une sûreté; il me console même comme votre amant. La
confiance et la sincérité que vous avez pour moi sont d'un
prix infini. Vous m'estimez assez pour croire que je
n'abuserai pas de cet aveu. Vous avez raison, madame,
je n'en abuserai pas, et je ne vous en aimerai pas moins.
30 Vous me rendez malheureux par la plus grande marque
de fidélité que jamais une femme ait donnée à son mari;
mais, madame, achevez et apprenez-moi qui est celui

que vous voulez éviter. — Je vous supplie de ne me le point demander, répondit-elle; je suis résolue de ne pas vous le dire, et je crois que la prudence ne veut pas que je vous le nomme. — Ne craignez point, madame, reprit M. de Clèves; je connais trop le monde pour ignorer que la considération d'un mari n'empêche pas que l'on soit amoureux de sa femme. . . . Encore une fois, madame, je vous conjure de m'apprendre ce que j'ai envie de savoir. — Vous m'en presseriez inutilement, répliqua-t-elle; j'ai de la force pour taire ce que je ne crois pas devoir dire. L'aveu que je vous ai fait n'a pas été par faiblesse, et il faut plus de courage pour avouer cette vérité que pour entreprendre de la cacher » . . .

Lorsque le prince fut parti, que Mme de Clèves demeura seule, qu'elle regarda ce qu'elle venait de faire, elle en fut si épouvantée qu'à peine put-elle imaginer que ce fût une vérité. Elle trouva qu'elle s'était ôté elle-même le cœur et l'estime de son mari, et qu'elle s'était creusé un abîme dont elle ne sortirait jamais. Elle se demandait pourquoi elle avait fait une chose si hasardeuse, et elle trouvait qu'elle s'y était engagée sans en avoir presque eu le dessein. La singularité d'un pareil aveu, dont elle ne trouvait point d'exemple, lui en faisait voir tout le péril.

Mais quand elle venait à penser que ce remède, quelque violent qu'il fût, était le seul qui la pouvait défendre contre M. de Nemours, elle trouvait qu'elle ne devait point se repentir, et qu'elle n'avait point trop hasardé. Elle passa toute la nuit pleine d'incertitude, de trouble et de crainte; mais enfin le calme revint dans son esprit; elle trouva même de la douceur à avoir donné ce témoignage de fidélité à un mari qui le méritait si bien, qui avait

tant d'estime et tant d'amitié pour elle, et qui venait de
lui en donner encore des marques par la manière dont il
avait reçu ce qu'elle lui avait avoué.

2. Après la mort du prince de Clèves, la princesse refuse
d'épouser M. de Nemours

L'on ne peut exprimer ce que sentirent M. de Nemours
5 et Mme de Clèves de se trouver seuls et en état de se
parler pour la première fois.   Ils demeurèrent quelque
temps sans rien dire; enfin M. de Nemours rompant le
silence: « Pardonnerez-vous à M. de Chartres,[1] madame,
lui dit-il, de m'avoir donné l'occasion de vous voir et de
10 vous entretenir, que vous m'avez toujours si cruellement
ôtée ? »

« Je ne lui dois pas pardonner, répondit-elle, d'avoir
oublié l'état où je suis et à quoi il expose ma réputation. »
En prononçant ces paroles elle voulut s'en aller, et M.
15 de Nemours la retenant: « Ne craignez rien, madame,
répliqua-t-il, personne ne sait que je suis ici, et aucun
hasard n'est à craindre.   Écoutez-moi, madame, écoutez-
moi; si ce n'est par bonté, que ce soit du moins pour
l'amour de vous-même, et pour vous délivrer des ex-
20 travagances où m'emporterait infailliblement une passion dont je ne suis plus le maître. »

Mme de Clèves céda pour la première fois au penchant
qu'elle avait pour M. de Nemours, et le regardant avec
des yeux pleins de douceur et de charmes: « Mais qu'es-
25 pérez-vous, lui dit-elle, de la complaisance que vous me
demandez ?   Vous vous repentirez peut-être de l'avoir
obtenue, et je me repentirai infailliblement de vous

---

[1] Parent de la princesse, grand ami de M. de Nemours, et qui avait
arrangé cette entrevue.

l'avoir accordée. Vous méritez une destinée plus heureuse
que celle que vous avez eue jusqu'ici, et que celle que
vous pouvez trouver à l'avenir, à moins que vous ne la
cherchiez ailleurs. »

« Moi, madame, lui dit-il, chercher du bonheur ailleurs ! 5
Et y en a-t-il d'autre que d'être aimé de vous ? »

« Puisque vous voulez que je vous parle, et que je m'y
résous, répondit Mme de Clèves en s'asseyant, je le ferai
avec une sincérité que vous trouverez malaisément dans
les personnes de mon sexe. Je ne vous dirai point que je 10
n'aie pas vu l'attachement que vous avez eu pour moi.
Je vous avoue que vous m'avez inspiré des sentiments
qui m'étaient inconnus avant de vous avoir vu, et dont
j'avais moi-même si peu d'idée, qu'ils me donnèrent
d'abord une surprise qui augmentait encore le trouble 15
qui les suit toujours. Je vous fais cet aveu avec moins
de honte, parce que je le fais dans un temps où je le puis
faire sans crime, et que vous avez vu que ma conduite
n'a pas été réglée par mes sentiments.

— Croyez-vous, madame, lui dit M. de Nemours en se 20
jetant à ses genoux, que je n'expire pas à vos pieds de
joie et de transport ? — Je ne vous apprends, lui répondit-
elle en souriant, que ce que vous ne saviez déjà que
trop. — Ah ! madame, répliqua-t-il, quelle différence de
le savoir par un effet du hasard, ou de l'apprendre par 25
vous-même et de voir que vous voulez bien que je le
sache ! — Il est vrai, lui dit-elle, que je veux bien que
vous le sachiez, et que je trouve de la douceur à vous le
dire; je ne sais même si je ne vous le dis point plus pour
l'amour de vous que pour l'amour de moi. Car enfin cet 30
aveu n'aura point de suite, et je suivrai les règles austères
que mon devoir m'impose. — Vous n'y songez pas, ma-

dame, répondit M. de Nemours; il n'y a plus de devoir qui vous lie; vous êtes en liberté, et, si j'osais, je vous dirais même qu'il dépend de vous de faire en sorte que votre devoir vous oblige un jour à conserver les senti-
5 ments que vous avez pour moi. — Mon devoir, répliqua-t-elle, me défend de penser jamais à personne, et moins à vous qu'à qui que ce soit au monde, par des raisons qui vous sont inconnues... Il n'est que trop véritable que vous êtes cause de la mort de M. de Clèves; les soupçons
10 que lui a donnés votre conduite inconsidérée lui ont coûté la vie, comme si vous la lui aviez ôtée de vos propres mains. Voyez ce que je devrais faire, si vous en étiez venus ensemble à ces extrémités et que le même malheur en fût arrivé. Je sais bien que ce n'est pas la même chose
15 à l'égard du monde; mais, au mien, il n'y a aucune diffé-rence, puisque je sais que c'est par vous qu'il est mort, et que c'est à cause de moi. — Ah! madame, lui dit M. de Nemours, quel fantôme de devoir opposez-vous à mon bonheur? Quoi! madame, une pensée vaine et sans
20 fondement vous empêchera de rendre heureux un homme que vous ne haïssez pas? Quoi! j'aurais pu concevoir l'espérance de passer ma vie avec vous; ma destinée m'aurait conduit à aimer la plus estimable personne du monde; j'aurais vu en elle tout ce qui peut faire une
25 adorable maîtresse; elle ne m'aurait pas haï, et je n'aurais trouvé dans sa conduite que tout ce qui peut être à dé-sirer dans une femme!... Ah! madame vous oubliez que vous m'avez distingué du reste des hommes. Ou plutôt vous ne m'en avez jamais distingué: vous vous êtes
30 trompée, et je me suis flatté.

— Vous ne vous êtes point flatté, lui répondit-elle; les raisons de mon devoir ne me paraîtraient peut-être pas

si fortes sans cette distinction dont vous doutez, et c'est
elle qui me fait envisager des malheurs à m'attacher à
vous... Je veux vous parler encore avec la même sincérité que j'ai déjà commencé, reprit-elle, et je vais passer
par-dessus toute la retenue et toutes les délicatesses que 5
je devrais avoir dans une première conversation; mais je
vous conjure de m'écouter sans m'interrompre.

Je crois devoir à votre attachement la faible récompense de ne vous cacher aucun de mes sentiments et de
vous les laisser voir tels qu'ils sont. Ce sera apparemment 10
la seule fois de ma vie que je me donnerai la liberté de
vous les faire paraître; néanmoins, je ne saurais vous
avouer sans honte que la certitude de n'être plus aimée
de vous comme je le suis me paraît un si horrible malheur,
que, quand je n'aurais point de raisons de devoir insur- 15
montables, je doute si je pourrais me résoudre à m'exposer à ce malheur. Je sais que vous êtes libre, que je le
suis, et que les choses sont telles que le public n'aurait
peut-être pas sujet de vous blâmer, ni moi non plus,
quand nous nous engagerions ensemble pour jamais; mais 20
les hommes conservent-ils de la passion dans ces engage-
ments éternels? dois-je espérer un miracle en ma faveur,
et puis-je me mettre en état de voir certainement finir
cette passion dont je ferais toute ma félicité? M. de
Clèves était peut-être l'unique homme du monde capa- 25
ble de conserver de l'amour dans le mariage. Ma destinée n'a pas voulu que j'aie pu profiter de ce bonheur;
peut-être aussi que sa passion n'aurait subsisté que parce
qu'il n'en aurait point trouvé en moi. Mais je n'aurais
pas le même moyen de conserver la vôtre; je crois même 30
que les obstacles ont fait votre constance; vous en avez
trouvé pour vous animer à vaincre, et mes actions in-

volontaires, ou les choses que le hasard vous a apprises,
vous ont donné assez d'espérance pour ne vous pas rebuter. — Ah ! madame, reprit M. de Nemours, je ne
saurais garder le silence que vous m'imposez; vous me
5 faites trop d'injustice, et vous me faites trop voir combien
vous êtes éloignée d'être prévenue en ma faveur. —
J'avoue, répondit-elle, que les passions peuvent me conduire; mais elles ne sauraient m'aveugler: rien ne me peut
empêcher de connaître que vous êtes né avec toutes les
10 dispositions pour la galanterie et toutes les qualités qui
sont propres à y donner des succès heureux; vous avez
déjà eu plusieurs passions, vous en auriez encore; je ne
ferais plus votre bonheur; je vous verrais pour une autre
comme vous auriez été pour moi: j'en aurais une douleur
15 mortelle, et je ne serais pas même assurée de n'avoir point
le malheur de la jalousie . . .

Quand je pourrais m'accoutumer à cette sorte de malheur, pourrais-je m'accoutumer à celui de croire voir M.
de Clèves vous accuser de sa mort, me reprocher de vous
20 avoir aimé, de vous avoir épousé, et me faire sentir la
différence de son attachement au vôtre ? Il est impossible, continua-t-elle, de passer par-dessus des raisons si
fortes: il faut que je demeure dans l'état où je suis et dans
les résolutions que j'ai prises de n'en sortir jamais . . . »
25 M. de Nemours se jeta à ses pieds, et s'abandonna à
tous les mouvements dont il était agité. Il lui fit voir, et
par ses paroles et par ses pleurs, la plus vive et la plus
tendre passion dont un cœur ait jamais été touché. Celui
de madame de Clèves n'était pas insensible; et, regardant
30 ce prince avec des yeux un peu grossis par les larmes:
« Pourquoi faut-il, s'écria-t-elle, que je vous puisse accuser de la mort de M. de Clèves ? Que n'ai-je commencé

à vous connaître depuis que je suis libre, ou pourquoi ne vous ai-je pas connue avant d'être engagée ? Pourquoi la destinée nous sépare-t-elle par un obstacle si invincible ? — Il n'y a point d'obstacle, madame, reprit M. de Nemours; vous seule vous opposez à mon bonheur; vous 5 seule vous imposez une loi que la vertu et la raison ne vous sauraient imposer. — Il est vrai, répliqua-t-elle, que je sacrifie beaucoup à un devoir qui ne subsiste que dans mon imagination. Attendez ce que le temps pourra faire. M. de Clèves ne fait qu'expirer, et cet objet funeste est 10 trop proche pour me laisser des vues claires et distinctes; ayez cependant le plaisir de vous être fait aimer d'une personne qui n'aurait rien aimé, si elle ne vous avait jamais vu: croyez que les sentiments que j'ai pour vous seront éternels et qu'ils subsisteront également, quoi que 15 je fasse. Adieu, lui dit-elle; voici une conversation qui me fait honte. »

[Après avoir encore réfléchi sur ce problème de conscience, la princesse se retire au couvent et meurt peu de temps après.]

II. MADAME DE SÉVIGNÉ

(1626–1696)

Madame de Sévigné brille d'une lumière presqu'incomparable dans le domaine de la littérature épistolaire; son seul rival serait Voltaire.

Marie de Rabutin-Chantal naquit à Paris, fut orpheline dès 7 ans. Ce fut son oncle, l'abbé de Coulanges, qui prit soin de son éducation. Il en fit une femme très cultivée, et elle fut très reconnaissante à cet excellent parent. De son côté, elle faisait la joie de son oncle. Elle eut comme précepteurs deux poètes bien connus de l'époque, Ménage et Chapelain. Elle apprit d'eux le latin, l'espagnol, l'italien. Lorsqu'elle parut à la cour elle fut fort recherchée et adulée. A 18 ans, elle épousait le Marquis de Sévigné, lequel mourut dans un duel sept ans après le mariage. Deux enfants étaient nés; un fils et une fille. Cette fille surtout était son orgueil; elle la maria au Comte de Grignan, un descendant d'une des premières familles de Provence, alors à Paris. Peu de temps après le mariage, cependant, le Comte de Grignan fut envoyé comme lieutenant général en Provence. Madame de Sévigné dut donc se séparer de sa fille; elle se consola quelque peu en lui écrivant un grand nombre des lettres qui l'ont rendue célèbre. Elle habitait à Paris l'Hôtel Carnavalet (aujourd'hui transformé en Musée de l'Histoire de la Ville de Paris); en été elle se rendait à sa propriété des Rochers, en Bretagne (près de Vitré). Elle mourut, de petite vérole, lors d'une visite à sa fille en Provence.

Consulter: Il y a beaucoup de livres sur Mme de Sévigné; citons seulement G. Boissier, *Mme de Sévigné* (Coll. Grands écrivains français, Hachette, 1887), A. Hallays, *Mme de Sévigné*, (Plon. 1921).

[Portrait de Mme de Sévigné par Mlle de Scudéry dans *Clélie:* « La princesse Clarinte a les yeux bleus et pleins de feu. Elle danse merveilleusement et ravit les yeux et le cœur; sa voix est douce, juste et charmante, et elle chante d'une manière passionnée. Elle a appris la langue italienne et chante certaines petites chansons qui lui plaisent plus que celles de son pays, parcequ'elles sont plus passionnées. Quant à son esprit je ne sais si je pourrais vous le faire bien comprendre; mais je sais bien qu'il n'en fut jamais un plus agréable, mieux tourné, plus éclairé, ni plus délicat. Elle a l'imagination vive; et l'air de toute sa personne est si galant, si propre et si charmant qu'on ne peut, sans honte, la voir sans l'aimer ... Sa conversation est aisée, divertissante et naturelle; elle parle juste, elle parle bien, elle a même quelquefois certaines expressions naïves et spirituelles qui plaisent infiniment ... Et ce qu'il y a d'avantageux pour elle-c'est qu'elle a tant de jugement qu'elle a trouvé le moyen, sans être ni sévère, ni sauvage, ni solitaire, de conserver la plus belle réputation du monde ... Enfin elle agit avec une telle conduite que la médisance a toujours respecté sa vertu et ne l'a pas fait soupçonner de la moindre galanterie, quoiqu'elle soit la plus galante personne du monde ... Quand il le faut, elle se passe du monde et de la cour, et se divertit dans la campagne, avec autant de tranquillité que si elle était née dans les bois ... Je n'ai jamais vu ensemble tant d'attraits, tant d' enjouement, tant de galanterie, tant de lumières, tant d'innocence et tant de vertu; et jamais nulle autre personne n'a su mieux l'art d'avoir de la grâce sans affectation, de l'enjouement sans folie, de la propreté sans contrainte, de la gloire sans orgueil, et de la vertu sans sévérité. »

Portrait de Mme de Sévigné par Mme de La Fayette, écrit en 1659 par cette dernière, sous un nom supposé et un nom d'homme: — « Votre âme est grande, noble, propre à dispenser des trésors et incapable de s'abaisser aux soins d'en amasser. Vous êtes sensible à la gloire et à l'ambition et vous ne l'êtes pas moins au plaisir; vous paraissez née pour eux et il semble qu'ils sont faits pour vous. Votre présence augmente les divertissements et les divertissements augmentent votre beauté lorsqu'ils vous environnent. Aussi la joie est l'état véritable de votre âme et le chagrin vous est plus contraire qu'à qui que ce soit. Vous êtes naturellement tendre et passionnée, mais à la honte de notre sexe, cette tendresse vous a été inutile (M. de Sévigné n'avait pas rendu Mme de Sévigné heureuse) et vous l'avez renfermée dans le vôtre en la donnant à Mme de La Fayette. »]

1. Cruelle mésaventure d'un courtisan

(Lettre à M. de Pomponne,[1] 1 décembre 1664)

... Il faut que je vous conte une petite historiette, qui est très vraie, et qui vous divertira. Le Roi se mêle depuis peu de faire des vers; MM. de Saint-Aignan [2] et Dangeau [3] lui apprennent comment il faut s'y prendre. Il fit l'autre jour un petit madrigal, que lui-même ne 5 trouva pas trop joli. Un matin il dit au maréchal de Gramont: [4] M. le maréchal, je vous prie, lisez ce petit madrigal, et voyez si vous en avez jamais vu un si impertinent. Parce qu'on sait que depuis peu j'aime les vers, on m'en apporte de toutes les façons. Le maréchal, après 10 avoir lu, dit au Roi: Sire, votre Majesté juge divinement bien de toutes choses: il est vrai que voilà le plus sot et le

---

[1] Marquis de Pomponne (1618–1699), ministre des affaires étrangères sous Louis XIV.

[2] Saint-Aignan, le duc de Beauvilliers (1607–1687), fameux pour sa protection des gens de lettres.

[3] Philippe de Courcillon, marquis de Dangeau (1638–1720), courtisan de Louis XIV, auteur d'un *Journal spirituel*.

[4] Maréchal de Gramont (1604–1678), connu aussi sous le nom de comte de Guiche, personnage considérable de l'époque. Il prit part aux victoires de Condé en Allemagne (1644–1648); et fut l'ambassadeur chargé d'aller demander (1659), au nom du roi, la main de l'Infante d'Espagne, Marie-Thérèse. Il a laissé des *Mémoires* intéressants. Voir lettre 6, ci-dessous.

plus ridicule madrigal que j'aie jamais lu. Le Roi se mit
à rire, et lui dit: N'est-il pas vrai que celui qui l'a fait est
bien fat ? — Sire, il n'y a pas moyen de lui donner un
autre nom — Oh bien ! dit le Roi, je suis ravi que vous
5 m'en ayez parlé si bonnement; c'est moi qui l'ai fait. —
Ah ! Sire, quelle trahison ! que Votre Majesté me le
rende; je l'ai lu brusquement. — Non, M. le maréchal:
les premiers sentiments sont toujours les plus naturels.
Le Roi a fort ri de cette folie, et tout le monde trouve que
10 voilà la plus cruelle petite chose que l'on puisse faire à un
vieux courtisan . . .

2. Le mariage de la Grande Mademoiselle

(Lettre à M. de Coulanges, Paris, le 15 décembre 1670)

[La Grande Mademoiselle, Anne Marie Louise d'Orléans, duchesse
de Montpensier (1627–1693), fille de Gaston d'Orléans, le fils de
Henri IV, et le frère de Louis XIII; elle était donc cousine germaine
de Louis XIV, et douze ans plus âgée que lui. Elle aurait voulu
l'épouser, mais Richelieu et Mazarin s'y opposèrent. Lors des
guerres de la Fronde elle se rangea dans le parti opposé à la cour,
intriguant et espérant faire de son mariage avec le roi la condition
de la paix; Condé l'entretenait dans cette idée; mais le rôle qu'elle
joua mit fin à toutes ses espérances de ce côté. Elle se retira alors
de la cour de 1652–1657; puis à trente ans elle s'éprit follement d'un
petit cadet de Gascogne, capitaine aux armes, le marquis de Puy-
guilhem et qui devint le brillant Lauzun. Douze ans plus tard elle
songea à l'épouser et en demanda elle-même au roi la permission
qui fut accordée le 15 décembre 1670. Cet extraordinaire mariage
n'eut cependant pas lieu. Le petit cadet jouant de sa grande fortune, remit le mariage de quelques jours et le roi reprit sa parole.
Pour quelque raison d'Etat Lauzun passa presque dix ans en prison.
Ce fut sur les instantes prières de Mlle de Montpensier qu'il fut
libéré, et, dit l'histoire, ils furent liés dès lors par un mariage secret.
Mais les dernières années de leur vie furent loin d'être heureuses.
Voir, Duc de la Force, *Vie Amoureuse de la Grande Mademoiselle*, Paris,
1929 (deux petits volumes).
    Le marquis de Coulanges, à qui est adressée la lettre, est cousin

germain de Mme de Sévigné, fils de l'abbé qui l'avait élevée, et en
ce moment en séjour à Lyon.]

Je m'en vais vous mander la chose la plus étonnante,
la plus surprenante, la plus merveilleuse, la plus miracu-
leuse, la plus triomphante, la plus étourdissante, la plus
inouïe, la plus singulière, la plus extraordinaire, la plus
incroyable, la plus imprévue, la plus grande, la plus pe-   5
tite, la plus rare, la plus commune, la plus éclatante, la
plus secrète jusqu'à aujourd'hui, la plus brillante, la
plus digne d'envie; enfin une chose dont on ne trouve
qu'un [1] exemple dans les siècles passés, encore cet exemple n'est-il pas juste; une chose que nous ne saurions   10
croire à Paris, comment la pourrait-on croire à Lyon? une
chose qui fait crier miséricorde à tout le monde; une
chose qui comble de joie Mme de Rohan et Mme d'Hau-
terive; une chose enfin qui se fera dimanche, où ceux
qui la verront croiront avoir la *berlue;* une chose qui   15
se fera dimanche, et qui ne sera peut-être pas faite lundi.
Je ne puis me résoudre à vous la dire, devinez-la, je vous
le donne en trois; *jetez-vous votre langue aux chiens?* Hé
bien! il faut donc vous le dire. M. de Lauzun épouse
dimanche au Louvre, devinez qui? Je vous le donne en   20
quatre, je vous le donne en six, je vous le donne en cent.
Mme de Coulanges dit: Voilà qui est bien difficile à deviner; c'est Mme de la Vallière.[2] Point du tout, madame.
C'est donc Mlle de Retz [3]? Point du tout; vous êtes bien
provinciale! Ah! vraiment, nous sommes bien bêtes! [4]   25

[1] Allusion probable au cas de Marie d'Angleterre, sœur d'Henri
VIII, qui après avoir épousé Louis XII se remaria trois mois après
la mort de ce roi avec le duc de Suffolk, de naissance naturellement
bien inférieure à la sienne et qu'elle avait aimé avant d'être reine.

[2] Favorite de Louis XIV de 1661–1671.

[3] Probablement nièce du fameux Cardinal.

dites-vous, c'est Mlle Colbert.[1]   Encore moins.   C'est
assurément Mlle de Créqui.[2]   Vous n'y êtes pas.   Il faut
donc à la fin vous le dire: il épouse dimanche au Louvre,
avec la permission du roi, mademoiselle, mademoiselle
5 de ... mademoiselle, devinez le nom; il épouse Mademoiselle, la grande Mademoiselle, Mademoiselle, fille de feu
Monsieur, Mademoiselle, petite-fille de Henri IV, Mlle
d'Eu, Mlle de Dombes, Mlle de Montpensier, Mlle d'Orléans, Mademoiselle, cousine germaine du roi, Mademoi-
10 selle, destinée au trône, Mademoiselle, le seul parti de
France qui fût digne de Monsieur.[3]   Voilà un beau sujet
de discourir.   Si vous criez, si vous êtes hors de vous-
même, si vous dites que nous avons menti, que cela est
faux, qu'on se moque de vous, que voilà une belle raillerie,
15 que cela est bien fade à imaginer; si enfin vous nous dites
des injures, nous trouvons que vous avez raison; nous en
avons fait autant que vous.   Adieu: les lettres qui seront
portées par cet ordinaire vous feront voir si nous disons
vrai ou non.

3. Effusions maternelles

(Lettre à Mme de Grignan, 9 février 1761)

[Le mariage de la fille de Mme de Sévigné avec le Comte de Grignan
(dont la première femme avait été Henriette d'Angennes, fille de Mme
de Rambouillet) avait eu lieu le 29 janv. 1669. Un an après le mariage
le comte fut nommé gouverneur de Provence; il partit pour son poste
au mois d'avril et sa femme était en voyage pour le rejoindre quand
cette lettre fut écrite.]

20   Je reçois vos lettres comme vous avez reçu ma bague;
je fonds en larmes en les lisant; il me semble que mon

---

[1] Deuxième fille du ministre des finances de Louis XIV.
[2] Nièce du célèbre maréchal.
[3] Philippe de France, duc d'Orléans, frère de Louis XIV.

cœur veuille se fendre par la moitié; on croirait que vous
m'écrivez des injures, ou que vous êtes malade, ou qu'il
vous est arrivé quelque accident, et c'est tout le contraire; vous m'aimez, ma chère enfant, et vous me le
dites d'une manière que je ne puis soutenir sans des 5
pleurs en abondance. Vous continuerez votre voyage
sans aucune aventure fâcheuse; lorsque j'apprends tout
cela, qui est justement tout ce qui me peut être le plus
agréable, voilà l'état où je suis. Vous vous amusez donc
à penser à moi, vous en parlez, et vous aimez mieux 10
m'écrire vos sentiments que vous n'aimez à me les dire;
de quelque façon qu'ils me viennent, ils sont reçus avec
une sensibilité qui n'est comprise que de ceux qui savent
aimer comme je fais. Vous me faites sentir pour vous
tout ce qu'il est possible de sentir de tendresse; mais si 15
vous songez à moi, soyez assurée aussi que je pense continuellement à vous: c'est ce que les dévots appellent une
pensée habituelle; c'est ce qu'il faudrait avoir pour Dieu,
si l'on faisait son devoir; rien ne me donne de distraction;
je vois ce carrosse qui avance toujours, et qui n'approchera 20
jamais de moi: je suis toujours dans les grands chemins, il me semble que j'ai quelquefois peur que ce carrosse ne verse; les pluies qu'il fait depuis trois jours me
mettent au désespoir; le Rhône me fait une peur étrange.
J'ai une carte devant mes yeux, je sais tous les lieux où 25
vous couchez: vous êtes ce soir à Nevers, vous serez dimanche à Lyon, où vous recevrez cette lettre... Je n'ai
reçu que deux de vos lettres, peut-être que la troisième
viendra, c'est la seule consolation que je souhaite; pour
d'autres, je n'en cherche pas. Je suis entièrement incapa- 30
ble de voir beaucoup de monde ensemble; cela viendra
peut-être, mais il n'en est pas question encore. Les du-

chesses de Verneuil d'Arpajon veulent me réjouir; je
les en ai remerciées; je n'ai jamais vu de si belles âmes
qu'il y en a dans ce pays-ci. Je fus samedi tout le jour
chez Mme de Villars, à parler de vous et à pleurer; elle
5 entre bien dans mes sentiments... Aujourd'hui je m'en
vais souper au faubourg tête-à-tête.[1] Voilà les fêtes de
mon carnaval. Je fais tous les jours dire une messe pour
vous; c'est une dévotion qui n'est pas chimérique. Je
n'ai vu Adhémar [2] qu'un moment; je m'en vais lui écrire
10 pour le remercier de son lit: je lui en suis plus obligée que
vous. Si vous voulez me faire un véritable plaisir, ayez
soin de votre santé, dormez dans ce joli petit lit, mangez
du potage, et servez-vous de tout le courage qui me
manque. Continuez à m'écrire. Tout ce que vous avez
15 laissé d'amitiés ici est augmenté: je ne finirais point à
vous faire des compliments et à vous dire l'inquiétude où
l'on est de votre santé...

4. A propos d'une nouvelle mode

(Lettre à Mme de Grignan, 4 avril 1671)

Je vous mandai l'autre jour la coiffure de Mme de Nevers, et dans quel excès la Martin [3] avait poussé cette
20 mode; mais il y a une certaine médiocrité qui m'a charmée, et qu'il faut vous apprendre, afin que vous ne vous
amusiez plus à faire cent petites boucles sur vos oreilles,
qui sont défrisées en un moment, qui siéent mal, et qui
ne sont non plus à la mode présentement que la coiffure
25 de la bien-heureuse reine Catherine de Médicis.[4] Je vis

---

[1] Avec Mme de La Fayette.
[2] Joseph Adhémar de Grignan, frère du comte de Grignan.
[3] Fameuse coiffeuse de ce temps-là. (Voir lettre de Mme de Sévigné
du 18 mars 1671.)   [4] Morte 1598.

hier la duchesse de Sully et la comtesse de Guiche, leurs têtes sont charmantes; je suis rendue, cette coiffure est faite justement pour votre visage; vous serez comme un ange, et cela est fait en un moment. Tout ce qui me fait de la peine, c'est que cette mode, qui laisse la tête décou- 5 verte, me fait craindre pour les dents. Voici ce que *Tro-chanire*,[1] qui vient de Saint-Germain, et moi, nous allons vous faire entendre, si nous pouvons. Imaginez-vous une tête partagée à la paysanne jusqu'à deux doigts du bour-relet; on coupe les cheveux de 10 chaque côté, d'étage en étage, dont on fait de grosses boucles rondes et négligées, qui ne viennent pas plus bas qu'un doigt au-dessus de l'oreille; cela fait quelque chose 15 de fort jeune et de fort joli, et comme deux gros bouquets de cheveux de chaque côté. Il ne faut pas couper les cheveux trop courts: car, comme il faut les friser *naturellement*, les boucles, qui en

emportent beaucoup, ont attrapé plusieurs dames, dont l'exemple doit faire trembler les autres. On met les rubans comme à l'ordinaire, et une grosse boucle nouée entre le bourrelet et la coiffure; quelquefois on la laisse traîner 25 jusque sur la gorge. Je ne sais si nous avons bien représenté cette mode; je ferai coiffer une poupée pour vous l'envoyer; et puis, au bout de tout cela, je meurs de peur que vous ne vouliez point prendre toute cette peine. Ce qui est vrai, c'est que la coiffure que fait Montgobert n'est plus suppor- 30 table. Du reste, consultez votre paresse et vos dents; mais

[1] Nom d'amitié de Mme de la Troche, amie de Mme de Sévigné.

ne m'empêchez pas de souhaiter que je puisse vous voir coiffée ici comme les autres. Je vous vois, vous m'apparaissez, et cette coiffure est faite pour vous: mais qu'elle est ridicule à certaines dames, dont l'âge ou la beauté ne
5 conviennent pas !

[Passage ajouté par Mme de la Troche:

Mme de Sévigné a voulu avoir l'avantage de vous décrire cette coiffure; mais, ma belle, c'est moi qui lui dictais. Madame, vous serez ravissante; tout ce que je crains, c'est que vous n'ayez regret à vos cheveux. Pour vous fortifier, je vous apprends que la reine, et tout ce qu'il y a de filles et de femmes qui se coiffent à Saint-Germain, achevèrent hier de les faire couper par La Vienne[1]; car c'est lui et Mlle de La Borde qui ont fait toutes les exécutions. Mme de Crussol[2] vint lundi à Saint-Germain, coiffée à la mode; elle alla au coucher de la reine, et lui dit: Ah ! madame, votre majesté a donc pris notre coiffure ? Votre coiffure ? lui répondit la reine; je vous assure que je n'ai point voulu prendre votre coiffure; je me suis fait couper les cheveux, parce que le roi les trouve mieux ainsi: mais ce n'est point pour prendre votre coiffure. On fut un peu surpris du ton avec lequel la reine lui parla. Mais voyez un peu aussi où Mme de Crussol allait prendre que c'était sa coiffure, parce que c'est celle de Mme de Montespan, de Mme de Nevers, de la petite Thianges,[4] et de deux ou trois autres beautés charmantes qui l'ont hasardée les premières. Je vous ai vue vingt fois prête à l'inventer; cela me fait croire que vous n'aurez point de peine à comprendre ce que nous vous en écrivons. Mme de Soubise, qui craint pour ses dents, parce qu'elle a déjà été une fois attrapée aux coiffures à la paysanne, ne s'est point fait couper les cheveux; et Mlle de La Borde lui a fait une coiffure qui est tout aussi bien que les autres par les côtés: mais le dessus de sa tête n'a garde d'être galant, comme celles dont on voit la racine des cheveux. Enfin, madame, il n'est question d'autre chose à Saint-Germain; et moi, qui ne veux point me faire couper les cheveux, je suis ennuyée à la mort d'en entendre parler.]

Cette lettre est écrite hors d'œuvre chez *Trochanire.*
La comtesse (*de Fiesque*) vous embrasse mille fois; le

----

[1] Baigneur à la mode, devenu plus tard celui du roi.
[2] Fille unique du duc de Montausier et de Julie d'Angennes.
[3] Nièces de Mme de Montespan.

comte, que j'ai vu tantôt, voudrait bien en faire autant:
je lui ai dit votre souvenir, et le dirai à tous ceux que je
trouverai en chemin.

Après tout, nous ne vous conseillons point de faire
couper vos beaux cheveux; et pour qui? bon Dieu! cette 5
mode durera peu, et est mortelle pour les dents: tapon-
nez-vous seulement par grosses boucles comme vous faisiez
quelquefois: car les petites boucles rangées de Montgobert sont justement du temps du roi Guillemot.[1]

5. La mort tragique de Vatel, maître-d'hôtel du grand Condé

(Lettre à Mme de Grignan, 26 avril 1671)

[L'événement relaté dans cette lettre se passa lors des grandes
fêtes que le vainqueur de Rocroy offrit, dans sa somptueuse résidence
de Chantilly, à Louis XIV.]

Il est dimanche 26 avril, cette lettre ne partira que 10
mercredi; mais ce n'est pas une lettre, c'est une relation
que Moreuil [2] vient de me faire de ce qui s'est passé à
Chantilly touchant Vatel. Je vous écrivis vendredi qu'il
s'était poignardé: voici l'affaire en détail. Le roi arriva
le jeudi au soir; la promenade, la collation dans un lieu 15
tapissé de jonquilles, tout cela fut à souhait. On soupa,
il y eut quelques tables où le rôti manqua, à cause de
plusieurs dîners, à quoi l'on ne s'était point attendu: cela
saisit Vatel, il dit plusieurs fois: Je suis perdu d'honneur,
voici un affront que je ne supporterai pas. Il dit à Gour- 20
ville:[3] La tête me tourne; il y a douze nuits que je n'ai

---

[1] Probablement le *roi Guillot*, de la *Comédie des Proverbes*. On
ne sait qui Mme de Sévigné veut désigner sous ce nom.

[2] Personnage inconnu aux éditeurs.

[3] Agent politique et financier sous Louis XIV; ami intime de
Condé (1625-1703).

dormi; aidez-moi à donner des ordres. Gourville le sou-
lagea en ce qu'il put. Le rôti, qui avait manqué, non pas
à la table du roi, mais aux vingt-cinquièmes, lui revenait
toujours à l'esprit. Gourville le dit à M. le prince.[1] M.
5 le prince alla jusque dans la chambre de Vatel, et lui dit:
Vatel, tout va bien, rien n'était si beau que le souper du
roi. Il répondit: Monseigneur, votre bonté m'achève; je
sais que le rôti a manqué à deux tables. Point du tout,
dit M. le prince, ne vous fâchez point, tout va bien.
10 Minuit vint, le feu d'artifice ne réussit pas, il fut couvert
d'un nuage; il coûtait seize mille francs. A quatre heures
du matin, Vatel s'en va partout, il trouve tout endormi, il
rencontre un petit pourvoyeur qui lui apportait seulement deux charges de marée; il lui demande: Est-ce là
15 tout? Oui, monsieur. Il ne savait pas que Vatel avait
envoyé à tous les ports de mer. Vatel attend quelque
temps; les autres pourvoyeurs ne vinrent point; sa tête
s'échauffait, il crut qu'il n'aurait point d'autre marée; il
trouva Gourville, il lui dit: Monsieur, je ne survivrai
20 point à cet affront-ci; Gourville se moqua de lui. Vatel
monte à sa chambre, met son épée contre la porte, et se
la passe au travers du cœur; mais ce ne fut qu'au troisième coup; car il s'en donna deux qui n'étaient point
mortels; il tombe mort. La marée cependant arrive de
25 tous côtés; on cherche Vatel pour la distribuer, on va à
sa chambre, on heurte, on enfonce la porte, on le trouve
noyé dans son sang; on court à M. le prince, qui fut au
désespoir. M. le duc [2] pleura, c'était sur Vatel que tour-
nait tout son voyage de Bourgogne. M. le prince le dit
30 au roi fort tristement: on dit que c'était à force d'avoir

[1] Le prince de Condé.
[2] Le duc d'Enghien, fils de Condé.

de l'honneur à sa manière, on le loua fort, on loua et blâma son courage. Le roi dit qu'il y avait cinq ans qu'il retardait de venir à Chantilly, parce qu'il comprenait l'excès de cet embarras. Il dit à M. le prince qu'il ne devait avoir que deux tables, et ne se point charger de tout; il jura qu'il ne souffrirait plus que M. le prince en usât ainsi; mais c'était trop tard pour le pauvre Vatel. Cependant Gourville tâcha de réparer la perte de Vatel; elle fut réparée, on dîna très-bien, on fit collation, on soupa, on se promena, on joua, on fut à la chasse; tout était parfumé de jonquilles, tout était enchanté.[1] Hier, qui était samedi, on fit encore de même; et le soir le roi alla à Liancourt,[2] où il avait commandé un *media noche;*[3] il y doit demeurer aujourd'hui. Voilà ce que Moreuil m'a dit, espérant que je vous le manderais. Je jette mon bonnet par-dessus les moulins, et je ne sais rien du reste. M. d'Hacqueville, qui était à tout cela, vous fera des relations sans doute; mais, comme son écriture n'est pas si lisible que la mienne, j'écris toujours; et si je vous mande cette infinité de détails, c'est que je les aimerais en pareille occasion.

[1] Gourville dit dans ses *Mémoires* que cette fête coûta à M. le Prince plus de 180,000 livres.

[2] Liancourt, à quelques lieues de Chantilly; une belle terre laissée au prince de Marsillac, favori du roi, par le duc et la duchesse de Liancourt, 1674. Cf. note 4, page 390.

[3] « Terme qui a passé de l'espagnol dans le français pour signifier un repas en viande qui se fait immédiatement après minuit sonné, lorsqu'un jour maigre est suivi d'un jour gras. » (*Dict. de l'Académie*, 1694).

6. Le comte de Guiche au passage du Rhin

(Lettre à Mme de Grignan, 3 juillet 1672)

[Voir plus haut l'*Epître* de Boileau sur ce sujet.]

... Vous devez avoir reçu des relations très-exactes;
elles vous auront fait voir que le Rhin était mal défendu; [1]
le grand miracle, c'est de l'avoir passé à la nage. M. le
prince [2] et ses Argonautes furent dans un bateau: les pre-
5 mières troupes qu'ils rencontrèrent au delà demandaient
quartier, quand le malheur voulut que M. de Longueville,[3]
qui sans doute ne l'entendit pas, s'approche de leurs retranchements, et, poussé d'une bouillante ardeur, arrive
à la barrière, où il tue le premier qui se trouve sous sa
10 main: en même temps on le perce de cinq ou six coups.
M. le duc [4] le suit, M. le prince suit son fils, et tous les
autres suivent M. le prince: voilà où se fit la tuerie, qu'on
aurait, comme vous voyez, très bien évitée, si l'on avait
su l'envie que ces gens-là avaient de se rendre: mais tout
15 est marqué dans l'ordre de la Providence.

Le comte de Guiche [5] a fait une action dont le succès le
couvre de gloire; car, si elle eût tourné autrement, il était
criminel. Il se charge de reconnaître si la rivière est
guéable: il dit qu'oui; elle ne l'est pas: des escadrons en-
20 tiers passent à la nage sans se déranger; il est vrai qu'il
passe le premier: cela ne s'est jamais hasardé; cela réussit,
il enveloppe des escadrons, et les force à se rendre. Vous

---

[1] Montbas, gentilhomme français, au service des États Généraux
des Pays-Bas, avait fait mauvaise garde et les Hollandais avaient pu
à bon droit l'accuser de négligence, sinon de trahison.

[2] Le Grand Condé.

[3] Beau-frère du prince de Condé.

[4] Le duc d'Enghien, fils du prince de Condé.

[5] Maréchal de Gramont. Voir Lettre 1, ci-dessus.

voyez bien que son honneur et sa valeur ne se sont point séparés; mais vous devez avoir de grandes relations de tout cela.

Un chevalier de Nantouillet [1] était tombé de cheval; il va au fond de l'eau, il revient, il y rentre, il revient en- 5 core; enfin il trouve la queue d'un cheval, il s'y attache, ce cheval le mène à bord, il monte sur le cheval, se trouve à la mêlée, reçoit deux coups dans son chapeau, et revient gaillard: voilà qui est d'un sang-froid qui me fait sou- venir d'Oronte, prince des Messagètes. [2] ... Depuis ce 10 premier combat, il n'a été question que de villes ren- dues, de députés qui viennent demander la grâce d'être reçus au nombre des sujets nouvellement conquis par sa Majesté.

N'oubliez pas d'écrire un petit mot à la Troche, [3] sur ce 15 que son fils s'est distingué dans ce passage de rivière; on l'a loué devant le roi, comme un des plus hardis. Il n'y a nulle apparence qu'on se défende contre une armée si victorieuse. Les Français sont jolis assurément; il faut que tout leur cède pour les actions d'éclat et de témérité: 20 enfin il n'y a plus de rivière présentement qui serve de défense contre leur excessive valeur ...

7. Cancans de la cour du grand roi

(Lettre à Mme de Grignan, 5 février 1674)

Il y a aujourd'hui [4] bien des années, ma fille, qu'il vint au monde une créature destinée à vous aimer préférable-

---

[1] Voir p. 118, note 2.

[2] Prince des Messagètes — tribu nomade de l'est de la mer Cas- pienne — qui vainquit et tua le Grand Cyrus du roman de Mlle du Scudéry.

[3] Mme de la Troche. Voir lettre du 4 avril 1671.

[4] Le 5 février 1626, jour de naissance de Mme de Sévigné.

ment à toutes choses; je prie votre imagination de n'aller
ni à droite ni à gauche;

Cet homme-là, Sire, c'était moi-même.[1]

Il y eut hier trois ans que j'eus une des plus sensibles
douleurs de ma vie. Vous partîtes pour la Provence, où
5 vous êtes encore; ma lettre serait longue, si je voulais
vous expliquer toutes les amertumes que je sentis, et que
j'ai senties depuis en conséquence de cette première. Mais
revenons: je n'ai point reçu de vos lettres aujourd'hui, je
ne sais s'il m'en viendra; je ne le crois pas, il est trop tard:
10 j'en attendais cependant avec impatience; je voulais apprendre votre départ d'Aix, afin de pouvoir supputer un
peu juste votre retour; tout le monde m'en assassine, et
je ne sais que répondre. Je ne pense qu'à vous et à votre
voyage: si je reçois de vos lettres, après avoir envoyé
15 celle-ci, soyez en repos: je ferai assurément tout ce que
vous me manderez. Je vous écris aujourd'hui un peu plus
tôt qu'à l'ordinaire . . .

Le père Bourdaloue [2] fit un sermon le jour de Notre-
Dame, qui transporta tout le monde; il était d'une force
20 à faire trembler les courtisans; jamais prédicateur évangé-
lique n'a prêché si hautement, ni si généreusement les
vérités chrétiennes: il était question de faire voir que
toute puissance doit être soumise à la loi, à l'exemple de
Notre-Seigneur, qui fut présenté au temple; enfin, ma
25 fille, cela fut porté au point de la plus haute perfection,
et certains endroits furent poussés comme les aurait
poussés l'apôtre Saint-Paul.

---

[1] Vers de Marot dans une célèbre *Épître* à François Iᵉʳ.
[2] Grand prédicateur de la cour, considéré de son temps comme
plus éloquent que Bossuet même (1632–1704).

L'archevêque de Reims[1] revenait hier fort vite de
Saint-Germain, c'était comme un tourbillon: il croit bien
être grand seigneur; mais ses gens le croient encore plus
que lui.   Ils passaient au travers de Nanterre, *tra, tra,
tra;* ils rencontrent un homme à cheval, *gare, gare:* ce
pauvre homme veut se ranger; son cheval ne veut pas;
et enfin le carrosse et les six chevaux renversent cul par-
dessus tête le pauvre homme et le cheval, et passent par-
dessus, et si bien par-dessus que le carrosse en fut versé et
renversé: en même temps l'homme et le cheval, au lieu
de s'amuser à être roués et estropiés, se relèvent miracu-
leusement, remontent l'un sur l'autre, et s'enfuient, et
courent encore, pendant que les laquais de l'archevêque
et le cocher, et l'archevêque même se mettent à crier:
« Arrête, arrête ce coquin, qu'on lui donne cent coups. »
L'archevêque, en racontant ceci, disait: « Si j'avais tenu
ce maraud-là, je lui aurais rompu les bras et coupé les
oreilles. »

Je dînai, hier encore, chez Gourville[2] avec Mme de Lan-
geron, Mme de La Fayette, Mme de Coulanges, Corbi-
nelli, l'abbé Têtu, Briole et mon fils; votre santé y fut
célébrée, et un jour pris pour vous y donner à dîner.
Adieu, ma très-chère et très-aimable; je ne puis vous
dire à quel point je vous souhaite.   Je vous adresse encore cette lettre à Lyon, c'est la troisième: il me semble
que vous devez y être ou jamais.[3]

---

[1] Frère de Louvois.

[2] Nanterre — petite localité pas tout á fait á mi-chemin entre
St.-Germain et Paris.   Patrie de Sainte Geneviève.

[3] Voir p. 387, note 3.

[4] Mme de Grignan, en route pour Paris, y arriva quelques jours
après.

8. Mort de La Rochefoucauld

(Lettre à Mme de Grignan, 17 et 20 mars 1680)

Quoique cette lettre ne parte que mercredi je ne puis m'empêcher de la commencer aujourd'hui, pour vous dire que M. de La Rochefoucauld est mort cette nuit. J'ai la tête si pleine de ce malheur, et de l'extrême affliction de
5 notre pauvre amie,[1] qu'il faut que je vous en parle. Hier samedi, le remède de l'Anglais [2] avait fait des merveilles; toutes les espérances de vendredi, que je vous écrivais, étaient augmentées; on chantait victoire, la poitrine était dégagée, la tête libre, la fièvre moindre, des évacuations
10 salutaires; dans cet état, hier à six heures il tourne à la mort: tout d'un coup les redoublements de fièvre, l'op-pression, des rêveries; en un mot, la goutte l'étrangle traîtreusement; et, quoiqu'il eût beaucoup de force et qu'il ne fût point abattu de saignées, il n'a fallu que
15 quatre ou cinq heures pour l'emporter; et à minuit il a rendu l'âme entre les mains de M. de Condom.[3] M. de Marsillac [4] ne l'a point quitté d'un moment; il est dans une affliction qui ne peut se représenter: cependant il retrouvera le roi et la Cour; toute sa famille se retrouvera
20 à sa place; mais où Mme de La Fayette retrouvera-t-elle un tel ami, une telle société, une pareille douceur, un agré-ment, une confiance, une considération pour elle et pour son fils ? Elle est infirme, elle est toujours dans sa cham-bre, elle ne court point les rues. M. de La Rochefoucauld
25 était sédentaire aussi; cet état les rendait nécessaires l'un

[1] Mme de La Fayette. Voir note d'introduction, p. 366.
[2] Talbot, médecin anglais, avait introduit en France l'usage du quinquina.
[3] Bossuet, alors évêque de Condom.
[4] Fils de La Rochefoucauld.

à l'autre, et rien ne pouvait être comparé à la confiance
et aux charmes de leur amitié. Songez-y, ma fille; vous
trouverez qu'il est impossible de faire une perte plus considérable et dont le temps puisse moins consoler. Je n'ai
pas quitté cette pauvre amie tous ces jours-ci; elle n'allait 5
point faire la presse parmi cette famille; en sorte qu'elle
avait besoin qu'on eût pitié d'elle. Mme de Coulanges a
très bien fait aussi, et nous continuerons quelque temps encore aux dépens de notre rate, qui est toute pleine de tristesse. Voilà en quels temps sont arrivées vos jolies petites 10
lettres, qui n'ont été admirées jusqu'ici que de Mme de
Coulanges et de moi: quand le chevalier [1] sera de retour,
il trouvera peut-être un temps propre pour les donner; en
attendant, il faut en écrire une de douleur à M. de Marsillac; il met en honneur toute la tendresse des enfants, et 15
fait voir que vous n'êtes pas seule; mais, en vérité, vous
ne serez guère imitée. Toute cette tristesse m'a réveillée,
elle me représente l'horreur des séparations, et j'en ai le
cœur serré . . .

Mercredi 20 mars.

Il est enfin mercredi. M. de La Rochefoucauld est 20
toujours mort, et M. de Marsillac toujours affligé, et si
bien enfermé, qu'on ne croirait pas qu'il songe à sortir de
cette maison. La petite santé de Mme de La Fayette
soutient mal une pareille douleur; elle a eu la fièvre, et il
ne sera pas au pouvoir du temps de lui ôter l'ennui de 25
cette privation. Sa vie est tournée d'une manière qu'elle
trouvera tous les jours un tel ami à dire.[2] N'oubliez pas
de m'écrire quelque chose pour elle . . .

<hr>

[1] Chevalier de Grignan.
[2] à dire = à regretter.

9. Représentation d'Esther à Saint-Cyr

(Lettre à Mme de Grignan, 21 février 1689)

[La représentation de l'*Esther* de Racine devant le roi et sa cour, par les demoiselles de Saint-Cyr à l'usage desquelles elle avait été spécialement écrite sur la demande de Mme de Maintenon, fut un évènement mondain de première importance. Sur les suites de cette représentation pour l'École de Saint-Cyr, voir p. 400.]

... Je fis ma cour l'autre jour à Saint-Cyr, plus agréablement que je n'eusse jamais pensé. Nous y allâmes samedi, Mme de Coulanges, Mme de Bagnols, l'abbé Têtu et moi. Nous trouvâmes nos places gardées: un officier
5 dit à Mme de Coulanges que Mme de Maintenon lui faisait garder un siège auprès d'elle; vous voyez quel honneur. Pour vous, madame, me dit-il, vous pouvez choisir; je me mis avec Mme de Bagnols au second banc derrière les duchesses. Le maréchal de Bellefonds vint se mettre,
10 par choix, à mon côté droit, et devant c'étaient Mmes d'Auvergne, de Coislin et de Sully; nous écoutâmes, le maréchal et moi, cette tragédie avec une attention qui fut remarquée, et de certaines louanges sourdes et bien placées, qui n'étaient peut-être pas sous les *fontanges* [1] de
15 toutes les dames. Je ne puis vous dire l'excès de l'agrément de cette pièce; c'est une chose qui n'est pas aisée à représenter, et qui ne sera jamais imitée: c'est un rapport de la musique, des vers, des chants, des personnes, si parfait et si complet, qu'on n'y souhaite rien; les filles qui
20 font des rois et des personnages sont faites exprès; on est attentif, et on n'a point d'autre peine que celle de voir finir une si aimable pièce; tout y est simple, tout y est

---

[1] Une sorte de coiffure lancée par Mlle de Fontanges, « un nœud de ruban que les femmes portent sur le devant de leur coiffure et un peu au-dessus du front. » (*Dictionnaire de Trévoux*.)

innocent, tout y est sublime et touchant; cette fidélité de
l'histoire sainte donne du respect; tous les chants con-
venables aux paroles, qui sont tirées des Psaumes et de
la *Sagesse,* et mis dans le sujet, sont d'une beauté qu'on
ne soutient pas sans larmes; la mesure de l'approbation 5
qu'on donne à cette pièce, c'est celle du goût et de l'attention.   J'en fus charmée, et le maréchal aussi, qui
sortit de sa place pour aller dire au roi combien il était
content, et qu'il était auprès d'une dame qui était bien
digne d'avoir vu *Esther.* Le roi vint vers nos places; et, 10
après avoir tourné, il s'adressa à moi et me dit: « Madame,
je suis assuré que vous avez été contente. »   Moi, sans
m'étonner, je répondis: « Sire, je suis charmée, ce que je
sens est au-dessus de mes paroles. »   Le roi me dit: « Racine a bien de l'esprit. »   Je lui dis: « Sire, il en a beaucoup; 15
mais, en vérité, ces jeunes personnes en ont beaucoup
aussi; elles entrent dans le sujet comme si elles n'avaient
jamais fait autre chose. — Ah ! pour cela, reprit-il, il est
vrai. »   Et puis Sa Majesté s'en alla et me laissa l'objet de
l'envie; comme il n'y avait quasi que moi de nouvelle 20
venue, le roi eut quelque plaisir de voir mes sincères ad-
mirations sans bruit et sans éclat.   M. le prince et Mme
la princesse vinrent me dire un mot; Mme de Maintenon,
un éclair, elle s'en allait avec le roi; je répondis à tout,
car j'étais en fortune.   25

Nous revînmes le soir aux flambeaux; je soupai chez
Mme de Coulanges ...

III. MADAME DE MAINTENON

(1635-1719)

Madame de Maintenon est plus connue encore par le rôle politique
qu'elle a joué que par ses *Lettres.*

Elle est la petite-fille d'Agrippa d'Aubigné, le célèbre écrivain protestant du siècle précédent. Françoise d'Aubigné est née à Niort dans le Poitou. A 3 ans elle est emmenée par ses parents huguenots en Amérique, d'où elle revient à 12 ans. En 1648 elle abjure le protestantisme. Ayant eu à souffrir (par la tante qui s'occupait de son éducation) à cause de sa pauvreté et de sa religion, elle accepta pour recouvrer sa liberté, d'épouser le poète invalide Scarron, (1652).[1] Scarron mourut en 1660 lui laissant une pension de deux mille livres. En 1669, Madame de Montespan, qui avait remarqué son intelligence, la fit nommer « gouvernante des enfants du roi ». En 1675 elle reçut la terre de Maintenon, avec le titre de marquise. Le roi l'avait en extrême estime, et à la mort de la reine il l'épousa (seulement, n'étant pas de naissance royale, elle ne porta point le titre de reine). Elle joua, dit-on, un grand rôle dans les affaires politiques du royaume; on lui reproche surtout, à elle, la petite fille d'Agrippa d'Aubigné, d'avoir poussé à la Révocation de l'Édit de Nantes. Son importance en histoire de la littérature vient de ses rapports avec

---

[1] Sur Scarron (1610–1660) Voir J. Jéramec, *Vie de Scarron*. Paris, Gallimard, 1929. Il est le principal représentant, au XVIIe siècle, de ce qu'on nomme « le genre burlesque » — c'est à dire le genre de la parodie. Son œuvre la plus célèbre est *Virgile travesti* dont voici quelques uns des premiers vers:

> ... Je chante cet homme pieux
> Qui vint, chargé de tous ses dieux,
> Et de monsieur son père Anchise,
> Beau vieillard à la barbe grise,
> Depuis la ville où les Grégeois [les Grecs]
> Occirent tant de bons bourgeois
> Jusqu'à celle où le pauvre Rème [Remus]
> Fut tué par son frère même,
> Pour avoir, en sautant, passé
> De l'autre côté d'un fossé.
> Junon, déesse acariâtre,
> Autant ou plus qu'une marâtre,
> Lui fit passer de mauvais jours,
> Et lui fit force vilains tours ...
> Mais enfin, conduit par le destin,
> Il eut dans le pays latin
> Quinze mille livres de rente,
> Tant plus que moins, que je ne mente,
> Et, sans regretter Ilium,
> Fut seigneur du Lavinium ...

l'École de Saint-Cyr, qu'elle fonda (voir plus bas). Elle alla y mourir en 1719, à l'âge de 83 ans.

Consulter: O. Gréard, *Mme de Maintenon, Extraits de ses lettres, avis, entretiens, conversations et proverbes sur l'éducation* avec une *Introduction*, (Hachette, 1886). Voir aussi les excellentes pages sur Mme de Maintenon, dans Doumic, *Saint-Simon et la France de Louis XIV* (Hachette, 1919) chap. V. (selon Doumic, elle n'aurait eu aucune part à la Révocation de l'Édit de Nantes.)

[Portrait de Mme de Maintenon, à vingt-trois ans, par Mlle de Scudéry, dans *Clélie:* — « Lyrianne — c'est le nom qu'on lui prête — était grande et de belle taille mais de cette grandeur qui n'épouvante point et qui sert seulement à la bonne mine. Elle avait le teint uni et fort beau, les cheveux d'un châtain clair et très agréables, le nez très bien fait, la bouche bien taillée, l'air noble, doux, enjoué et modeste, et pour rendre sa beauté plus parfaite et plus éclatante, — elle avait les plus beaux yeux du monde. Ils étaient noirs, brillants, doux, passionnés, et pleins d'esprit; leur éclat avait je ne sais quoi qu'on ne saurait exprimer; la mélancolie douce y paraissait quelquefois avec tous les charmes qui la suivent presque toujours; l'enjouement s'y faisait voir à son tour avec tous les attraits que la joie peut inspirer, et l'on peut assurer après sans mensonge que Lyrianne avait mille appas inévitables. Au reste son esprit était fait exprès pour sa beauté, c'est à dire, il était grand, agréable et bien tourné; elle parlait juste et naturellement, de bonne grâce et sans affectation; elle savait le monde et mille choses dont elle ne se souciait pas de faire vanité. Elle ne faisait pas la belle quoiqu'elle le fût infiniment, de sorte que, joignant les charmes de sa vertu à ceux de sa beauté et de son esprit, on pouvait dire qu'elle méritait sa fortune. »

Portrait de Mme de Maintenon, à cinquante ans, d'après les *Mémoires* des Dames de Saint-Cyr: « Elle avait le son de voix le plus agréable, un ton affectueux, un front ouvert et riant, le geste naturel de la plus belle main, des yeux de feu, les mouvements d'une taille libre et si régulière qu'elle effaçait les plus belles de la cour. Le premier coup d'œil était imposant et comme voilé de sévérité; le sourire et la voix ouvraient le nuage. »]

1. Sur la réforme de Saint-Cyr

(Lettre à Mme de Fontaines, maîtresse générale
des classes, 20 septembre 1691)

[La Maison royale de Saint-Louis, ou École de Saint-Cyr, fondée
en 1685 par Mme de Maintenon, était destinée à recevoir comme
« pensionnaires du roi » des jeunes filles nobles mais indigentes. Il y
avait 80 personnes préposées à l'éducation des 250 « demoiselles »;
celles-ci étaient séparées suivant les âges (de 7 à 20 ans), en quatre
classes, et les classes distinguées par la couleur d'un ruban attaché
sur la robe d'uniforme, qui était noire. La *classe rouge* comprenait
56 élèves au-dessous de 10 ans; la *classe verte*, 56, de 11 à 13 ans;
la *classe jaune*, 65, 14 à 16 ans; la *classe bleue*, 73, 17 à 20 ans. Chaque
classe était partagée en 5 ou 6 bandes, ou familles de 8 ou 10 élèves
groupées d'après le degré de leur instruction. En sortant elles rece-
vaient une dot de 1000 écus sur la cassette royale.

Il y a deux périodes dans l'histoire de l'école; celle précédant les
représentations de Racine (*Esther*, 1689, *Athalie* 1691); et celle
d'après. (Voir lettre de Mme de Sévigné sur la représentation
d'*Esther* p. 396.) Dans la première période, on n'hésite pas à dé-
velopper les talents mondains des demoiselles de Saint Louis; c'était
une sorte d'Hôtel de Rambouillet pour les jeunes filles. Le vrai
Saint-Cyr, celui dont le souvenir est resté, date d'après. La vanité
que les applaudissements de la cour aux représentations de Racine
avaient laissé voir chez les jeunes élèves, alarma Mme de Maintenon.
Elle conçut aussitôt le plan d'une réforme énergique, choisit un
nouveau directeur, remplaça des maîtresses, écarta les lectures mon-
daines, imposa même un uniforme plus simple. La nouvelle discipline finit par prévaloir après quelque opposition; elle proscrivait
le luxe, mais n'imposait aucune privation. Mme de Maintenon chercha
avant tout à être « raisonnable. » Elle écrivait: « Vous savez que ma
folie est de faire entendre raison à tout le monde. » Et Louis XIV
disait, en s'adressant à elle: « Consultons la *Raison*. Qu'en pense
Votre Solidité ? »]

La peine que j'ai sur les filles de Saint-Cyr ne se peut
réparer que par le temps et par un changement entier de
l'éducation que nous leur avons donnée jusqu'à cette
heure; il est bien juste que j'en souffre, puisque j'y ai
contribué plus que personne, et je serai bien heureuse si

Dieu ne m'en punit pas plus sévèrement. Mon orgueil
s'est répandu par toute la maison, et le fond en est si grand
qu'il l'emporte même par-dessus mes bonnes intentions.
Dieu sait que j'ai voulu établir la vertu à Saint-Cyr; mais
j'ai bâti sur le sable. N'ayant point ce qui seul peut faire   5
un fondement solide, j'ai voulu que les filles eussent de
l'esprit, qu'on élevât leur cœur, qu'on formât leur raison;
j'ai réussi à ce dessein: elles ont de l'esprit, et s'en servent
contre nous; elles ont le cœur élevé, et sont plus fières et
plus hautaines qu'il ne conviendrait de l'être aux plus   10
grandes princesses; à parler même selon le monde, nous
avons formé leur raison, et fait des discoureuses pré-
somptueuses, curieuses, hardies. C'est ainsi que l'on
réussit quand le désir d'exceller nous fait agir. Une éducation simple et chrétienne aurait fait de bonnes filles   15
dont nous aurions fait de bonnes femmes et de bonnes religieuses, et nous avons fait de beaux esprits, que nous-
mêmes, qui les avons formés, ne pouvons souffrir; voilà
tout notre mal, et auquel j'ai plus de part que personne.
Venons au remède, car il ne faut pas se décourager; j'en   20
ai déjà proposé à Balbien,[1] qui vous paraîtront peut-
être bien petits; mais j'espère, avec la grâce de Dieu,
qu'ils ne seront pas sans effets. Comme plusieurs petites choses fomentent l'orgueil, plusieurs petites le dé-
truiront.   25

Nos filles ont été trop considérées, trop caressées, trop
ménagées; il faut les oublier dans leurs classes, leur faire
garder le règlement de la journée, et leur peu parler d'autre

---

[1] Mlle Balbien était une femme de confiance particulièrement
entendue dans les questions d'administration domestique. Mme de
Maintenon l'avait chargée de modifier l'uniforme des demoiselles de
Saint-Cyr.

chose. Il ne faut point qu'elles se croient mal avec moi;
ce n'est point leur affliction que je demande; j'ai plus de
tort qu'elles; je désire seulement réparer par une conduite
contraire le mal que j'ai fait. Les bonnes filles m'ont plus
5 fait voir l'excès de fierté qu'il faut corriger que n'ont fait
les mauvaises, et j'ai été plus alarmée de voir la gloire et
la hardiesse de Mlles de *** et de *** que de tout ce que
l'on m'a dit des libertines de la classe. Ce sont des filles
de bonne volonté qui veulent être religieuses, et qui, avec
10 ces intentions, ont un langage et des manières si fières
et si hautaines, qu'on ne les souffrirait pas à Versailles
aux filles de la première qualité.

Vous voyez par là que le mal est passé en nature, et
qu'elles ne s'en aperçoivent pas. Priez Dieu et faites
15 prier pour qu'il change leurs cœurs, et qu'il donne à
toutes l'humilité; mais, madame, il ne faut pas beaucoup
en discourir avec elles. Tout, à Saint-Cyr, se tourne en
discours; on y parle souvent de la simplicité, on cherche
à la bien définir, à la bien comprendre, à discerner ce qui
20 est simple et ce qui ne l'est pas; puis, dans la pratique,
on se divertit à dire: « Par simplicité, je prends la meilleure place; par simplicité je vais me louer; par simplicité, je veux ce qu'il y a de plus loin de moi sur la table. »
En vérité, c'est se jouer de tout, et tourner en raillerie ce
25 qu'il y a de plus sérieux. Il faut encore défaire nos filles
de ce tour d'esprit railleur que je leur ai donné, et que je
connais présentement très opposé à la simplicité; c'est
un raffinement de l'orgueil, qui dit par ce tour de raillerie
ce qu'il n'oserait dire sérieusement. Mais, encore une
30 fois, ne leur parlez ni sur l'orgueil, ni sur la raillerie; il
faut la détruire sans la combattre, et par ne s'en plus
servir; leurs confesseurs leur parleront de l'humilité, et

beaucoup mieux que nous; ne les prêchons plus, et essayez de ce silence qu'il y a si longtemps que je vous demande; il aura de meilleurs effets que toutes nos paroles.

Je suis bien aise que Mlle de * * * se soit enfin humiliée; louons-en Dieu, et ne la louons point; c'est encore une de nos fautes de les trop louer. N'irritez point leur orgueil par de trop fréquentes corrections; mais, quand vous aurez été obligée d'en faire quelqu'une, ne les admirez pas de les avoir bien prises.

Quant à vous, ma chère fille, je connais vos intentions; vous n'avez, ce me semble, nul tort particulier en tout ceci; il n'est que trop vrai que le plus grand mal vient de moi; mais prenez garde, comme les autres, de n'avoir pas votre part dans cet orgueil si bien établi partout qu'on ne le sent presque plus. Nous avons voulu éviter les petitesses de certains couvents, et Dieu nous punit de cette hauteur; il n'y a point de maison au monde qui ait plus besoin d'humilité extérieure et intérieure que la nôtre: sa situation près de la cour, sa grandeur, sa richesse, sa noblesse, l'air de faveur qu'on y respire, les caresses d'un grand roi, les soins d'une personne en crédit,[1] l'exemple de la vanité et de toutes les manières du monde qu'elle vous donne malgré elle, par la force de l'habitude, tous ces pièges si dangereux nous doivent faire prendre des mesures toutes contraires à celles que nous avons prises.

Bénissons Dieu de nous avoir ouvert les yeux; il vous inspire la piété, elle augmente tous les jours chez vous; établissons-la solidement. Ne soyons point honteuses de nous rétracter, changeons nos manières d'agir et de parler, et demandons instamment à Dieu qu'il change

[1] Mme de Maintenon elle-même.

le fond de nos cœurs, qu'il ôte de notre maison cet esprit d'élévation, de raillerie, de subtilité, de curiosité,
de liberté de juger et de dire son avis sur tout, de se
mêler des charges les unes des autres, au hasard de blesser
5 la charité; qu'il ôte cette délicatesse, cette impatience
des moindres incommodités; le silence et l'humilité en
seront les meilleurs moyens. Faites part de ma lettre à
notre mère supérieure; il faut que tout soit commun
entre nous ...

2. Sur la journée d'une enfant raisonnable et l'habitude de la règle

(*Instruction à la classe rouge*, 1701)

10   Mme de Maintenon demanda à Mlle de Provieuse[1] si
elle savait ce que c'était qu'une fille raisonnable. La
demoiselle ne sachant pas trop que répondre à cette
question, Mme de Maintenon lui dit: « Une personne raisonnable, c'est une personne qui fait toujours et à chaque
15 heure du jour ce qu'elle doit faire, qui commence la journée par adorer Dieu de tout son cœur, non pas seulement parce qu'on lui a dit de le faire, ou parce que les
autres le font, mais qui pense tout de bon à s'offrir à
Dieu et tout ce qu'elle fera pendant le jour. Elle se lève
20 promptement, s'habille avec diligence, modestie, et le
plus proprement qu'elle peut; fait bien son lit, arrange
bien ses hardes, aide aux plus petites, si elle a du temps
de reste. Elle descend à la classe, y prie Dieu avec respect et avec dévotion, sans badiner, sans rire, car rien
25 n'est plus sérieux que de prier Dieu. Après cela elle dé-
jeûne aussi de tout son cœur; s'il est permis de parler.

[1] Une des élèves: des fillettes de 7 à 10 ans.

elle le fait; sinon elle garde le silence et s'entretient avec Dieu. Elle va au chœur pour entendre la messe; elle pense à se bien placer, elle regarde si ses compagnes ont de la place; elle se met vis-à-vis d'elles; elle ne regarde point de tous côtés pour voir ceux qui entrent ou qui sortent; elle s'applique aux parties de la messe avec tout le respect et la dévotion dont elle est capable, parce que de toutes les choses de la religion, c'est la plus sainte. Elle retourne à la classe, où elle s'occupe à ce qui est marqué; elle s'applique à bien apprendre à lire, à écrire; si elle est capable de montrer aux autres, elle s'y donne tout entière, comme si sa vie en dépendait; elle écoute avec attention et respect, tâche de comprendre ce que l'on dit et d'en tirer quelque profit pour sa conduite intérieure ou extérieure, selon la matière dont on parle. Avant d'aller dîner, elle fait son examen particulier, pour voir en quoi elle peut avoir déplu à Dieu dans la matinée, pour lui en demander pardon, et prendre résolution de mieux faire le reste du jour; elle regarde surtout si elle n'est tombée en rien dans le principal défaut dont elle a entrepris de se défaire. Voilà notre personne raisonnable au réfectoire; qu'y fait-elle? Elle y mange de bon appétit; point en gourmande, la tête sur son assiette, mais de bonne grâce et proprement; et puisque Dieu a bien voulu qu'on trouvât du plaisir dans le manger, elle le prend sans scrupule et avec simplicité. Elle écoute la lecture avec encore plus de plaisir, et c'est sa principale attention; elle fait la récréation d'aussi bon cœur que le reste, y apporte la joie, saute, danse, et joue volontiers à tout ce que les autres désirent; elle pense à les réjouir, car cette personne raisonnable fait bien tout ce qu'elle fait, et il ne serait pas raisonnable d'être sérieuse à la récréation, et de n'y vou-

loir jamais parler que de choses graves ou de dévotion.
Elle écoute ensuite la lecture ou l'instruction, tâche de la
retenir, et demande ce qu'elle n'entend pas; elle apporte
la même application aux exercices de l'après-midi qu'elle
5 a fait à ceux du matin; elle travaille de son mieux, elle ne
perd pas un moment de temps, elle chante avec les autres,
et est ravie de chanter les louanges de Dieu; elle écoute
le catéchisme sans ennui, tâchant de s'en bien instruire.
Elle va souper comme elle a dîné, et ensuite à la récréa-
10 tion, où il faut encore bien sauter, se promener, jouer et
rire, car cette personne est fort gaie.

Elle fait la prière et l'examen, et s'ira coucher parfaitement contente de sa journée. »

3. Sur la mauvaise gloire

(*Instruction à la classe jaune*, 1701)

[Les frivolités et les bizarreries de la classe jaune — 14-16 ans—
inquiétèrent particulièrement Mme de Maintenon.]

Il y a longtemps que je vous parle de cet orgueil mal
15 placé que je tâche de détruire à Saint-Cyr, et cependant
je l'y trouve encore. Je ne saurais comprendre ce qu'a
fait une de vous. On l'envoie balayer, et, parce qu'on
lui marque ce qu'elle doit faire, elle s'en choque et dit:
« Une servante ne doit pas me commander; c'est à nous
20 de faire ce que nous voulons. » Peut-on voir une telle insolence ? Quoi ! parce qu'on vous dit: « Vous balayerez
là, » ou: « Vous ferez cela, » vous êtes choquée ! Mais moi,
si on m'envoyait aider une servante, la première chose
que je ferais serait de demander ce qu'elle veut que je
25 fasse, car certainement je ne saurais par où commencer.
Il faut qu'il y ait bien du travers dans votre tête. Et où

en serions-nous, si c'était un affront de s'instruire de gens
au-dessous de soi? On le fait tous les jours, et personne
ne s'avise de s'en croire déshonoré.

On dit à une autre de porter du bois et de balayer; elle
répond qu'elle n'est pas une servante. Non certainement, 5
vous ne l'êtes pas; mais je souhaite qu'au sortir d'ici vous
trouviez une chambre à balayer; vous serez trop heureuse, et vous saurez alors que d'autres que des servantes
balayent. Je me souviens qu'allant un jour chez Mme de
Montchevreuil qui attendait compagnie, elle avait bien 10
envie que sa chambre fût propre, et ne pouvait pas la
nettoyer elle-même parce qu'elle était malade, ni la faire
faire par ses gens, qu'elle n'avait pas alors; je me mis à
frotter de toutes mes forces pour la rendre nette, et je ne
trouvais point cela au-dessous de moi. J'aurais beau 15
frotter votre plancher, aller quérir du bois ou laver la
vaisselle, je ne me croirais point rabaissée pour cela. Que
tout le monde vienne à Saint-Cyr, et qu'on vous trouve
toutes le balai à la main, on ne le trouvera pas étrange et
cela ne vous déshonorera pas. Nous sommes toutes nées 20
demoiselles mais pauvres demoiselles, et comme dit
Jeannette, j'aurais beau m'élever au-dessus du rang où
Dieu m'a fait naître, je ne serai jamais qu'une simple
demoiselle. On ne peut se donner la naissance ni se l'ôter;
ainsi toutes ces choses ne sauraient vous faire mépriser. 25
Il n'y a que les gueux revêtus qui ont cette sotte gloire
et qui croiraient se rabaisser en les faisant ...

VOCABULARY

This vocabulary does not contain common words with which all students are familiar, nor less common words the meaning of which is made obvious by their spelling or by the context.

Abbreviations:
{ arch. — archaïc.
  f. — feminine.
  m. — masculine. }

A

abaisser to lower

abattre to lay down; **s'—** to tumble down

abattu broken down

abbaye *f.* abbey

abbé *m.* priest, father; abbot

abbesse *f.* abbess

abeille *f.* bee

abîme *m.* abyss

abîmer (s'— dans) to lose oneself in

abjurer to renounce

abois (aux) *m.* at bay

abolir to abolish

abonder to abound in

abord *m.* access; arrival; **d'—** at first

aborder to approach

aboutir à to end in; to succeed in

aboyer to bark

abrégé *m.* summary

abreuver to steep, to drench, to water

abri *m.* shelter

absoudre to absolve

abstenir(s') to abstain

abstinence *f.* abstinence; fasting

abstraire to abstract

abstrait abstract; absent-minded

abuser to abuse

acariâtre shrewish

accabler to overwhelm; to depress

accommodement *m.* accommodation, fitness

accommoder to reconcile; **s'— avec** to agree with; **s'— de** to be satisfied with

accompagnement *m.* retinue; accessory

accompli perfect

accord *m.* agreement; **d'—** in accord

accorder to grant, to reconcile; **s'—à** to be in accord with, to be consistent with

accourir to run to

i

accoutumer to accustom
accrocher (s'—à) to cling to
accroître to increase, to multiply
accueil *m.* welcome
accueillir to greet, to welcome
acheter to buy
achever to achieve, to perfect
acquérir to acquire
acquis acquired, secured
acquitter (s'— de) to fulfill
acte *m.* act; action, deed
action *f.* action, deed; acting; — de grâces thanksgiving
adieu *m.* farewell
admirateur *m.* admirer
adonner (s'—à) to be addicted to
adorer to worship
adoucir to soften
adoucissement *m.* palliation, consolation
adresse *f.* skill, ingenuity
adresser (s'—à) to apply to
adroit skillful, cunning
adulé fawned upon, feted
advenir to happen
adverse opposite
affaiblir to weaken
affaiblissement *m.* weakening
affaire *f.* affair, business; battle
affamé hungry
affété (*arch.*) affected
affèterie (*arch.*) affectation
affiquet *m.* bauble
affliger to afflict, to grieve
affirmer to assert
affranchir to free
affreux awful
affront *m.* insult, outrage
affronter to brave

afin que in order that
âge *m.* age; epoch; life
agencer (s') to bedeck oneself
agir to act; s'— de to be a question of
agiter to agitate, to stir
aggraver to make worse
agonisant dying
agneau *m.* lamb
agrandir to enlarge
agréer to accept, to approve
agrément charm; embellishment
aguerrir to inure, to train
aïeul *m.* grandfather
aïeux *m.* ancestors
aigle *m.* eagle
aigre sour, bitter
aigreur *f.* bitterness
aigrir to embitter
aigu acute, sharp
aiguillon *m.* goad; spur; stimulus
aiguiser to sharpen
aile *f.* wing
ailleurs elsewhere; d'— besides
aimant *m.* magnet
aimer to love, to like
aîné the oldest
ainsi thus, so
air *m.* air, look; en l'— imaginary
airain *m.* brass
aise *f.* ease
aisé easy
aisément easily
ajouter to add
ajustement *m.* attire
alarmer to alarm
allécher to allure
alléger to alleviate. to relieve

Allemagne *f.* Germany
allemand German
aller to go; **s'en —,** to go away; **il y va de** there is at stake
allouer to allow, to grant
allumer to light, to kindle
alors then; **— que** when
altérer to change, to distort
Altesse *f.* Highness
amant *m.* lover
amas *m.* heap
amasser to gather, **to** pile up
âme *f.* soul
amener to bring
amer bitter
amertume *f.* bitterness
ami *m.* friend
amitié *f.* friendship
amollir to soften; to enervate
amorce *f.* bait
amour *m.* love; **—-propre** self love, conceit
amoureux enamored
ampoulé bombastic
an *m.* year
ancêtre *m.* ancestor
ancien *m.* ancient
ancrer to anchor
âne *m.* ass
anéantir to annihilate, to destroy
ange *m.* angel
Angleterre *f.* England
angoisse *f.* anguish
année *f.* year
annoblir to exalt, to extol
antérieur anterior
août *m.* August; harvest
apaiser to appease, to soothe
apercevoir to perceive; **s'— de** to notice

aplanir to flatten, to level
apôtre *m.* apostle
appareil *m.* apparatus, ceremony, pomp
apparemment apparently
apparence *f.* appearance
apparenté related
apparier to pair, to match
appartenir to belong
appas, appât *m.* allurement, charm, bait
appel *m.* call
appeler to call; **— à** to appeal to
applaudir to applaud
applaudissement *m.* applause
appliqué applied, diligent
appliquer to apply
apporter to bring
apprécier to value
appréhender to fear
apprendre to learn; to teach, to apprise of
apprêter to prepare
apprivoiser to tame
approche *f.* approach, coming
approcher to approach
approfondir to fathom
appui *m.* support
appuyer to support; to lean; to insist
après after, afterwards; **d'—** from, according to
après-midi *m. f.* afternoon
aquilon *m.* Northwind
arbitre *m.* arbiter; master
arbre *m.* tree
arbuste *m.* bush
arc *m.* bow; arch
archevêché *m.* archbishop's residence (or) diocese
archevêque *m.* archbishop

arène *f.* arena; sand (*arch.*)
argile *m.* clay
armer to arm; to dub
armes *f.* seal, coat of arms
arracher to pull out; to snatch, to wrest
arrêt *m.* stop; decree; sentence
arrêter to stop; to arrest; to decide; s'— à to endeavor
arrière-grand-père great-grandfather
arriver to arrive; to happen
arroger (s'—) to claim, to assume
arrondissement *m.* rounding
arroser to water, to irrigate
ascendant *m.* ancestor; ruling passion; influence
asile *m.* shelter
assaillir to assail
assaisonner to season, to blend
assaut *m.* attack, storm
assemblage *m.* collection, set
assembler to assemble; s'— to gather, to meet together
asseoir (s'—) to sit down
asservir to enslave
assez enough
assiégeant *m.* besieger
assiette *f.* plate
assis seated
assistants *m.* audience, spectators
assister to be present, to stay with, to accompany
assortir to sort, to match, to assemble
assouvir to satiate, to satisfy
assujettir to subdue; s'—à to subject oneself to
astre *m.* star
athée *m.* atheist

attachement *m.* affection
attacher to attach, to tie; s'—à to interest oneself in
atteindre to attain, to reach; to strike
attelage *m.* team
attendant (en —) meanwhile; en — que until
attendre to wait, to expect; s'—à to expect
attendrir to touch, to affect
attentat *m.* attempt, attack, crime
attente *f.* expectation, suspense
attenter à to attempt upon
atténuer to mitigate
attifer to bedizen
attirail *m.* apparatus, attire equipage
attirer to draw, to attract
attrait *m.* attraction, charm
attraper to catch
attribuer to ascribe
au-deçà this side
au-dedans inside
au-delà beyond
au-dessous below
au-dessus above
auditeur hearer
augmenter to increase
aujourd'hui to-day
aumône *f.* alms
auparavant before
auprès de near
aurore *f.* dawn
aussi also, so, as much
aussitôt immediately; — que as soon as
autant as much, as many
autel *m.* altar
auteur *m.* author
autour around

autre other, different
autrefois formerly
autrement otherwise
Autriche *f.* Austria
autrui others
avancer to advance
avant before
avantage *m.* advantage
avant-garde *f.* vanguard
avant-propos *m.* preamble
avare *m.* miser
avec, avecque (*arch.*) with
avenir *m.* future
aventure (à l'—) at random
avertir to warn; to advise
avertissement *m.* warning; notice
avette (*arch.*) bee
aveu *m.* confession; consent
aveugle blind
aveuglément blindly
aveugler to blind
avilissement *m.* degradation
aviron *m.* oar
avis *m.* advice; notice; opinion
avisé cautious
aviser (s'— de) to bethink oneself of
avocat *m.* attorney, lawyer
avoine *f.* oats
avoisiner to border upon
avouer to confess

B

badin jocular, playful
badinage *m.* jocularity, foolishness
badiner to dally, to joke, to trifle
badinerie *f.* jest, foolery
bagatelle *f.* trifle; trinket

bague *f.* ring
baigneur *m.* bather
baiser *m.* kiss
baisser to lower, to cast down
bal *m.* ball, dance
balai *m.* broom
balance *f.* scale
balancer to hesitate; to dispute
balayer to sweep
balotte (*arch.*) ball
banc *m.* bench; row
bandeau *m.* blindfolding band
bannir to banish
baptême *m.* baptism
barbe *f.* beard
barbier *m.* barber
barbon *m.* greybeard
barque *f.* bark, boat
barreau *m.* bar
barrière barrier, fence; **jeu de —** popular game
bas low, base
bas *m.* bottom; **en —** down below
basse-cour *f.* poultry yard
bassement meanly
bassesse *f.* baseness, villany
bataille *f.* battle
bateau *m.* boat
bâtiment *m.* building
bâtir to build
battre to beat; **— des mains** to clap, to applaud; **— la campagne** to rave
baudet *m.* donkey
Bavière *f.* Bavaria
beau beautiful; **avoir —** to try in vain
beaucoup much, lots of
beau-frère *m.* brother-in-law
beau-père *m.* father-in-law

beauté *f.* beauty

bec *m.* beak, bill

bêcher to dig (with a spade)

bedeau *m.* beadle

bégayer to stammer

bel-esprit *m.* wit

bélier *m.* ram

belles-lettres *f.* humanities, literature

belle-sœur *f.* sister-in-law

bénéficier *m.* incumbent

bénir to bless

berceau *m.* cradle

berger *m.* shepherd

berlue *f.* dimness (of sight or mind)

berner to deceive; to haze, to toss in a blanket

besogne *f.* business, work

besoin *m.* need

bête *f.* beast, animal

biais *m.* bias, slant; evasion, way

biaiser to shuffle, to use evasions

bibliothèque *f.* library

bien well; — des many; — que although

bien *m.* good; property; estate

bienfait *m.* benefit, favor

bienfaitrice *f.* benefactor

bienheureux blissful

bienséance *f.* decorum

bientôt soon

bigarré party-colored

billet *m.* note

bisaïeul *m.* great-grandfather

bise *f.* Northwind

bizarre odd

bizarrerie *f.* oddity, caprice, whim

blâmer to blame

blanc white

blanc *m.* whiteness; white meat; — d'Espagne whiting

blancheur *f.* whiteness

blé *m.* wheat; — noir buck-wheat

blesser to wound

blessure *f.* wound

bleu blue

bloc *m.* block, bulk

bœuf *m.* ox

boire to drink

bois *m.* wood

boisson *f.* beverage, drink

boiteux lame

bon good; tout de — in earnest

bond *m.* bound, leap

bondir to bounce, to leap

bonheur *m.* happiness; luck

bonhomme *m.* good fellow; old codger

bonjour *m.* good day

bonnement goodly, simply

bonnet *m.* bonnet, cap

bonté *f.* goodness, kindness

bord *m.* border, bank, edge

border to border

borgne blind in one eye

borne *f.* boundary, bounds; milestone

borner to bound, to limit; to restrain

bossu hunchback

bouc *m.* he-goat; — émissaire scapegoat

bouche *f.* mouth

boucher to plug, to stop

boucle *f.* curl

bouclier *m.* shield

boue *f.* mud

bouger to budge, to move
bougie *f.* candle
bouillant burning, fiery
bouillir to boil
bouillonner to bubble
bouleverser to upset
bourdonnement *m.* buzzing
bourgade *f.* village
bourgeois *m.* commoner
bourgeoisie *f.* middle class
Bourgogne *f.* Burgundy
bourreau *m.* executioner
bourrelet *m.* pad, cushion
bourriquet *m.* little donkey
bout *m.* end, limit; bit
boutique *f.* shop
boutiquier *m.* shopkeeper
bouvier *m.* cowherd
branchage *m.* foliage, boughs
branler to shake
bras *m.* arm
braver to brave, to affront
bravoure *f.* bravery
brebis *f.* sheep
brêche *f.* breach
bredouiller to gibber, to stammer
bref brief, briefly
breuvage *m.* beverage
bréviaire *m.* breviary
bride *f.* bridle; **lâcher la — à** to give rein to
brièvement briefly
brièveté *f.* brevity
brillants (faux—) false diamonds, tinsel
briller to shine
brimade *f.* hazing
brique *f.* brick
briser to break
broche *f.* spit
brodequin *m.* buskin

broderie *f.* embroidery
broncher to stumble
brouet *m.* broth
brouiller to embroil, to confuse
bruit *m.* noise, sound; rumor, fame
brûler to burn; **— de** to long to
brun brown
brusquement quickly, roughly
bruyant noisy, sounding; clamorous
bûcheron *m.* woodcutter
bulle *f.* Pope's bull
but *m.* aim, goal, end
butin *m.* booty
butte *f.* ridge; **en — à** exposed to

C

çà here, now
cabane *f.* cabin, hut
cabinet *m.* study, office
cacher to hide
cachet *m.* seal
cachot *m.* dungeon
c. à d. = c'est à dire that is to say, namely
cajoler to caress, to court, to flatter
calculer to calculate, to estimate
calice *m.* cup, chalice
calmer to soothe, to quiet
calomnie *f.* slander
campagne *f.* country, fields; campaign
campement *m.* encampment
camus flat
canaille *f.* rabble
canal *m.* channel

cancan *m.* gossip

cancre *m.* miser; dunce

canon *m.* cannon

capitaine *m.* captain, chief

capital *m.* principal, the principal thing

car for, because

caractère *m.* temper, spirit; type; — **gras** heavy type

carême *m.* Lent

caresse *f.* caress; favor

carnage *m.* slaughter

carré *m.* square; flower bed

carreau *m.* square; flower bed

carrière *f.* career

carrosse *m.* carriage

carte *f.* chart, card, map

cartésien *m.* disciple of Descartes

cas *m.* case; — **pendable** case for hanging; **faire** — **de** to value

caserne *f.* barracks

casque *m.* helmet

casser to break

cassette *f.* cask; privy-purse

cause *f.* cause; **à** — **que** because

causer to cause, to produce

cave *f.* cave; wine cellar

caverneux hollow

céans in here, within

céder to yield

ceinture *f.* belt

célèbre famous

céler to conceal

céleste heavenly

celui, celle, ceux, celles, this, that, these, those

cendre *f.* ash

censeur *m.* censor, critic

censure *f.* censure, criticism

censurer to censure, to condemn

cependant however; meanwhile

cercle *m.* circle; society, coterie

cercueil *m.* coffin

cerise *f.* cherry

certes indeed

céruse *f.* white lead

cerveau *m.* brain; mind

cervelle *f.* brains

cesse *f.* cease

cesser to cease

chacun each one

chagrin sorry, sorrowful

chagrin *m.* sorrow

chair *f.* flesh, meat

chaire *f.* pulpit

chaise *f.* chair; Sedan chair

chaleur *f.* heat; warmth, ardor

chalumeau *m.* reed, pipe, flute

chamailler to squabble

chambellan *m.* chamberlain

chameau *m.* camel

champ *m.* field; **en** — **clos** in the lists; **sur-le-**— at once

champêtre rustic

champignon *m.* mushroom

chancelant wavering

chandelle *f.* candle

changeant changing, variegated

changer to change, to exchange

chanson *f.* song

chanter to sing

chantre *m.* singer, poet

chanvre *m.* hemp

chapeau *m.* hat

chapiteau *m.* capital

chapitre *m.* chapter

char *m.* chariot

charbon *m.* coal

charbonnier *m.* charcoal-burner

charge *f.* load, burden; care, trust, office; accusation, on-set

charger to load; — **de** to trust with; **se — de** to assume care of

charmant charming, pretty

charrier to cart

charrue *f.* plow

chasser to hunt, to drive away

chat *m.* cat; —-**huant** owl

châtain auburn

château *m.* castle

châtier to punish

chatouiller to tickle

chaud warm, hot

chaume *m.* thatch, thatched roof

chaumine *f.* hut

chausser le brodequin to put on the sock; to become an actor

chaussure *f.* footwear

chef d'œuvre *m.* masterpiece

chemin *m.* road

cheminée *f.* chimney, mantel

cheminer to walk on, to proceed

chemise *f.* shirt

chêne *m.* oak

chenu white

cher dear

chercher to look for

chère *f.* cheer, fare

chèrement dearly

chérir to cherish

cheval *m.* horse

chevalier *m.* knight

chevelure *f.* hair, head of hair

cheveu *m.* hair

chèvre *f.* goat

chevrier *m.* goatherd

chez at, with

chichement niggardly

chien *m.* dog

chiffre *m.* figure, number

chimérique vain, imaginary

chimie *f.* chemistry

Chine *f.* China

Chinois *m.* Chinese, Chinaman

chœur *m.* chorus, choir; chancel

choisir to choose

choix *m.* choice

chômer to cease from work

choquer to shock; **se — de** to take offense at

chose *f.* thing

chrétien *m.* Christian

chrétienté *f.* Christendom

chute *f.* fall; downfall

cicatrisé scarred

ci-dessus above

ci-devant before

ciel *m.* sky, heavens; God

cigale *f.* grasshopper

cigogne *f.* stork

cire *f.* wax

ciré waxed, polished

ciron *m.* worm

ciseaux *m.* scissors

citadelle *f.* fortress

citadin *m.* city-dweller

citer to quote, to summon

citoyen *m.* citizen

citrouille *f.* pumpkin

civil courteous

clair clear; light

clairement clearly

clarté *f.* light, clearness; life; **clartés** notions

classe *f.* class; classroom
clef *f.* key
clerc *m.* clerk; scholar; **cleric**
clergé *m.* clergy
climatérique (année —) 63d year
clinquant *m.* tinsel
cloaque *m.* sink, cesspool
clocher to hobble
clopin-clopant hobbling
clore to close
clôture *f.* enclosure, cloister
coche *m.* stage coach
cocher *m.* coachman
cochon *m.* pig
cœur *m.* heart
coiffer to dress the hair
coiffeuse *f.* hairdresser
coiffure *f.* headdress
coin *m.* corner
col, cou *m.* neck
colère *f.* anger
colère irascible
collier *m.* collar
colonne *f.* column
combattre to fight
combien how much, how many
comble *m.* top, climax
combler to heap, to overwhelm
commander to command, to order
comme as, like; how
commenter to comment, to discuss
commère *f.* friend, pal
commettre to commit
commission *f.* errand
commode easy, convenient
commodément easily, comfortably
commodité *f.* convenience
compagne *f.* companion; wife

compagnie *f.* company, society
comparaison *f.* comparison
compassé arranged, proportioned
compenser to make up for
compère *m.* friend, pal
complaire to please, to comply with
complaisance *f.* complacency
complaisant obliging
complet complete, perfect
complies *f.* compline
complot *m.* plot, conspiracy
comporter to imply
composé compound, composed
comprendre to understand; to comprehend
compromettre to compromise
compte *m.* account; **tenir — de** to give credit for; **trouver son —** to find what one expects
compter to count
comte *m.* count
comtesse *f.* countess
concert (de —) in accord
concerté planned, prearranged
concevoir to conceive
concile *m.* council
concitoyen *m.* compatriot
conclure to conclude
concourir to concur
concours *m.* concourse; competition
condamner to condemn, to censure
condisciple *m.* schoolmate
conduire to lead
conduit *m.* duct
conduite *f.* behavior, conduct; guidance
conférer to bestow

confiance *f.* confidence, trust
confier to confide, to trust
conflit *m.* conflict
conforme conformable
conformément in accord with
confondre to confound, to confuse; to abash
confrère *m.* fellow-member
confusément confusedly
congé *m.* leave
conjuré *m.* confederate
conjurer to implore; to ward off
connaissance *f.* knowledge; acquaintance
connaître to know
connétable *m.* high constable
connu known
conquérant *m.* conqueror
conquérir to conquer
conquête *f.* conquest
consacrer to devote; to hallow
conscient conscious
conseil *m.* advice, plan; counsel; council
conseiller *m.* counselor
conseiller to advise
consentir to consent
conséqence *f.* consequence; tirer à —, to be of importance
conserver to preserve
consommé perfect
consommer to consume; to achieve
conspiration *f.* conspiracy
constatation *f.* ascertaining; statement
consumer (se —) to wear oneself out
conte *m.* tale
contempler to gaze on

contemporain contemporary
contenance *f.* bearing; capacity
contenir to contain, to restrain
contenu *m.* contents
conter to narrate, to relate
contraindre to constrain, to force
contraint compelled
contrainte *f.* constraint, restraint; coercion
contraire contrary, opposite
contrariété *f.* contradiction (*arch.*)
contrat *m.* contract
contre against, counter to
contre-coup *m.* rebound
contredire to contradict
contrefaire to counterfeit, to ape
contrepoison *m.* antidote
contresceau *m.* counterseal
contrôleur *m.* controller
convaincant convincing
convaincre to convince
convenable convenient, suitable; proper
convenir to agree; to suit, to please
convertir to convert
convié *m.* guest
convoiter to covet
coq *m.* cock; — **d'Inde** turkey
coquin *m.* rascal
corbeau *m.* raven, crow
cordeau *m.* cord, rope
Cordelier *m.* Franciscan friar
corne *f.* horn
corneille *f.* rook
corps *m.* body
corriger to correct
corrompre to corrupt

cortège *m.* train, retinue
corvée *f.* toil; toil tax
côte *f.* coast
côté *m.* side, direction
cotillon *m.* petticoat
coton *m.* cotton
cou *m.* neck
couchant *m.* West
coucher *m.* setting (of the sun); bedtime court ceremony
coucher à to spend the night at
couler to flow; se — to slip in
couleuvre *f.* adder
coup *m.* blow, stroke, thrust; deal, deed; time; — **d'essai** first attempt; — **de grâce** finishing stroke; — **d'œil** glance; **tout à** — suddenly; **tout d'un** — all at once
coupable guilty, sinful
coupe *f.* cup
couper to cut, to chop
cour *f.* court, yard
courant *m.* stream
courbé curved, winding, crooked
courber to bend, to curve
courir to run
couronne *f.* crown
couronnement *m.* coronation
couronner to crown
courrier *m.* courier
courroux *m.* wrath
cours *m.* course; stream
course *f.* run; errand; course (*arch.*)
coursier *m.* steed
court short
courtisan *m.* courtier
courtoisie *f.* courteousness; courtesy
cousin germain *m.* first cousin

coussinet *m.* pad, cushion
cousu d'or rolling in gold
coûter to cost
coûteux costly
coutume *f.* custom
couvée *f.* brood
couvent *m.* convent
couver to brood
couvert covered; palliated; **à** — sheltered
couverture *f.* cover; blanket
couvrir to cover, to protect
cracher to spit
craindre to fear
crainte *f.* fear
créance *f.* belief (*arch.*)
créancier *m.* creditor
crédit *m.* favor
credo *m.* creed
créer to create, to originate
creuser to dig
creuset *m.* crucible; test
creux hollow
crever to burst; to die
cri *m.* cry, clamor
crier to cry, to yell
critique *m.* critic, censurer
critique *f.* criticism
critiquer to criticize
croasser to caw
crocheteur *m.* porter
croire to believe
croiser to cross
croissant growing
croissant *m.* crescent
croître to grow
croix *f.* cross; — **ou pile** head or tail
croquer to devour
croupe *f.* rump; **en** — behind rider
croyable credible

croyance *f.* belief
cruauté *f.* cruelty
crucifié crucified
crue *f.* growth, swelling
crûment bluntly
cueillir to pick, to gather
cuir *m.* leather, skin
cuire to cook
cuisinier *m.* cook
cul *m.* posterior; — **par-dessus** **tête** head over heels
culotte *f.* breeches
culte *m.* worship
cultivé cultured
cultiver to cultivate; to farm
culture *f.* cultivation, farming
cure *f.* care; healing; rectory
curé *m.* parson
cygne *m.* swan

D

daigner to deign
dais *m.* canopy
danser to dance
Dauphin *m.* eldest son of the King of France
davantage more
débat *m.* debate, discussion
débattre to debate, to discuss
débit *m.* sale at retail; delivery
débiter to retail; to deliver, to recite
déborder to overflow
débris *m.* fragment, wreckage
débrouiller to clear up, to unravel
deçà (en —) this side of
décadence *f.* decline, downfall
décédé deceased
déchaîné unchained
déchaîner to turn loose

décharge *f.* discharge; volley
décharger to unload; to discharge, to release
déchirer to tear
déchoir to fall off, to decline
déchu fallen
décider to decide, to settle
déclin *m.* decline
découdre to rip up
décourager to discourage
découvert (à —) uncovered, in the open
découverte *f.* discovery
découvrir to uncover; to discover
décréter to decree
décri (*arch.*) *m.* discredit
décrier to discredit
décrire to describe
déçu disappointed
dédaigneux disdainful
dédale *m.* labyrinth
dedans inside
dédier to dedicate
dédire (se —) to recant, to retract
déduire to deduce, to explain
déesse *f.* goddess
défaire to undo, to unmake; to defeat; — **de** to rid of
défaite *f.* defeat
défavorable unfavorable
défavorisé (*arch.*) unfavored
défectueux defective
défendre to defend; to forbid; **se — de** to keep from
défense *f.* defense; prohibition
déférer to defer, to comply
déferré nonplussed
défi *m.* challenge
défier to challenge; **se — de** to mistrust

définir to define
défriser to uncurl
dégager to free, to clear; to redeem
dégasconner to cure of the Gascon accent
dégoût *m.* disgust, dislike
dégoûter to disgust; **se —** to take a dislike
degré *m.* degree; step
dehors *m.* exterior, appearance, polish
dehors (au —, en —) outside
déjà already
déjeuner *m.* breakfast
delà (au —, en —) beyond
délateur *m.* informer
délibérer to deliberate
délice *m. f.* delight
délié loose
délier to untie, to loosen
délivrance *f.* rescue, deliverance
délivrer to free, to rescue
demain to-morrow
démarche *f.* gait, bearing; step
démêler to clear up, to disentangle
démembrement *m.* dismemberment
démentir to belie, to contradict
demeure *f.* residence
demeurer to reside, to stay
demi half
dénaturé unnatural
dénicher to find out, to turn out
denier *m.* penny; **à deniers comptants** in cash
dénombrement *m.* enumeration
dénoncer to denounce

dent *f.* tooth
dénué destitute, deprived
départ *m.* departure
départir to bestow, to distribute
dépasser to pass, to surpass, to overstep
dépeindre to portray, to describe
dépens *m.* expense, cost
dépenser to spend
dépérir to die out, to decay
dépérit (de —) (*arch.*) perishable
dépit *m.* spite; **en — de** despite
déplaire to displease
déplorer to lament, to mourn
déployer to unfold, to display
déposer to lay down, to deposit; to testify
dépossédé dispossessed, ousted
dépouille *f.* spoil; remains
dépouiller to strip, to cast off; to deprive; to unravel
dépourvu unprovided
depuis since; **— peu** lately
déraciner to uproot
déranger to disturb
dérèglement *m.* disorder
dernier last, latter; supreme
dérober to rob, to steal; to hide
déroute *f.* route
derrière behind
dès from; **— lors** since then; **— que** as soon as
désabuser to undeceive
désagrément *m.* inconvenience
désaltérer to quench thirst
désapprouver to blame
désarmé disarmed
désaveu *m.* disavowal

désavouer to disclaim, to disown

désennuyer to cheer, to divert

désespéré hopeless; in despair

désespoir *m.* despair

déshériter to disinherit

déshonneur *m.* disgrace, dishonor

déshonorer to disgrace

désintéressé unselfish

désintéressement *m.* unselfishness

désintéresser (se—de) to grow indifferent to

désobliger to disoblige, to displease

désordre *m.* disorder

désormais hereafter, henceforth

dessein *m.* design, plan, intention

dessin *m.* drawing, design

dessiner to draw

dessous underneath

dessus above, on

destinée *f.* fate

destitué de deprived of, shorn of

détacher to untie

détaler to scamper away

détendre to unbend, to loosen

déterrer to unearth

détour *m.* turn, shift; evasion, subterfuge

détourner to deter, to divert

détroit *m.* strait

détromper to undeceive

détrôner to dethrone

détruire to destroy

dette *f.* debt

deuil *m.* mourning

devenir to become

dévider to wind into skeins

deviner to guess

devise *f.* motto

devoir *m.* duty; homage

devoir to owe, to be bound, must

dévolu escheated

dévot devout, Godly

dévoué devoted

dévouement *m.* devotion, self-sacrifice

dévouer to devote, to sacrifice

diable *m.* devil

diamant *m.* diamond

dicter to dictate

Dieu *m.* God

diffamer to defame, to slander

différend *m.* quarrel

difficile difficult

digérer to digest; to stomach

digne worthy

dignement worthily

digue *f.* dike, bank

dimanche *m.* Sunday

diminuer to diminish, to decrease

dindon *m.* turkey

dire *m.* saying, word; **au — de** according to

dire to say, to tell

diriger to direct

discerner to discern

discoureur *m.* talker, discourser

discourir to discourse

discours *m.* speech, talk

diseur *m.* teller

disgrâcié disgraced; deformed, uncouth

disparaître to disappear

dispense *f.* dispensation, exemption

dispenser to bestow; — de to excuse from

dissimulé artful

dissimuler to hide, to dissemble

dissiper to scatter, to disperse

distinguer to distinguish, to divide

distribuer to portion out

divers various

divertir to divert, to amuse

divertissement *m.* amusement

docte erudite, learned

dogue *m.* mastiff

doigt *m.* finger, digit

domaine *m.* estate; province, field

domestique *m. f.* servant

dommage *m.* damage; pity

don *m.* gift

donc therefore

donnée *f.* datum, notion

donner to give; — sur to open on, to look out on

dont of whom, of which; from whom, from which

dorénavant hereafter

dorer to gild

dormeur *m.* sleeper

dormir to sleep

dos *m.* back

dot *f.* dowry

doucement softly, sweetly

doucereux mealy-mouthed

douceur *f.* sweetness; harmony

doué gifted, endowed

douleur *f.* pain; grief

doute *m.* doubt

douter to doubt; se — de to suspect

douteux doubtful

doux soft; sweet, gentle

drap *m.* cloth

drapeau *m.* flag, standard

dresser to put up; to train, to drive; se —, to stand

droit *m.* right; law; à bon — rightly

droiture *f.* rectitude, honesty

drôle *m.* rascal

dru hard, thick, brisk

dû due

duc *m.* duke

duper to dupe, to gull

dur hard

durant during

durcir to harden

durée *f.* duration

durer to last

duvet *m.* down

E

eau *f.* water

ébauché rough-hewn

éblouir to dazzle

ébranler to shake, to move

écart (à l'—) aside, in a lonely spot

écarté remote

écarter to put aside; s'— to go astray, to deviate

échafaud *m.* scaffold

échanson *m.* cupbearer

échapper to escape

échauffé heated, ruddy

échauffer to warm up; to inflame

échec *m.* check; failure

échelonner (s'—) to come gradually, at regular intervals

échine *f.* spine

échouer to fail; to run aground

éclair *m.* flash

éclaircir to clear up, to elucidate

éclaircissement *m.* elucidation

éclairer to light; to enlighten

éclat *m.* burst, bit; luster, splendor; **faire de l'—** to make a scene, a sensation

éclatant shining, conspicuous

éclater to break out, to burst; to shine

éclipsé vanished

éclore to hatch, to open, to bloom

éclos open

école *f.* school

écorce *f.* bark

écorcher to skin alive, to scratch

écouler to flow, to elapse

écoutant *m.* listener

écouter to listen

écrasement *m.* crushing, destruction

écraser to crush

écrier (s'—) to exclaim

écrire to write

écrit *m.* writing, book

écriture *f.* handwriting

Écriture *f.* Scripture

écrivain *m.* writer

écu *m.* crown (coin)

écume *f.* foam

écumeux foamy

édifier to edify, to satisfy

édit *m.* edict

éditeur *m.* publisher

effacer to erase

effet *m.* effect; **en —** in fact

efficace efficient

efforcer (s'— de) to endeavor

effrayer to frighten

effroi *m.* fright

effronté bold, brazen

effroyable frightful

égal equal

également equally, likewise

égaler to equal, to match

égalité *f.* equality, evenness

égard *m.* regard, respect; **à l'— de** concerning; in comparison with

égaré lost, strayed

égarement *m.* straying, error

égarer (s'—) to go astray

égayer to cheer, to enliven

égide *f.* shield

église *f.* church

églogue *f.* eclogue

égorger to slaughter

élaborer to work out

élan *m.* transport, flight

élancer (s'—) to rush, to bound

élévation *f.* eminence; pride, haughtiness

élève *m. f.* pupil

élever to raise; to bring up, **s'— contre** to rise against

élider to elide

élire to elect

élite *f.* pick, choice

éloge *m.* praise, eulogy

éloigné distant; different

éloignement *m.* distance, remoteness

éloigner to remove, to dismiss; **s'— de** to digress

élu *m.* elect, chosen

émail *m.* enamel

embarrassé obstructed, crowded; perplexed

embarrasser (s'—) to be embarrassed, to trouble oneself

embellir to beautify

embellissement *m.* embellishment

embonpoint *m.* corpulence

embouchure *f.* mouth

embraser to set on fire

embrasser to embrace, to encircle; to seize

embrouillement *m.* confusion

émeute *f.* riot, tumult

émier (*arch.*) to crumble

éminence *f.* knoll

émissaire (**bouc —**) scapegoat

emmailloter to swaddle

emmener to take away

émouvoir to move, to affect; **s'—** to be roused, to be upset

emparer (**s'— de**) to take possession of

empêcher to prevent, to embarrass; **s'— de** to keep from

empesté infected, stinking

emploi *m.* occupation; use

empoisonnement *m.* poisoning

empoisonner to poison

emporté punched, cut out; hot headed

emporter to carry away; **l'— sur** to win over

empreinte *f.* impression, stamp

empressé officious, earnest

empressement *m.* eagerness, assiduous attention

empresser (**s'—**) to hasten, to be eager to

emprunter to borrow

emprunteur *m.* borrower

ému affected, troubled

émule *m.* rival

en in; as a

enceinte *f.* enclosure, precinct

encens *m.* incense; flattery

encensé flattered

enchaînement *m.* linking, connection

enchâsser to enshrine

enchérir to outbid; to go further

enclos *m.* enclosure

enclume *f.* anvil

encombre *f.* accident

encore again, still, yet; **— que** although

encorné horned

encourir to incur

endormi asleep

endormir to put to sleep

endroit *m.* place, stop

endurer to endure, to suffer

énergique energetic

enfance *f.* childhood

enfantement *m.* creation, invention

enfanter to give birth to, to create

enfer *m.* hell

enfermer to shut in

enfin at last, finally

enflammer to inflame

enflé bloated, swelled; bombastic

enfler to inflate, to swell

enflure *f.* swelling; grandiloquence

enfoncé sunken

enfoncer to sink, to break open, to drive in

enfouir to bury

enfuir (**s'—**) to run away

enfumé smoky

engagement *m.* pledge

engager (**s'— à**) to pledge oneself to

engloutir to ingulf
engraisser to fatten
enhardir (s'—) to grow bold
énigme *f.* puzzle
enivrer to intoxicate
enjambement *m.* overlapping
enjamber to overlap
enjoliver to adorn
enjoué playful, sprightly
enjouement *m.* amusement, merriment
enlever to remove, to take off
ennoblir to dignify, to exalt
ennui *m.* tedium; grief, worry
ennuyer to annoy, to bore
ennuyeux tiresome
énoncer to enunciate, to express
enorgueillir (s'—) to pride oneself
enraciner to root
enregistrer to register
enrhumé having a cold
enrichir to enrich
enseignement *m.* instruction, precept
enseigner to teach
ensemble together
enserrer to lock up, to enclose, to hide
ensuite afterwards
ensuivre (s'—) to ensue, to follow
entaché tainted
entasser to pile up
entendement *m.* mind, intelligence, understanding
entendre to hear; to understand
entendu agreed; conversant, expert
enterrer to bury

entêter (s'— de) to be infatuated with
enthousiaste enthusiastic
entièrement entirely
entonner to intone, to sing
entour (à l'—) around
entourer to surround
entrainer to draw, to drag; to bring about
entre between, among
entrée *f.* entrance; access
entremêler (s'—) to mix in, to meddle
entremise *f.* intervention
entrepercer (s'—) to pierce each other
entreprendre to undertake
entreprise *f.* undertaking
entresuivre (s'—) to follow each other
entretenir to entertain, to keep; to talk with; s'— to converse
entretien *m.* maintenance, support; conversation
entrevoir to catch a glimpse of
entrevue *f.* interview
envahir to invade
envahisseur *m.* invader
envelopper to envelop, to wrap; s'— to involve oneself
envenimer to poison, to exasperate
envers towards
envi (à l'—) in emulation
envie *f.* envy; desire
environ about
environner to surround, to encircle
envisager to view, to face
envoler (s'—) to fly away
envoyer to send

épais thick
épancher to pour, to spread
épandre to spread
épanouir to open; to brighten
épargner to spare, to save
épars scattered
épaule f. shoulder
épée f. sword
épier to spy, to watch
épigone m. continuator
épineux thorny
épître f. epistle
épopée f. epic poem
épouse f. wife
épouser to marry
épouvantable frightful
épouvante f. fright
épouvanter to frighten
époux m. husband
éprendre (s'— de) to fall in
love with
épreuve f. test, proof; experience, trial
épris rapt
éprouver to feel, to experience;
to test
épuiser to exhaust
épurer to purify, to refine
équité f. justice, equity
équivoque f. ambiguity, evasion
ère f. era
ériger to erect, to set up
ermite m. hermit
errement m. wandering (arch.);
error
errer to wander; to err
erreur f. error
erroné erroneous, false
escadron m. squadron
escalier m. stairway
escarmouche f. skirmish

escarpé steep
esclavage m. slavery
esclave m. f. slave
espace m. space
Espagne f. Spain
espagnol Spanish
espèce f. species, brood
espérance f. hope
espérer to hope
espoir m. hope
esprit m. mind, spirit, sense;
wit; bel-— wit
esquisser to sketch
essai m. essay; attempt, trial
essayer to try
essor m. flight, soaring
essuyer to wipe
estropier to cripple
étable f. stable
établir to establish
étage m. story; layer
étaler to display
étape f. stage, stop
état m. state, condition; faire
— de to value
été m. Summer
éteindre to extinguish, to put
out; s'— to die out
étendre to extend, to stretch;
s'— sur to dwell upon
étendu lying; stretched
étendue f. extent, area; grasp
éternuer to sneeze
étincelant sparkling; brilliant
étinceler to sparkle
étoffe f. fabric, material
étoile f. star
étonnant astonishing, stunning
étonner to astonish; s'— to
wonder
étouffer to stifle

étourdi careless; à l'— carelessly

étourdissant stunning

étrange strange

étranger stranger, foreigner

étrangler to choke, to strangle

étrécir to shrink

étreindre to grasp

étroit narrow; strict

étroitement strictly

étude *f.* study

étudier to study; s'— à to school oneself to

Évangile *m.* Gospel

évanouir (s'—) to vanish; to faint

éveiller to wake up

événement *m.* event

évertuer (s'—) to strive

évêque *m.* bishop

éviter to avoid

évoquer to evoke, to call up

examen *m.* examination, self-examination

examinateur *m.* examiner, critic

exaucer to hear, to grant

exclure to exclude; to debar

exécuter (s'—) to comply

exercer to exercise, to practice; to produce

exhausser to raise

expédier to dispatch; to draw up

expérience *f.* experience; experiment

expérimenté experienced

expier to atone for

explication *f.* explanation

expliquer to explain

exposer to expose, to exhibit

exprès purposely

exprimer to express

expulser to expel

exquis exquisite

extase *f.* ecstasy, rapture

extraire to extract

extravagance *f.* folly

extravaguer to rave

F

fabrique *f.* making, manufacture

fabuleux born of fiction, wonderful

façade *f.* façade, front

face *f.* face; en — face to face, en — de facing, opposite

facile easy

fâché sorry; angry

fâcheux sad, vexatious, regrettable

facilement easily

façon *f.* fashion, manner; making; de — que so that

façonner to be ceremonious (*arch.*)

fade insipid

faible *m.* weakness

faible weak

faiblesse *f.* weakness

failli (*arch.*) deficient

faillir to fail; to come near

faim *f.* hunger

faire to do, to make; ne — que de to have just

faisan *m.* pheasant

faisceaux *m. pl.* fasces, bundle

faiseur *m.* maker

fait *m.* fact, deed; avoir son — to be told something disagreeable

fait (homme —) grown up;
  bien — well formed
faîte *m.* summit, roof
falloir to be necessary
fange *f.* mire
fangeux miry
fantaisie *f.* fancy, imagination
fantôme *m.* ghost, phantom
fard *m.* rouge, face paint
fardé painted
fardeau *m.* burden
farine *f.* flour
farouche ferocious, wild
faste *m.* pomp
fastueux gorgeous
fat vain, fop
faubourg *m.* suburb, outskirt,
  slums
faucille *f.* sickle
faucon *f.* falcon
faute *f.* fault, mistake; **— de**
  for want of
fauteuil *m.* armchair
fautif faulty
fauve tawny
faux *f.* scythe
faux false, untrue; **—-bril-**
  lants false diamonds, tinsel
faux *m.* error; forgery
favoriser to favor, **to** endow
fécond prolific; abundant
félicité *f.* happiness, bliss
feindre to feign, to sham
femme *f.* woman; wife
fendre to split, to break, to
  plow
fenêtre *f.* window
féodal feudal
fer *m.* iron; sword; stanchion
ferme firm
fermer to close, to shut

fermier-général *m.* farmer-gen-
  eral
festin *m.* feast, banquet
fêté feted
feu *m.* fire; bonfire; fireplace;
  — d'artifice fireworks
feu late, deceased
feuillage *m.* foliage
feuille *f.* leaf
feuillée *f.* foliage
feuillet *m.* leaf, leaflet
fi fie !
ficelle *f.* string
fidèle faithful
fidèle *m.* believer, worshiper
fier proud
fier (se — à) to trust
fierté *f.* pride
fièvre *f.* fever
figue *f.* fig
figurer (se —) to fancy
fil *m.* thread
filer to spin
filet *m.* net
fille *f.* girl, maid, maiden;
  daughter
fils *m.* son
fin *f.* end, goal; death; **venir**
  à ses fins to succeed
finesse *f.* fineness; artifice,
  craft
fixer (se —) to settle
flambeau *m.* torch
flame (*arch.*) *f.* flame
flamme *f.* flame
flanc *m.* side, flank; bosom
Flandre *f.* Flanders
flatterie *f.* flattery
flatteur *m.* flatterer
fléau *m.* flail; plague
flèche *f.* arrow
fléchir to bend

flétrir to wither; to blemish, to brand

fleur *f.* flower

fleurir to bloom; to flourish

fleurissant flourishing

fleuriste *m.* florist

fleuve *m.* river

floraison *f.* bloom

flot *m.* wave, flood

flottant waving

flotter to float, to waver

foi *f.* faith; fidelity; proof; sur ma — upon my word

foin *m.* hay

foire *f.* fair, market

fois *f.* time, occasion

foison (à —) plentifully

foisonner to abound, to swarm

folie *f.* madness, folly

follement madly, foolishly

fomenter to foment, to stir up

fond *m.* bottom, base; subject matter; à — entirely; bon — good heart

fondateur *m.* founder

fondement *m.* base, foundation

fonder to base; to found

fondre to melt; to pounce

fonds *m.* fund, stock; subject matter

fontaine *f.* fountain, spring

forçat *m.* convict

force lots of, many

force *f.* strength, force; à — de by dint of

forcer to compel

forfait *m.* crime

forger (se —) to imagine

forgeron *m.* blacksmith

fort strong

fort very much

fort *m.* fort, stronghold

fortement strongly

fortifier to fortify, to strengthen

fortune *f.* chance, fate

fou *m.* fool, lunatic

foudre *m. f.* thunderbolt; — d'airain cannon

fougère *f.* fern

fougue *f.* fire, heat, fury

fougueux fiery

fouiller to excavate, to search

foule *f.* crowd

fouler to tread, to trample

fourmi *f.* ant

fourmiller to swarm

fourneau *m.* furnace, stove

fournir to supply

fourré furred

fourrier *m.* quarter-master

fourrure *f.* fur

fourvoyer (se —) to go astray

foyer *m.* hearth; home

fracas *m.* noise, tumult, crash

fraîcheur *f.* coolness

frais cool, fresh; rested

frais *m.* coolness

frais *m. pl.* expense

fraise *f.* strawberry

franc frank, free

franchement frankly

franchir to get over, to over-step

franchise *f.* frankness; freedom

frapper to strike, to hit; to coin

fraternel brotherly

frayeur *f.* fright

frein *m.* brake; restraint

frémir to tremble, to shiver

frère *m.* brother

friand appetizing; fond

fripon *m.* rascal

frisé curly, curled
frissonner to shiver
froid cold
froidement coldly
fromage *m.* cheese
froncer to contract, to knit
fronde *f.* sling; **Fronde** civil war of 1648–1653
front *m.* forehead, head; front; audacity
frotter to rub, to scrub, to polish
fruiterie *f.* fruit store, fruit trade
frustrer to frustrate
fuir to flee; to shun
fuite *f.* flight
fumée *f.* smoke, fume; incense; praise
fumer to smoke
funèbre funereal
funeste fatal
fureur *f.* wrath, fury, frenzy; passion, inspiration
furie *f.* fury
furieux angry, mad, fierce
furtivement furtively
fuseau *m.* spindle
fusil *m.* gun, rifle

G

gage *m.* pledge; token; wager
gager to bet, to lay a wager
gagner to gain, to win; to bribe; to reach
gaillard jolly
gain *m.* gain, profit
galant gallant, pretty
galanterie *f.* gallantry, love affair
galeux mangy

garant *m.* warrantor
garantir to guarantee, to protect, to shield
garçon *m.* boy; son; fellow
garde *m.* guard, keeper
garde *f.* guard; hilt; care; notice; **en —** on guard; **prendre —** to take notice; **prendre — à** to beware of; **être sur ses —s** to be on one's guard
garde-manger *m.* larder, pantry
garder to guard; to keep; **se — de** to keep from
gare beware! look out
gâter to spoil
gauche *f.* left, left hand; **à —** to the left
gaucher *m.* left handed
Gaule *f.* Gaul
gaulois Gallic, Celtic
gazon *m.* grass, lawn
gazouiller to chirp
geai *m.* jay
géant *m.* giant
gelinotte *f.* young fat fowl
gémir to moan, to lament
gêner to inconvenience, to hinder
genou *m.* knee
genre *m.* gender, kind; **— humain** mankind
gens *m.* people
gent *f.* race, tribe
gentilhomme *m.* nobleman, gentleman
gentillesse *f.* nicety
géomètre *m.* surveyor
germain (cousin —) first cousin
gésir to lie; **ci-gît** here lies

geste *m.* gesture

gibet *m.* gallows

gîte *m.* shelter, den, lair, home

glacé frozen, icy

glacer to freeze

glaive *m.* small sword

gland *m.* acorn

glaner to glean

glayeux *(arch.) m.* gladiole iris

glissant slippery

glisser to slip, to slide

gloire *f.* glory

glorifier (se — de) to glory in

gloser to comment; to criticize

glouton glutton

gond *m.* hinge

gorge *f.* throat, breast

goujat *m.* hodman; vulgar
fellow

gourde *f.* gourd, calabash

gourmand greedy, glutton

gourmander to chide

goût *m.* taste

goûter to taste, to enjoy

goutte *f.* drop; gout

gouvernante *f.* governess

gouverner to govern, to rule

grâce *f.* grace, charm; favor;
mercy; thanks; — à thanks
to, owing to

grain *m.* grain, seed

graisse *f.* fat

grand tall; great, grand

grand *m.* grandee, noble

grandeur *f.* greatness; rank

grandir to grow

gras fat; caractère — heavy
type; jour — shrove day

gratter to scratch, to scrape

graver to engrave

gravier *m.* gravel

gravir to climb

gré *m.* liking; au — de at the
mercy of, at the will of;
savoir — to be grateful

Grec, Grecque *m. f.* Greek

Grèce *f.* Greece

greffier *m.* clerk, recorder

grègues *(arch.) f.* breeches

grenadier *m.* pomegranate
tree

grenier *m.* garret

grièvement grievously

griffe *f.* claw, fang

grimaud *m.* dunce, pedant

grimper to climb

gris grey

gronder to grumble; to scold

gros big; pregnant

gros *m.* bulk, mass; en —
grossly, in the main

grosjean *m.* a mere nobody

grosseur *f.* bigness, size

grossier coarse, vulgar

grossièreté *f.* coarseness, rude-
ness

grossir to inflate, to enlarge

grouper to group, to gather

grue *f.* crane

guéable fordable

guère but little

guérir to cure, to heal

guérison *f.* cure, recovery

guerre *f.* war

guerrier *m.* warrior

guet *m.* watch

gueule *f.* mouth (of an animal)

gueux *m.* beggar; — revêtu
beggar on horseback

guinder (se —) to hoist oneself; to be strained

guirlande *f.* garland

H

habile able, skillful, clever

habileté f. ability, skill, cleverness

habiller to dress

habit m. clothes, coat, garment

habitué m. frequenter

haine f. hate

haïr to hate

haire f. hair shirt

haleine f. breath; **de longue — extensive**

halle f. hall; market

hameçon m. hook, bait

happer to nab, to catch

harangue f. address, speech

hardes f. clothes

hardi bold

hardiesse f. boldness, courage

hardiment boldly

haro out upon!

hasard m. hazard, chance; **au — de** at the risk of

hasarder to venture

hâter to hasten

haut high; loud

hautain haughty

hautement highly; loudly

hauteur f. height; haughtiness

hébété dulled, stupefied

hélas alas!

herbe f. herb, grass

hère f. wretch

hériter to inherit

héritier m. heir

hermine f. ermin

hêtre m. beech tree

heure f. hour; **à l'— on time; de bonne — early; sur l'— on the spot**

heurter to jar, to jostle; to knock

hibou m. owl

hier yesterday

historiette f. anecdote

hiver m. Winter

holà hollo! stop!

homme m. man

honnête honest, fair; cultured

honnêteté f. honesty

honneur m. honor

honte f. shame

honteux shameful; ashamed

honteusement shamefully

hoquet m. hiccough; obstacle, obstruction

horloge f. big clock, hourglass

hormis except

hors out; except; **— de** besides; **— d'œuvre** from out to out (arch.)

hôte m. host; guest

hôtel m. private residence

hôtesse f. hostess

houspiller to maul, to tug

housse f. cover

huilé oiled, shiny

huissier m. usher, sheriff's officer

humblement humbly

humeur f. humor, temper

humilier to humble

huppé crested

hurler to howl, to yell

hymen m. marriage

hypocras m. hippocras

I

ici here

idée f. idea, thought

idolâtre m. heathen

idole *f.* idol
île *f.* island
illustrer to illustrate
imaginer (*arch.*) *m.* invention, creation
imiter to imitate
immodéré excessive
immoler to sacrifice
immonde unclean
impair odd
impiteux (*arch.*) pitiless
importer to matter, to be of importance
importuner to pester
impôt *m.* tax
impression *f.* imprint; printing
imprévu unforeseen
imprimer to impress; to print
improviste (à l'—) suddenly, extempore
impuissance *f.* impotence
impuissant powerless
impunément with impunity
imputer to ascribe
incarnat flesh colored
incarner to personify
incertitude *f.* uncertainty, doubt
incliner (s'—) to bow
inclure to include
incommoder to inconvenience
incommodité *f.* inconvenience
inconnu unknown
inconsidéré incautious, thoughtless
inconsidérément incautiously
inconstamment unsteadily
inconstance *f.* inconstancy
incontinent at once
inconvénient *m.* inconvenience; harm; objection

incriminé incriminated, objected to
incroyable incredible
inculquer to inculcate, to impress
indécence *f.* impropriety, obscenity
indigent *m.* poor, needy
indigne unworthy
indigné indignant
indomptable indomitable
indompté unconquered
inébranlable unshakable
inébranlablement immovably
ineffaçable indelible
inégal uneven, unequal; ill-matched
inégalité *f.* unevenness, irregularity
inévitable unavoidable
infaillible infallible
infamie *f.* baseness, shame; infamous action
infidèle unfaithful
infirme invalid
infortune *f.* misfortune
infus in-born
ingénieur *m.* engineer
ingénument candidly, frankly
ingrat ungrateful
inimitié *f.* enmity
initier to initiate
injure *f.* insult, offense, injury
injurieux offensive
inné in-born
innover to innovate
inopinément suddenly
inouï unheard of
inquiet anxious, restless
inquiéter to worry
inquiétude *f.* anxiety, worry
insensé insane. unwise

insensible unfeeling; imperceptible

insensiblement imperceptibly

insérer to insert

insinuer to hint; **s'— dans** to steal into

instruire to educate, to train, to direct

insu (à l'— de) unknown to

insupportable unbearable

insurgé insurgent, rebel

intelligence *f.* understanding

interdit suspended; forbidden

intéressé selfish

intérêt *m.* selfishness

interrompre to interrupt

intervenir to intervene

intraitable untractable, refractory

intrigue *f.* intrigue, plot

introduire to introduce; **s'— dans** to meddle with

inutilement uselessly

inutilité *f.* uselessness

invention *f.* creation

invinciblement invincibly

invoquer to implore, to appeal to; to quote

irrésolu undetermined

irriter to anger; to stir

isolé isolated, lonely

issu born, sprung from

ivoire *m.* ivory

J

jalousie *f.* jealousy

jaloux jealous

jamais never; ever

jambe *f.* leg

jambon *m.* ham

jardin *m.* garden

jardinage *m.* gardening

jaune yellow

jaunisse *f.* jaundice

jeter to throw, to cast

jeu *m.* game, play

jeun *m.* fast; **à —** fasting

jeune young

jeûne *m.* fast, abstinence

jeûner to fast

jeunesse *f.* youth

joindre to add, to join, to unite

jointure *f.* joint

joli pretty

jonc *m.* rush

joue *f.* cheek

jouer to play, to gamble; to act; **— d'adresse** to be more clever; **se — de** to make sport of

jouet *m.* toy, plaything

joug *m.* yoke; bondage

jouir de to enjoy

jour *m.* day, daylight

journalier daily; changeable

journée *f.* day; day work

juge *m.* judge

jugement *m.* judgment; common sense

juger to judge

jurer to swear

jusque, jusques (*arch.*) until, as far as, including; **il n'est pas jusqu'à — qui** even, the very; **jusqu'ici** until now

justifier to justify; to redeem, to sanctify

L

labourage *m.* plowing; plowland

labourer to plow

laboureur *m.* plowman, farmer

lac *m.* lake

lâche lax; cowardly

lâcher to let go, to set loose

lâcheté *f.* cowardice; laxity

lacs *m.* bowstring, slipknot

là-dessus thereupon

lai (**frère —**) lay brother (in monastery)

laid ugly

laine *f.* wool, fleece

laisser to leave, to let; **— de** to fail, to miss

lait *m.* milk

laitage *m.* milk, milk food

laitière *f.* milk woman

lambeau *m.* fragment, shred

lambris *m.* paneling; palace

lance *f.* spear

lancer to cast, to launch

langage *m.* language

langue *f.* tongue; **jeter sa — au chien** to give up guessing

languir to languish

langoureux languishing

lanterne *f.* lantern

laper to lap, to lick up

laquais *m.* lackey

larcin *m.* larceny, robbery

large wide; **au —** at ease (*arch.*)

largesse *f.* gift, munificence

largeur *f.* width

larme *f.* tear

larronnesse *f.* thief

lasser to tire

laurier *m.* laurel, laurel tree

laver to wash, to clean

lécher to lick

leçon *f.* lesson

lecteur *m.* reader

lecture *f.* reading

léger light; **à la légère** thoughtlessly

légèrement lightly, thoughtlessly

légèreté *f.* lightness; levity, fickleness

légitime lawful

légume *m.* vegetable

lendemain *m.* morrow

lent slow

lenteur *f.* slowness

lequel who, whom, which

lettre *f.* letter; **lettres** literature

levée *f.* raising (of a siege)

lever *m.* rising; ceremony incident to the dressing of royalty

lever to lift, to raise; **se —** to get up

lèvre *f.* lip

lévrier *m.* greyhound

lézard *m.* lizzard

liaison *f.* connection, union; intimacy

libéralité *f.* generosity, lavishness

libérer to free

libertin *m.* libertine; free thinker (*arch.*); idler

libraire *m.* bookseller

libre free; **—-penseur** free thinker

librement freely

lier to tie, to bind, to connect

lierre *m.* ivy

lieu *m.* place, spot; occasion, cause; **au — de** instead of; **au — que** while; **avoir —** to take place; **donner —** to give cause; **trouver —** to find occasion

lieue *f.* league

liguer (se —) to league, to conspire

limer to file, to polish

limoneux slimy

lionceau *m.* lion's cub

lippée (franche —) *f.* hearty meal

lire to read

lisible legible

lisse smooth

livre *m.* book

livre *f.* pound, livre

livrer to deliver; — bataille to give battle; se — à to indulge in, to confide in

lit *m.* bed

logement *m.* lodging

loger to lodge, to dwell

logis *m.* house, home

loi *f.* law; principle

lointain distant

loisir *m.* leisure

long long; à la longue in the long run; le — de along

longtemps a long while

longueur *f.* length; delay, duration

lors then; — de at the time of

lorsque when

louable praiseworthy

louange *f.* praise

louer to praise; to hire

loup *m.* wolf

lourd heavy

loyauté *f.* loyalty

luire to shine, to glow

luisant shining, glowing

lumière *f.* light; lumières knowledge, science

lune *f.* moon

lunettes *f.* spectacles

lustre *m.* luster; chandelier

lustre *m.* five year period

lutter to fight, to struggle

luxe *m.* luxury

M

maçon *m.* mason

magasin *m.* store, magazine

maigre thin; faire — to abstain from meat; jour — fish day

maille *f.* mesh

maillot *m.* swaddling clothes

main *f.* hand

maint many a

maintenant now

maintenir to maintain, to support

mais but

maison *f.* house

maître *m.* master, teacher; — d'hôtel majordomo

maîtresse *f.* mistress

mal *m.* evil, misfortune; disease

mal badly; — à propos ill-timed, not to the purpose; faire — à to hurt

malade ill

maladie *f.* illness

maladresse *f.* awkwardness; blunder

malaisé difficult; rough, uneven

malaisément with difficulty

malentendu *m.* misunderstanding

malgré in spite of

malhabile awkward

malheur *m.* misfortune

malheureux unfortunate

malice *f.* mischief; artifice, trick

malin malignant; wicked; cunning

malintentionné ill-disposed

malotru *m.* boor, ill-bred

maltraiter to abuse

mandement *m.* bishop's pastoral letter

mander to write, to let know

manger to eat

manier to handle

manière *f.* manner

manifesto *m.* platform

manoir *m.* manor

manque *m.* lack

manquer to miss, to fail; — **de** to lack

manteau *m.* cloak

manuel *m.* handbook

marais *m.* marsh

marâtre *f.* harsh mother; step-mother

maraud *m.* scoundrel

marbre *m.* marble

marchand *m.* merchant

marche *f.* march; walking

marché *m.* market, bargain; **bon** — cheap; **à si bon** — so easily

marcher to walk, to march

marécage *m.* marsh, swamp

maréchal *m.* marshal

marée *f.* tide; sea food

mari *m.* husband

marier to marry off; **se** — to marry

marjolaine *f.* sweet marjoram

marmite *f.* kettle

marque *f.* mark, sign; token; trademark

marquer to mark, to point out

marquise *f.* marchioness

marri grieved

marteau *m.* hammer

martyre *m.* martyrdom

mascarade *f.* masquerade

masse *f.* mass, pile, weight

masure *f.* tumbledown house

matamore *m.* bully

matelot *m.* sailor

matière *f.* matter, material; subject matter

matin *m.* morning

mâtin *m.* mastiff

matinée *f.* morning

maudire to curse

mauvais bad

méchanceté *f.* wickedness; wicked action

méchant bad, wicked, ill-natured

méconnaître to ignore, to disown

médaille *f.* medal

médecin *f.* physician

médiocre mean, ordinary, average

médiocrement tolerably, poorly

médiocrité *f.* mediocrity, moderation, poorness

médire de to speak ill of

médisance *f.* slander, unkind gossip

médisant *m.* slanderer

mégarde *f.* inadvertence

meilleur better, best

mélange *m.* mixture

mêlé à mixed up with

mêlée *f.* fray, mix-up, battle

mêler to mix, to blend, to mingle; **se** — **de** to meddle with, to dabble in

membre *m.* limb; member

même same, self, very; even; de — likewise

mémoire *m.* memorandum, report

mémoire *f.* memory

ménage *m.* household; married couple

ménager to manage; to spare, to humor

mendiant *m.* beggar

mener to lead

mensonge *m.* falsehood

menteur *m.* liar

mentir to lie

menton *m.* chin

menu tiny

méprendre (se—) to be mistaken

mépris *m.* contempt; au — de in defiance of

méprisant contemptuous

mépriser to scorn

mer *f.* sea

mère *f.* mother

mériter to deserve

merveille *f.* marvel

merveilleux marvellous

mésaventure *f.* mishap

mésintelligence *f.* misunderstanding, disagreement

messager *m.* messenger

messe *f.* holy mass

mesure *f.* measure, moderation; meter, rhythm; à — que in proportion as

mesurer to measure

métier *m.* trade, craft; loom

mettre to put, to place; se — à to begin

mets *m.* meal, dish

meuble *m.* piece of furniture

meunier *m.* miller

meurtre *m.* murder

meurtrir to bruise

midi *m.* noon; acme, zenith; South

miel *m.* honey

miette *f.* crumb; bit

mieux better, best

milieu *m.* middle

mille *m.* thousand; mile

mine *f.* appearance, mien

miné undermined, wasted

ministère *m.* ministry, ministration; function, office

minuit *m.* midnight

minutie *f.* trifle

mirer (se —) to look at one's reflection

miroir *m.* looking glass

misère *f.* misery

miséricorde *f.* mercy, pity

mode *f.* fashion

moelleux soft

mœurs *f.* manners

moindre less, least

moine *m.* monk

moins less, least

mois *m.* month

moisir to grow moldy, to rot

moisson *f.* harvest

moitié *f.* half

mol soft

mollement softly, effeminately

mollesse *f.* softness; indolence, effeminacy

monceau *m.* heap

mondain wordly, sociable

monde *m.* world, people; tout le — everybody

monnaie *f.* money, coin

mont *m.* mount

montagne *f.* mountain

montant steep

monter to go up, to mount; to ride

montre *f.* show, display; watch

montrer to show, to point out, to teach

moquer (se — de) to mock

morceau *m.* fragment, piece

mordant biting

mordre to bite

morfondu chilled, downcast

mort dead

mort *f.* death

mot *m.* word, saying; **bon —** witticism

motif *m.* motive

mou soft, effeminate

mouche *f.* fly

moucher (se —) to blow one's nose

mouchoir *m.* handkerchief

mouiller to moisten, to wet

moulin *m.* mill; **jeter son bonnet par-dessus le —** to throw off all restraint

mourir to die

mousquet *m.* musket

mouton *m.* sheep

mouvante (terre —) quicksand

mouvement *m.* movement; emotion

mouvoir to move

moyen *m.* means, way, medium

moyen-âge *m.* Middle Ages

moyennant by means of, in return for

moyenne *f.* average

mue *f.* molting, coop

muer to molt

muet mute; **sourd-—** deaf and dumb

mule *f.* mule

mule *f.* slipper

mulet *m.* mule

mur *m.* wall

mûr ripe

muraille *f.* wall, rampart

mûrir to ripen

murmurer to murmur, to whisper

museau *m.* snout, mug

mutiné mutinous, rebel

N

nage *f.* swimming

nager to swim

nain *m.* dwarf

naissance *f.* birth

naissant newly born, new

naître to be born, to come to life

naïveté *f.* artlessness

narcisse *m.* narcissus

narine *f.* nostril

naturel *m.* nature, constitution, temper

naufrage *m.* shipwreck

navire *m.* ship

né born

néanmoins nevertheless

nécessiteux needy

nef *f.* ship

négligé careless, plain, slovenly

négliger to neglect, to overlook

nerf *m.* nerve

net neat, clear

nettement neatly, clearly

netteté *f.* clearness, precision

nettoyer to clean

neuf new

neveu *m.* nephew; descendant

nez *m.* nose

ni . . . ni neither . . . nor
nièce *f.* niece
nier to deny, to disown
nigaud *m.* simpleton
niveau *m.* level; height
noblesse *f.* nobleness; nobility
nœud *m.* knot, tie, bow
noir black
nom *m.* name, renown
nombre *m.* number, harmony
nommer to name; to appoint
non no; — **plus** no more, nor
. . . neither
nonce *m.* nuncio
nonchalance *f.* heedlessness,
indolence; simplicity
nonobstant notwithstanding
nord *m.* North
nouer to knot, to tie; to
form
nourrice *f.* nurse
nourrir to nourish, to feed, to
foster
nourriture *f.* food
nouveau new; **de** — again
nouveauté *f.* novelty
nouvelle *f.* news
nouvellement newly, recently
novice inexperienced, green
noyau *m.* core; nucleus
noyer to drown
nu nude, bare
nuage *m.* cloud
nuance *f.* shade
nuancé shaded
nue *f.* cloud; skies
nuée *f.* cloud; host, swarm
nuire to harm
nuisible harmful
nuit *f.* night, darkness
nul no one
nullement not at all

O

obéir to obey
obéissance *f.* obedience
obligé obliged; indebted to
obliger to oblige; to compel
obole *f.* mite
obscurcir to darken
obscurément in obscurity
obscurité *f.* darkness
obtenir to obtain
occident *m.* West
occire (*arch.*) to kill
odieux hateful
odorat *m.* sense of smell
œil *m.* eye
œillet *m.* carnation flower
œuf *m.* egg
œuvre *f.* work; **hors d'**—
from out to out (*arch.*);
mettre en — to put to use
offensé *m.* offended party
offenser to offend, to insult, to
abuse
officieux obliging
offre *f.* offer
offrir to offer
offusquer to obscure, to darken
oignon *m.* onion, bulb
oira (*arch.*) will hear
ois (*arch.*) listen, hear
oiseau *m.* bird
oisiveté *f.* idleness
ombrage *m.* shade
ombrager to shade
ombre *f.* shadow, shade; ghost
once *f.* ounce
oncle *m.* uncle
onde *f.* wave, water
ongle *m.* nail, claw, talon
opiner to give one's opinion

opiniâtre obstinate
opiniâtreté *f.* obstinacy
opposé opposed, opposite
opposition *f.* objection, contradiction
opprimer to oppress
opter to choose
or *m.* gold
or now, well
orage *m.* storm
orageux stormy
oraison *f.* oration; prayer
oralement orally, verbally
oranger *m.* orange tree
ordinaire usual
ordinaire *m.* ordinary messenger
ordonnance *f.* prescription
ordonner to order, to arrange; to ordain
ordre *m.* order; holy order
ordure *f.* filth, dirt
oreille *f.* ear
orge *m. f.* barley
orgueil *m.* pride
orgueilleux proud, haughty
orient *m.* East
orienter (s'—) to take one's bearings, to set towards
originaire native
orner to adorn
orphelin *m.* orphan
orthographe *f.* correct spelling
os *m.* bone
oser to dare
ôter to remove, to take off
ou or; — bien or else
où where, in which
oubli *m.* oblivion
oublier to forget
ouïr to hear
ours *m.* bear

outrager to insult
outre besides
ouvert open
ouverture *f.* opening; overture
ouvrage *m.* work
ouvrier *m.* workman, craftsman
ouvrir to open
oyez (*arch.*) hear ye

P

païen heathen
paille *f.* straw
pain *m.* bread
pair even
paisible peaceful
paisiblement peacefully
paix *f.* peace
palais *m.* palace
pâleur *f.* pallor
pâlir to grow pale
pallier to palliate, to excuse
pâmer to faint
panier *m.* basket
paon *m.* peacock
pape *m.* Pope
papier *m.* paper
papillon *m.* butterfly
paquet *m.* parcel, package
paraître to appear
parbleu of course, zounds!
parcelle *f.* particle, fragment
parce que because
parcourir to go over
par-dessus above
pardonner to forgive
pareil like, equal
parent *m.* parent, relative
parer to adorn
paresse *f.* laziness
paresseux lazy

parfait perfect
parfaitement perfectly
parfois at times
parfum *m.* perfume
pari *m.* bet, wager
parjure *m.* perjury
parler to speak, to talk; to gossip
parleur *m.* talker
parmi amidst, among
paroisse *f.* parish
parole *f.* speech, word; promise; surrender
part *f.* part, share; à — aside; nulle — nowhere; quelque — somewhere
partage *m.* division, lot, share
partager to divide; to partake
partant hence, consequently
partement (*arch.*) *m.* departure
partenaire *m.* partner
parterre *m.* pit (of a theater)
parti *m.* party; decision; match; prendre — pour to take the side of; tirer — de to make the best of
partie *f.* part
partir (*arch.*) *m.* departure; au — de on leaving
partir to depart
partout everywhere
parvenir to arrive, to succeed
pas *m.* step, pace; footstep
pas not
passage *m.* crossing
passager temporary, short-lived
passé *m.* past
passer to pass, to ferry across; to spend; to overlook; — en nature to become natural;

— par-dessus to overlook; se — de to do without
pasteur *m.* shepherd; pastor
pâtir to suffer
pâtre *m.* shepherd
patrice *m.* patrician
patrie *f.* fatherland
patte *f.* paw
pâturage *m.* pasture
pauvre poor
pauvreté *f.* poverty; poorness, mediocrity
pays *m.* country, land, village
paysan *m.* peasant
Pays-bas *m.* Netherlands
péage *m.* toll
peau *f.* skin
peautre (*arch.*) *m.* face paint
peccadille *f.* slight offense
péché *m.* sin
pécher to sin
pêcher to fish
pécheresse *f.* sinner
pécheur *m.* sinner
pêcheur *m.* fisherman
peindre to paint, to portray
peine *f.* pain; punishment; trouble, difficulty; à — scarcely
peinture *f.* painting
pelé hairless
pèlerinage *m.* pilgrimage
penchant *m.* slope; inclination
pencher to lean, to bend
pendable worth hanging
pendant hanging
pendant during; — que while
pendre to hang
pénétrer to fathom; to affect, to move
pénible painful, hard
pénitence *f.* penance

pensée *f.* thought
penser to think
perçant piercing, keen
percer to pierce, to open up
percher to perch
perclus stricken, crippled
perdre to lose
perdrix *f.* partridge
perdu lost; bewildered; — **d'honneur** ruined in reputation
perdu *m.* lost man, madman
perfectionner to improve
période *f.* epoch; phrase, period
périr to perish
périssable perishable
permettre to permit, to allow
permis allowed
pernicieux hurtful
perron *m.* front steps
perroquet *m.* parrot
Perse *f.* Persia
personnage *m.* personage; character, rôle
personne nobody; anybody
perte *f.* loss; death, ruin
pesant heavy
pesanteur *f.* gravity
peser to weigh
peste *f.* plague
pestiféré plague stricken
pétiller to sparkle
petit little, small
petite-fille *f.* granddaughter
petitesse *f.* smallness, meanness
petit-fils *m.* grandson
petits-enfants *m.* grandchildren
peu a little, few
peupler to populate
peur *f.* fear

peut-être perhaps
pie *f.* magpie
pièce *f.* piece; bolt (of cloth); play; room
pied *m.* foot
piège *m.* trap, snare
pierre *f.* stone
piété *f.* piety
pieux pious
pile *f.* pile; — **ou croix** — **ou face** head or tail
pilier *m.* pillar
pin *m.* pine tree
pincer to pinch
piolé (*arch.*) varicolored
piper to cheat
piperie *f.* cheating, deceit
piquer to prick, to sting; to urge; — **d'honneur** to make it a point of honor; **se** — **de** to boast of
pire worse, worst
pis worse, worst; —-**aller** worst
pitié *f.* pity
pitoyable pitiful, very bad
place *f.* place, spot, square; stronghold; seat, room; **faire** — **à** to make room for
plafond *m.* ceiling
plaider to plead
plaie *f.* wound; plague
plaindre to pity; **se** — **to** complain
plaine *f.* plain
plainte *f.* complaint
plaisamment agreeably; jokingly
plaisant pleasant, pleasing
plaisant *m.* jester; **mauvais** — sorry jester
plaisanterie *f.* jest, joke

plaisir *m.* pleasure
planche *f.* board, plank
plancher *m.* floor; ceiling (*arch.*)
planté set
planter to plant, to establish
plat flat, smooth; dull
plat *m.* dish
plein full; à — in full (*arch.*)
pleur *m.* tear
pleurer to weep, to mourn
pleuvoir to rain, to pour
pli *m.* fold, plait, bend, wrinkle
plier to fold, to bend; to give way
plomb *m.* lead; shot, cannon ball
ployer to bend; to yield
pluie *f.* rain
plumage *m.* feathers
plume *f.* feather; pen
plupart (la —) most
plus more; de — en — more and more; non — nor ... neither; — ..., — the more ..., the more; de — moreover
plutôt rather
poêle *m.* stove, room with a stove (*arch.*)
poids *m.* weight
poignard *m.* dagger
poignarder to stab
poil *m.* hair
point *m.* point, dot; à — just right; au — que to this extent that; —-coupé lace
point not, not at all
pointe *f.* point; witticism
pointu pointed, sharp
poire *f.* pear
poirier *m.* pear tree

poitrine *f.* breast, chest, lungs
poli polished, glossy; polite
policer to administer, to rule
polir to polish
politesse *f.* politeness
politique *f.* policy
poltron *m.* coward
pompeux pompous
pont *m.* bridge
porcher *m.* swine herd
port *m.* port, shore
porte *f.* door, gate
portée *f.* range
porter to carry, to bear, to wear; — à to incite to
poser to place, to lay down
portique *m.* portico; palace
possédé possessed of
poste *m.* post, station, position
poste *f.* post, postoffice
postérieur posterior, subsequent
potage *m.* light soup
poudre *f.* powder; dust (*arch.*)
poudreux dusty
poule *f.* hen
poulet *m.* chicken; — d'Inde turkey (*arch.*)
poumon *m.* lung
poupée *f.* doll
pour for, because of, as for; — ce que because (*arch.*); — peu que if ever so little
pourpoint *m.* doublet
pourpre *f.* purple
pourquoi why
pourrir to rot
poursuite *f.* suit, pursuit
poursuivre to pursue, to sue; to continue
pourvoir to provide, to supply

pourvoyeur *m.* provider; purveyor, caterer

pourvu que provided that

pourtant however

pousser to push, to drive; to urge; to utter; — **à bout** to drive to extremities, to provoke beyond endurance

poussière *f.* dust

pouvoir *m.* power

pouvoir to be able to; **n'en — plus** to be worn out; **se —** to be possible

prairie *f.* meadow

pratique practical

pratique *f.* practice

pratiquer to practise

pré *m.* meadow

précepteur *m.* tutor, master

prêcher to preach

prêcheur preacher

Précieuse *f.* affected literary woman

précipité sudden, hasty

précipiter (se —) to dash, to rush

préconiser to extol

prédicateur *m.* preacher

prédire to foretell

préjudice *m.* detriment

préjugé *m.* prejudice, presumption

prélasser (se —) to strut

prématurément prematurely

prendre to take, to catch, to assume; **s'y —** to go about it

préparatif *m.* preparation

préposé à intrusted with

près near, nearly

présage *m.* omen, foreboding

prescrire to prescribe

préserver to preserve; to keep (from)

presque almost

pressant urgent

presse *f.* eagerness; crowd; **faire la —** to be in the way

presser to hurry; to urge; to press; **se —** to hurry; to crowd

prêt ready

prétendant *m.* suitor

prétendre to claim; to pretend, to make a pretense

prétendu so-called, would-be

prêter to lend; to attribute, to ascribe

préteur *m.* pretor

prêteur *m.* lender

prêtre *m.* priest

preuve *f.* proof; test

prévaloir to prevail

prévenir to prevent, to ward off, to forestall; to warn

prévention *f.* prejudice

prévenu forewarned; informed of; well disposed

prévoir to foresee

prévoyance *f.* foresight

prier to pray, to beg; — **à** to invite to

prière *f.* prayer

principe *m.* principle; source

printemps *m.* Spring

prise *f.* capture, hold; **lâcher — ** to let go

priser to prize, to value

privé private; deprived

priver to deprive

prix *m.* price; prize; **au — de** at the cost of, in comparison with

probité *f.* honesty

procédé *m.* way of acting, of dealing

procéder to proceed; **— de** to ensue from

procès *m.* lawsuit, trial; **faire son —** à quelqu'un to take somebody to account

prochain approaching

prochain *m.* neighbor, fellow man

proche near

procurer to obtain, to supply

procureur *m.* attorney

prodige *m.* prodigy

prodiguer to lavish

produire to produce

produit *m.* product

profaner to desecrate

proférer to utter

profondément deeply

profondeur *f.* depth

proie *f.* prey, booty

promener to take out, to take over; **se —** to take a walk

promettre to promise

prône *m.* sermon

propos *m.* talk, conversation; **à — de** concerning; **de — délibéré** with set purpose

propre clean; own; proper, apt, fit

proprement cleanly, properly, aptly

propreté *f.* cleanliness, neatness

propriété *f.* property; propriety; quality

proscrire to forbid; to exile

proser (*arch.*) to set unpoetically

prospérer to prosper

prosterner (se —) to prostrate oneself

protéger to protect

protester to protest

prouver to prove

provenir de to accrue, to issue from

provision (par —) provisionally

provisoire provisional, temporary

prune *f.* plum

prunelle *f.* pupil of the eye

prunier *m.* plum tree

psalmodier to chant (in a sing song)

psaume *m.* psalm

publier to publish

pudeur *f.* modesty; shame

puéril childish

puis then, afterwards

puiser to draw

puisque since

puissance *f.* power

puissant powerful

puits *m.* well

punir to punish

purger to clear, to rid

Q

qualité *f.* quality; nobility, title

quand when; even though

quant à as for

quart *m.* quarter, one fourth

quartier *m.* quarter; **demander — to** beg for quarter; **prendre —** to ask for mercy

quasi almost

que whom, which

que that

quel what

quelconque whatever

quelque some
quelque ... que however
quelquefois sometimes
quelque peu somewhat; — — que however little
quenouille *f.* distaff
querelle *f.* quarrel, dispute
querelleur *m.* quarrelsome person
quérir to seek, to fetch
queue *f.* tail
quiconque whoever
quidam *m.* fellow
quinquina *m.* Peruvian bark
quiproquo *m.* quid pro quo; blunder
qui que ce soit whoever it may be
quitte quit; tenir — to release
quitter to quit, to leave; — de to release from
quoi what
quoique although
quoi que whatever
quolibet *m.* quib, quibble

R

rabaisser to lower, to humble
raccommoder to mend, to reconcile
raccourci *m.* epitome, miniature; en — in short
race *f.* race, family, brood
racine *f.* root
raconter to narrate
raffinement *m.* refinement; affectation
raffiner to refine; to pick to pieces
rafraîchir to refresh
rai (*arch.*) ray

railler to mock, to banter
raillerie *f.* mockery, banter
railleur *m.* banterer
raisin *m.* grape
raison *f.* reason; motive; rendre — to give account
raisonnable reasonable, sensible
raisonnement *m.* reasoning, argument
raisonner to reason, to argue
rallier to rally
ramage *m.* warbling
ramée *f.* branches with leaves on
ramener to bring back
ramper to crawl, to crouch
rang *m.* rank, condition; line, row; de — each (voting) in turn from his seat
rangé arranged; steady
ranger to arrange; se — to make room; se — à to come over to
rapine *f.* plunder
rappeler to recall
rapport *m.* report; harmony, correspondence; par — à in relation to
rapporter to bring back; to report to, to record; to refer; se — à to relate to, to refer to
rapprocher to bring together; to compare
rare scarce
rarement seldom
raser to raze, to demolish
rassasier to satiate
rate *f.* spleen
rattacher (se — à) to be connected with
ravager to lay waste

ravaler to debase
ravir to ravish
ravissement *m.* rapture, delight
ravisseur *m.* ravisher
rebâtir to rebuild
rebours (au —) on the contrary
rebut *m.* rebuff; trash, scum
rebutant forbidding, tedious
rebuté rebuffed, disheartened
rebuter to repulse; to lose heart
récalcitrant refractory
recette *f.* recipe
recevoir to receive
recharger to reload
recherche *f.* search, research; courtship; affectation
rechercher to seek, to strive to
reciper (*arch.*) to take
récit *m.* tale, narration; delivery (*arch.*)
réclamer to claim
récolte *f.* crop
réconfort *m.* consolation, cheer
reconnaissance *f.* recognition, gratitude
reconnaître to recognize; to admit; to reconnoiter
recourir à to have recourse to, to resort to
recours *m.* recourse
recouvrer to recover
récréation *f.* recess
récrier (se —) to exclaim, to clamor
reçu received; customary; greeted
recueil *m.* collection
recueillir to gather, to harvest; se — to collect oneself

recul *m.* recoil, retreat; remoteness
reculer to retreat, to fall back
récuser to reject
Rédempteur *m.* Redeemer
rédiger to write out, to draw up
redonner to give back
redoublement *m.* recurrence
redoutable formidable, dreadful
redouter to fear
redresser to straighten, to correct
réduire to reduce; to compel
refaire to do again, to remake
réfectoire *m.* dining room (in school)
refermer to shut again
réfléchi reflected
réformer to reform
refroidir to chill, to get cold
refus *m.* refusal, denial
refuser to refuse, to deny
régal *m.* feast, repast
regard *m.* look, glance; au — de concerning
regarder to look at; to consider; to concern
régence *f.* regency
régent *m.* regent; College master
règle *f.* rule, by-law
règlement *m.* regulations
régler to rule, to regulate; to settle
règne *m.* reign
régner to reign, to rule
regratter to scratch again, to blot out
regretter to regret
régulier regular, faithful
reine *f.* queen

rejaillissement *m.* rebounding
rejeter to reject
rejeton *m.* offspring, scion
rejoindre to join
réjouir to rejoice; to cheer
relâché relax
relâchement *m.* laxity
relâcher to release; to relax
relation *f.* report, account
relevé lofty, heightened; set off
relever to raise; to extol; to notice; to tuck up
reliefs *m.* leavings, scraps from the table
religieux *m.* monk
religieuse *f.* nun
religion *f.* religion, convent life
relimer to file, to polish again and again
relique *f.* relic, remnant
reluire to glitter
remarque *f.* observation, notice
remarquer to observe, to notice
remède *m.* remedy
remédier to remedy
remerciement *m.* thanks
remercier to thank
remettre to put back, to hand over; to postpone
remonter to remount; — à to date from
remontrance *f.* remonstrance
remords *m.* remorse
rempart *m.* rampart
remplacer to replace
remplir to fill
remporter to carry away; to win
remuer to stir
rémunérateur remunerative

renard *m.* fox
rencontre *f.* encounter, intercourse; occasion
rencontrer to meet
rendez-vous *m.* appointment, meeting place
rendre to render; to make; — l'esprit to die; se — to surrender
rendu exhausted; surrendered
rêne *f.* rein
renfermer to enclose, to confine
renflammer to re-kindle
renfler to swell, to fill
rengager to re-enlist
rengorger (se —) to carry one's head high
renier to deny, to condemn
renommée *f.* fame
renouveler to renew
rénovateur *m.* renewer
rente *f.* income
renté pensioned, endowed
rentrer to return
renversement *m.* upsetting, overthrow
renverser to upset, to overturn
renvoyer to send back; to refer
répandre to spread, to shed
réparer to repair, to mend; to make up again
repartir to reply, to retort
repas *m.* repast, meal
répéter to repeat
repentir *m.* repentance
replier to fold again; se — to fall back
réplique *f.* reply, retort
répliquer to reply, to retort
reploir to polish again

répondre to answer; to respond

repos *m.* rest, pause

reposer (se —) to rest

repousser to repel

reprendre to take back; to resume, to reprove

représentant *m.* representative

représentation *f.* performance

représenter to perform

réprimande *f.* reproof, scolding

réprimer to repress

repris blamed, corrected

reprise *f.* repetition

reproche *m.* reproach

reprocher to reproach, to upbraid

reproduire to reproduce, to print

répugnance *f.* dislike, reluctance

requis required

réseau *m.* net, network

réserver to set apart

résolu resolute, determined

résoudre to solve; to resolve, to decide

respectueux respectful

respiration *f.* breath, breathing

respirer to breathe

ressembler to resemble

ressentiment *m.* resentment

ressentir to feel, to resent; **se — de** to feel the effects of

resserrer to tighten

ressort *m.* spring; effort, force

ressortir de to result from

ressouvenir (se — de) to remember

restaurer to restore

reste *m.* remnant, leavings, remains; **au —, du —** however, besides, moreover

rester to remain, to stay

restituer to return, to refund

restreindre to restrict, to confine

résumé *m.* summary

résumer to sum up

retard *m.* delay

retarder to delay, to postpone

retenir to detain, to hold back, to remember

retentir to resound

retenu cautious, circumspect

retenue *f.* reserve

rétif shy, restive

retiré retired, remote

retirer to withdraw; **se —** to retire, to settle

retomber to fall again, to fall back

rétorquer to retort

retors twisted, curved

retour *m.* return

rétracter (se —) to recant

retraite *f.* retreat, refuge

retranchement *m.* retrenchment, curtailment

retrancher to cut off, to curtail; **se —** to intrench

rets *m.* net, snare

réunir to gather, to bring together; **se —** to meet

réussir to succeed

réussite *f.* success

revanche *f.* revenge; **en —** on the other hand

revancher (*arch.*) to revenge

réveil *m.* awakening

réveiller to wake up

révéler to reveal, to disclose

revendre to sell again

revenir to come back, to return

revenu *m.* income

rêver to dream

révérer to venerate

rêverie *f.* dream, imagination, folly

revêtir to clothe

revêtu clad; **gueux —** beggar on horseback

rêveur *m.* dreamer

revivre to live again, to revive

révocation *f.* repeal

révolté *m.* rebel

révoquer to recall, to dismiss, to repeal

revue *f.* review

riant agreeable

richesse *f.* wealth

ride *f.* wrinkle

rider to wrinkle

rien nothing; anything

rieur *m.* laugher, mocker

rigoureux stern

rigueur *f.* rigor; severity

rimeur *m.* rhymer, poet

riposte *f.* rejoinder, retort

riposter to retort

rire *m.* laughter

rire to laugh; **— du bout des dents** to force a laugh

ris (*arch.*) *m.* laughter

risée *f.* laughing stock

risque *m.* risk, chance

risquer to risk, to venture

rissolé *m.* brown meat

rivage *m.* shore

rivaliser to vie, to rival

rive *f.* bank, border

rivière *f.* river

robe *f.* dress, gown, robe; **— de chambre** dressing gown

roc *m.* rock, stone

roche *f.* rock, boulder

rocher *m.* rock

roi *m.* King

roitelet *m.* wren

rôle *m.* part, rôle, impersonation

roman *m.* novel, romance

rompre to break

rond round

rond *m.* round, circle

ronfler to snore

ronger to gnaw, to consume

roseau *m.* reed

rossignol *m.* nightingale

rôti *m.* roast

roturier *m.* commoner, plebeian

roue *f.* wheel

rouer to beat

rouge red

rougir to redden; to blush

rouille *f.* rust

rouler to roll; to wander

rouvrir to reopen

roux, rousse reddish, tawny, rusty

royaume *m.* kingdom

ruban *m.* ribbon

rude rough, coarse

rudesse *f.* harshness

rue *f.* street

ruelle *f.* alley; literary coterie

rugissement *m.* roar

ruisseau *m.* stream, brook

rustique *m.* peasant

rustre *m.* boor

S

sable *m.* sand

sablonneux sandy

sac *m.* bag, sack, satchel

saccager to sack, to pillage
sacré sacred, holy
sade (*arch.*) graceful
sage wise
sagement wisely
sagesse *f.* wisdom
saignée *f.* blood-letting
saigner to bleed
saillie *f.* projection; start, sally
sain healthy; sane
sainteté sanctity, holiness
Saint-Siège *m.* Holy-See
saisir to seize; to startle; se
— de to take hold of
saisissement *m.* start, shock,
pang
saison *f.* season
salle *f.* hall, room
salpêtre *m.* saltpeter, powder
saluer to salute, to hail
salut *m.* safety, salvation
salutaire beneficial
sang *m.* blood
sang-froid *m.* coolness, com-
posure
sanglant bloody
sanglot *m.* sob
sangloter to sob
sans without, except for
santé *f.* health
satisfaire to satisfy
sauf que except that
saut *m.* jump, leap
sauter to jump, to skip
sauvage wild; unsociable
sauver to save
Sauveur *m.* Savior
savant scholarly, learned
savetier *m.* cobbler
savoir *m.* knowledge, science;
skill
savoir to know; to be able

sayon *m.* coat
scandaliser to scandalize, to
shock
sceau *m.* seal
scélérat villainous
sceller to seal
scène *f.* scene, scenery, stage
scrupule *m.* scruple, qualm
scrutin *m.* ballot, vote
sec, sèche dry
sécher to dry
secouer to shake
secourir to assist, to help
secours *m.* assistance, help
secousse *f.* shock
secret secret; discrete
séculaire centenary, century-
old
séculier secular, wordly
séduire to seduce, to win over
seigneur *m.* lord
sein *m.* bosom
séjour *m.* stay, residence
séjourner to sojourn
sel *m.* salt
selon according to
semblable similar, like
semblant *m.* seeming, pretense
sembler to seem
semer to sow
sémillant bright, sprightly
sens *m.* sense; meaning; direction
sensé sensible, sane
sensible sensitive; perceptible;
painful
sentiment *m.* sentiment; opinion, judgment
sentinelle *f.* sentry
sentir to smell; to savor; to
taste; to feel; se — de to
feel the effects of

seoir to suit, to fit, to become
séparer to separate; **se — de** to part from
serein serene
serin *m.* canary bird
serment *m.* oath
serre *f.* talon, claw
serré tight, compact; oppressed
serrer to tighten, to squeeze; to lock up; **serrant la queue** tail between legs
servante *f.* female servant, maid
servir to serve; **— de** to serve as; **se — de** to use
serviteur *m.* male servant
seuil *m.* threshold
seul alone
seulement only, solely
sève *f.* sap
sevrer to wean
si if, whether; so, so much; however
siècle *m.* century; epoch
siège *m.* seat; siege
siffler to whistle, to hiss
signalé conspicuous
signaler to point out
signer to sign
sillon *m.* furrow
singe *m.* monkey
sinon except, otherwise, if not
sitôt que so soon as
sobre sober
soc *m.* plowshare
sœur *f.* sister
soi self, oneself, itself
soie *f.* silk
soif *f.* thirst
soigneux careful, mindful
soigneusement carefully

soin *m.* care, attention
soir *m.* evening
soit que . . . , soit que whether . . . , or
soldat *m.* soldier
solde *f.* pay
soleil *m.* sun
sombre dark, gloomy
somme *m.* nap
sommeil *m.* sleep
sommeiller to doze, to slumber
sommer to call upon
sommet *m.* summit, top
son *m.* bran; sound
sonder to sound, to fathom
songe *m.* dream, imagination; thought
songer to dream; to think
sonner to ring, to toll
sort *m.* fate, fortune
sorte *f.* sort, kind; **en — de** so as to; **de — que** so that
sortir (au — de) (*arch.*) *m.* on leaving
sortir to go out
sot *m.* fool, silly
sottement foolishly
sottise *f.* silliness, nonsense
sou *m.* penny
souci *m.* care, worry; marigold
soucier (se — de) to care to (*or*) for, to worry about
soudain sudden
soudain, soudainement, suddenly
souffler to blow, to pant
souffrance *f.* suffering, pain, grief
souffrir to suffer, to endure
souhait *m.* wish; **à —** to heart's content
souhaiter to wish

souiller to soil, to stain; to blemish

souillure *f.* stain; sin

soulagement *m.* relief

soulager to relieve, to help

soulever to raise, to stir up

soulier *m.* shoe

souloir (*arch.*) to be wont to, to be accustomed to

soumettre to submit, to subdue; se — to abide, to surrender

soumis docile, tractable

soumission *f.* submission, compliance

soupçon *m.* suspicion

soupçonner to suspect

soupir *m.* sigh

soupirant *m.* suitor

soupirer to sigh, to breathe

souple pliant; docile, tractable

source *f.* source, spring

sourcil *m.* eyebrow

sourd deaf; muffled; underhand; —-muet deaf and dumb

sourdement secretly

souriceau *m.* little mouse

sourire to smile

souris (*arch.*) *m.* smile

souris *f.* mouse

sous under

souscrire to subscribe, to consent

sous-titre *m.* subtitle

soustraire (se — à) to avoid, to escape

soutane *f.* robe, cassock

soutenir to support, to maintain

souterrain underground

soutien *m.* support, maintenance

souvenance *f.* remembrance

souvenir (se — de) to remember

souvent often

souverain *m.* sovereign

souverainement supremely

spécieux specious, plausible

spirituel spiritual; witty

stance *f.* stanza

stérile barren

stupide idiotic

suave sweet, pleasant

subjuguer to subdue

subsister to live, to last

suc *m.* juice, sap

succession *f.* inheritance

succinctement briefly

sucer to suck

suçoir *m.* sucker, proboscis

sud *m.* South

Suède *f.* Sweden

suer to sweat, to perspire

suffire to suffice

suffisant sufficient

suffrage *m.* vote, approval

suggérer to suggest

Suisse *f.* Switzerland

suite *f.* continuation, series, line; retinue; consequence; dans la — afterwards; de — consecutively, coherently; tout de — at once

suivant next, following; according to

suivre to follow

sujet à subject to, liable to

sujet *m.* subject; cause; topic

sujétion *f.* subjection, obedience

supercherie *f.* deceit, fraud

superficie *f.* surface, area

superflu *m.* superfluity

supérieur superior

supplice *m.* torment, corporal punishment

supplier to beseech, to implore

supportable bearable

supporter to support; to bear, to endure

supprimer to suppress

supputer to calculate

sur on, upon; by

sûr sure; safe, secure

surajouté superadded

sûreté *f.* safety, security

surmonter to overcome

surnom *m.* surname

surnommer to surname, to give a nickname

surprenant surprising

surprendre to surprise

surtout above all

survenir to survene, to happen

susciter to start, to raise, to arouse

suspect suspected, suspicious

suspendre to hang; to suspend

T

tableau *m.* picture; table, roster

tache *f.* spot, stain, blemish

tâche *f.* task

tâcher to try, to endeavor

taille *f.* cut; height, size; figure (woman)

taillé cut out

tailler to cut; to carve; to prune

taire to keep silent

tambour drum

tandis que while

tanière *f.* den, lair

tant so much, so many; — que so long as; — s'en faut far from it; — s'en faut que so far from; — soit peu ever so little

tantôt a while ago; —..., — now..., now

tapis *m.* carpet, rug; cover

tapisser to hang with, to upholster

tapisserie *f.* tapestry, hangings

taponner (*arch.*) to deck, to puff out (the hair)

tard late

tarder to delay, to loiter

tas *m.* heap, pile, number

teint *m.* complexion

teinte *f.* tint, hue, touch

tel *m.* such

tellement so, so much

téméraire bold, rash

témérité *f.* boldness, rashness

témoignage *m.* testimony; mark, proof, token

témoigner to testify, to state, to show

témoin *m.* witness

tempéré temperate

temps *m.* time; weather; à — on time; **troisième** — (*arch.*) claro obscuro

tendance *f.* tendency

tendre tender

tendre to extend, to hold out; to set; — à to aim to

tendresse *f.* affection

tendu strained, bent, held out

ténèbres *f.* darkness

ténébreux dark, gloomy; underhand

tenir to hold, to keep; — **à** to care for, to depend upon; **il ne tient qu'à vous** it only depends on you

tentation *f.* temptation

tentative *f.* attempt

tente *f.* tent

tenter to attempt; to tempt

tenture *f.* hangings, tapestry

terme *m.* term, end; word

terminaison *f.* ending

terminer to end, to finish

terrain *m.* soil, ground

terrasse *f.* terrace

terrasser to fell

terre *f.* earth, soil, clay; ground, land; estate

tête *f.* head; chief; **en faire à sa** — to have one's own way

téter to suck (milk)

thème *m.* topic

thèse *f.* thesis

tiède lukewarm

tiédeur *f.* tepidness, coolness, indifference

tige *f.* stem

timon *m.* shaft, pole

tirer to draw; to extract; **se** — **d'affaire, s'en tirer** to get along; — **parti de** to turn to account; — **sur** to shoot at, to fire at

titre *m.* title; claim; right, reason

titulaire *m.* incumbent

toison *f.* fleece, wool

toit *m.* roof; home

tombeau *m.* tomb, grave, monument

tomber to fall

tome *m.* volume

ton *m.* tone

tondre to cut, to clip

tonner to thunder

tonnerre *m.* thunder

tort *m.* wrong

tortu twisted

tôt soon

touchant touching, concerning

toucher to touch, to concern

touffu tufty, bushy

toujours always; **pour** — for ever

tour *m.* turn; shape; circle, outline; construction; trick

tour *f.* tower

tourbillon *m.* whirlwind

tourmenter to torment, to worry

tourné set, rounded

tourner to turn; to direct; to depend; **la tête me tourne** I feel giddy

tournesol *m.* turnsol, sunflower

tournoyer to turn round and round

tourte *f.* tart

tourterelle *f.* turtle dove

tousser to cough

tout all, whole; — **à fait** entirely; — **à l'heure** a while ago, in a while

toutefois however

tracer to draw, to lay out, to describe

traducteur *m.* translator

traduire to translate

trahir to betray

trahison *f.* treason, betrayal

train (**en** —) in a fair way; **mettre en** — to set going

traîner to drag, to draw

traire to draw, to milk

trait *m.* dart, arrow; feature,

trait; — d'esprit flash of wit; avoir — à to be related to

traite *f.* journey, stage

traité *m.* treaty; essay, treatise

traiter to treat; to discuss

traître *m.* traitor

traîtreusement treacherously

trajet *m.* journey

tranchant sharp, cutting

trancher to cut; to clinch, to settle

transi chilled, benumbed

transmettre to transmit

transporté rapt

travail *m.* work, labor

travailler to work; to torment

travers *m.* oddity, whim

travers (à —) across; de — wrongly

traverser to cross, to pass through; to thwart

travesti disguised; burlesque

trébucher to stumble

treille *f.* vine arbor

trépas *m.* death

trépassé dead

trépasser to die

trépigner to stamp one's foot

très very, very much, most; Très-Haut Most High

trésor *m.* treasure

trésorier *m.* treasurer

trêve *f.* truce

triste sad

tristement sadly

tristesse *f.* sadness, gloom

tromper to deceive; se — to be mistaken

tromperie *f.* deceit, trick

trompeur deceitful

tronc *m.* trunk, stump

trône *m.* throne

tronquer to mutilate

trop too, too much, too many; être de — to be one too many

troubler to disturb; se — to get ruffled

troupeau *m.* flock

troussé tucked up

trouver to find; se — to happen to be; se — bien de to derive benefit from; — jour à to find a way of

tuer to kill; se — de to work oneself out

tuerie *f.* slaughter

U

uni smooth, flat

unir to unite

usage *m.* usage, custom

usé worn out

user to wear out; — de to use; en — de la sorte to act thus

usurpateur *m.* usurper

utile useful

utilement usefully

V

vacarme *m.* uproar

vache *f.* cow

vagabond wandering, vagrant

vague *f.* wave

vaillant courageous

vaincre to vanquish, to win

vainqueur *m.* conqueror, winner

vaisseau *m.* vessel

vaisselle *f.* crockery, dishes

valétudinaire sickly, infirm

valeur *f.* valor; value, worth; merit

valeureux valiant

vallée *f.* valley

vallon *m.* dale

valoir to be worth

vanité *f.* vanity; **faire — de** to take pride in

vantard *m.* boaster

vanter to praise, to extol; **se — to** boast

vapeur *f.* vapor

vaquer à to attend to

varier to vary, to change

vautour *m.* vulture

veau *m.* calf; **faire le —** to sprawl

veille *f.* eve, watch; night work

veiller to be awake, to be on the watch; to take care

veine *f.* vein; luck; humor; fecundity

vélin *m.* vellum

velours *m.* velvet

velu hairy

vendange *f.* grape-gathering, vintage

vendre to sell

vengeance *f.* revenge

venger to avenge

vengeur *m.* avenger

venin *m.* poison, venom

venir to come

vent *m.* wind, breath, fume, smoke

vêpres *f.* vespers

ver *m.* worm

verdure *f.* green

vérité *f.* truth

vermeil ruby, golden

vermisseau *m.* little worm, grub

verre *m.* glass

vers *m.* verse

vers towards, about

verser to pour, to shed, to overturn

vert green

vert *m.* green, grass

vertu *f.* virtue, force

vertueux virtuous

verve *f.* spirit, passion, humor; inspiration

vêtu clad

veuf *m.* widower

veuve *f.* widow

viande *f.* meat

viatique *m.* Viaticum

vicomte *m.* viscount

victoire *f.* victory

vide empty, void

vide *m.* emptiness, empty space, vacuum

vider to empty

vie *f.* life

vieillard *m.* old man

vieille *f.* old woman

vieillir to grow old

vieux old

vif lively, vivid

vigueur *f.* vigor, spirit

vilain ugly

villageois *m.* peasant

ville *f.* town, city

violer to violate

violette *f.* violet

vin *m.* wine

virilement manly, strongly

vis-à-vis opposite; **— de** concerning

visage *m.* face

viser to aim

visite *f.* call, visit

vite quickly

vitesse *f.* speed
vivant living
vivre *m.* food, victuals
vivre to live
vœu *m.* vow
vogue *f.* vogue, repute, fashion
voici here is, here are, behold here
voie *f.* way, road
voilà there is, there are, behold there
voile *m.* veil
voile *f.* sail; **faire —** to sail
voilé veiled
voir to see
voire (*arch.*) truly, verily; even
voisin *m.* neighbor
voisinage *m.* vicinity
voiture *f.* vehicle, carriage
voix *f.* voice, sound; opinion, vote
volage flighty, fickle
volatile *m.* bird
voler to fly; to steal, to rob
voleur *m.* thief, robber; plagiarist
volière *f.* aviary

volontaire voluntary; headstrong
volonté *f.* will, will power
volontiers willingly; easily, frequently
vouloir to will, to want; — **bien** to be willing, to concede
voûte *f.* vault, arch, canopy
voyager to travel
voyageur *m.* traveler
vrai true
vrai *m.* truth
vraisemblable likely
vraisemblablement likely, probably
vraisemblance *f.* likelihood
vu seen; considering; — **que** seeing that, whereas
vue *f.* sight, view; **de —** by sight
vulgaire *m.* common people, crowd

Z

zèle *m.* zeal
zélé zealous

124442